OTTO MANN: POETIK DER TRAGÖDIE

OTTO MANN

# POETIK DER TRAGÖDIE

———

FRANCKE VERLAG BERN

*Satz und Druck: Waldstatt AG. Einsiedeln*

*Printed in Switzerland*

ONULA

Was uns aber zu strengen Forderungen, zu entschiedenen Gesetzen am meisten berechtigt, ist: daß gerade das Genie, das
angeborene Talent, sie am ersten begreift, ihnen den willigsten
Gehorsam leistet. Nur das Halbvermögen wünscht gern seine
geschränkte Besonderheit an die Stelle des unbedingten Ganzen zu setzen, und seine falschen Griffe, unter dem Vorwand
einer unbezwinglichen Originalität und Selbständigkeit, zu be-
schönigen.

GOETHE

Wilhelm Meisters Wanderjahre, 2. Buch, 9. Kapitel

Schon für Aristoteles und noch für Lessing, Herder, Goethe, Schiller war die Tragödie ein für die Bühne gebildetes dichterisches Kunstwerk von festbestimmtem, bedeutendem Seinsgehalt in einer diesem Gehalt und seiner Darstellung angemessenen Gestalt. Erst die Romantik macht eine andere Auffassung von der Tragödie geltend: in ihr manifestiere sich tragisch gewordenes Menschentum, persönlicher oder zeitlicher Art, ein problematisches Verhältnis des Menschen zum Sein oder auch ein tragischer Zwiespalt im Sein selbst. Diese ganz verschiedenen Auffassungen bedingen ganz verschiedene Erkenntnisansätze. Bis zu unserer klassischen Zeit wurde die Tragödie zuerst als eigenständiges Kunstwerk erkannt, durch eine Poetik, hinsichtlich des praktischen Bildens durch eine Dramaturgie; seit der Romantik wird sie als eine Manifestation des menschlichen, zeitlichen, metaphysischen Seins erkannt durch eine zumeist geschichtlich orientierte Metaphysik vom Geiste des Menschen, seiner Kultur, des Seins selbst.

Hier wird die durch die romantische Kunstmetaphysik verdrängte alte Erkenntnis der Tragödie wieder sichtbar gemacht und in ihren Grundzügen entwickelt. Es soll damit die Erkenntnis der Tragödie auf den Boden einer wissenschaftlich kritischen und doch wesenerfassenden Erkenntnis zurückgeführt werden. Die spekulativen Prämissen der Erkenntnis seit der Romantik sind bis heute noch ungewußte Voraussetzungen auch unserer Wissenschaft. Sie hemmen eine zugreifende Empirie; zudem lassen sie immer wieder den Tragödienbestand von Aischylos bis zu Goethe und Schiller von dieser modernen Spekulation statt von sich selbst her sehen.

O. M.

# ERSTER TEIL

# DAS TRAGISCHE

# DIE TRAGÖDIE ALS KUNSTWERK UND IHRE ERKENNTNIS

Um die Erkenntnis eines Werkes der schönen Literatur sind nach Herder vier Wissenschaften bemüht: Sprachwissenschaft, Geschmackswissenschaft, Geschichte, Weltweisheit. Sie sind «die vier Ländereien der Literatur, die gemeinschaftlich sich zur Stärke dienen und beinahe unzertrennlich sind[1]». Sie messen die schöne Literatur ihrem Inhalte und ihren Gestaltungsweisen nach aus. Doch erschöpfen sie nicht die ganze an der Literatur mögliche Erkenntnis. Um diese Aussage zu machen, bedarf Herder noch einer eignen, einer diesen inhaltlichen Erkenntnisweisen vorausgehenden Erkenntnis: der Erkenntnis, die das Wesen der schönen Literatur überprüft und diesem Wesen gemäß die Wissenschaft für die inhaltliche Erkenntnis dieser Literatur bestimmt. Ferner muß solche Erkenntnis feststellen, wie jede dieser Wissenschaften der schönen Literatur zugehören, welche Seite von ihr sie treffen, was sie an ihr erkennen.

Herder ordnet der schönen Literatur zuerst die «Geschmackswissenschaft» zu. Damit ist für ihn ein Werk der schönen Literatur wesenhaft Kunstwerk, und es wird in seinem Wesen durch eine Kunstwissenschaft erkannt. Die übrigen Wissenschaften, wenn schon von höchster Bedeutung für die Erkenntnis des ganzen Kunstwerks, treffen und erschließen doch nicht das Wesen ihres Gegenstandes selbst, sondern nur Züge von ihm, bestimmte Seiten, Inhalte. Die Philologie hat mit der schönen Literatur zu tun, insofern deren Werke in Sprache gebildet sind. Sie erfaßt das literarische Kunstwerk mit Rücksicht auf die Sprache, die Sprache mit Rücksicht auf ein solches Kunstwerk: die Bedeutung der Sprache für den Bestand der Dichtung schlechthin; Vorzüge, Mängel der Nationalsprachen für die Dichtung, Stand der Formung dieser Sprache: ihr Poetisches, Rationales, Urbanes; sie klärt die dichterische Funktion der Sprache und ihre Aufgabe als Mittel poetischer Gestaltung. Die Philosophie erfaßt an solchem Kunstwerk die bedeutsame und die gedeutete Lebenswirklichkeit. Die Historie erfaßt dieses Kunstwerk in seiner konkreten Daseinserscheinung. So beziehen alle diese Wissenschaften sich auf das literarische Kunstwerk: auf das Kunstwerk in der Sprache, auf das philosophisch bedeutsame Kunstwerk, auf das Kunstwerk in seiner Daseinserscheinung.

Der Begriff der Kunst zeigt nur den Ort der schönen Literatur auf. Ungeklärt bleibt noch, was hier zu finden ist. So muß auch das Wesen der Kunst kritisch geklärt sein. Dies hat für Herder schon Aristoteles geleistet, besonders für die dramatische Kunst. Er sah noch den ganzen Bestand der griechischen Dramen vor sich, besaß ihn noch als erschlossenen, begriffenen, sodann war er «der Mann, der die Regel eines Kunstwerks wohl abzuziehen wußte[2]». So kann das Wesen der Kunst und der Tragödie mit Hilfe der Poetik des Aristoteles erarbeitet werden.

Aristoteles bestimmt das Wesen der Kunst als Nachahmung (Mimesis). «Epos, Tragödie, Komödie, Dithyrambendichtung, aber auch zumeist Flöten- und Zitherspiel, sie alle sind zunächst insgemein Nachahmungen[3].» Hieran ist heute zweierlei anstößig: daß der Künstler nachahme, und daß die Kunst eine Nachahmung sei[4]. Doch begreifen so noch Lessing, Herder, Goethe, Schiller die Kunst. Man muß den Sinn dieser Bestimmung erschließen.

Nachahmung kann einmal als naturalistische Kopie begriffen werden. Dies schließt sich bei Aristoteles aus teils durch die Gegenstände der Nachahmung, denen auch die Musik zugerechnet wird, teils durch die Art ihrer Behandlung. Die Griechen bildeten ihr Drama nicht naturalistisch. Sie ergriffen einen Stoff der poetischen Phantasie, arbeiteten ihn als Drama zu einem eignen Kunstzusammenhang aus, stellten ihn idealisiert, verschönt dar. Für Aristoteles ist die Tragödie eine Nachahmung «in verschönter Sprache»[5]. Ferner kann Nachahmung als eine Kunstweise begriffen werden. Der Plastiker stellt seine Kunstwirklichkeit durch körperliche Gebilde vor, und auch der Dramatiker verkörpert Menschen und Lebensvorgänge durch Schauspieler und auf der Bühne. Die Tragödie wird auch in diesem Sinne eine Nachahmung genannt. Doch wird sie nach Aristoteles zur künstlerischen Nachahmung nicht erst durch ihre Aufführung auf der Bühne. Der Dichter hat schon nachgeahmt, indem er die Tragödie gedichtet hat. Die Aufführung stellt nur dichterische Nachahmung dar, sie ist zu vergleichen mit dem Spielen eines Musikstückes, dem Singen eines Liedes. So ahmt für Aristoteles auch der epische Dichter nach, der durch sein Kunstwerk nur die innere Phantasie des Lesers oder Hörers anspricht.

Um genauer zu sehen, sichern wir zuerst den Gegenstand der Nachahmung. Aristoteles bezeichnet ihn mit verschiedenen Begriffen: mit Pragma, Praxis, Praxeos. Wir übersetzen mit Handlung. Was versteht Aristoteles hierunter?

Der Begriff Handlung enthält für uns einen Hinweis auf den handelnden Menschen. Auch für die griechischen Begriffe trifft dies zu. Der Dichter zeigt seine Personen auch in mancher Weise tätig. Er führe seine Personen handelnd und tätig ein, sagt Aristoteles, und er bemerkt, die Dorer beanspruchten die Tragödie erfunden zu haben; denn es «heiße ‚handeln' bei ihnen δρα'ο (drao), bei den Athenern πρα'ϑϑο (pratto)[6]». Doch erscheint für Aristoteles in der Tragödie nicht der schlechthin handelnde Mensch. Vielmehr ist die Tragödie «die nachahmende Darstellung nicht von Personen, sondern von Handlungen und Leben in Glück und Unglück[7]». Die Tragödie zeigt also den Menschen in seinem Handeln unter der Macht vom Glück und Unglück. Nicht der Mensch ist hier das bestimmende Element, sondern eine ihn umgreifende Macht, die nur durch das Handeln des Menschen hervortritt. Durch sie gewann Ödipus, das Rätsel der Sphinx erratend, ein ungewöhnliches Glück; zugleich erlag er einem ungewöhnlichen Unglück. In der tragischen Darstellung überwiegt die Macht des Unglücks. Sie zeigt den Menschen schon unmittelbar im Unglück, wie die Medea (Euripides), oder zeigt ihn in seinem Sturze vom Glück ins Unglück, wie den König Ödipus, oder sie löst nur an ihrem Ende ein langes Unglück auf, wie für Orest oder Iphigenie. Sie erregt deswegen nach Aristoteles Furcht und Mitleid, durch die Darstellung von etwas

Furchterregendem und von Leiden; und wenn in ihr die Personen handeln, erregt dies nur Furcht und führt nur zum Leiden. Dies geschieht etwa, wenn Ödipus nach dem Mörder seines Vorgängers, dem König Laios sucht. Also ist der Inhalt der Tragödie nicht ein Handeln, sondern eine Handlung, und Handlung ist nicht die Darstellung des menschlichen Handelns, sondern des Verhältnisses menschlichen Handelns zu Glück und Unglück. Die Handlung ist die Darstellung eines Geschehenszusammenhangs durch das Zusammenwirken von Mensch und Glück und Unglück.

Daß der Mensch nicht der von sich aus allein frei Handelnde, sondern daß er stets mit den Mächten des Glücks und des Unglücks verknüpft ist, gehört seiner Grundbeschaffenheit zu. Nur tritt sie im Leben selbst nicht rein heraus, wird hier sehr oft nicht klar gewußt. Durch die tragische Handlung sondert der Dichter diese Beschaffenheit aus dem komplexen Leben aus und bringt sie deutlich zur Anschauung. Die Handlung zeigt, daß der Mensch, sofern er Mensch ist, unter der Macht des Glücks und Unglücks steht. Die Tragödie sei philosophischer als die Geschichte, sagt darum Aristoteles: diese zeige, was wirklich geschehen ist, jene, was unter bestimmten Bedingungen geschehen kann und immer wieder geschehen wird[8]. Herder nennt darum die Tragödie «eine Schicksalsfabel, d. h. eine dargestellte Geschichte menschlicher Begegnisse, mittels menschlicher Charaktere[9]». Der Inhalt der tragischen Handlung ist dann das Wirkliche und Wahre im Sinne eines dem Menschen grundsätzlich als Möglichkeit Zugeteilten. Es ist wirklich und wahr, daß der Mensch den Mächten des Glücks und Unglücks ausgesetzt ist. Dies ist eine vor jedem Menschen stehende grundsätzliche Möglichkeit. Sophokles stellt in seinem «König Ödipus» dar, was jeden Menschen möglicherweise treffen kann.

Damit ist Handlung in diesem Sinne auch der einzige Inhalt aller Tragödien. Die tragische Möglichkeit kann nicht aufhören, denn sie ist in der Verfassung des Menschen und der ihn umgreifenden Wirklichkeit selbst begründet. Der Mensch kann sich dies nur verbergen, er kann glauben, ihr entronnen zu sein. Dies bemerkt Herder als Neigung des Menschen in seiner Zeit. Nachdem er gezeigt hat, daß die Griechen ihre Tragödie als Schicksalsfabel ausgebildet haben, läßt er seine Zeitgenossen einwenden: «Aber Schicksal, und immer Schicksal! Wir Christen und Weise, glauben kein Schicksal»; doch er entgegnet: «So nenne man's Schickung, Begegnis, Ereignis, Verknüpfung der Begebenheiten und Umstände; unentweichlich stehen wir unter der Macht dieses Schicksals[10]». Diese tragische Möglichkeit kann sich nicht ändern, da die Grundbeschaffenheit der Wirklichkeit sich nicht ändert. So kann der tragische Dichter auch den Inhalt seiner Tragödie nicht ändern, ohne hierdurch die Tragödie preiszugeben. Er schreibt dann noch Dramen bestimmter Art, aber keine Tragödien. Dies ist Lessings oder Herders Einwand gegen das französische klassizistische Drama, daß es, gemessen an der Antike, keine Tragödie sei. Mithin ist für Herder Tragödie überall da, wo der Dichter wieder Schicksalsfabeln im Geiste der Antike geschrieben hat. Er fragt bei Shakespeare: «Was hielt er vom tragischen Schicksal?», und er antwortet: «Shakespeare schrieb ein Trauerspiel Hamlet. Hamlet ist sein Orestes». Lessing,

Schüler des Sophokles und Aristoteles, «schrieb eine Emilia Galotti, gleichfalls eine
Fabel des Schicksals[11]». Auch für Goethe und Schiller ist dies der Inhalt der tragischen Handlung. Der Epiker und der Dramatiker bringen dreifache Welt zum
Anschauen: physische, sittliche, überphysische Welt; sie zeigen den Menschen als
durch solche Welten konstituiert, und sie zeigen die Zusammenhänge des Menschen mit solchen Welten auf, und zwar stellt hier der Epiker «vorzüglich persönlich beschränkte Tätigkeit» der tragische Dichter «persönlich beschränktes Leiden»
vor, mithin jener den Menschen von der Seite seines Tunkönnens, dieser seines
Leidenmüssens, jener den Menschen, soweit er der Bedingende, dieser, soweit er
der Bedingte ist[12]. Auch für Hebbel soll der Dramatiker dartun, «daß der
Mensch, wie die Dinge um ihn her sich auch verändern mögen, seiner Natur und
seinem Geschick nach ewig derselbe bleibt[13]».

Wenn gleichwohl die Tragödien als so verschiedene erscheinen, daß nicht eine
Tragödie der anderen gleich ist, so liegt dies nicht an einem Wandel im tragischen
Grundthema. Vielmehr ist dies einmal begründet in der Verschiedenheit des räumlichen und zeitlichen Lebens, worin die Tragödie gebildet wird, nicht in einer Verschiedenheit im Sein, sondern in einer Verschiedenheit nur im Dasein. Sophokles
und Shakespeare standen in einem Dasein, das ihnen für ihre Tragödie ganz verschiedene Stoff- und Formelemente darbot. Sophokles fand sakrale Spiele vor,
Stoffe der poetischen Phantasie, die einfache und schöne Darstellungsweise;
Shakespeare hingegen die mimische Bühne, den historischen Stoff, eine umfängliche und charakteristische Darstellung. Insofern sind für Herder die Tragödien
beider Dichter zwei Dinge, die, «in gewissem Betracht», nämlich hinsichtlich
ihrer Daseinserscheinung, «kaum den Namen gemein haben[14]». Blickt man aber
auf den wesenhaften Inhalt, auf die tragische Handlung, auf die Schicksalsfabel,
so ist Shakespeare eben da «Sophokles' Bruder, wo er ihm dem Anschein nach so
unähnlich ist, um im Innern ganz wie er zu sein[15]». Ferner ist diese Verschiedenheit in der Besonderheit jeder poetischen Konzeption begründet. Die Griechen
bearbeiteten im gleichen Kunstgeist mehrfach die gleichen Stoffe, und schufen
doch jeweils ein eignes neues Drama.

Der Gegenstand der Nachahmung des tragischen Dichters ist also ein bestimmt
gearteter Wirklichkeitszusammenhang. Doch ist dieser Gegenstand für Aristoteles
zugleich ein bestimmt gearteter Kunstzusammenhang. Handlung ist für ihn die
Bezeichnung auch für eine poetische Ganzheit.

Gustav Freytag nimmt in seiner «Technik des Dramas» an, die Kunstganzheit
des Dramas sei das Ergebnis einer technisch künstlerischen Bearbeitung eines
Stoffs. In diesem Sinne versteht er auch Aristoteles. Mit Praxis, Pragma bezeichne
Aristoteles den rohen Stoff. Diesen Stoff bilde der Dichter zum Kunstganzen eines
Dramas aus[16]. Nun sagt zwar Aristoteles: nicht die Darstellung des Menschen,
sondern die richtige Zusammensetzung der Geschehnisse mache die Tragödie aus.
Doch sagt er auch: die Tragödie sei die Nachahmung einer ganzen und vollständigen Handlung. Ganz aber ist, «was Anfang, Mitte und Ende hat[17]». Also versteht Aristoteles unter Pragma nicht den Rohstoff, der durch künstlerische Behandlung erst zur dramatischen Ganzheit geformt wird, sondern schon die dra-

matische Ganzheit selbst. Sollte Pragma nur der Rohstoff sein, so müssen die Begriffe des Aristoteles verwirren. Freytag findet auch, daß man mit Handlung besser das Ergebnis des künstlerischen Bildens bezeichne, nicht aber dessen Stoff[18]. Zudem bleibt dunkel, wie man solches Ausbilden ein Nachahmen nennen kann.

Für das Verständnis von Aristoteles ist entscheidend, daß man dies sieht: der Gegenstand der künstlerischen Nachahmung ist eine künstlerische Ganzheit. Wenn die Handlung ein ganzheitlicher Geschehenszusammenhang und zugleich eine künstlerische Ganzheit ist, wenn der Inhalt dieses Geschehenszusammenhangs aber durch den Dichter aus einem vorpoetisch Stofflichen herausgehoben wird, so geschieht dieses Herausheben für Aristoteles so, daß die Geschehensganzheit sich dem Dichter sofort als die dramatische Kunstganzheit vergegenwärtigt. Die Tragödie ist also begründet in einer intuitiven Ganzheitsanschauung mit einem ihr fest zugeordneten Inhalt. Die Handlung als Inhalt ist ein ganzheitlicher Geschehenszusammenhang, der poetisch erschaut wird, und die Handlung als Kunstganzheit ist eine ganzheitliche poetische Schau, die die Grundverfassung menschlichen Seins zu ihrem Inhalt hat. Dies hält Aristoteles für die antike Tragödie fest. Auch von Shakespeare sagt Herder, jedes seiner Dramen entstamme einer dem Dichter an seinen Stoffen zuteil werdenden ursprünglichen Schau. Daher sei ein jedes eine ganz eigene individuelle Ganzheit[19]. Der «Hamlet» müsse dem Dichter in ganz ursprünglicher Intuition aufgegangen sein, sagt auch Goethe[20]. Und Schiller bemerkt: «Ohne eine ... dunkle, aber mächtige Totalidee, die allem Technischen vorhergeht, kann kein poetisches Werk entstehen[21].»

Damit ist das von dem tragischen Dichter Nachzuahmende als eine Geschehens- und Kunstganzheit bestimmter Art gesichert. Umso problematischer scheint jetzt Aristoteles' Feststellung, der Dichter ahme dieses sich ihm Vorstellende nach. Denn die Tragödie bildet sich als Handlung im Dichter aus, der Dichter bildet sie aus. Sie ist im Dichter als Gebilde der Sprache fertig da. Der Dichter stellt sie durch Niederschreiben nur aus sich heraus. Dies kann kein Nachahmen sein. Doch nimmt Aristoteles ausdrücklich ein Nachahmen an, und er bezeichnet dieses Gebilde der Nachahmung mit einem eignen Begriff, mit Mythos. Die Römer übersetzten mit fabula, wir, ihnen folgend, übersetzen mit Fabel. Mithin ist für Aristoteles die fertige Tragödie die Nachahmung einer Handlung durch die Fabel.

Notwendigkeit und Sinn einer künstlerischen Nachahmung treten deutlicher an den Künsten heraus, die nicht als Werke der Vorstellung in der Sprache schon vollendet sind. In den bildenden Künsten ist das dem Künstler innerlich Vorschwebende nur die Idee eines Kunstwerks. Um ihm das Dasein eines Kunstwerkes zu geben, muß der Künstler diese Idee in einem stofflichen Medium durch handwerkliche Fertigkeit ausbilden. Es ist zu fragen, inwiefern man hier von einem Nachahmen sprechen kann.

Überprüft man hieraufhin die plastische Kunst, so könnte sie Nachahmung im Sinne der naturalistischen Kopie genannt werden. Doch werden solche Kopien, anatomische, ethnographische Modelle, die Figuren des Panoptikums, nicht als Kunst empfunden. Ferner ist die Plastik eine Nachahmung der Form nach; doch ist dies nur ihre Weise der künstlerischen Nachahmung. Sie ist Kunst, weil der

Künstler hier die ihm vorschwebende künstlerische Idee in einem künstlichen Stoff nachahmt. Auch ihm hebt sich wie dem tragischen Dichter aus der Naturwirklichkeit eine spezifisch künstlerische Anschauung heraus. Auch ihm wird in einer künstlerischen Ganzheitsvorstellung ein Wirkliches gegenwärtig, das in Natur und Leben so unverdeckt und unvermischt nicht zu finden ist. Eine solche ästhetische Wirklichkeit der Natur ist die Schönheit. Sie ist im Naturkörper angelegt, doch nie ganz verwirklicht. Der menschliche Körper kann auch nichtschön, er kann sogar häßlich sein, sein Schönsein ist auf wenige Lebensjahre beschränkt, und er kann nie das Ideal der Schönheit verwirklichen, schon durch seine physische Beschaffenheit und seine physiologische Funktion. Das reine Bild der Schönheit leuchtet nur in der idealen Schau dem Künstler auf. Er bildet es in einem Stoff ohne die Schranken fleischlicher Körperlichkeit aus, in Ton, Holz, Stein, Metall. Dies ist ein Nachahmen, insofern der Künstler von dem ihm Vorschwebenden ein getreues Bild schafft. Er bildet den Stoff solange aus, bis die Ausprägung in ihm ganz seiner inneren Vorstellung entspricht.

Hiermit wäre gesichert, daß der Plastiker nachahmt und nachahmen muß. Doch scheint die Dichtkunst eben dieses Nachahmens nicht zu bedürfen. Denn hier scheint die Tragödie als die sich vorstellende Handlung schon das fertige Kunstwerk zu sein. Um die Notwendigkeit der Nachahmung auch für den Dichter zu sehen, muß man Art und Funktion des künstlerischen Nachahmens näher ins Auge fassen.

Der Plastiker scheint zunächst nur in der Weise nachzuahmen, daß er ein ihm innerlich Vorschwebendes nach außen herausstellt. Die künstlerische Wirklichkeit ist jetzt in dem Kunstwerk verkörpert, sie ist greifbar da. Sie könnte als solche die Bezeugung von einer Wirklichkeit und in diesem Sinne mit einem anatomischen Modell vergleichbar sein. Dieses Modell ist das Abbild von einem natürlichen Körper, die schöne Plastik ein Abbild der inneren Vorstellung des Künstlers. Doch ist die schöne Statue nicht nur ein Abbild von einer Wirklichkeit; es ist die Gegenwart der intendierten Wirklichkeit, es ist die Gegenwart der Schönheit selbst. Das plastische Werk setzt in den Besitz der Schönheit.

Dies könnte noch so geschehen, daß diese Schönheit nun mit sachlicher Gegenständlichkeit durch das plastische Werk da ist. Dies ist auch der unmittelbar durch dieses Werk erzeugte Eindruck. Doch deckt sich der Besinnung hier eine ganz eigne Erfahrungsstruktur auf. Kant bemerkt, daß, wenn wir ein Naturphänomen schön nennen, wir es nicht mit Rücksicht auf seine sachliche Beschaffenheit, sondern mit Rücksicht auf sein Wirken im Gemüt beurteilen. Schön nennen wir ein Phänomen, wenn es in uns eine bestimmt geartete Lust, häßlich, wenn es eine bestimmt geartete Unlust erregt. Dies trifft auch für die Wirklichkeit und Wirkung einer schönen Plastik zu. Sie ist nicht wirklich an sich selbst, sondern sie wird durch ihr Wirken als wirklich empfunden, und dieses Wirkliche ist eins mit dem Zustand des Gemüts, zu dem diese Plastik das Gemüt des sie Empfangenden stimmt. Dies ist nun auch das Eigentümliche des künstlerischen Erfahrens und Bildens. Dem Bildner einer schönen Statue schwebt nicht ein rein gegenständliches Bild, sondern ihm schwebt ein subjektiv Bewirkendes vor, das Schöne als eine das Gemüt lustvoll erfüllende Wirklichkeit, und er bildet seine schöne Statue nicht, um sachlich gegenständlich das Schöne zu zeigen, sondern um sich und jeden für die Schönheit Empfänglichen in den Lustzustand dieses Schönen zu setzen. Mithin ist die künstlerische Nachahmung grundsätzlich nicht ein objektiv Zeigendes, sondern ein subjektiv Bewirkendes. Der Sinn dieser Nachahmung ist nicht, nur ein Inneres nach außen sichtbar zu machen, daß es jetzt gesehen werden kann, sondern durch dieses Äußere ein Inneres im Kunstempfangenden zu bewirken. Die künstlerische Wirklichkeit ist ein in dem sie Empfangenden Bewirktes, und das Kunstwerk ist als ein Mittel solchen Bewirkens gebildet. Dies trifft auch für die Fülle und die Lebendigkeit der gegenständlichen Darstellung zu. Die antiken Künstler wählten, wie Lessing zeigt, für ihre plastische Darstellung den fruchtbarsten Darstellungsmoment, die fruchtbarste Darstellungsweise. Fruchtbar aber ist allein der Moment, der «der Einbildungskraft freies Spiel läßt. Je mehr wir sehen, desto mehr müssen wir hinzudenken können. Je mehr wir dazudenken, desto mehr müssen wir zu sehen glauben [22]». Die Kunst der Renaissance ist zwar nach Wölfflin «die Kunst des schönen ruhigen Seins». Doch ist sie wirklich durch Wirken im empfangenden Subjekt. «Sie bietet uns jene befreiende Schönheit, die wir als ein allgemeines Wohlgefühl ... empfinden ... Alles atmet Befriedigung ... Man möchte ewig in ihrem Bezirk weilen [23]».

Künstlerische Nachahmung ist hier nötig, weil sie die Bedingung solcher Gegenwart ästhetischer Wirklichkeit ist, die nur durch ihre das Gemüt stimmende Macht, nur durch die Ideen, die sie in uns erregt, so als wirklich empfunden wird. Die suggestive Wirklichkeit der Kunst ist nur durch die Energie dieses subjektiven Wirkens da. Der Künstler zwingt uns durch seine Nachahmung, sein Gebilde als eine reale Wirklichkeit zu erfahren, die es an sich selbst nicht besitzen kann. Dies tritt in der Kunst der Malerei noch bestimmender heraus. Der Bildner der Plastik stellt ein dreidimensionales Gebilde vor. Damit ist zwar nicht ein Lebendiges da, aber doch ein körperliches Gebilde, die plastische Wirklichkeit eines Körpers. Auch der Maler stellt durch künstlerische Nachahmung körperliche Wirklichkeit vor, dazu räumliche, stoffliche Wirklichkeit. Auch hier soll der künstlerische Anspruch erfüllt werden, daß nicht nur ein Abbild von einer Wirklichkeit, sondern deren Gegenwart selbst empfunden wird. Damit steigt der Anspruch an das subjektive Bewirken der künstlerischen Nachahmung. Die Anschauung selbst ist durch Kunst bewirkt. Durch das zweidimensionale Bild soll das Körperliche erscheinen, der Raum, Bewegung im Raum, bestimmte stoffliche Qualitäten: das Atmende des Fleisches, das Spiegelnde der Metalle, Seide, Samt, Pelz. Hier muß die Phantasie des Bildbetrachters nicht nur einer Nachahmung des organischen Körpers im toten Stoff Leben leihen, sondern dem Bilde alles Körperliche, Räumliche, Bewegte, Stoffliche; oder: die Nachahmung ist hier ein Kunstmittel, den Betrachtenden in den Besitz einer Wirklichkeit zu setzen, die nur durch die Kunst des Malers so real da ist. Die künstlerische Nachahmung wird hier zum Mittel einer Täuschung, einer Illusion. Dies ist dann eine legitime Weise, in der künstlerische Wirklichkeit da ist, ja Künstler nennen wir das Talent zu solchem Nachahmen, das Täuschung zu bewirken vermag. Und mehr als durchschnittlich beim

Gebilde der Plastik ist diese Täuschung verbunden mit einer Gestimmtheit des Gemüts. Die Darstellung des Malers ist schön, erhaben, idyllisch, romantisch. Eine Frühlingslandschaft strahlt Heiterkeit aus, eine Winterlandschaft stimmt ernst, traurig. Und jede solcher subjektiven Bewirkungen im Gemüt erfüllt das durch den Maler Vorgetäuschte mit mehr Wirklichkeit.

Man kann diese Einsichten zur Erkenntnis des Dramas als Kunstwerk anwenden. Auch dieses Drama soll in dem es Auffassenden zwingende Wirklichkeit werden. Und zwar soll es einmal wie die Gegenwart von Menschen und Geschehnissen da sein, es soll ferner das Gemüt auf eine bestimmte Weise stimmen. Dieses Stimmen gehört zur wesentlichen und betonten Wirklichkeit des Dramas. Es wird als Trauerspiel ausgebildet und als Lustspiel. Es ist ein Spiel dieser Art nicht, indem es sachlich gegenständlich ein Trauriges oder ein Heiteres zeigt, sondern indem es zur Trauer stimmt oder zur Heiterkeit. Es ist nur in dem Maße wirklich, wie es für den es Empfangenden als eine Suggestion von Menschen- und Lebenswirklichkeit und als hierdurch bewirkter Zustand im Gemüt da ist. Hierzu ist nicht hinreichend, daß der Dichter ein ihm innerlich Vorschwebendes nur nach außen herausstellt. Vielmehr ist die Tragödie, wie er sie als dichterische Wirklichkeit in seinem Inneren erfährt, die Tragödie nur als mögliche subjektive Vorstellungs- und Gefühlswirklichkeit. Damit diese Tragödie für ihn und für jeden sie Empfangenden poetisch wirklich wird, muß er ein Gebilde eigner Art hervorbringen, das die tragische Wirklichkeit als suggestive Vorstellung und als einen Zustand des Gemüts in dem Empfangenden verwirklicht. Nicht daß er selbst Vorstellungen und Stimmungen besitzt, zeichnet den Dichter aus, sondern daß er das Vermögen besitzt zur Bildung des eignen Kunstwerks, durch das er Vorstellungen und Stimmungen bewirkt. Insofern muß der Dichter nicht weniger nachahmen als der bildende Künstler. Der Kunstanspruch an seine Nachahmung ist sogar aufs äußerste gesteigert. Der Plastiker stellt sein Gebilde körperlich vor, der Maler gibt doch wenigstens einen Schein für das Auge; der Dichter als Erzähler hingegen soll durch den Gebrauch von Wörtern, durch das Hörbare, in der inneren Phantasie des Lesers oder Hörers die Gegenwart der epischen Wirklichkeit bewirken. Der bildende Künstler läßt meistens doch das Gegenständliche in der künstlerischen Erfahrung überwiegen, die Gestimmtheit des Gemüts ist wie ein unbemerkter tragender Grund; der Dichter als Tragiker hingegen soll das Gefühl des Zuschauers erschüttern.

Man kann nun das Wesen der Dichtung, so wie es in der klassischen Überlieferung bestimmt worden ist, abschließend zur Klarheit bringen. Zunächst ist das Wesen des Dichters genauer zu bestimmen. Seit der romantischen Kunstmetaphysik erfaßt man den Dichter zu sehr als ein Organ, worin ein Gehalt, objektiver oder subjektiver Art, zur Gestalt oder zum Ausdruck kommen will. Dichtung mithin ist ein im Dichter zur Gestalt gewordener Gehalt. Für die klassische Auffassung muß der Dichter begriffen werden als das Vermögen zur Vorstellung und Darstellung einer poetischen Welt. Hierzu bedarf er zuerst der Phantasie, durch die ihm in innerer Schau die Tragödie als ein poetisches Bild mit bestimmter Stimmungsfülle aufleuchtet. Jean Paul nennt dieses Vermögen die Einbildungskraft.

Doch muß nun hinzutreten das Vermögen der Nachahmung, zur Bildung der Fabel, des Gebildes, das die Tragödie als Vorstellung von Handlung und als Gestimmtheit in dem sie Empfangenden verwirklicht. Dieses Vermögen nennt Jean Paul die Bildungskraft oder Phantasie[24]. Auch nach Gerhart Hauptmann bedarf «der Seher und Schöpfer großer Dramen ... nicht nur der Einbildungskraft, sondern auch der Ausbildungskraft[25]». Es sei ein großer Unterschied, sagt auch Goethe in der Besprechung eines Trauerspiels, «ob der Verfasser eines dramatischen Stückes vom Theater herunter, oder ob er auf das Theater hinauf schreibe. Im ersten Falle steht er hinter den Kulissen, ist selbst nicht gerührt, noch getäuscht, kennt aber die Mittel, Rührung und Täuschung hervorzubringen ... Im andern Falle hat er als Zuschauer gewisse Wirkungen erfahren; er fühlt sich davon durchdrungen und bewegt, möchte gern seine passive Rolle mit einer aktiven vertauschen, und indem er die schon vorhandenen Masken und Gesinnungen bei sich zu beleben und in veränderten Reihen wieder aufzuführen sucht, bringt er nur etwas Sekundäres, nur den Schein eines Theaterstückes hervor[26]. Grillparzer findet, daß in seiner Zeit der Romantik die Tonangeber sind, «was Jean Paul weibliche Genies nennt. Da fehlt es weder an Empfänglichkeit noch Liebe für das Schöne, aber an Kraft, es zu gestalten und außer sich hinzustellen[27]». Liegen nun auch beim Dichter Einbilden und Bilden nicht so getrennt wie bei dem bildenden Künstler, ist auch die Fabel ein Kunstwerk der inneren Vorstellung, so führt dies bei dem Dichter nur dazu, daß er ursprünglich die Handlung als Fabel, daß er sofort als der praktische Künstler erfährt, der täuschen und rühren will. Was sich im Dichter rege und bewege, sagt Hegel, werde ihm zur Poesie der Vorstellung. Doch mache dies noch nicht den ganzen Künstler aus. Vielmehr sei für diesen die Gestaltungsweise *seine* Art der Empfindung und Anschauung. Der Dichter besitze diese Gestaltungsgabe «nicht nur als theoretische Vorstellung, Einbildungskraft und Empfindung, sondern ebenso unmittelbar auch als praktische Empfindung, d. h. als Gabe wirklicher Ausführung[28]». Fehlt es dem Dichter an Einbildungskraft bei starker Bildungskraft, so entsteht die Form- und Formalkunst, fehlt es ihm an Bildungskraft bei starker Einbildungskraft, so entstehen Gebilde wuchernder Phantasie ohne künstlerische Bewältigung und Suggestion.

Für diesen Dichter ist das Dichtwerk nicht das Ergebnis eines Werdens in ihm, sondern eines künstlerischen Wollens, Wissens, Könnens, Bildens. Die Dichtkunst begegnet ihm als eine Sachaufgabe; die Tragödie will richtig gesehen und begriffen sein. Das Genie, sagt Herder, könne sein Kunstziel auf zweifache Weise verfehlen, durch falsche Zwecke und durch falsche Mittel[29]. Dies vermeidet der Dichter, indem er sich die höchsten Werke der tragischen Kunst zueignet und sie im Lichte der verläßlichsten Erkenntnis sieht. Nur solche Zueignung ermöglicht nach Goethe dem Dichter eine geltende Kunst. Wer keinen Meister haben, wer keiner Schule zugehören will, bleibt ein Narr auf eigne Hand[30]. So nur auch ist dem Künstler Meisterschaft, so nur ist ihm Vollendung in der kurzen Spanne seines Lebens möglich. Rafael wurde nur groß, indem er «das Gute seiner Vorgänger benutzte[31]». In diesem Sinne bediente Goethe sich des Sophokles, Shakespeares, Aristoteles' und Lessings.

So ist dem Dichter zwar das Bedürfnis zur Dichtung naturhaft angeboren, aber er klärt und entwickelt es nur an der praktischen und theoretischen Überlieferung seiner Kunst. Zwar muß ihm die Totalidee seines Dramas durch die Gunst der Intuition auftauchen, aber diese Phantasie ist schon erfüllt mit den Vorbildern der Überlieferung, sie ist schon suchend auf taugliche Stoffe gerichtet. Und nur diese Uranschauung muß dem Dichter gegeben sein. Der «Hamlet» mußte durch einen Akt der Intuition in Shakespeare aufleuchten. Die Ausführung des Dramas aber stand, wie Goethe bemerkt, vollkommen in seiner Gewalt. Der Dichter verfügt über seine Phantasie, er arbeitet jetzt für seine Zwecke bewußt zweckmäßig. Dies wird ihm durch seine Aufgabe vorgeschrieben, das Drama als eine Fabel zu bilden, die alle Macht der Täuschung und Rührung im Empfangenden entfaltet. Kunstwollen und Kunstkönnen paaren sich hier mit dem Kunstverstand. Mit Absicht handeln, sagt Lessing, «ist das, was den Menschen über geringere Geschöpfe erhebt; mit Absicht dichten, mit Absicht nachahmen, ist das, was das Genie von den kleinen Künstlern unterscheidet, die nur dichten, um zu dichten, die nur nachahmen, um nachzuahmen, die sich mit dem geringen Vergnügen befriedigen, das mit dem Gebrauche ihrer Mittel verbunden ist, die diese Mittel zu ihrer ganzen Absicht machen und verlangen, daß auch wir uns mit dem eben so geringen Vergnügen befriedigen sollen, welches aus dem Anschauen ihres kunstreichen, aber absichtslosen Gebrauches ihrer Mittel entspringt[32]». «... je edler ein Genie ist», sagt auch Herder, «in je würdigerer Sphäre es strebt, und je würdiger es sein Streben vollendet, desto mehr muß es treffende, umfassende Vernunft zeigen[33]». Das griechische Drama wurde für ihn geschaffen durch «Genie mit Vernunft, Überlegung mit fühlenden Kräften» verbunden, durch «Genie und tatvolle Überlegung»[34]. Auch für August Wilhelm Schlegel ist Shakespeare «ein tiefsinniger Künstler, nicht ein blindes wild laufendes Genie». Bei den übrigen Künsten ist sichtlich erworbene Wissenschaft «eine unerläßliche Bedingung, um irgend etwas zu leisten. Aber auch bei solchen Dichtern, die man für sorglose Zöglinge der Natur ohne alle Kunst und Schule auszugeben pflegt, fand ich bei näherer Betrachtung, wenn sie wirklich vortreffliche Werke geliefert, ausgezeichnete Kultur der Geisteskräfte, geübte Kunst, reiflich überlegte und würdige Absichten ... Jener Begriff von der poetischen Begeisterung, den manche lyrische Dichter in Umlauf gebracht haben ..., paßt am allerwenigsten auf die dramatische Komposition, eine der besonnensten Hervorbringungen des menschlichen Geistes[35]». Und für Grillparzer müssen «Verstand und Phantasie ... beide Hand in Hand gehen, ... wenn ein Kunstwerk hervorgebracht werden soll[36]».

Das Material, worin der Dichter die Tragödie nachahmt, ist die Sprache. Mithin bedient er sich der Sprache nicht zuerst, um durch sie etwas auszusagen, wenn er sich freilich ihrer in diesem Sinne auch da bedient, wo er aussagen will, auch nicht eigentlich, um darzustellen, daß nun eine Wirklichkeit als dargestellte faßlich ist, sondern um durch sie das Gebilde der Nachahmung hervorzubringen, durch das er die Tragödie in dem sie Empfangenden als Täuschung und Rührung verwirklicht. «Der Poet», sagt Lessing, «will nicht bloß verständlich werden, seine Vorstellungen sollen nicht bloß klar und deutlich sein; hiermit begnügt sich der Prosaist, sondern er will die Ideen, die er in uns erweckt, so lebhaft machen, daß wir in der Geschwindigkeit die wahren sinnlichen Eindrücke ihrer Gegenstände zu empfangen glauben und in diesem Augenblicke der Täuschung uns der Mittel, die er dazu anwendet, seiner Worte, bewußt zu werden aufhören[37].» «Des Dichters Sache ist es», sagt Otto Ludwig, «Schauspieler und Zuschauer zu dem zu zwingen, was er hervorgebracht haben will[38].»

Durch das so Gebildete verwirklicht der Dichter die Dichtung in dem sie Empfangenden als Täuschung und Rührung. Homer bringe uns unter Helden und Götter, sagt Lessing[39]. Goethe gesteht, seine Dichtung aus der Hand der Wahrheit als einen Schleier empfangen zu haben, der, indem er ihn in die Luft wirft, allen Zauber der Poesie entfaltet[40]. Schiller spricht im gleichen Sinn vom ästhetischen Schein, also von einem sich Vorstellenden, dem kein Substrat an Wirklichkeit entspricht, das sich im Vorstellen vorstellt[41]. Christian Günther ist für Goethe ein Dichter im vollen Sinne des Wortes, weil er nicht nur begabt war mit Sinnlichkeit, Einbildungskraft, Gedächtnis, sondern auch mit der Gabe des Fassens und Vergegenwärtigens, weil er vermocht habe, im Leben «ein zweites Leben durch Poesie hervorzubringen[42]». Fabel, Dichtung, Handlungen, die bis zur Täuschung eindringen, sind nach Herder das Wesen der Dichtkunst[43]. Malerei, sagt er, wolle das Auge täuschen, Poesie aber die Phantasie[44].

Diese Verfassung der Tragödie muß das wissenschaftliche Erkennen leiten, sofern dieses sich auf die Tragödie als dichterisches Kunstwerk richtet. Dieses Erkennen sieht sich vor zwei Tatsachen ganz verschiedener Art gestellt. Es sieht sich einmal die Tragödie als Handlung gegeben, als die Täuschung und Rührung, als welche sich die Tragödie in dem sie Empfangenden verwirklicht, sodann als die Fabel, als das Kunstmittel, durch das der Dichter die Tragödie als Täuschung und Rührung verwirklicht. Die Tragödie zu erkennen heißt dann, sich einmal der Täuschung und der Rührung erkennend zu bemächtigen, sodann der Mittel zur Täuschung und Rührung, schließlich, Wirkung und Wirkungsmittel aufeinander zur wechselseitigen Erkenntnis zu beziehen. Bildende Kunst und Dichtung, sagt Lessing, können in verschiedener Rücksicht miteinander verglichen werden. Beide Künste bewirken in uns die Erfahrung des Schönen. Hierüber spricht einmal «ein Mann von feinem Gefühle, der von beiden Künsten eine ähnliche Wirkung auf sich verspürte». Beide, empfindet er, «stellen uns abwesende Dinge als gegenwärtig, den Schein als Wirklichkeit vor; beide täuschen, und beider Täuschung gefällt.» Ein anderer ergreift mehr das stoffliche, das technische Medium des Kunstwerks. Er denkt über den Wert und die Verteilung der allgemeinen Regeln dieser Künste nach und bemerkt, «daß einige mehr in der Malerei, andere in der Poesie herrschten.» Jener erkennt als Liebhaber, dieser als Kunstrichter[45].

Der Liebhaber erfährt das Drama zuerst als die sich ihm aufdringende Menschen- und Lebenswirklichkeit. Er spricht von ihr wie von einer realen erlebten Wirklichkeit; er wird so der Künder von der durch den Dichter bewirkten Schau. Doch tritt für ihn auch das eigentümlich Ästhetische dieser Erfahrung hervor. Er sieht, daß in ihr zwei Elemente enthalten sind, die Täuschung und die Rührung. Er sieht, daß, wie verschieden auch die Lebensfälle sind, die der Dichter vorstellt,

doch die Täuschung eine stets gleiche Struktur, stets den Menschen in einem Zusammenhang von Glück und Unglück zeigt. Er sieht die stets gleiche Grundweise
der Rührung. Er kann diese Zustände des Gemüts erfassen, ihr Spezifisches, ihren
Grund, ihren Sinn.

Der Kunstrichter wendet sich der Fabel zu, als dem Mittel zum poetischen Bewirken. Er sucht und findet hier kein selbstwirkliches Seins- und Sinngebilde,
sondern nur die Summe der Kunstmittel, die poetische Erfahrung bewirken. Er
liest nicht wie die meisten Kritiker, an denen Otto Ludwig tadelt, daß sie das für
das Kunstwerk ansehen, «was auf dem Papiere steht, die Zeichen, die den Geist
beschwören sollen, für ihn selber[46]». Doch läßt er auch durch diese Zeichen nicht
den Geist beschwören, sondern er liest sie als Zeichen der Beschwörung. Dies
kann ein Beschwören mehr für die innere Vorstellung sein: so verfährt der Lyriker
und der Epiker. Auch der Dramatiker kann sich dieser Art der Beschwörung nähern, er kann sein Drama auch schon für die innere Vorstellung des Lesenden oder
nur Hörenden bilden. Doch je mehr er ursprünglich für die Bühne arbeitet, besonders für eine mimische Bühne, desto mehr wird er sein Sprachgebilde auf die
mimische Rolle berechnen, desto mehr kann die Bildung des Textes nur dadurch
ganz verstanden werden, daß man ihn als Material für eine Rolle erfaßt. Otto Ludwig vergleicht das Schreiben Shakespeares mit der Kunst Tizians, Fleisch zu malen.
«Kein Zoll dieses Fleisches an sich wird, in der Nähe besehen, überzeugen, selbst
nicht das ganze Fleisch in der Nähe besehen; aus einiger Entfernung, wo man das
Ganze übersehen kann, weckt es dagegen die wunderbarste Illusion, die je einem
Maler gelang. So sind die einzelnen Sätze in Shakespeares Reden, die einzelnen
Szenen oft wunderlich, weil man nicht begreift, wozu. Kommen aber alle Teile in
ihrem Zusammenhang in Bewegung, dann ist's ein andres, dann werden die
Grellheiten zu Schatten, die Poesie zum Lichte, dann wird das Tote wunderbar
lebendig, und die richtige Spannung stellt sich ein[47].»

Es kann jetzt für jede Bewirkung im Kunsterfahrenden ein Bewirkendes im
Kunstmittel aufgezeigt werden. Dem sich vorstellenden Geschehen entspricht im
Kunstwerk die Kunst der Fabel im engeren Sinne als die Kunst der Zusammen-
fügung der Geschehnisse, den sich vorstellenden Personen die Kunst der Charak-
teristik, den sich in ihrem Innern, ihren Antrieben, Leidenschaften, Leiden offen-
barenden Personen die Kunst, den Mensch in seinem inneren Wesen zu malen.
Durch den Wechselbezug zwischen Kunstmittel und Kunstwirkung wird die Er-
kenntnis konkretisiert, ihre Ergebnisse werden greifbar, sie sind zu belegen; die
Tragödie öffnet sich dem analytischen Zugriff; und die Erkenntnis führt sich hier
Schritt für Schritt voran. Die Wirkungen werden besser begriffen, indem man die
Mittel des Bewirkens erfaßt, und indem man sich des Bewirkenden vergewissert,
erfährt man, was bewirkt werden soll.

# ZWEITES KAPITEL

# DAS TRAGISCHE ALS INHALT EINER POETISCHEN KUNST UND ERFAHRUNG

## DAS TRAGISCHE ALS POETISCH-THEATRALISCHE SCHAU

Man habe sich gewöhnt, sagt Richard Dehmel, von tragischer Weltanschauung zu reden und dadurch dem Begriff der Tragik, der früher ein Kunstbegriff gewesen, gleichsam den Stempel höchsten Allgemeinwerts aufzudrücken. Schiller kenne nur den tragischen Affekt und das Vergnügen an der tragischen Rührung. Noch Hebbel hüte sich wohlweislich vor der metaphysischen Anmaßlichkeit in der ästhetischen Wertbemessung, wenn er auch hinter den Kulissen mit Hegels Weltgeist liebäugle[1].

Dehmel bemerkt den Wandel der Erkenntnis seit der Romantik. Bis dahin war die Tragödie nur ein seinsbedeutendes Kunstwerk. Sie zeigte einen weltanschaulich, einen religiös bedeutsamsten, doch keinen Tatbestand, den man als spezifisch tragisch hätte bezeichnen müssen. Was der Dichter in der Tragödie darstellte: daß der Mensch durch eine höhere Wirklichkeit umgriffen und durch sie bedingt sei, daß er dem Leiden ausgesetzt sei, dem Untergang – dies war schon im Raum der geschichtlichen Religion bekannt und begriffen. Die Tragödie also bekundete weltanschaulich nichts Neues, sondern ein längst Gewußtes, längst Begriffenes, gewußt und begriffen gerade durch die geschichtliche Religion. Ein Aufklärungsvorgang führte nicht zur Tragödie hin, sondern von ihr fort: der aufgeklärte Mensch glaubte, wie Herder auch bemerkt, von dem Schicksalhaften frei zu sein. So bilden noch Lessing, Goethe, Schiller ihre Tragödien, als eine bloße Kunst, ohne eignen weltanschaulichen Gehalt, als Aufdecker einer Wirklichkeitsverfassung des Menschen, die grundsätzlich besteht, und sie begreifen sie im Lichte der christlichen Religion. Erst die Romantik gibt dies preis, soweit sie die geschichtliche Religion, soweit sie den personhaften Gott zugunsten eines allgemeinen geistigen Prinzips preisgibt. Sie baut die Tragödie in ihre Weltanschauung ein. Die Tragödie wird hier durch eine moderne Philosophie weltanschaulich ausgedeutet. Durch solche Ausdeutung wird ihr die eigne Qualität des Tragischen zugesprochen, die sie bis zu Goethe und Schiller nie besessen hat. Die Tragödie soll jetzt die Bekundung eines Tragischen sein. Damit beginnt die Suche nach dem Tragischen in der alten Tragödie, eine Suche ohne zwingendes Ergebnis, da diese Tragödie kein eignes Tragisches enthält.

Für eine unbestochene Empirie sind nicht die Inhalte der Tragödie spezifisch tragisch, sondern die Tragödie ist das Werk einer spezifisch tragischen Kunst. Sie ist tragisch als diese Kunstgestalt, und ihre Inhalte werden tragisch als Inhalte dieser spezifischen Kunst.

Ihrer Kunstgestalt nach ist die Tragödie ein Drama. Sie stellt Wirklichkeit vor

durch eine optische Schau. Sie ist mithin nicht auf die künstlerische Wirklichkeit
einer Dichtung beschränkt. Sie überschreitet oder erweitert diese Dichtung zunächst zugunsten der optischen Schau, die mehr den bildenden Künsten zugehört,
ferner in der Antike auch durch den Gebrauch der Musik und durch die Hinzu-
nahme des Tanzes.

Die reine Dichtung wird verwirklicht durch die Epik und die Lyrik. In beiden
Künsten stellt der Dichter die dichterische Wirklichkeit allein mit den Mitteln
des Wortes, er stellt sie nur der inneren Vorstellung vor und appelliert nur an die
inneren Zustände des Gemüts. Homer führt uns unter Helden und Götter durch
die Kunst der Erzählung. Hier spricht die Dichtung am besten ganz als sie selbst.
Der epische Rhapsode, sagen Goethe und Schiller, lese am besten hinter einem
Vorhange, «so daß man von aller Persönlichkeit abstrahierte und nur die Stimme
der Musen im allgemeinen zu hören glaubte[2]».

Hieran gemessen ist das Drama ein Gebilde eigner Art, eignen Ursprungs. Es
ist zuerst da als ein Gebilde für die Bühne, als eine eigne optische Schau. Nicht die
Dichtung trägt das Drama, sondern das Drama trägt die Dichtung. Sie ist nur als
dramatische Dichtung wirklich, als diese spezifische Dichtung für eine Bühnen-
aufführung. Dies dauerte in der Antike bis zum Untergang ihrer Bühne. Dann
erst wurden diese Dramen auch bloße Literatur, konnten sie auch als bloße Literatur geschrieben werden. Als solche griffen die Humanisten das Drama auf. Doch
blieb dies unbefriedigend. Das Drama wurde über das gelehrte Experiment hinaus erst wieder überzeugende Wirklichkeit, als es wieder die Bühne betrat. Nur
blieb seitdem eine Spannung zwischen dem Drama als Bühnenstück und dem Drama als nur literarisches Gebilde. In Deutschland ist diese Spannung am stärksten,
reicht sie am tiefsten. Hier ist die Neigung am größten, den überkommenen Dra-
menbestand zuerst als Literatur, als reine Dichtung zu erfahren, die Bühne wie
einen Ort zu betrachten, auf dem solche Dichtung verwirklicht, auf dem vielleicht
aber auch die Dichtung verdorben wird. Lessings große Leistung war es, das
deutsche Drama als volles Kunstgebilde auf dem Theater wieder verwirklicht zu
haben. Vorher war es ein literarisches Gebilde des gelehrten Humanismus gewesen, das auch auf dem Theater da sein konnte, aber nicht für das Theater da war,
oder es war realistisches Lebensgemälde unterhalb der Ebene der hohen Kunst.
Doch sieht schon wieder der junge Goethe, aus mehr episch-lyrischer Anlage, in
Shakespeare den Tragiker, der seine Wirklichkeit in mehr epischer Form auf der
Bühne mitteile. Er schrieb darum seinen «Götz» mehr für die innere als für die
theatralische Vorstellung, mehr als ein Gedicht zum Lesen denn als ein Drama
zum Aufführen. In diesem Gedicht, sagt Tieck, «stehen wir .. nicht vor dem
Theater, wir sehen keine Dekoration; sondern, indem wir lesen, sind wir selber
mit im Gedicht, wir fühlen den Duft des Bergwaldes, wir kommen aus der Müh-
le im Tal, wir hören das Geklirr des wirklichen Fensters, welches Götz mit kräf-
tigem Unwillen zuwirft ... Sehen wir nun Kulissen und Veränderungen unserer
Bühne, so wird uns statt der Wahrheit eine hergebrachte und konventionelle Täuschung untergeschoben[3]». Die Romantik fordert grundsätzlich das rein poetische
Drama, des episch-lyrische Gebilde nur für die innere Vorstellung. Tieck scheint

jetzt mehr ein Dichter als Lessing zu sein. Das Vorurteil des reinen Dichters gegen den reinen Dramatiker begegnet seitdem immer wieder. Stefan George würdigt Ibsen nur als geistige Potenz. Als Dramatiker ist er ihm ein unlieber Autor[4].

Die besondere Form weist auf einen besonderen Inhalt hin. Das Drama kann nicht Gefäß für den epischen, nicht für den lyrischen Inhalt sein. Es muß ein Inhalt sein, der primär dieser optischen Schau bedarf. Das Drama geht nicht von der Dichtung auf die Bühne hin. Vielmehr geht die Bühne auf die Dichtung hin.

Der eigene Grund des Dramas in der Antike ist die sakrale Schau. Aus ihr geht, formal wie inhaltlich, das griechische Drama hervor. Wie dies geschah, ist unbekannt; wir sehen die Tragödie erst bei Aischylos, schon in einer vollendeten eigenständigen Form. Sie ist, trotz aller Nähen zum sakralen Kult, jetzt ein in sich begründetes Kunstwerk. Man kann in den Kulten nur auf Momente hinweisen, die wie ein Grund dessen sind, was in der Tragödie Darstellungsinhalt wird.

Im Mittelpunkt der Feiern, aus denen die Tragödie hervorging, soll Dionysos gestanden haben. Mithin erschien hier ein Gott in körperhafter Wirklichkeit. Er erschien als Gott des Weines, des Lebens, der Fruchtbarkeit. Satyrn begleiten ihn, Zwitterwesen in Menschen- und Bocksgestalt. Der Name Tragödie, gleich: Bocksgesang, hält dies noch fest. Der Gegenpol des Lebens ist der Tod. Das Leben ist das stets auch im Tode Vergehende. In den orphischen Kulten war Dionysos auch der Sterbende und der Wiedergeborene. Des Gottes Taten und Leiden wurden in Chorliedern gefeiert. Ein Weiteres verbindet sich damit, das Gefühl des Lebens, dessen rauschhafte Steigerungen. Sie führen wieder an die Grenze des Lebens, dahin, wo dieses Leben im höchsten Rausch seine Form zerbricht. Das Übergehen des Lebens in den Tod im Rausch scheint wie ein höchster Akt des Lebens selbst zu sein. Dies alles stellte sich in der sakralen Schau wie eine Selbstwirklichkeit, wie die Gegenwart des Gottes und seiner Begleiter selbst vor. Es konnte von den Teilnehmenden als magische Kraft der Verwandlung erfahren werden. Sie waren Gemeinde, Miterleber, Mitvollzieher.

In der fertigen Tragödie scheinen nicht mehr die Götter die Bühne zu beherrschen, sondern der Mensch. Wirklich stellt der Dichter jetzt Konstellationen und Geschehnisse dar, in deren Mittelpunkt der Mensch steht. Das Thema im «König Ödipus» ist ein natürlich menschlicher Vorgang: ein König soll den Mörder seines Vorgängers entdecken, um so sein Reich von Blutschuld zu befreien. Dies ist ein neues Thema der Darstellung, das Thema, durch das dem Inhalt nach aus einer sakralen Repräsentation eine Tragödie wird. Man hat hierin das sichtlichste Zeichen gesehen, daß die Tragödie einen neuen Menschen voraussetze, der mehr um den Menschen bekümmert sei, des Menschen Verhältnis zu den Göttern, oder der Götter Verhältnis zum Menschen als fragwürdig erfahre. Diese Auffassung hält der Kritik nicht stand. Nicht nur, daß sie die verschiedensten und widersprüchlichsten Versionen zuläßt: die Tragödie gibt auch keinen Beleg dafür, daß sie sich an einem solchen Vorgang beteiligt. Nimmt man eine fortschreitende Aufklärung in der Zeit an, in der die ersten großen Tragödien geschrieben wurden, dann ist der tragische Dichter konservativ. Er warnt den Menschen, sich über die Götter zu erheben. Noch Lessing läßt seine Gräfin Orsina sprechen: «Zu-

fall ist Gotteslästerung». Herder verteidigt die Tragödie gegenüber den aufgeklär-
ten und human christlichen Zeitgenossen.

So wird die tragische Bühne doch noch von den Göttern beherrscht. Nur brauchen sie nicht mehr selbst aufzutreten. Und wenn sie auftreten, brauchen sie nicht
mehr die in der Tragödie selbst Handelnden zu sein. Das Eigentümliche der Tragödie ist, daß sie die Darstellung eines natürlichen Lebenszusammenhanges wird.
Dies ist keine Wendung im Weltanschaulichen, aber ein betont künstlerisches Motiv. Der tragische Dichter macht es sich zur Aufgabe, den Menschen in solchem
Lebenszusammenhang darzustellen. Er stellt den Menschen dar in seinem Verhältnis zu Glück und Unglück. Eine Seinsverfassung, die durch die Religion bewußt und begriffen war, wird zum Inhalt der dichterischen Darstellung, und genau in derselben Art, wie sie zuvor gewußt und begriffen war. Der Dichter tritt
für diese Verfassung ein. Er hält fest, daß der Mensch unter der Macht der Götter
steht. Da er dies jetzt durch den Lebenszusammenhang selbst zeigt, so zeigt er, daß
in diesem Zusammenhang und durch ihn die Götter wirken. Der durchschnittliche
Mensch glaubt vielleicht an den bloß natürlichen Lebenszusammenhang und an
eine beliebige Freiheit des Menschen, seine Ziele zu erreichen. Hieran hat Ödipus
geglaubt. Er und der wie er glaubende Zuschauer werden eines anderen belehrt.
Hier weist der Vorgang überall auf ein vorangehendes göttliches Wollen und
Wirken hin. Ödipus war zu seinem Schicksal schon vor seiner Geburt bestimmt.
In seinem «Hippolytos» stellt Euripides einen ganz natürlichen Vorgang dar: die
Liebe Phädras zu ihrem Stiefsohn, wie sie zu dessen Untergang führt. Doch auch
hier läßt der Dichter am Anfang Aphrodite auftreten: sie habe diese Leidenschaft
in Phädra erregt, um den Hippolytos zu vernichten, der ihr den Dienst verweigert. Durch das natürliche Geschehen wirkt sich der Wille der Götter aus, und
die Fabel, diese Kunst der Zusammensetzung der Geschehnisse in dieser Weise,
daß sie den tragischen Helden in den Untergang führen, verdeutlicht nun das
Wirken der Götter in dieser Welt. Sie wirken durch die tragische Logik der Geschehnisse, die nicht neutral natürlich, sondern die Erscheinung höherer Mächte
ist, des Glücks und des Unglücks.

Ein zweites Thema der sakralen Schau war der leidende Gott. Jetzt ist das
Thema der durch seine eigne Beschaffenheit und die Fügung der Götter leidende
Mensch. Dies wird nun wesenhaft wie ein erstes Thema. Die Tragödie soll nach
Aristoteles Furcht und Mitleid erregen. Die Furcht weist auf den Geschehenszu-
sammenhang hin, auf die Fabel, das Leiden auf den in diesem Zusammenhang ste-
henden Menschen. Die Fabel scheint oft nur wie die Fügung zu sein, durch die der
Mensch in seinem Leiden gezeigt wird.

Manche antike Dramen sind nur ausgebreitete Leidensgemälde, eine Abfolge
pathetischer Szenen. Höher leidende Wesen sind vielleicht noch darin faßlich, daß
auch leidende Titanen und Heroen erscheinen, der leidende Prometheus, der leidende Herakles. Doch schon bei Aischylos dominiert der leidende Mensch. Er
zeigt die leidenden Perser angesichts herandrohender, dann unter der Gewalt voll-
zogener Vernichtung: zuerst Atossa, die Witwe der Dareios, in der Befürchtung
des Schlimmsten; die Bestätigung dieser Befürchtung, schließlich den geschlage-

nen Xerxes selbst. Sophokles stellt die Leiden des Philoctet dar, Euripides in den
«Troierinnen» die Leiden der Hekuba.

Die alte kultische Feier stellte Aufgaben mehr lyrischer Art. Sie forderte nicht
die Ausbildung eines Kunstwerks. Jetzt aber mußte der Dichter einen Geschehenszusammenhang vorstellen, er mußte zeigen, wie der Mensch von Glück zu
Unglück geführt wurde, und auch aus dem Unglück wieder zu Glück. Solche Fügung wurde sogar dringlich, vordringlich. Die Fabel, d. h. die Zusammensetzung
der Geschehnisse, ist nach Aristoteles das wichtigste Stück der Tragödie; Tragödien mit einem einheitlichen Geschehensgang seien vorzüglicher als Tragödien
mit episodischen Fabeln, die mehr durch das Einzelne zu wirken versuchten als
durch das Ganze; Spiele aber nur mit Charakteren ohne Fabelerfindung seien keine
Tragödien. Jetzt mußte der Dichter Menschen bestimmter Art vorstellen, diesen
Odysseus, diesen Achill, diesen Agamemnon. Waren auch hier die Charaktere vor-
weggegeben, waren sie auch mehr typischer Art, so mußten sie doch auf der Bühne
lebendiges Dasein gewinnen, sie mußten an sich selbst da sein und überzeugen.
Nur eine so leidenschaftlich für die Pietät entflammte Antigone verstieß gegen
Kreons Gebot, nur diese große, harte, unerbittliche Klytaimnestra schritt zum
Gattenmord, nur diese racherasende Elektra drückte dem Bruder das Beil zum
Muttermord in die Hand, und nur diese Medea als diese düstere Priesterin aus
Kolchis tötete ihre eignen Kinder und vernichtete das Haus des Kreon. Damit
mußte auch der Dichter den Menschen in seinem Innern offenbaren, den nach innen geführten Menschen zeigen. Der innere Mensch mußte sichtbar werden mit
seinen Antrieben, seinen Aktionen, seinen Reaktionen, mit Willensimpulsen, Leidenschaften, in seinen Zuständen des Leidens. Bau der Fabel, Entwurf und Schilderung der Charaktere, Darstellung des Innern des Menschen traten jetzt als die
drei Hauptaufgaben des tragischen Dichters hervor.

Dies alles sind Aufgaben des Dichters. Doch sind dies in der Antike Aufgaben
eines Dichters für die Bühne. Er bildet sein Drama für die poetische Schau. Die
Tragödie ist repräsentative Vorstellung auch für das Auge. Der Schauspieler
selbst schon wird als der Schaubare begriffen, als diese im Raume stehende, sich
bewegende, plastische Gestalt. Das dramatische Geschehen wird räumlich gesehen,
räumlich erfunden, als ein Geschehen im Raum, nicht nur als ein innerlich dramatischer Vorgang, den die Schauspieler nur aussprechen. Das Stilprinzip ist ein
idealisierter Realismus, eine Erhöhung des schaubaren Lebensvorgangs in
Ideale, nicht aber dessen Preisgabe. Zu den Schaumitteln gehörte auch der Chor.
Er ist in seiner künstlerischen Funktion nicht bloßes Rudiment aus der sakralen
Schau, auch nicht bloßes Element der Besinnung und der lyrischen Rede, sondern
optisches Element durch Bewegung und Tanz. Zu dem Sinnenhaften der Darstellung gehörte auch der Ton, das Musikalische. Die antike Tragödie, sagt Herder, sei ein mächtiges Melodram gewesen, unvergleichlich der bloß literarischen
und theatralischen Kunst des westlichen Klassizismus. Diese Versinnlichung war
eine wesentlichste Aufgabe des antiken Tragikers, nicht die Bekundung subjektiver Erlebnisse und Gedanken. «Wenn ein griechisches Stück geschrieben ist,
um vorgestellt ... zu werden, sagt Herder, so ist's der Philoctet: denn die ganze

Vorstellung des Trauerspiels beruht auf dem Leben der Vorstellung[5].» Die Romantiker verglichen die antike Bühnenvorstellung mit der antiken Plastik. «Das homerische Epos ist in der Poesie, was die halberhabene Arbeit in der Skulptur, die Tragödie, was die freistehende Gruppe[6].» Man müsse sich das griechische Drama in seiner ganzen künstlerischen Wirklichkeit vergegenwärtigen, sagt Wilamowitz, um es angemessen zu verstehen[7].

Diese Schau gewinnt nun das Eigne eines nur ästhetischen Daseins[8]. Die Mitte der sakralen Schau ist dieser wirkliche Gott, oft mit dem Schein wirklicher Anwesenheit. Die tragische Schau hingegen ist eine theatralisch-poetische Illusion. Das Dargestellte lebt nicht mehr von einer außer ihm daseienden oder in ihm real daseienden Wirklichkeit. Es wird hier auch nicht mehr die vordramatische Wirklichkeit der Mythen und Sagen nur auf die Bühne gebracht. Vielmehr muß dieses Drama jetzt durch die Kunst des Dichters selbst vorstellig und wirklich werden. Es ist wirklich nur in dem Maße, wie der Dichter solche Wirklichkeit suggestiv vorstellig machen kann. Es muß jetzt die optische Schau gesehen und begriffen werden in ihrer Bedeutung für die dramatische Kunst, indem sie nun allein eine solche Kunst als voll anschauliches Gebilde möglich macht.

Dies trifft zunächst zu für die Menschendarstellung des Dramatikers. Das epische Gedicht, sagen Goethe und Schiller, zeigt «den außer sich wirkenden Menschen: Schlachten, Reisen, jede Art von Unternehmung, die eine gewisse sinnliche Breite fordert[9]». Dieser Wirklichkeit ist der epische Vortrag angemessen, der sich an die innere Vorstellungskraft des Hörenden wendet. Hier können die Götter erscheinen in ihrer übermenschlichen Größe, Vollkommenheit, Macht, Helena als die schönste aller Frauen, Achill als der strahlendste aller Helden. Achill und Hektor können ihren großen Kampf miteinander kämpfen; Abenteuer, Wunder, Zauber der Fahrten des Odysseus können hier ganz gegenwärtig sein. Die optische Schau der Bühne kann dies nicht durch das Auge gegenwärtig machen, sondern nur die innere Phantasie beschränken. Das Drama hingegen, sagen Goethe und Schiller, habe es mit dem nach innen geführten Menschen zu tun. Soll dieser Mensch schaubar werden, so muß er als er selbst auftreten, und er, mit seiner körperlichen Erscheinung, muß die ästhetische Wirklichkeitsschau gewährleisten, die durch seine bloße Rede nicht gewonnen werden könnte. So bleibt im fertigen Drama der alte Ansatz der sakralen Schau gewahrt, daß sich hier eine Person selbst vorstellt, der Gott, nicht eine bloße Entäußerung seines Innern, auch der leidende Gott, nicht nur ein lyrisches Aussprechen des Leidens. So steht jetzt der Mensch da, der körperliche Mensch, der leidende Mensch.

Auch zur Darstellung des tragischen Geschehens sieht sich der Dichter auf die optische Schau verwiesen. Der Epiker zeigt mehr den wirkenden, der Tragiker mehr den bewirkten Menschen, der Epiker mehr die Bewegung, die von dem Menschen in die Wirklichkeit hineingeht, der Tragiker die Bewegung dieser Wirklichkeit auf den Menschen hin. Der eigentliche tragische Gegenstand wird die Darstellung des Menschen in einer Situation, und die Antwort des Menschen auf diese Situation, deren Auswirkung in ihm. Ödipus steht im Andrang der Pest, von der er Theben befreien muß. Hamlet steht in einer schrecklichen Situation, der er nicht gewachsen ist. Götz steht mit seinem Willen zur Freiheit in einer für ihn hoffnungslosen Lage.

Hier überall muß gezeigt werden, was auf den Menschen wirkt. Dies zu zeigen, und dies nicht nur auszusagen, ist das Geschehen auf der Bühne da. Hier hört man nicht nur das Wirkende, hier sieht man es. Hier wird durch die Bühnenschau das Auge überzeugt. Othellos Reaktion auf den Anschlag Jagos mag für den Lesenden nicht ganz wahrscheinlich sein, für den Schauenden ist sie es. Er sieht das Wirkende, sieht die Wirkung. Der Dichter bildet mithin einen solchen Zusammenhang, worin er des Menschen Zustände begründet durch ein Wirken aus dem Umraum, worin er nicht nur den Zustand, sondern die Veranlassung des Zustandes zeigt und dessen Fortwirken. «Nicht bloß die Empfindungen und Affekte der tragischen Personen», sagt Schiller, «sondern die Begebenheiten, aus denen sie entspringen und auf deren Veranlassung sie sich äußern, stellt sie (die Tragödie) nachahmend dar; dies unterscheidet sie von den lyrischen Dichtarten, welche ebenfalls gewisse Zustände des Gemüts poetisch nachahmen, aber nicht Handlungen[10].»

Von der sakralen Schau gingen Erregungen aus besonders intensiver Art, bis zur rauschhaften Entzückung. Dies ist zunächst wie ein Lebenszustand. Kunstmöglichkeiten zeigen sich hier erst, wenn solche Gegenstände und Wirkungen ästhetisch erfahren werden, als Inhalte des auffassenden und nicht als Zustände des faktisch so seienden Bewußtseins. Das Dithyrambische, sagt Herder, wurde in Griechenland erst Inhalt einer Kunst, als es aufhörte, unmittelbarer Lebenszustand zu sein, und als es, wie bei Pindar, zum Inhalt einer künstlerischen Nachahmung und zum Medium einer künstlerischen Wirkung wurde[11]. Nietzsche bemerkt dasselbe, wenn er die Tragödie eine dionysische Kunst in apollinischer Form nennt. Der dionysische Lebenszustand ist Inhalt einer künstlerischen Nachahmung, und der dionysische Rausch selbst ist ein Gestimmtsein des Gemüts durch die Darstellung des Dionysischen geworden. Manche Phänomene stehen zwischen Leben und Kunst. Bei frühen Dithyramben, sagt Herder, bleibe offen, ob sie schon Kunst, oder ob sie noch Lebensäußerung seien.

Dionysisches als ein greifbarer Inhalt ist in der ausgebildeten Tragödie nicht mehr da. Dort herrschte eine religiös konkrete Wirklichkeitsansicht, die personhafte Wirklichkeit der Götter. Was in der Tragödie verbleibt, ist die Macht der sinnenhaften Darbietung, ist die Steigerung dieses Sinnenhaften durch das Musikalische. «Der Grieche», sagt Herder, «hätte, an die musikalische Stimme des seinen gewöhnt, in dem modernen Trauerspiel nur ein trauriges Spiel finden können. Wie wortreichstumm, würde er sagen, wie dumpf und tonlos.» In Athen war's anders. Da erklang das Theater «vom Jamb und Trochäus, vom Choriamb und stürmenden Anapästen[12]».

Solche Wirkungen sind auch der bildenden Kunst möglich, auch sie kann die Stoßwirkung des Affektiven vorherrschen lassen. Dies unterscheidet nach Wölfflin die Kunst des Barock von der Kunst der Renaissance. Die Renaissance ist die Kunst des schönen ruhigen Seins, der Barock hingegen «will packen mit der Gewalt des Affekts. Was er gibt, ist nicht gleichmäßige Belebung, sondern Aufre-

gung, Ekstase, Berauschung[13].» Auch im Drama ist das Schau-Spiel bedeutend,
die Befriedigung durch das Schaubare. Aischylos liebt die monumentale Schau,
Shakespeare die farbige Schau des vielfältigen geschichtlichen Lebens. Doch überwiegt hier stets der Wille zum fühlbaren Bewirken im Subjekt.

Herder unterscheidet zwischen Künsten, die mehr durch Werke und die mehr
durch Energie wirken. Werke schaffen die bildenden Künste, Medien zur Energiewirkung die Dichtung und die Musik. Auf jene scheint der Betrachtende zuzu-
gehen, sich an sie zu verlieren. Man möchte ewig in ihrem Bezirk weilen, sagt
Wölfflin von den Werken der Renaissance. Dichtung und Musik hingegen gehen
als Energie auf den sie Empfangenden hin. Jene sind für das Auge gebildet, das
auf die Außenwelt gerichtet ist, diese für das Ohr, durch das die Wirklichkeit in
das Innere geleitet wird. Schon daß durch solche Gebilde Wirklichkeit sich vorstellt, ist ein Ergebnis wirkender Energie, einer Erregung der inneren Vorstellungskraft durch die klingende Sprache und ihren Bedeutungsgehalt. Hierbei
überwiegt in der epischen Dichtung der Wille zu diesem inneren Bildschaffen.
Dem Hörenden werden die Helden und Götter gegenwärtig. Alle Kunstmittel
sind auf diese Art der Erregung hin gebildet. Hier muß alles Gesteigerte und Dynamische vermieden werden, das die Energie verselbständigen, die ruhige bild-
schaffende Kraft beeinträchtigen könnte. Kleists Erzählen ist schon für die ruhige
epische Bildwirkung zu gespannt, zu rasch, zu forttreibend, ein Grenzfall, der nur
in kleinen Formen tragbar wird. Solche Zurückhaltung und Mäßigung setzt auch
das lyrische Gedicht voraus. Die Wirklichkeit spiegelt sich im Gemüt, stimmt es,
vergegenwärtigt sich im lyrischen Bild, wird vom Dichter durch das nachahmende
stimmende lyrische Bild wieder vergegenwärtigt.

Der Dramatiker bedient sich der optischen Schau nicht, um nur sonst Unan-
schauliches schaubar zu machen, und er bedient sich der dichterischen Rede nicht,
um episch oder lyrisch vorzustellen. Vielmehr werden hier beide Seiten der künstlerischen Gestaltung zum Mittel einer höher gesteigerten Energie. Die Tragödie
macht ein Inneres des Menschen durch die Gegenwart dieses Menschen schaubar,
doch nur, um diesen Menschen, als den schaubaren, mit verstärkter Energie auf
den Zuschauer wirken zu lassen. Schau und Schauspieler sind zum Ziele solcher
Energiewirkung da.

Die Macht der Schau zur Erschütterung wird nun wie zum Ausweis für die
wahre tragische Kunst. Nicht allein durch ihre Inhalte wird für Aristoteles die
Tragödie tragisch, sondern durch eine bestimmte Art, das Gemüt zu erregen und
zu erschüttern.

Solche Wirkung ist nur möglich durch die Schau, durch die Nachahmung der
Kunstwirklichkeit vermittels des Schauspielers. Auch hier wandelt sich das Sakrale in das Ästhetische um, aus magischem Mitleben wird hier die ästhetische Erregung durch die Art der künstlerischen Nachahmung. «Die Kunstrichter nach
Aristoteles», sagt Lessing, «haben die dramatische Form als etwas Hergebrachtes
genommen, das nun so ist, weil es einmal so ist, und das man so läßt, weil man es
gut findet[14]». Doch hat Aristoteles schon die Ursache ergründet, daß ein höchstes
Maß der Erregung sich nie durch eine Erzählung, sondern nur durch körperliche

Gegenwart des Vorgestellten bewirken lasse. Dies wird auch für Goethe und Schiller zum entscheidenden Unterschied zwischen epischer und dramatischer Kunst, daß der Epiker seinen Gegenstand als vollkommen vergangen, der Dramatiker ihn als vollkommen gegenwärtig vorträgt. Das so Gegenwärtige ist zunächst der Mensch, und er ist gegenwärtig zum Zwecke der Erregung. Darum ist die Funktion des Schauspielers der des epischen Rhapsoden entgegengesetzt. Dieser soll als Person verschwinden, um nur Sprachrohr der epischen Muse zu sein, jener will als der so seiende Mensch hervortreten. Der Mime will, «daß man an ihm und seiner nächsten Umgebung ausschließlich teilnehme; daß man die Leiden seiner Seele und seines Körpers mitfühle, seine Verlegenheiten teile und sich selbst über ihn vergesse[15]». Der zuschauende Hörer soll sich nicht an die Schau verlieren, sondern er «muß von rechtswegen in einer steten sinnlichen Anstrengung bleiben; er darf sich nicht zum Nachdenken erheben; er muß leidenschaftlich folgen; seine Phantasie ist ganz zum Schweigen gebracht; man darf keine Ansprüche an sie machen; und selbst was erzählt wird, muß gleichsam darstellend vor die Augen gebracht werden[16]». Ebenso wirkt erregend der schaubare Geschehenszusammenhang, die Verknüpfung der Geschehensmomente zu einem unglücklichen oder auch glücklichen Ende.

Ein Drittes ist mit der sakralen Schau vorgegeben, die Darstellung religiöser Wirklichkeit und die Vermittlung religiöser Sinngehalte. Dies geschieht in der sakralen Schau mit didaktischer Deutlichkeit und Eindeutigkeit. Der tragische Dichter hält diesen Zug zur Wirklichkeit fest; nur ästhetisiert er auch ihn. Die religiös bedeutsame Wirklichkeit ist jetzt da durch die Suggestion seiner Darstellung, indem man den Menschen sieht und das, was ihm gefügt wird. Diese Tatsache schlechthin, die Schicksalsfabel, wie Herder sie nennt, wird zu seinem eigentlichen Thema. Dieses Thema muß auch verdeutlicht, das Ergriffene muß auch begriffen werden. Doch kann der Dichter, herkommend von der demonstrierten Wirklichkeit, sich auf die Demonstrierung von Wirklichkeit stützen. Er kann dies um so mehr, als seine Aufgabe als Dichter die Darstellung des Lebens ist, und nicht dessen Deutung. Deutet er aber, so gewinnt nun auch dies mehr die Form der poetischen Vorstellung. Es kann schon bei Aischylos nicht genügen, daß die Chöre Grund, Sinn, Ziel des Geschehens mit didaktischer Deutlichkeit aussprechen. Sie sind zuerst Elemente poetischer Vorstellung und Wirkung. Sie sind am wenigsten zur Vermittlung eines originalen Erlebnis- und Denkinhalts da. In ihnen läßt der Dichter vielmehr die ihm schon vorfindliche Klugheit im irdischen und die Weisheit im religiösen Leben poetisch vorstellig und eindringlich werden.

Nur in der Antike hat sich die Tragödie unmittelbar und ohne Bruch aus der gegebenen, aus der sakralen Schau herausentwickelt. Auch bei uns bildete sich, wie Wilamowitz heraushebt, «im späteren Mittelalter ein wirkliches Drama, das sehr wohl ein neues großes Drama hätte erzeugen können. Aus der Liturgie hat es sich entwickelt, vor dem Hochaltare spielte es zuerst, die heiligen Geschichten bildeten den Inhalt, die Heilige Schrift lieferte den Text oder doch seine Motive. Die Analogie zu der Entstehung der griechischen Tragödie ist schlagend, Entstehung aus einem Teile der Liturgie, Aufführung im heiligen Bezirke, altvertraute und mehr oder minder geheiligte Stoffe, Einführung der überirdischen Wesen, trotz aller derben Lustigkeit erbauliche Wirkung[17]». Doch kommen diese Ansätze nicht zur Reife. Die dichterische Phantasie kann nicht frei genug schalten in einer theologisch und dogmatisch fixierten und nur strenger werdenden Glaubenswelt, vor einem kunstfeindlichen Protestantismus, bei der Vordringlichkeit der Bekenntnisfragen auch auf der Bühne. Zudem bleiben große erfüllende Talente aus.

So ging das neuere Drama nicht aus der sakralen Schau hervor. Es mußte sich, wollte es nicht literarisches Bildungsdrama mit bloßem Buchdasein bleiben, in einer anderen Schau begründen. Dies ist die mimische Schau.

Sie ist auch in der Antike da. Sie ist eine Unterhaltung, eine Belustigung, die durch den sich gebärdenden Menschen bewirkt wird. Sie ergreift hierbei Züge des Lebens und stellt sie um ihrer Wirksamkeit willen heraus. Ihr Hauptgebiet ist das für ein breites Publikum unfehlbar Wirksame, dies ist das Komische. Der Träger solcher mimischen Schau ist der Clown. Was sich hier vorstellt, durch eine einzelne Person oder durch mehrere Personen, ist die Clownerie. Ihre Stoffe und ihre Wirkungen sind niedrig: der Mensch in seinem körperlichen Dasein, der essende, der trinkende, der verdauende Mensch, das Geschlechtswesen. Die begleitende Rede sucht das Burleske, das Witzige, die Zote. So auch bestand das Mimische um 1500. Zu dem drastisch Komischen kann auch das schauervoll Erregende treten, das Greuelvolle, das Blutrünstige.

In der Antike ging dieses Mimische nur in das Lustspiel ein. Auch dieses Spiel blieb hier in der sakralen Schau begründet, war höher literarisches Spiel. Es nahm die mimischen Elemente nur auf. Der Dramatiker des 16. Jahrhunderts hingegen steht vor der Aufgabe, diese unliterarische, niedrige, künstlerisch unwertige, aber diese doch optische Schau zum höheren künstlerischen Drama durchzubilden. Dies geschah hier nicht durch die Weiter- und Höherbildung dieser Schau in sich selbst, sondern durch das Vorbild des antiken Dramas. Einem mit der Antike wetteifernden Drama sollte auch ein Dasein auf der Bühne gegeben werden. Dies war auf zwei Wegen möglich. Die mimische Bühne mußte soweit idealisiert werden, daß alles Niedrige, Unideale aus ihr vertrieben war. Dies ist der Weg des Klassizismus. Er reinigt und erhöht die mimische Bühne. Doch entleert er sie hierdurch auch. Die mimische Schau entschwindet, die antike sakrale Schau kann nicht erreicht werden. Was bleibt, ist ein mehr literarisches Theater, begründet in der Kunst der innerlich dramatischen Fügung, der Sprache, des Wortes, oder ein mehr poetisches Theater, das zum Schallraum für schöne Dichtung wird. Das literarische Drama bilden im 17. Jahrhundert die Franzosen, das poetische Drama bis 1800 Goethe und Schiller aus. Der zweite Weg ist, die mimische Schau ohne sichtlichen Bruch mit der Überlieferung zur Tragödie umzubilden. Dies geschieht vom Stoffe her, indem man die Bühne durch bedeutsames Leben realisiert und sachlich gewichtig macht, zuerst durch die dramatische Bearbeitung der Geschichte, dann des privaten umräumlichen Lebens. Diese Stoffe strukturiert man nach dem aus der Antike überlieferten tragischen Schema. So entstehen das historische Drama seit der Renaissance und die tragischen Gemälde des bürgerlichen Lebens von Lessing bis zur Gegenwart. Bei Shakespeare kann der unmittelbare Bezug auf die Antike fehlen, doch entstammen die Elemente der höheren Darbietung, der jambische Vers, die Bilderwelt, die Bildungsgedanken, die philosophische Reflexion dem Humanismus. Und tiefer noch sind diese Dramen tragisch strukturiert und in tragischer Weise wirksam. Unsere Tragödie aber auch als realistisch-mimische wird von Lessing in bewußtem Bezug auf die Antike gebildet. «Emilia Galotti» ist strukturell nicht weniger im Geiste der Antike geformt als Schillers «Braut von Messina».

## DIE TRAGISCHE POETISCHE ERFAHRUNG

Wenn die Tragödie nicht als lesbarer Text wirklich ist, sondern als eine durch die Wort- und Gestaltungskunst des Dichters bewirkte poetische Illusion und Gestimmtheit des Gemüts, so muß auch das Tragische als dieser Inhalt der poetischen Erfahrung ergriffen werden. Und zwar dominiert hier der Zustand im Gemüt. Das Tragische als poetische Erfahrung ist zuerst eine Gestimmtheit im erfahrenden Gemüt.

Dies war noch bis zur Romantik, bis zu den Spekulationen der deutsch idealistischen Philosophie selbstverständlich. Die Bedeutung der Dichtung lag mehr im subjektiven Bewirken als im objektiven Zeigen; denn das Gezeigte besaß man auch ohne die Dichtung, und in der Theologie, Philosophie, Wissenschaft exakter und verläßlicher. Erst die Romantik, und besonders Hegel wandeln diesen Standpunkt, weil sie – täuschend – vom Dichter die ursprüngliche Seinsoffenbarung erwarten, von der man zuvor annahm, daß sie nur im religiösen Bereich stattfände. Jetzt erst sollte die Tragödie durch ein in ihr sich offenbarendes Sein bedeutsam werden, und Hegel besonders schuf durch seine Philosophie des sich entfaltenden Geistes die Voraussetzungen für die Annahme, daß eine volle Einsicht in das hier offenbar Gewordene möglich und nötig sei. Hegel sieht zwar, daß Zustände wie Furcht und Mitleid mehr in sich fassen als einen bloß subjektiven Gefühlszustand. Aristoteles meinte mit ihnen «nicht die bloße Empfindung der Zustimmung oder Nichtzustimmung zu meiner Subjektivität, das Angenehme oder Unangenehme, Ansprechende oder Abstoßende, diese oberflächlichste aller Bestimmungen, die man erst in neuerer Zeit zum Prinzip des Beifalls oder Mißfallens hat machen wollen. Denn dem Kunstwerk darf es nur darauf ankommen, das zur Darstellung zu bringen, was der Vernunft und der Wahrheit des Geistes zusagt[18].» Doch sieht Hegel das geistige Sein auch in fortschreitender Entfaltung, in der es über die Stufe der ästhetischen Erfassung der Wirklichkeit hinausschreitet zur Höhe des philosophischen Begriffs. Die Kunst ist jetzt sehr weit entfernt, «die höchste Form des Geistes zu sein[19]». «Der Gedanke und die Reflexion hat die schöne Kunst überflügelt[20].» «Die Wissenschaft der Kunst ist darum in unserer Zeit noch viel mehr Bedürfnis als zu den Zeiten, in welchen die Kunst für sich als Kunst schon volle Befriedigung gewährte[21].» Diese Wissenschaft als eine die Kunst überhöhende Philosophie aber braucht nicht bei den durch die Kunst bewirkten Zustän-

den und bei deren Erschließung stehen zu bleiben. Sondern der Geist ist angewiesen, «sich in die Sache, das Kunstwerk zu versenken und zu vertiefen und darüber die bloße Subjektivität und deren Zustände fahren zu lassen[22]». Macht man
diese Voraussetzung von der durch die Dichtung originär zu erfahrenden Wirklichkeit und von dem Hinausschreiten des Geistes über die ästhetische Anschauung nicht, so ist die Dichtung wesenhaft ein Gebilde, das zuerst durch Bewirken
sich verwirklicht. Dies subjektive Wirken kann auch nicht übersehen werden. Die
Tragödie ist an sich selbst nie ein nur gegenständlich begegnender Inhalt, sondern
Medium eines durch sie bewirkten Erlebnisses. Es muß dann versucht werden, zu
klären, was es mit diesem Erlebnischarakter der Erfahrung der Tragödie auf sich
hat.

Eine hier mögliche These ist, daß durch die Tragödie tragische Erlebnisse des
Dichters erlebt werden. Der Dichter mithin hat tragisch erlebt, er hat die Tragödie gebildet als seinen Erlebnisausdruck; dieses Erlebnis teilt sich dem die Tragödie Empfangenden mit. Dieses Erlebnis kann auf verschiedene Weise begriffen
werden. Benno v. Wiese nimmt für die deutsche Tragödie von Lessing bis zu
Hebbel ein persönlich substantielles Erlebnis an, das zugleich ein zeitgeschichtli-
ches Erlebnis sein soll, ein «tragisches Schicksal», das sich im Ablauf mehrerer
Generationen vollzieht: den fortschreitenden Verlust der geschichtlichen Religion. Der Dichter büßt mehr und mehr Substanz, Fülle, Sicherheit ein, die der
religiös noch gebundene Mensch besaß; er verfällt einer wachsenden Entleerung
und Verzweiflung. Das eigentlich Tragische ist dieser ganze, sich durch mehrere
Generationen fortsetzende Vorgang; so wird für v. Wiese dieser Vorgang «als
Ganzes zu einer ergreifenden Tragödie[23]». Doch kann dieses Erlebnis auch begriffen werden als weltanschaulich ästhetischer Art, daß es bestimmte Naturen
gibt, die weltanschaulich und ästhetisch zugleich die Wirklichkeit unter dem
Aspekt des dramatisch Tragischen erleben. Für Robert Petsch gibt es diese spezifisch dramatisch erlebenden Menschen. Sie «werden im Leben und vollends in
ihrer Einbildungskraft immer wieder in dramatische Szenen hineingerissen und in
dramatisch-geheimnisvoller Art vorwärtsgetrieben». Das sind die «hochdrama-
tischen Naturen», die im eigentlichen Sinne «dramatischen Menschen[24]». Durch
den so erlebenden Dichter wird auf der Bühne gegenwärtig der dramatische
Mensch, «der in lauter Gegensätzen lebt und eine gegensätzlich geordnete Welt
mit seiner Seele erfüllt und bewegt». Mit diesem Menschen wendet sich der Dichter «an die entsprechenden Schichten unserer Persönlichkeit und dient als Mittler
zwischen uns und seinen Figuren, denen wir uns durch einen eigentümlichen
‚Rollentausch' unterschieben. ... Es entspricht der Vielseitigkeit und der dramatischen Aufgewühltheit unserer Seele, wenn wir uns bald in diese, bald in jene Figur hineinleben.[25]»

v. Wiese und Petsch wollen das Erlebnishafte der Tragödie dadurch erklären, daß
sie ihr die Wirklichkeit des erlebenden Dichters zugrunde legen. Doch kann eine
Erklärung auch von aller seelischen Realität des Dichters, ja überhaupt von allem
sich als Wirklichkeit Zeigenden absehen. So kommt für Volkelt der Erfahrung
durch die Tragödie als ästhetischer Erfahrung überhaupt nur seelische Wirklich-

keit im Empfangenden zu. Alles, was durch die Tragödie erfahren wird, die Vorgänge, die Menschen, die Inhalte ihrer Reden, besteht, weil es ästhetisch da ist, nur als Erlebnis des Empfangenden. Es handelt sich bei den Kunstwerken, soweit sie für die Ästhetik in Frage kommen, «durchaus um ein seelisches Bestehen». Der Ästhetiker hat sich nur mit einem seelischen Erlebnisbestand zu beschäftigen. Das Kunstwerk wird als ein «entsprechendes Etwas stillschweigend vorausgesetzt, das aber als solches niemals von der Ästhetik in Untersuchung gezogen wird[26]».

Nach v. Wiese und Petsch muß der Tragödie ein Erlebnissubstrat zugrunde liegen; nach Volkelt soll durch die Tragödie künstlerische Wirklichkeit als bloßes Erlebnis gegenwärtig sein. Dort wird nicht gesehen, daß durch den Dichter Wirklichkeit nur *gezeigt*, hier wird nicht gesehen, daß durch die Tragödie *Wirklichkeit* gezeigt wird. Das Erlebnishafte der Tragödie ist eine Weise ihres Zeigens von Wirklichkeit. Dieses Zeigen geschieht in mehrfacher Art: durch das Schaubarmachen von Menschen und Vorgängen, durch Rede usf. Es geschieht auch durch die Bewirkung von Eindrücken auf das fühlende Gemüt. Also muß man fragen, durch welche Elemente seiner Darstellung der Dichter Wirklichkeit dem fühlenden Gemüt zeigt.

Hier liegt nahe, aus der Tragödie selbst das Erlebnishafte ihrer Inhalte auszusondern. Die Tragödie läßt nicht nur das Gemüt erleben, sondern sie zeigt auch weitreichend ihre Personen im Zustande des Erlebens. Sie erfahren mehr erlebnishaft, als daß sie denken. Sie sind von Leidenschaften erfüllt bis zum Affekt. Sie werden in Leiden gestürzt. Sie sprechen ihr Inneres erlebnishaft aus. Man erlebt also durch die Tragödie nicht den erlebenden Dichter, man erlebt nicht das Ganze poetischer Vorstellung als eine nur seelische Wirklichkeit, vielmehr erlebt man bestimmte sich zeigende erlebnishafte Inhalte, man erlebt den erlebenden Menschen. Man erlebt den Menschen in seiner Liebe, in seinem Haß, man erlebt enthusiastische Hoffnung und tiefste Verzweiflung. Man erlebt so den Menschen in der ganzen Fülle der ihm möglichen Erlebnisse; man erlebt ihn mit und nach.

Diese Theorie hat schon Lessing gekannt, und er hat sie bestritten. Die Tragödie läßt nicht die Fülle eines Erlebnishaften in unserm Gemüt nachklingen. Ihr Grundzug ist, daß sie überhaupt nicht nur teilnehmen läßt, sondern daß sie von sich aus bewirkt. Sie bewirkt bestimmt geartete Zustände des Gemüts, durch die sie im Gemüt bestimmte Erfahrungen verwirklicht.

Alle Kunst setzt sich nicht nur Lebensabbildung und Teilnahme am Leben, sondern Bewirkungen bestimmter Art zum Ziel. Die Griechen stellten in ihrer Plastik Götter, Göttinnen, Menschen in vielfachster Besonderheit dar. Doch gaben sie allen ihren Statuen den Charakter der Schönheit. Die Ägypter zeigten den menschlichen Körper als ein architektonisches Gebilde, der gotische Künstler den beseelten Körper, der Künstler des Barock den Körper als Träger einer mächtigen Energie. Also ist bei der Tragödie nur zu fragen, was sie dem Gemüt als die ihr eigentümliche Erfahrung vermittelt.

Die dramatischen Spiele sind Trauerspiele und Lustspiele; das Schauspiel ist ein Spiel mehr ernster oder mehr heiterer Art. Der Dramatiker will das Gemüt zur Trauer oder zur Heiterkeit stimmen. Dies ist das Gleiche aller Trauer-, aller

Lustspiele. Shakespeare will in «Romeo und Julia» nicht an der Liebe teilnehmen
lassen. Er schildert die Liebe nicht wegen der Liebe, sondern wegen der Trauer.
Solche Liebenden vernichtet zu sehen, stimmt traurig. So sagt auch Lessing, daß
im Zuschauer nicht die Gefühle der Personen auf der Bühne nachklingen. Auf der
Bühne zeigt sich der Mensch in der ganzen Vielfalt seines Gefühlslebens. Im Zuschauerraum werden dagegen stets Zustände gleicher Art bewirkt. Hier herrscht
der Zustand der Trauer. Doch wird mit Trauer noch nicht das Spezifische der tragischen Wirkung getroffen. Trauer ist auch ein Gegenstand und eine Wirkung der
Musik, auch die Lyrik als Elegie gestaltet den Zustand der Trauer. Von der Tragödie sagt Aristoteles, sie habe die Aufgabe, Furcht und Mitleid zu erregen. Durch
die Bewirkung solcher Zustände weist sich ein dramatisches Gebilde als Tragödie
aus. Der einzige unverzeihliche Fehler eines tragischen Dichters ist nach Lessing
dieser, «daß er uns kalt läßt[27]». Sophokles ist der große Tragiker durch die Gewalt, die er über unsere Leidenschaften hat; Shakespeare, mit gleicher Gewalt wirkend, ist darum sein kongenialer Nachfolger, ist im Innern Sophokles gleich.
«Shakespeare», sagt Lessing, «erreicht diesen eigentlichen Zweck der Tragödie
fast immer[28].» Er war, wie Herder sagt, mit Götterkraft begabt, «aus dem entgegengesetzten Stoff und in der verschiedenartigsten Bearbeitung dieselbe Wirkung
hervorzurufen, Furcht und Mitleid!, und beide in einem Grade, wie jener erste
Stoff und Bearbeitung (in der Antike) es kaum vormals hervorzubringen vermocht[29]». Für Schiller vereinigt das tragische Kunstwerk alle seine Eigenschaften,
«um den mitleidigen Affekt zu erregen. Mehrere von den Anstalten, welche der
tragische Dichter macht, ließen sich ganz füglich zu einem anderen Zweck, z. B.
zu einem moralischen, einem historischen u. a. benutzen; daß er aber gerade diesen
und keinen andern sich vorsetzt, befreit ihn von allen Forderungen, die mit diesem
Zweck nicht zusammenhängen, verpflichtet ihn aber auch sogleich, bei jeder besondern Anwendung der bisher aufgestellten Regeln sich nach diesem letzten
Zwecke zu richten[30].»

Man muß Gehalt und Sinn solcher Bewirkungen im Gemüt erschließen. Sucht
man, wie seit Hegel, in der Tragödie ein Offenbarwerden des Seins, will man durch
sie ursprünglich wissen, wie es mit dem Menschen, mit der Wirklichkeit steht,
muß man sich auf die sich zeigende Wirklichkeit richten. Man muß Aristoteles ab-
lehnen oder gezwungen interpretieren, damit er der modernen Auffassung nicht
widerspricht. Man solle nur nicht meinen, sagt Kommerell in seiner Untersuchung
über Lessing und Aristoteles, dieser habe die tragische Wirkung zu einem Zweck
der Tragödie machen wollen. Die Erregung von Furcht und Mitleid sei zu begreifen als eine mit der Tragödie verbundene Eigenschaft[31]. Ferner glaubt Kommerell,
wenn Lessing die innere Gleichheit der Dramen Shakespeares und Sophokles' ver-
fochten habe, so habe er nur Shakespeare als Vorbild unschädlich gemacht «durch
die gewagte, aber leidenschaftlich vorgetragene Verbindung seiner Dramen mit
der antiken Tragödie und der aristotelischen Doktrin – ob Lessing wirklich überzeugt war, steht dahin. Seine Behauptung bezieht sich zunächst auf den Zweck
der Tragödie (Mitleid zu erregen); das grenzenlose Anderssein Shakespeares ist
ihm wohl klar gewesen[32]». Hier zeigt sich nur die Unfähigkeit, den Sinn der

Ausführungen von Aristoteles, Lessing und auch von Herder zu begreifen, der auch dreißig Jahre lang gegen sein besseres Wissen geschrieben haben müßte. Es wird verkannt, daß Aristoteles nicht von einer Eigenschaft, sondern von einer Aufgabe der Tragödie spricht, daß Lessing oder Herder nicht eine Gleichheit nur hinsichtlich der Wirkung feststellen, sondern hiermit die innere Gleichheit der antiken und der neueren Tragödie. Es wird die Seinsbedeutung der durch die Tragödie bewirkten Zustände verkannt.

Die hier akut werdenden Probleme können verdeutlicht werden an Theorien über Art und Grund der ästhetischen Lust. Hier wird zunächst die Tatsache gesehen und festgehalten, daß ein wesentliches Element der ästhetischen Erfahrung ein Lustzustand und daß die Erregung von Lust ein Ziel ästhetischer Darstellung ist. Diese Lust aber ist zu begründen. Hier wird schon in der Antike ein sensualistischer Weg beschritten. Man erklärt die Lust durch das Kunstwerk durch einen nur subjektiven Lustgewinn, den man in der Lustmöglichkeit des in sich selbst beschlossenen Menschen begründet. Seelische Bewegungen, starke Bewegungen an sich selbst sind lustvoll. Doch bleibt diese Lust, die Seelenlust, noch ohne Wirklichkeitsgrund. Im konsequenten Sensualismus muß die seelische Lust auf Körperlust zurückgeführt werden. A. W. Schlegel macht dies als einen Grundsatz der Ästhetik Edmund Burkes sichtbar. Die wirkenden Ursachen des Schönen und Erhabenen müssen in physischen Veränderungen gefunden werden. Wenn die Kunst ein Wohlbefinden bewirkt, so begründet sich dies in einer Förderung unserer Lebensfunktionen[33]. Der zweite Weg ist der intellektualistische. Ihn hat Kant beschritten. Er klärt so das Phänomen des Schönen. Er deckt zunächst auf, daß in der Schau des Schönen nicht objektiv gegenständliche, sondern subjektiv stimmende Wirklichkeit erfahren wird, daß wir ein Angeschautes schön nennen, wenn es uns zur Lust stimmt. Er zeigt ferner den Wirklichkeitsgehalt dieser Lust auf. Sie ist nicht sinnliche, sie ist vielmehr intelligible Lust, bewirkt durch eine Teilnahme an bedeutsamer Wirklichkeit. Schließlich ist der genauere Grund dieser Lust aufzudecken, in der Erfahrung einer Seinsvollkommenheit, die der Mensch fordern muß, und die ihm in dieser Erfahrung aufgeht. In der gegenständlichen Erkenntnis der Natur als Erscheinung, in ihrem Dasein als ein Objekt für das Subjekt erfährt er die Natur nur als mechanischen Zusammenhang. In der Tiefe seines sittlichen Bewußtseins erfährt er die Wirklichkeit der freien Vernunft. Sein Erkenntnisbedürfnis geht auf den sinnvollen Zusammenhang beider Wirklichkeiten, doch ist dieser ihm durch keine gegenständliche Erfahrung zugänglich. Dieser Zusammenhang nun leuchtet ihm in der Erfahrung der schönen Natur auf, doch nur in dem Gefühle der Lust. Sie ist der Ausdruck dieser Erfahrung im Gemüt. So wird in der ästhetischen Erfahrung erfahrbar, was sich der gegenständlichen Erkenntnis entzieht, es wird in ihr geschaut und gefühlt, was nicht ergriffen und gedacht werden kann. Die hier in einem Zustand des Gemüts, in dem passiveren Erfahrungsvermögen des schauenden und fühlenden Gefühls sich vergegenwärtigende Wirklichkeit kann somit nie als gegenständliche Wirklichkeit ergriffen und objektiviert, sondern nur durch philosophische Besinnung als die Bedingung der ästhetischen Lust erschlossen werden.

Die Tatsache einer ästhetischen Lust als Signum ästhetischer Erfahrung kann auch für die tragische Erfahrung fruchtbar gemacht werden. Sensualistische Erklärungen versuchte schon die Ästhetik der späten Antike. Ein Ansatz hierfür liegt in der Tragödie selbst. Sie besteht von Anbeginn in einer Doppelheit, als ein mehr pathetisches und ein mehr ethisches Phänomen. In der sakralen Schau lag eine Wirkungsmacht, die hier dem religiösen Zweck diente. Blieb die Tragödie ein solches Wirkendes auf das Gemüt, ohne hierin sich vermittelnde religiöse Wirklichkeit, so isolierte sich der Gefühlszustand und verselbständigte sich. Es konnten Bewegung und Erregung um ihrer selbst willen gesucht werden. Tragödien und tragische Romane, sagt Goethe, führen sie einem vagen unbestimmten Zustand entgegen. Diesen liebe die Jugend, sie sei daher für solche Produktionen leidenschaftlich eingenommen[34]. Plato faßte dieses nur Bewegende der Tragödie und lehnte sie ab. Euripides tendierte zu solcher Wirkung, doch auch Shakespeare, auch der frühe Goethe selbst. Ein Pathetisch-Pathologisches dominiert. Gefühlsbewegung und Gefühlsgenuß scheint ein Letztes zu sein, das den Zuschauer ins Theater führt. Das Problem bleibt dann, wieso der Anblick des Traurigen als lustvoll empfunden werden kann. Die sensualistische Ästhetik des 18. Jahrhunderts begründet dies in der Lust am Fühlen schlechthin. Bewegungen des Gefühls an sich selbst sollen lustvoll sein und dies um so mehr, je intensiver sie sind. Traurige Gefühle sind intensiver als heitere, darum grundsätzlich lustvoller. Doch überwiegt hier im Falle eigner Trauer die Unlust. Im Trauerspiel hingegen wird die bloße Vorstellung empfangen, Bewegungen des Gefühls ohne das Mindernde des eigenen Schmerzes: so bewirkt es Luststeigerung ohne Abzug[35].

Diesem bloß Affektiven des Spiels und dem bloß Sensualistischen seiner Erfassung widerspricht das Ethisch-Philosophische der Tragödie, daß ihre Form und Wirkung doch ein verbindlich Wirkliches enthalten und es als Schau und Zustand vermitteln. Aristoteles richtete sich auf diese Seite der Tragödie und bejahte sie. Auch Herder sieht als den Kern der mächtigen melodramatischen Darstellung der Antike die Schicksalsfabel. Zudem ist ihm der Dichter – oder soll dies doch sein – der Ausleger und Anwender dieses Schicksals. Die Franzosen lassen in ihren Dramen das Geistig-Moralische vorherrschen. Lessing und Schiller suchen die Ganzheit, worin das Pathetische Träger des Ethischen wird. Die sensualistische Lusttheorie, die ihm durch Nicolai nahegeführt wird, schiebt Lessing mit leichter Bewegung zur Seite. Schiller hingegen sucht den Grund des Vergnügens an tragischen Gegenständen aufzudecken. Er hebt mit Kant das Seinhafte solcher Lust heraus. Die Tragödie wendet sich im Menschen an die Schicht seines Seinhaften. Sie muß auf ihn, sofern sie den Menschen im Bedingtsein, Leiden, Untergang zeigt, unlusterregend wirken. Doch ist dies die Unlust des nur sinnlichen, des nur daseienden Menschen. Sie bewirkt zugleich dieses Gefühl der Erhebung, daß der Mensch als er selbst, als intelligible Person, eine Macht über alle Natur hinaus ist. Sie bewirkt also Seinsvergewisserung, indem sie die Vernichtung des Daseins zeigt, hebt den Menschen zum Unbedingten empor, indem sie ihm das Bedingte vernichtet. Über die sinnliche Unlust erhebt sich hier die übersinnliche Lust[36]. Ähnlich sucht Tieck hier eine höhere Erfahrung des Lebens. Die Gesund heit selbst hat die Tragödie erfunden, denn, «die Fülle des Lebens, ein gesundes, kräftiges Gefühl des Daseins bedarf selbst einer gewissen Trauer, um die Lust desto inniger zu empfinden[37]».

An dem Zustand der Lust läßt sich eine Seite der Wirklichkeit und Wirkung der Tragödie fassen, sofern und soweit sie an die übersinnliche Seite des menschlichen Seins appelliert. Es liegt hierin ein Seinspraktisches, ein Appell. Doch ist Tragödie zuerst Vorstellung, ein Schaubar- und Fühlbarmachen von Wirklichkeit im Medium bloßer Erfahrung.

Hierauf weist der Name Trauerspiel schon hin: daß hier die Wirklichkeit als traurige und als die zur Trauer stimmende erscheint. Auch hier wird durch die Tragödie mehr gegeben als ein bloßes Gefühl und als Bewegung im Gefühl. Der Zuschauer der Tragödie fühlt keine Gefühle, weder die auf der Bühne noch seine eignen, sondern er wird durch Wirklichkeit zu einem dieser Wirklichkeit entsprechenden Zustand des Gemüts gestimmt. Es gibt den Zustand der Lust und den Zustand der Unlust, den Zustand der Heiterkeit und den Zustand der Trauer. Gefühle sind das Eigene des Menschen, seine jetzt so seiende Beschaffenheit, sie sind im Menschen praktisch wirkende Macht. Sie können sich zu Leidenschaften steigern, zu dem Grade des Affekts, können zu Affekthandlungen führen. Die Eifersucht Othellos ist ein Gefühl, eine volle Leidenschaft, ein ihn überwältigender und sich in Tat auswirkender Affekt. Zustände sind Gestimmtheiten des Gemüts durch die Wirklichkeit. Hierbei kann Wirklichkeit den Menschen so treffen, daß er selbst der Betroffene, nicht nur der Teilnehmende ist. Ein Negatives, Einschränkendes, Zerstörung, die in das Sein des Menschen selbst hineingreift, nennen wir Schmerz. Trauer ist nicht Schmerz, sondern Teilnahme am Schmerz, am Schmerzlichen. Wer einen ihm nächsten Menschen verloren hat, ist schmerzerfüllt. Wer hieran nur auffassend teilnimmt, erfährt Trauer. Schmerz geht in Trauer über, wenn der Betroffene sich von seinem Erlebnis distanziert, wenn das zuerst Überwältigende Inhalt einer stimmenden Erfahrung wird.

Der Zustand der Trauer ist für das Spezifische der Tragödie noch zu allgemein. Zudem enthält sie noch viel Seinspraktisches. Meistens ist ihre Wurzel doch der gemilderte Schmerz. Dies wird weitreichend ein Inhalt der Elegie. Die Zerstörung einer Liebe wurde zuerst als Schmerz erfahren, sie wird jetzt zum Inhalt der elegischen Trauer. Zerstörung wird auch von außen her erfahren: durch den Anblick der gestürzten oder gesunkenen Größe, der Gräber, aller Zeichen des Wechsels und der Vergänglichkeit. Der Inhalt der Tragödie und ihre Wirkung ist nicht das Traurige solcher Art. Vielmehr steht in ihrem Mittelpunkt der Mensch in einem Zusammenhang und mit einem Ausdruck, die Mitleid erregen und Furcht.

Im Mitleid liegt das bloße Gestimmtwerden durch geschaute und gehörte Wirklichkeit offen. Der Zuschauer leidet nicht selbst, er leidet auch nicht eigentlich mit dem Leidenden, vielmehr wird er durch Leiden in den Zustand des Mitleids versetzt. Ebenso ist die Furcht ein Zustand des Gemüts durch Teilnahme an Wirklichkeit. Das Getroffensein des Menschen selbst, die Entsprechung des Schmerzes und des Leidens, nennen wir Angst. Angst ist das Gefühl der jetzt gegenwärtigen eignen Bedrohtheit und Vernichtung, als religiöse Angst, wenn die eigne Verlorenheit und Nichtigkeit erlebt wird, als Todesangst in faktischer Bedrohtheit durch den Tod, mag dies nun eine äußere Gefahr sein oder eine innere etwa durch das drohende Versagen des Herzens. Furcht ist der Zustand des Gemüts, wenn ohne gegenwärtige Bedrohtheit das Unausweichliche einer Vernichtung bewußt wird, das Verlorensein vor einem richtenden Gott oder die Unausweichlichkeit des Todes. Angst, als praktisches Verhältnis, führt zu praktischem Handeln: zur religiösen Hingabe, zum Versuch, das Gefährdende zu beseitigen durch Sieg über einen Gegner oder ihm zu entgehen durch Flucht. Furcht, als Zustand des Bewußtseins, führt zu einer Antwort des Bewußtseins: im religiösen Raum zur Reue, im Verhältnis zum Tode zur Bewältigung des hiermit gesetzten Seinsproblems oder zur Flucht aus dieser Bewußtheit durch Zerstreuung, Betäubung. Doch fehlt der Furcht ein so faßlicher Gegenstand, wie er für das Mitleid sich zeigt. Es wird gefühlt mit dem leidenden Menschen. Nicht wird in gleichem Sinne für diesen Menschen, für das, was ihm bevorsteht, Furcht gefühlt. Der Zuschauer befürchtet nicht nur für Desdemona, wie er mit ihr Mitleid fühlt. Vielmehr, was hier vorgeht, das Geschehen als solches, erregt Furcht. Ferner ist diese Furcht nicht so auf den Inhalt der Schau bezogen wie das Mitleid. Das Mitleid bezieht sich auf die Person auf der Bühne, Furcht hingegen ist wie ein Zustand, in den der Zuschauende selbst versetzt wird. Er erfährt Furcht schlechthin und nicht nur Befürchtung in bezug auf den Ausgang eines Geschehens oder das Schicksal eines Menschen. Furcht ist, wie Lessing heraushebt, ein ichbezogener und nicht ein bloßer philanthropischer Zustand[38]. Durch diesen Ichbezug aber wird der hier bewirkte Zustand erst eigentlich tragisch. Der Erfahrende soll nicht bei einer unverbindlichen Teilnahme des bloß aufnehmenden Bewußtseins bleiben. Mit dem Zustand der Furcht berührt die ästhetische Wirkung das Seinspraktische. Der Ort wird erreicht, auf den auch Schiller hinzielt, wenn das Sicherheben des Zuschauers ihm eine Hauptwirkung der Tragödie wird.

Die durch die Tragödie bewirkten Zustände sind die Antwort auf die durch sie gezeigte Wirklichkeit. Mithin wird nicht nur Art des tragischen Erlebnisses gesichert, sondern auch der eigentliche Inhalt der Tragödie. Sofern die tragische Schau Furcht erregt, muß in ihr das Furchterregende vorgestellt werden, sofern sie Mitleid erregt, das Leiden. Die Tragödie wäre demnach eine dramatisch-theatralische Schau, in der ein Furchterregendes schaubar wird, das insofern Furcht erregt, als der Mensch zum Leiden geführt wird.

Damit ist das Ganze gefaßt, als was die Tragödie als theatralisch-poetisches Kunstwerk erscheint. Der Dichter gibt die Tragödie als diese Schau, weil er so das zu Fürchtende und das Leiden erscheinen lassen und so hierdurch auf die entsprechenden Zustände hin den Zuschauer stimmen kann. Der Wirklichkeitsinhalt aber dieser Schau wird dadurch gewährleistet, daß es das zu Fürchtende gibt und hierdurch das Leiden. Dies ist die Grundverfassung menschlichen Seins, die der Dichter aufdeckt und wirksam macht.

Ein anderes ist das Begreifen dieser Verfassung, Klärung, was ihr Ursprung ist, was sie für das Sein des Menschen aussagt, bedeutet. Auch dies zu klären, kann Aufgabe des Dichters sein. Doch ist hier Klarheit schon durch die religiöse und philosophische Überlieferung gegeben. Des Dichters erste Aufgabe ist die Darstellung und Wirksammachung dieser Seinsverfassung, nicht etwa deren Ausdeutung. Er ist zuerst der darstellende Künstler und nicht der deutende Philosoph. So müssen ihm auch künstlerische und nicht philosophische Aufgaben gegeben sein. Spricht Herder von Schicksalsfabel oder von Schicksalsbedingtheit des Menschen, so ist er schon im Bereich philosophischen Begreifens. Auch das zu Fürchtende ist mehr schon eine philosophische Erschließung als eine Tatsache der darstellenden Kunst. Doch hält sich hier Herder den ästhetischen Tatsachen noch nah genug, um sie zu sehen und festzuhalten.

Der Dichter stellt den Menschen und sein Leben dar: also muß das Darzustellende als eine reale Verfassung im Leben schaubar und greifbar sein. Eine solche Tatsache im Leben ist das Leiden. Ein tragischer Mensch im philosophischen Sinne bietet dem Dichter keinen Gegenstand, wohl aber der leidende Mensch. Er stellt sich durch den Schauspieler vor, entäußert sich, bewegt, erschüttert das Gemüt des Zuschauers. Grund und Sinn des Leidens können und werden als Inhalte der Rede erscheinen, machen aber nicht die poetische Wirklichkeit aus. Diese ist vielmehr der schau- und hörbare leidende Mensch selbst. So ist die Tragödie wesenhaft eine pathetische Kunst, Darstellung dieses Menschen. Doch stellt der Dichter nicht nur diesen Menschen, noch weniger nur innere Zustände dar. Leiden setzt Bedingtsein voraus, dieses wieder Verhältnisse und Mächte, die zum Leiden bestimmen. Auch hier ist eine Lebenswirklichkeit faßlich, ein gerade dem dramatischen Dichter zugeordneter poetischer Darstellungsgegenstand. Der Dichter kann nicht unmittelbar die Wirklichkeit des zu Fürchtenden zeigen, nicht das Walten eines Schicksals, nicht tragische Notwendigkeit. Doch kann er Situationen und Zusammenhänge darstellen, durch die der Mensch bedingt wird. Der Mensch, den er zeigt, ist stets schon in einer ihn bedingenden Lage. Diese Lage ist anschaubar: die Lage des Ödipus, der Emilia Galotti, der Weber im Drama Gerhart Hauptmanns. Sie kann entfaltet werden, kann sichtbar ihr Bedingendes fortschreitend an dem tragischen Helden auswirken. Lage und Leiden sind damit die eigentlichen Darstellungsgegenstände des tragischen Dichters. Indem er die Lage im Drama ausentfaltet, bewirkt er Furcht, indem er das Leiden durch sie vorstellt, bewirkt er Mitleid.

So ist das Tragische als das fixiert, als was es ästhetische Erfahrung wird, zugleich als ein sachlicher Inhalt der Tragödie und als ein vorgegebener Gegenstand poetisch-theatralischer Darstellung. In diesem Tragischen treffen ein künstlerischer Darstellungsgegenstand und ein seinhaft Bedeutendes zusammen. Lage und Leiden sind Tatsachen, die im Leben selbst als mögliche Gegenstände einer darstellenden Kunst gegeben sind, und die zugleich repräsentativ sind für die seinhafte Grund-Lage des Menschen. Von ihnen her ist eine doppelte Besinnung möglich, darauf, was in ihnen an Seinhaftem gegeben ist, ferner, was durch sie als künstlerisches Thema gegeben ist. Die Besinnung auf das hier seinhaft Gegebene wäre schon ein Schritt auf dem Wege zur kritischen Erhellung, indem auf die Tatsachen reflektiert wird, die unmittelbar als Darstellungsgegenstand der Tragödie erscheinen, und der Gang von hieraus zur künstlerischen Verwirklichung hin ist der Weg zur kritischen Erschließung des besonderen Wirklichkeits- und Kunst-charakters der Tragödie, indem diese Tragödie nicht einen abstrakten tragischen Inhalt in zufällig dramatischer Gestalt darstellt, sondern die Darstellung selbst das künstlerische Dasein und Wirken der seinhaften tragischen Wirklichkeit ist. Der antike Dichter gestaltet seine Tragödie oft nur als eine einzige große Situation, die Leiden bereitet. Teils ist diese Situation schon fertig da. Prometheus ist schon an den Kaukasus geschmiedet. Ihm wird schon durch den Adler stets neu die Leber zerfleischt. Philoctet ist schon der auf öder Insel Verbannte, der durch sein Elend und seine Wunde Gepeinigte. Hekuba ist schon die gestürzte Königin. Teils sind alle Bedingungen schon da, ein Unglückliches rasch hervortreten zu lassen. Aga-memnon kehrt von Troja zurück. Er trifft auf eine Gattin, die sich schon lange einem anderen Manne ergeben hat. Er wird seinen Tod finden. Ödipus ist schon ohne sein Wissen der Mörder seines Vorgängers. Er muß sich als dieser Mörder entdecken und ist vernichtet. Schon ist Phädra in Leidenschaft zu ihrem Stiefsohn entbrannt; hieran muß Hippolytos zugrunde gehen.

Hier steht der Mensch sofort in einer vernichtenden Lage. Oft kann er ihre Fol-gen nur erleiden. Wenn er handelt, so ist dies kein Handeln im Sinne eines freien, überschauenden, erfolgreichen Tuns. Ödipus handelt, weil er muß: ihm ist von den Göttern befohlen worden, den Mörder seines Vorgängers zu entdecken. Noch mehr ist Klytaimnestra durch die Rückkehr des Agamemnon in eine Zwangslage gesetzt. Tötet sie nicht den Gatten, wird dieser sie töten. Einem ähnlichen Zwang unterliegt Phädra. Ihre Leidenschaft ist dem Hippolytos verraten worden. Er will sie seinem Vater Theseus verraten. Um dies zu verhindern, muß Phädra ihren Stiefsohn vernichten. Medea ist verbannt, sie soll ihre Kinder zurücklassen. In die-ser Zwangslage vernichtet sie Kreons Haus und ihre Kinder. Hier überall fehlt die äußere Freiheit. Es kann auch die innere Freiheit fehlen. Hera, Herakles' alte Feindin, hat ihm Lyssa, die Raserei zugeschickt. Von ihr verwirrt, tötet er seine Kinder. Ajas hat die Fürsten der Achaier töten wollen, im Zorn darüber, daß die Rüstung des Achill Odysseus zugesprochen worden ist und nicht ihm. Athene hat ihn verwirrt; er hat in seinem Wahn die Schafherden niedergemetzelt.

Der Mensch untersteht hier Mächten, die ihn von außen vernichtend ergreifen. Doch steht dieses Vernichtende auch in einem Verhältnis zu ihm selbst, zu seiner Beschaffenheit als Mensch. Dies kann ganz äußerlich sein. Hekuba leidet, weil sie diese Königin, die Gattin des Priamus ist. Ödipus ist heftig eifernd, so erschlug er den Greis am Dreiweg. Er ist kühn, klug, sich wagend: so löste er das Rätsel der Sphinx und wurde Jokastes Gatte. Ajas war blind rachsüchtig, so schlug ihn Athene mit Wahn. Prometheus, der Titan, hat sein Schicksal durch Auflehnung gegen die Götter selbst herbeigeführt. Auch im Geschehen selbst kann der Cha-rakter ein entscheidender Faktor des tragischen Geschehens werden. Kreon hat bei Todesstrafe verboten, Polyneikes, den Sohn des Ödipus, den im Kampf gegen seine Vaterstadt Gefallenen, zu bestatten. Doch zum Charakter der Antigone ge-hört es, die Pietät höher zu achten als den Befehl des Königs; sie bestattet den Bruder. Zum Charakter Kreons gehört eine harte Halsstarrigkeit. Er befiehlt, Antigone zu töten, und besteht auf diesem Befehl, bis es zur Rettung zu spät ist.

Um Gattenmörderin zu werden, muß Klytaimnestra so hart und unerbittlich sein wie Aischylos sie zeigt. Nur diese Medea, diese düstere Priesterin und Zauberin von Kolchis, wird eher ihre Kinder töten, als sie in der Hand der Nebenbuhlerin lassen.

Dieses Ganze, dieses Zusammenwirken von Mächten außerhalb des Menschen und in ihm, kann man des Menschen Lage nennen. Der Mensch ist stets der in einer bestimmten Weise Gelegene. Er ist stets in einer Situation, in der ein Zweifaches zusammentrifft, bestimmte Verhältnisse im Umraum, eine bestimmte Anlage und Verfassung des Menschen selbst. Der Dichter zeigt diese beiden Elemente auf, ihr Zusammenwirken, was sich hieraus ergibt. Hierbei ist seine Meinung, daß der Mensch nicht erst der so Gelegene geworden ist, sondern daß er dies schlechthin ist, durch sein Menschsein. Die Tragödie demonstriert dies nur eindeutig und klar. Auch wenn sie nur einen letzten Moment in diesem Gelegensein darstellt, betont sie doch, daß dies stets schon bestanden hat. Ödipus war schon vor seiner Geburt bestimmt, seinen Vater zu töten. Die sichtlichen Anlässe des letzten Unglücks gehen oft sehr weit zurück. Das Schicksal griff schon nach Agamemnon, als er, im Eifer der Jagd, Hindinnen der Artemis tötete. Das Verhängnis der Medea begann schon, als sie in Kolchis Jason half, das goldene Vlies zu rauben. Solche Zusammenhänge ließen sich weiter zurückverfolgen. Stets ergäbe sich, daß schon mit der Geburt des Menschen sein Gelegensein beginnt. Er wird stets schon als dieser Mensch in diesen Raum hineingeboren.

Dieses Gelegensein ist die Grundweise des Menschen, in dieser Welt da zu sein. Sie ist Zeichen seiner Endlichkeit, seines bedingten Seins. Der Mensch steht in dem Raum, in der Zeit, in die er hineingestellt worden ist; er ist hier von Mächten umgriffen, die ihn bedingen. Er ist auch in jeder Weise beschränkt in sich selbst: begrenzt in seiner physischen Kraft, in seiner intellektuellen Einsicht, Opfer seiner Charakterantriebe und seiner Leidenschaften. Doch ist dieses Gelegensein nicht stets tragisch, nicht nur Thema einer Tragödie. Die Tragödie stellt das schädliche Gelegensein dar, den Menschen in seinem Leiden, Untergang. Das unschädliche Gelegensein stellt der Lustspieldichter dar. Daß der Mensch stets in einer bestimmten Weise gelegen ist, führt hier nur zu einer Ver-Legenheit.

Dieses Gelegensein des Menschen ist zunächst ein bloßes Faktum. Es besteht unabhängig von einer religiösen oder philosophischen Auffassung der Wirklichkeit. An diesem Faktum findet der Dichter seinen eigentlich poetischen Gegenstand. Das Drama ist die Kunstform, in der der Dichter dieses Gelegensein suggestiv vorstellig und dem Gemüte wirksam machen kann. Er bringt die Tatsachen zum Anschauen, die von außen her auf den Menschen wirken. Er zeigt, daß in Theben die Pest herrscht, er zeigt die um Rettung Flehenden, er zeigt Kreon, wie es mit dem Spruch aus Delphi zurückkehrt. Er zeigt, wie zu Herakles die Botin der Hera, Lyssa, die Raserei kommt. Er zeigt den Menschen, auf den diese äußere Situation wirkt, diesen heftig eifernden Ödipus, diese fast eifernd entschlossene Antigone, diese düstere Medea. Er braucht nur die Lage vorstellig zu machen, in der der Mensch steht, nur die Anlage, mit der er auf die Lage antwortet. Er braucht aus diesen aufgezeigten Tatsachen nur ihr Zusammenwirken zu entwickeln und

dessen Folgen. Damit bringt er sein Thema zum Anschauen. Zugleich bringt er
es zum Wirken auf das Gemüt. Der schrittweise Gang des Zusammenhangs zu
einem unglücklichen Ende, aber auch schon die Zuspitzung des Geschehens zu
unglücklichen Möglichkeiten, auch wenn sie sich nicht verwirklichen – dies erregt
Furcht. Die Schau des hierdurch leidenden Menschen erregt Mitleid. Zudem
erwächst dem Dichter hier wieder die spezifisch poetische Aufgabe, den Menschen in seinem Leiden durch Sprache sich entäußern, und dadurch die Möglichkeit, den Zuschauer mit diesem Leiden mitleiden zu lassen.

Auch Shakespeare hat nur dieses Thema behandelt, auch er hat nur den Menschen in seinen Gelegenheiten, diesen Zusammenhang von Lage und Anlage dargestellt, hat nur Spiele der tragischen Erschütterung durch Furcht und Mitleid geschrieben. Wenn dies heute oft nicht mehr gegenwärtig ist, so wirkt sich hier noch
die romantische Kunstmetaphysik aus, die zuerst ein poetisches Kunstwerk statt
durch seine Ziele durch seine Herkünfte erklärte. Man dachte zu diesen Kunstwerken ein sie begründendes Seinsprinzip hinzu, zu der antiken Tragödie das
Naturprinzip, zu Shakespeare das Geistprinzip: so standen Sophokles und Shakespeare nicht mehr als die Dichter der gleichen Ziele und Wirkungen nebeneinander, sondern als Exponenten gegensätzlicher als Kultur sich manifestierender
Seinsseiten polar gegeneinander. Seitdem ist Shakespeare immer wieder mehr ge-
schichtsphilosophisch ausgedeutet als empirisch erkannt worden. Eine der gegen-
wärtigsten Thesen ist, daß die Antike das Schicksals-, Shakespeare das Charakter-
drama ausgebildet habe. Man setzt hiermit auch heute noch einen grundsätzlichen
Unterschied zwischen antiker und neuerer Dramatik.

Der Begriff «Charaktertragödie» ist mehrdeutig. Man kann hiermit einmal ein
künstlerisches Gebilde bestimmter Art bezeichnen. In diesem Sinne gibt es Tragödien mit Charakteren und ohne Charaktere. Aristoteles sagt etwa: es sei nicht die
Aufgabe der Tragödie, Charaktere darzustellen. Er meint hiermit, daß die Tragödie zuerst das tragische Geschehen zeigt, daß die tragischen Figuren wegen der
Handlung da seien, und nicht die Handlung wegen der Figuren. Ferner sagt er,
es seien auch Tragödien ohne Charaktere möglich. Er versteht hier unter Charakteren in charakteristischer Weise vorgestellte Figuren. Die Griechen bildeten ihre
Tragödien im Stoffe der Sagen und Mythen aus; hierdurch waren ihnen nicht Charaktere im Sinne des individuell Besonderen gegeben, sondern Personen idealtypi-
scher Art. Von dem Stoffe ist die Darstellungsweise abhängig. Es ist selbstverständlich, daß dieses Idealtypische sich auch nur durch ideale, das individuell Besondere
eines Charakters nicht betonende Darstellung angemessen vermitteln ließ.

Shakespeare kann die Charaktertragödie ausbilden, indem er im Sinne dieser
Besonderheit den Menschen als Menschen ausmalt. Der antike Dichter, sagt Schiller in seiner Besprechung von Goethes «Egmont», habe mehr die ungewöhnlichen Ereignisse dargestellt und mehr Leidenschaften und Leiden. Erst Shakespeare habe den ganzen Menschen auf die Bühne gebracht. Dies entstammt zunächst einmal den Stoffen Shakespeares. Er dramatisiert nicht Sagen und Mythen,
sondern Geschichte oder als Geschichte sich gebende Sagen. Hiermit ist ihm als
Stoff der historische Charakter gegeben, der Mensch mit seiner zeitlichen, räum-

lichen, persönlichen Besonderheit. Man kann, wie die Franzosen, die Geschichte idealisieren, die Stoffe in solcher räumlicher oder zeitlicher Ferne suchen, daß der Dichter von diesem Besonderen absehen kann; dies tut Shakespeare nicht. Er bearbeitet seinen Stoff so, daß er dieses Besondere als ein wesentliches Moment der künstlerischen Konkretheit mit in sein Drama aufnimmt. So verfuhren auch Goethe und Schiller, im Gegensatz zu den kleineren Dichtern, für die die Geschichte zu einem Raum wurde, der ihnen gestattete, auf alle genaueren Bestimmungen des konkreten Lebens zu verzichten. Hiermit ist der besondere Charakter durch den Stoff da, und wo der Stoff ihn nicht unmittelbar ergibt, wird er als besonderer Charakter in den Stoff hinein erfunden, wie ein Egmont, ein Don Carlos, ein Prinz von Homburg; er realisiert von sich aus die geschichtlichen Geschehnisse und wird von dem geschichtlichen Raum her realisiert. Hiermit tritt ein Zweites hervor: daß der geschichtliche Charakter durch die stoffliche Überlieferung poetisch noch nicht hinreichend da ist. Dies trifft nicht nur in dem Sinne zu, daß, ganz anders als der antike Dichter, der Dichter der geschichtlichen Stoffe seine Charaktere erst realisieren muß, sondern auch in der Rücksicht, daß er ihre Realität für den sie Empfangenden nicht voraussetzen kann und auch noch nicht eine diesen befriedigende Realität geschaffen hat, indem er solche Charaktere nur vorstellig macht. Denn der Zuschauer will nicht nur das ihm noch Unbekannte deutlich und zwingend vorgestellt finden, er will auch an diesem Charakter innerlich teilnehmen, er will in ihm einen Gegenstand menschlichen Interesses finden. Der antike Dichter brauchte seinen Achill und seinen Odysseus nur in den überlieferten Zügen darzustellen, um ihrer Gegenwart wie des Anteils des Zuschauers gewiß zu sein; Shakespeare hingegen muß einen Richard III. zu einem Charakter ausbilden, zu einer fesselnden Persönlichkeit und noch mit einem Grund im möglichen Menschen, daß der Zuschauer nur einen Menschen in einer extremen Möglichkeit und nicht ein Ungeheuer erblickt. War der Charakter so konzipiert, so war es selbstverständlich, daß er auch nur im charakteristisch individualisierenden Stil angemessen vorgestellt werden konnte, und nie in dem schönen Stil der Antike. So steht der Dichter, wenn er solche Stoffe behandelt und ihr geschichtlich Besonderes wahren will, vor den sachlichen Ansprüchen seiner Dichtung selbst. Ein anderes und aus der Beschaffenheit der Kunst nicht Verstehbares ist, warum der Dichter diese Stoffe ergreift, diese Behandlung wählt. Dies ist nicht mehr aus der Kunst selbst abzuleiten, sondern aus der Stellung einer Nation und eines Dichters zur Kunst. Für Shakespeare und für sein Publikum ist diese Kunst die ihm durch die Überlieferung gewohnte, nächstliegende; in diesem Stoff, in dieser Form, auf dieser Bühne war das Drama ausgebildet worden. Daß es auch in England andere Möglichkeiten gab, zeigt der spätere Klassizismus. Bei uns bevorzugen Goethe und Schiller zuerst diese historisch charakteristische Kunst; dann wenden sie sich der antikisch-klassischen, idealen Möglichkeit zu.

Doch soll Shakespeare nicht nur ein historisches Drama gemäß dessen Stofflogik, einer Nationaltradition und einem Nationalgeschmack gemäß ausgebildet haben; dieses Drama soll auch in der Weise weltanschaulich betont sein, daß der Charakter zu des Menschen Schicksal wird. Richtig ist hieran eine Neigung der

Zeit zur Darstellung großer gesteigerter Charaktere. Doch stellt sich dieses Thema Marlowe mehr als Shakespeare. Zudem, wenn es auf den Charakter im Sinne einer großen starken Charakterhaltung ankommt, so hat dies schon der antike Dichter dargestellt, und er ist hierin nie übertroffen worden. Klytaimnestra schreitet mit fester Entschlossenheit zum Gattenmord, Elektra drückt dem Bruder das Beil zum Muttermord in die Hand, Antigone setzt ohne Zögern ihr Leben aufs Spiel, um die Pflicht der Pietät an dem Bruder zu erfüllen, Phädra vernichtet den Hippolytos, Medea tötet ihre Kinder. Herder definiert den Inhalt der antiken Tragödie als «einen großen Kampf menschlicher Leidenschaften unter der höchsten Macht, dem Willen des Schicksals [39]». «Sophokles», sagt Gustav Freytag, «mutet seinen Charakteren das Kühnste und Äußerste zu ... Die trotzige Geschwisterliebe der Antigone, der tödlich gekränkte Stolz des Ajas, die Verbitterung des gequälten Philocts, der Haß der Elektra werden in herber und gesteigerter Größe herausgetrieben [40].» Charaktere von antikischer Haltung bevorzugt Shakespeare nicht. Weit mehr kann es sich um den Kampf der Leidenschaften handeln. Dies entspricht wieder zuerst seinem Stoff, der Geschichte, und dieser Geschichte überwiegend der englischen Feudalzeit, worin die politische Ordnung noch von den Menschen getragen ist, worin die persönlichen Bezüge zwischen den Großen und die persönlichen Antriebe und Möglichkeiten vorherrschen. Persönlicher Ehrgeiz, Leidenschaft, Machtkampf, Usurpation werden an der Tagesordnung sein. Greift man tiefer, dann scheint Leidenschaft auch ein poetisch erhellendes Thema, indem sich hier ein Verhältnis von persönlichstem Antrieb und objektiver Ordnung, zwischen Leidenschaft und moralischer Vernunft zeigt. Shakespeare stellt nicht die Konfliktlage des Menschen zwischen dem subjektiven Antrieb und der objektiven Ordnung in den Mittelpunkt, wie die Franzosen. Aber er stellt auch nicht den Menschen in großen, selbstwertigen, schicksalhaften Antrieben dar. Vielmehr ist Leidenschaft nur eine mögliche Fatalität im Innern des Menschen, die aber verhängnisvoll erst wird durch eine Fatalität von außen. Auch Shakespeares Darstellungsgegenstand ist der fatale Zusammenhang von Lage und Anlage.

Hierbei kann auch die Lage viel, und es kann der Mensch von sich aus wenig tun. Teils ist die Lage sofort sichtlich und gefährlich da, der Mensch ist nur noch ihr Opfer. Titus Andronicus ist fast ein Märtyrer, ein verdienter, treuer Feldherr, den ungerechte, undankbare, tückische Herren in tiefstes Leid stürzen. Romeo und Julia gehen nicht an ihrer Liebe, sondern an ihrer Lage zugrunde, der Feindschaft zwischen ihren Familien, und zwar nicht durch den Widerstand der Familie gegen diese Verbindung, die verborgen bleibt, sondern durch eine höhere Fatalität, zu der sich das Geschehen fügt. Hamlet steht sofort in einer zerrüttenden Situation, die der des Orest gleich ist. Umgreift die Lage den Helden nicht sofort, so ergreift sie ihn doch sofort. Auf Macbeth wirken die Hexen, auf Othello Jago.

Bei der Lage liegt das Wort, bei dem Charakter die Antwort. Hierbei kommt es Shakespeare nicht auf ein Charakterprinzip an, sondern nur auf einen Zusammenhang, worin der Charakter die eine Seite der tragischen Lage wird. Jede seiner Tragödien ist wie ein Kalkül, welcher Charakter für diese Lage nötig ist, damit sie tragisch wird. Hierzu gehört, daß Romeo und Julia unbedingt lieben. Othello muß der möglicherweise Eifersüchtige sein, der Farbige als Gatte einer weißen Frau. Coriolan muß der Stolze sein: hierdurch stürzen ihn die Tribunen. Antonio muß der Sinnliche sein; hierdurch fesselt und vernichtet ihn Kleopatra. Hamlet muß der Unentschlossene sein; so versäumt er die Rache und fällt selbst als Opfer.

Das einheitliche Prinzip eines tragischen Charakters kennt Shakespeare nicht, sondern nur diese vielfältigste Demonstration des fatalen Zusammenhangs von Lage und Anlage. Charakterdämonie ist bei Shakespeare Ausnahme. Auch Macbeth strebt nicht dämonisch nach Macht, ist nicht ein Mann wie Schillers Wallenstein, sondern er ist ein Krieger, er ist verführbar. Hier setzen die Hexen ein, in einem für ihn gefährlichsten Augenblick, im Hochgefühl seines großen Sieges. Auch im weiteren tut die Lage das meiste: eine ehrgeizige Gattin, die treibt, äußere Umstände, die den Königsmord nahelegen. Ein machtdämonischer Charakter ist nur Richard III. Doch wird auch er durch die Lage aktiviert. Er, der Mißgestaltete, aber Starke, Kluge, Tapfere, Mutige, hat lange im Schatten des Lebens gestanden. Jetzt ist der König dem Tode nahe. Diese Situation muß genutzt werden. Richards Aktion ist sofort schon eine Reaktion. Nur beginnt der Dichter mit dieser scheinbaren bloßen Aktion, er zeigt nicht, wie auf den Charakter gewirkt wird. Dies ist dramaturgisch richtig für ein Spiel, dessen Motor das Tun des tragischen Helden ist. Im «Macbeth» zeigt Shakespeare, wie der tragische Held zu dem Königsmord getrieben wird; danach zeigt er ihn unter den Folgen seiner Tat. Stets bleibt Macbeth bedingt, indem er zur Tat schreitet und indem er deren Folgen erleidet. Bei Richard III. zeigt er, wie der Held sofort zu etwas Verhängnisvollem entschlossen ist. Er macht das Entschlossensein zur Grundlage des ganzen Geschehens.

Die Lebensfälle, die Shakespeare darstellt, die Charaktere in ihnen sind äußerst vielfältig. Gleich ist stets nur der Zusammenhang von Lage und Anlage. Ferner ist stets gleich die Rücksicht auf die poetische Fruchtbarkeit. Es ist da Tragödie gebildet, wo sie ihren poetischen Zweck erfüllt. Sie soll Furcht erwecken. Hierzu gehört nach antiker Überlieferung auch ganz wesentlich das Aufzeigen des Schrecklichen, zu dem der tragische Held getrieben wird: Herakles, Medea töten ihre Kinder. Der Entschluß Richards III. muß Furcht erwecken, für ihn und für die Umwelt. Um Mitleid zu erregen, stellt der Dichter breit das Schicksal und die Klagen der Opfer Richards dar. Zudem stand dieses Drama in dem größeren Zusammenhang des tragischen Geschehens zwischen den Häusern Lancaster-York. In dem Ungeheuer Richard gipfelt dieses Verhängnis auf, zugleich wurde es hier überwunden. Shakespeare schrieb hier seine Atridentragödie. Schiller konnte so in diesem Drama das höchste Tragische finden, also ein Äußerstes an tragischer Vorstellung und Wirkung[41].

Die deutsche Tragödie bleibt ursprünglich der Antike nahe, gespeist von christlichem Dulder- und Leidenspathos. Gryphius' Dramen sind fast nur Leidensgemälde, die Darstellung fertiger vernichtender Lagen, in der «Catharina von Georgien», dem «Papinian», dem «Carolus Stuardus». Auch der byzantinische Kaiser Leo Arminius wird Opfer eines aufrührerischen Feldherrn. Lessing reformiert das bürgerlich realistische Spiel seiner Zeit, indem er es durch die antike tragische Verfassung durchbildet. Miß Sara Sampson, Emilia Galotti stehen sofort in umgreifender, sie ruinierender Lage. Dieses Schema bleibt gewahrt, von Schillers «Kabale und Liebe» bis zu Gerhart Hauptmanns «Rose Bernd» und «Dorothea Angermann». Goethe fügt der situationsgebundenen Frau den situationsgebundenen Mann hinzu, in seinem Clavigo und dem Fernando in der «Stella». Auch sein Götz und sein Egmont sind von Lagen umgriffen, die für diese Charaktere tödlich sein müssen. Denn Götz muß untergehen, wenn er seine Freiheit, Egmont, wenn er sein eignes hohes Leben wahren will. Das Charakterdämonische tritt nur bei Faust bestimmend heraus, doch hier auch so, daß der Mensch in einer Überspannung des Menschlichen scheitert. Im «Tasso» hingegen wird keine immanente Charaktertragik dargestellt, sondern die Herrschaft einer ganz besonderen Konstellation, die eben für diesen Charakter tödlich wird. Die unergründliche Fatalität des Gelegenseins führt das tragische Geschehen herbei. Hätte in «Emilia Galotti» der Prinz nicht an diesem Morgen zufällig das Bittgesuch einer Emilia Bruneschi auf seinem Arbeitstisch gefunden, so hätte er seiner Absicht gemäß gearbeitet und nicht zur Ablenkung und Zerstreuung nach dem Marchese Marinelli rufen lassen, und Marinelli hätte nicht mit ihm plaudern und hierbei beiläufig die bevorstehende Hochzeit einer Emilia Galotti erwähnen können. Hätten in dem Drama Goethes die Prinzessin und Leonore nicht im Park die Büsten Vergils und Ariosts bekränzt, so hätte Herzog Alfons nicht einen dieser Kränze Tasso aufs Haupt gedrückt, Antonio, von schwierigem diplomatischem Geschäft erfolgreich zurückkehrend, hätte nicht einen jungen Mann so in der Gunst seines Herrn und der Damen gefunden; er wäre nicht in dem Maße verstimmt gewesen, und der Streit zwischen Tasso und ihm, dieser für Tasso verhängnisvolle Vorfall, wäre ausgeblieben. Solche Feststellungen veräußerlichen nicht die Erkenntnis der Tragödie, sondern ermöglichen erst ihre kritische Erkenntnis: sie zeigen, daß des Dichters Thema nicht eine immanente Charaktertragik ist, die es nach klassischer Auffassung nicht geben kann, da solches Geschehen eben nicht tragisch ist, sondern dieser fatale Zusammenhang, wie diese Lage auf diesen Charakter wirkt. In dem Charakter liegt Gefährdendes, doch er ist nicht das Prinzip der Vernichtung selbst. Gefährdung ist nur eine Seite menschlicher Bedingtheit. Solche Gefährdung erfährt auch Emilia Galotti.

Welche Dramen bis zur Gegenwart Tragödien sind, kann jetzt an ihrer Darstellung und ihrer Wirkung ermessen werden. Ibsen wird viel zu vordergründig erfaßt, wenn man in ihm nur den Darsteller bestimmter Gesellschaftsprobleme sieht, die jetzt überwunden sind. In diesem Sinne ist auch die Situation nicht mehr aktuell, die Lessing in seiner «Emilia Galotti» zugrunde legt, auf der Goethe seine Gretchentragödie aufbaut, die Schiller in «Kabale und Liebe» zeigt. Hier überall findet der Dichter nur die Möglichkeiten der Darstellung des Menschen in tragischen Situationen, Schicksalen. Die «Gespenster» sind eine Tragödie, nach dem Schema des «König Ödipus» gebaut, das Schiller schon in seinem «Wallenstein» benutzte und wieder in der «Braut von Messina». Auch der Einwand ist abwegig, diese Darstellung sei keine Tragödie mehr durch den Mangel an Freiheit[42]; hier wird ein dogmatischer philosophischer Begriff vom Tragischen für die poetischen Spiele verbindlich gemacht. Ein unbeirrter Tragiker ist wieder Gerhart Haupt-

mann, schon in «Vor Sonnenaufgang» und noch in «Vor Sonnenuntergang».
Georg Kaiser als geborener Dramatiker erneuert auch im Expressionismus wieder
die tragische Fügung. Dramen wie «Von Morgens bis Mitternacht», die Trilogie:
«Die Koralle», «Gas» 1. und 2. Teil sind in tragischen Situationen begründet, die
der bis Dichter zur vernichtenden Konsequenz entfaltet.

Durch die Herrschaft der Lage steht fest, daß der tragische Held der leidende ist.
Doch muß man sehen, in welcher Weise er dies ist. Mit Leiden wird ein Zweifaches bezeichnet: Mangel an freiem Tun und das Leiden der Seele.

Der Mangel der tragischen Personen an freiem Tun gehört zu den Grunddemo-
strationen der Tragödie. Dies ist keine Determination wie sie als Schein durch die
Art der Darstellung erzeugt wird. Dies etwa geschieht bei der Darstellung des
Historikers. Hier kann der Mensch in dem letzten Grund seiner Freiheit nicht erscheinen, da er als Objekt erscheint, als das Wesen, dessen Handeln durch eine
innere Beschaffenheit und eine äußere Situation erklärt wird. Der tragische Dichter erklärt nicht seine Personen, indem er sie zu Erkenntnisobjekten macht; er
stellt sie als Subjekte dar. Damit stellt er sie auch in ihrer möglichen Freiheit dar,
er vertritt keinen Determinismus. Solche Unfreiheit könnte er als Dichter auch
nicht zeigen. Denn er kann nie zeigen, daß der Mensch grundsätzlich unfrei ist,
sondern nur, daß er, in diesem Moment, seiner Freiheit beraubt ist. Prometheus
ist nicht grundsätzlich unfrei, sondern jetzt an den Felsen geschmiedet. Philoctet
ist unfrei als der jetzt so Verbannte. Die dramatische Person ist hier sichtlich die
Leidende, indem ihr das Tun verwehrt ist[43]. Doch kann der Begriff des Leidens als
Bedingtsein weiter gefaßt werden, als ein Bedingtsein auch im Tun. Ich bin bedingt, wenn ich nicht handeln kann, bin aber auch bedingt, wenn ich handeln muß
wie Ödipus nach dem Spruch des Orakels zu Delphi. Der Mensch ist nicht frei,
der, durch intellektuelle Blindheit, tut, was er nicht tun dürfte, wie Ödipus, er ist
nicht frei, wenn er unterläßt, was er tun müßte, wie Kreon in der «Antigone».
Zwar handelt der Mensch, doch sind diese Handlungen nicht Taten im Sinne wahrer Freiheit, sondern Taten im Banne gefährlicher Bedingtheiten. Der Mensch ist
nicht zur sachgerechten Tat frei, weil er im Tun äußeren wie inneren Bedingungen
und Bedingtheiten unterliegt.

Das nachantike Drama wiederholt nur die antiken Strukturen, variiert sie, rei-
chert sie an. Es fehlt an äußerer Freiheit durch den Zwang der Lage, entweder
durch Gefangenschaft, wie bei Maria Stuart, oder durch soziale Lage, wie bei der
Familie Miller oder einem Woyzeck, oder auch durch den Zwang zu einer Tat,
wie für Wallenstein, der nur zu wählen hat zwischen innerer Vernichtung durch
ein Abdanken oder der Gefahr äußerer Vernichtung, indem er versucht, sich als
Rebell zu behaupten. Es fehlt die Freiheit durch Blindheit, wenn Lear Herrschaft
und Besitz abgibt oder Wallenstein Octavio Piccolomini für seinen treuesten
Freund hält. Es fehlt die Freiheit durch Affekt, wenn Othello Desdemona tötet
oder Ferdinand von Walter Luise Miller. Es fehlt auch Freiheit durch die innere
Dämonie, bei Richard III., Franz Moor, Fiesco, Wallenstein.

Im antiken Drama ist der Mensch nicht grundsätzlich unfrei, und in diesen
neueren Dramen ist er nicht grundsätzlich frei. Am engsten sind Freiheit und Un-

freiheit miteinander verquickt bei dem dämonischen Menschen. Goethe spricht hier von einer «prätendierten Freiheit des Willens». Dies ist eine Bestimmtheit, bei der Freiheit und Notwendigkeit in eins fallen. Doch ist dies nur ein Sonderfall in einem weiten Felde, das sonst von undämonischen Personen besetzt ist. Hier erscheint nur der Mensch wieder mit seinem Gelegensein, mit seinen äußeren und inneren Schranken. Im Mangel an äußerer Freiheit wirkt die Lage schlechthin; im Mangel an dieser inneren Freiheit wirkt die Lage auf eine Anlage.

Wichtiger als diese philosophische Seite des Leidens, Art und Sinn des Bestimmtseins, ist für den Dramatiker die seelische Seite, das Leiden als ein Zustand des Inneren. Er demonstriert hier augenscheinlich ein Leiden besonderer Art.

Zunächst freilich kommt es dem Dichter auf ein Leiden schlechthin an, auf eine Darstellung, die Mitleid erregt. Hierzu gehört auch das körperliche Leiden, ein Zustand des Körpers, der einmal die Verfügung des Menschen über sich einschränkt, sodann auch körperliche Qual mit sich führt. So leiden Prometheus oder Philoctet körperlich. Lavinia, die Tochter des Titus Andronikus, wird geschändet. Man reißt ihr die Zunge heraus, hackt ihr die Hände ab. Ugolino und seine Söhne verhungern im Turm, Götz stirbt als alter gebrochener Mann an seiner Wunde, der alte Moor fristet ein elendes Dasein in einem schaurigen Verließ. Die Weber sind dem Hunger und der Not ausgesetzt, Hannele wird durch die Roheit ihres Stiefvaters ins Wasser getrieben (G. Hauptmann: Hanneles Himmelfahrt).

Körperliches Leiden ist die sinnfälligste Erfahrung der Schranke des Menschen in diesem Dasein. Der Körper, statt Träger des positiven Daseins zu sein, macht hier die Bedingtheit dieses Daseins fühlbar. Durch ihn wird Schmerz bewirkt statt Lust. Es zeigt sich der Körper in seiner Schranke, seiner Gebrechlichkeit. Das eigentliche Leiden vertieft sich so, es bleibt nicht bei dem Schmerz des Körpers stehen. Es zeigt sich am Körper das den Menschen möglicherweise Vernichtende. So sind es auch nicht die natürlichen Ursachen, die hier zu dem Leiden des Körpers führen, sondern es ist ein Vernichtendes, das gewaltsam eingreift. Das körperliche Leiden ist nur die sinnfälligste, die sich dem Zuschauer aufdringendste Erscheinung des Leidens. Der Zustand der tragischen Personen ist nicht zuerst der des körperlichen Schmerzes. Sondern das körperlich Schmerzhafte ist für sie nur eine Tatsache in einem Zusammenhang, der in ihnen seelisches Leiden bewirkt.

Dieses Leiden wird zunächst bewirkt durch die Erfahrung von Schranken, denen ein Wesenhaftes im Menschen absolut widerstrebt. Dieser Mensch ist ein absolutes Daseinsprinzip. Das Leiden ist der seelische Zustand, in dem sich die Daseinseinschränkung bekundet. Der Mensch kann nicht da sein in dem Maße und der Art, wie dies für ein positives Daseinsgefühl nötig ist. Er lebt auch nicht in relativen Schranken, sondern seines Daseins beraubt, ein Prometheus an den Felsen geschmiedet, ein blinder Ödipus als heimatloser Greis, ein Lear, auf wüster Heide im Gewitter umherirrend. Er ist vom Dasein her dem Nichtdasein ausgeliefert. Es kündigt sich hier die Vernichtung des Daseins an, der Tod. Hier ist die letzte Wurzel des Leidens die Vernichtung des Daseins.

Damit tauchen die Seinsprobleme auf. Mit dem Dasein wird auch das Sein des Menschen in Frage gestellt. Der tiefste Grund des Leidens ist, daß das Dasein wie das Sein selbst ist, daß mit dem Dasein das Sein entschwindet, daß der Mensch in der Unbedingtheit seines Seinswillens von dem Nichtsein bedroht ist. Dieses Stehen vor dem Nichtsein durch Vernichtung des körperlichen Daseins kann zu der Seinsvergewisserung führen, die Schiller heraushebt. Es ist dies zunächst eine Seinsvergewisserung im Zuschauer, der im Anblick einer physischen Vernichtung sein Sicherheben über alles Physische erfährt; es braucht nicht ein Inhalt der dramatischen Darstellung zu sein. Auch bei Schiller fehlt diese Erfahrung den Personen in «Kabale und Liebe», oder einem Fiesco, einem Wallenstein. Doch kann sie auch der tragischen Person selbst zukommen, wie Egmont oder Maria Stuart. Dies ist nur eine Möglichkeit tragischer Vorstellung und Wirkung. Durchschnittlich überwiegt die Tendenz, dem Leiden eine äußerste Radikalität zu geben. Dies geschieht nicht nur, indem in der tragischen Situation nur Dasein und Nichtdasein, nur das Sein auf dem Spiele steht, indem das Dasein bedroht ist. Vielmehr bedroht die Situation das Sein. Immer wieder stellt der Dichter solche Situationen dar, in denen entweder die tragischen Personen in einen äußersten Seinswiderspruch hineingetrieben sind oder zu ihm genötigt werden sollen. Es ist der stolze Titan Prometheus, der hier gefesselt und gepeinigt ist, der hohe Held Philoctet, der krank, elend, auf diese unwirtliche Insel verbannt ist, die Königin Hekuba, die gefangen und gestürzt ist. Antigone soll den Bruder nicht bestatten dürfen, Medea soll ihre Kinder der Nebenbuhlerin überlassen. Hamlet steht in einer seinsvernichtenden Situation: der Vater ermordet, die Mutter die Mitschuldige, der Mörder der Gatte der Mutter, der Stiefvater, der König auf dem Thron. Lear, der König, ist der hilflose Bettler. Auch Othello wird in Seinsvernichtendes hineingetrieben. Den Personen bei Gryphius wird Seinsvernichtendes zugemutet: der christlichen Königin Catharina von Georgien die Ehe mit dem Schah von Persien und die Preisgabe ihres Glaubens, dem Rechtslehrer Papinian die Beugung des Rechts und dessen Gebrauch zu einem schändlichen Zweck. Götz und Egmont sollen nur so leben dürfen, wie sie nicht leben können, Wallenstein soll sich seiner Macht begeben. Noch Gerhart Hauptmann vertieft das Leiden seiner Personen durch solche Widersprüche. Helene Krause in «Vor Sonnenaufgang» kann so nicht leben, wie sie im Hause ihres Vaters und ihrer Stiefmutter leben muß, ebenso stehen Gabriel Schilling oder in «Vor Sonnenuntergang» Geheimrat Clausen in seinszerstörenden Verhältnissen. Auch der Kassierer in «Von Morgens bis Mitternacht» (Georg Kaiser) erfährt die Seinslosigkeit seines bisherigen Lebens.

Dieser tieferen und radikaleren Bedrohung entspricht der Zustand des Gemüts. Er wird hierdurch zu dem eigentlich spezifisch tragischen Zustand. Dies ist einmal ein bestimmter Seinszustand: der Mensch erfährt sich in der Bedrohung seines Seins. Zugleich ist er ein ausgezeichneter Inhalt für die dichterische Erfahrung und Darstellung: der Dichter gewinnt hieran sein poetisch fruchtbarstes und wirkungsvollstes Thema. Bloßes Daseinselend führt nur zum Klagen und Sichbeklagen; diese Seinsnot aber führt zum vollen Leiden, zur vollen Klage. Hier ist das Innerste des Menschen selbst Leiden geworden, hier wird der Dichter zum Erfahrer und zum Künder des tiefsten und ergreifendsten Menschlichen im Menschen. Dieses Vermögen bekennt bei Goethe Tasso von sich:

*Und wenn der Mensch in seiner Qual verstummt,*
*Gab mir ein Gott zu sagen, wie ich leide.*

Damit ist das letzte Ziel und die höchste Aufgabe des tragischen Dichters, den Menschen in diesem Leiden darzustellen, zu entäußern. Die Tragödie ist eine spezifisch pathetische Kunst, die das Leiden offenbaren, die durch Darstellung des Leidens erschüttern soll. Schiller rechnet sie deshalb nicht den rein ästhetischen Künsten zu, die mehr durch ästhetische Anschauung befriedigen; sie ist für ihn, da sie so sehr erschüttern soll, pathetisch [44]. Das philosophisch Bedeutsame ist hier in dieser Weise zu einem poetisch bedeutsamen und wirksamsten Thema geworden. Der Dichter stellt des Menschen Bedingtsein durch die Lage vor, und hierdurch erschüttert er zur Furcht; er stellt des Menschen Gemüt in seiner Bedingtheit als Leiden vor, und hierdurch erschüttert er zum Mitleiden.

# DRITTES KAPITEL

# WESENS- UND KUNSTVERFASSUNG DER TRAGÖDIE

## DIE PROBLEMATIK DES WESENHAFT DRAMATISCHEN

Mit dem Begriff Drama bezeichnet man bis zu Goethe und Schiller nur das Allgemeine einer dichterischen Darbietung, die Nachahmung eines Geschehens durch
Schauspieler auf der Bühne. Ein eignes konkretes Kunstgebilde Drama gibt es
nicht. Die künstlerischen Konkretionen des Dramas sind das Trauerspiel, das
Lustspiel, das Schauspiel. Goethe und Schiller sprechen in der Abhandlung über
epische und dramatische Dichtung sofort von der Tragödie.

Im 19. Jahrhundert wird das Drama selbständig. Es gibt jetzt Dramen mit tragischen und Dramen ohne tragischen Gehalt. Einen entscheidenden Schritt tut der
durchschnittliche Realismus. Hier herrscht die Überzeugung, daß das tragische
Gebundensein des Menschen ein Wahn sei, dem die Gegenwart sich entzogen
habe. «Wir sind freiere Männer geworden, sagt Gustav Freytag, wir erkennen auf
der Bühne kein anderes Schicksal an, als ein solches, das aus dem Wesen der Helden selbst hervorgeht[1].» Dies aber stellt sich nicht mehr eigentlich durch eine Tragödie dar, sondern nur noch durch ein Drama. Gustav Freytag selbst schreibt
Dramen. Und jetzt werden auch die überlieferten Tragödien, nachdem sich die
Einheit von tragischem Inhalt und tragischer Form aufgelöst hat, als nur noch
dramatische Gebilde verstanden. Gustav Freytag in seiner «Technik des Dramas»
geht so weit, daß er die ganze Überlieferung an Tragödien, von der Antike an,
der Form und weitgehend auch dem Inhalt nach nur noch als Dramen versteht.

Hierzu kann das Drama nicht nur die allgemeinste Kunstform sein, die sich erst
als Trauerspiel oder Lustspiel konkretisiert. Sondern es gibt jetzt das Spezifische
des Dramas mit dem spezifischen dramatischen Inhalt. Ein Dramatisches im Sinne
eines bestimmten poetischen Ausdrucks war stets bekannt und wird auch hier noch
genauer erfaßt werden (s. S. 238 u. f.). Es gibt ein Dramatisches gegenüber einem
Epischen, eine dramatische Fügung der Handlung, der Situationen, des Dialoges.
Doch sind dies, im Zusammenhang mit der Tragödie, nur Kunstzüge der Tragödie. Die Tragödie ist tragisch. Aber sie verwirklicht sich durch Kunstmittel, die
dramatisch genannt werden können. Das Tragische übergreift hier, das Dramatische dient.

Dies ist die Meinung von Gustav Freytag nicht. Für ihn ist das Drama zu erschließen als ein eignes Kunstgebilde mit eignem dramatischen Gehalt. Diese Annahme ist noch problematischer als die These, daß die Tragödie das Spezifische
eines wesenhaft Tragischen enthalte. Das Dramatische als ganzheitliche Qualität
der Tragödie ist zunächst nur ein leeres Wort. Es bedarf mancher Voraussetzungen, es überhaupt mit einem Inhalt zu erfüllen.

Eine wesentlichste Voraussetzung schafft Hegel, dessen Thesen auch bei Freytag
noch nachklingen. Bis zu Hegel hielt man ungebrochen fest, was die Tragödie
zeigte: die Herrschaft einer umgreifenden Macht, unter der der Mensch stand. Sie
war in ihrem Wirken unberechenbar, unbegreiflich, Erscheinung eines Höheren,
über das Natürliche und Vernünftige hinaus. Diese Mächte wurden erfahren und
gedeutet als die Götter, oder als Gott. Für Hegel kann es im Raum seiner Philosophie dieses Übergeordnete, Transzendente, Unbegreifliche nicht mehr geben.
Er kennt nur noch einen von ihm ergriffenen und begriffenen Weltgrund, das ist
ein absolutes geistiges Sein, das sich in dialektischer Bewegung als Welt und im
Menschen entfaltet. Herder denkt noch der alten Tragödie adäquat, weil er den
aus der Transzendenz fügenden Gott kennt; für Hegel ist diese Adäquatheit ohne
Preisgabe seiner philosophischen Konzeption nicht mehr möglich. Er muß die
Tragödie als ein seinem Weltbild fremdes Produkt liegen lassen; oder er muß,
wenn er sie von sich aus begreifen will, statt sie von dem Phänomen her auszudeu-
ten, seinem philosophischen System gemäß umdeuten. Die Tragödie kann nur darin begründet sein, daß sich hier das Sein dialektisch auseinandergespalten hat, daß
jetzt, statt des Menschen unter der Macht transzendenten Seins, ein Gegensatz erscheint zwischen dem Sein in Gestalt des Menschen und der ihm entgegenstehenden
Verhältnisse. Das Innere des Menschen muß jetzt stets eine seinshafte Energie sein,
die zur tragischen Kollision führt. Das tragische Geschehen muß nicht mehr hervorgehen «aus den äußeren Umständen, sondern aus dem inneren Wollen und Charakter». Hierbei sieht sich denn das Individuum, «durch die Art der Umstände,
unter denen es seinen Charakter und Zweck zum Inhalte seines Wollens nimmt, sowie durch die Natur dieses individuellen Zweckes in Gegensatz und Kampf gegen
andere gebracht[2]».

Shakespeare begründet seinen «Macbeth» in dem Fatalen der Lage. Macbeth
trägt die Möglichkeit des Ehrgeizes in sich, doch wird er von höheren Mächten,
den Hexen, verführt. Sie sind Zeichen eines unberechenbaren Verhängnisses. Für
Hegel sind sie, sofern sie antreiben, nur Erscheinungen des aktiven Seins im tragischen Helden, sofern sie aber den tragischen Helden durch Rede täuschen, nur
der Geist selbst als Wissen, der hier in die Form der Negativität getreten ist, ein
dem Menschen selbst immanentes «Nichtwissen», «weil das Bewußtsein an sich
selbst im Handeln dieser Gegensatz ist[3]». Die Hexen in «Macbeth» erscheinen so
zwar als äußere Gewalten, welche dem Macbeth sein Schicksal vorausbestimmen.
«Was sie jedoch verkünden, ist sein geheimster eigenster Wunsch, der in dieser
nur scheinbar äußeren Weise an ihn kommt und ihm offenbar wird[4]». Die sub-
tilen und auf metaphysische Seinsdialektik zurückweisenden Formulierungen Hegels werden in späteren Auffassungen dahin vereinfacht, daß in den Hexen, in
psychologischem Sinn, unmittelbar das Innere des Macbeth spricht. Paul Ernst
sieht, daß man zu Shakespeares Zeiten Macbeth als einen Verzauberten empfand;
wir hingegen heute empfänden, «daß Macbeth durch seinen Charakter getrieben
wird[5]». Paul Ernst rückt damit den «Macbeth» ganz in das Licht moderner Ausdeutung. Gleichwohl sieht er, daß wohl auch Shakespeare selbst den Verführten
hat gestalten wollen. Die Hexen traten auch als von Macbeths Innern unabhängige

Macht auf. Sie erscheinen auch Banquo, prophezeien auch ihm, er werde der Vater von Königen sein. Später tritt auch Hekate auf, als Herrin der Hexen, als die höhere Macht des Verhängnisvollen schlechthin. Schon die erste Rede der Hexen drückt nicht Macbeths Inneres aus, sondern ist tückisch auf dessen Täuschung angelegt. Die erste begrüßt ihn mit einem Titel, den er schon besitzt, die zweite mit einem Titel, den er noch nicht besitzt, den er nicht erwarten kann, den er aber im Augenblick dieser Prophezeiung erhält. Also sagen die Hexen die Wahrheit. Auch ihre dritte Prophezeiung, daß er König sein wird, muß wahr sein. Ebenso tückisch täuschend sind die Auskünfte der Hexen, als Macbeth sie in tiefer Bedrängnis um Rat fragt. Er glaubt gesichert zu sein, und er wird hierdurch vernichtet. Zudem benutzt der Dichter die Prophezeiung der Hexen nur als ein Motiv für den Bau einer tragischen Fabel, die nicht den treibenden Willen des Helden zeigt, sondern Schicksalsfabel ist im Sinne Herders. Macbeth berichtet von dem Vorfall seiner Gattin. Sie ist die eigentlich, die aktiv Ehrgeizige. Grillparzer bemerkt dies: «In Lady Macbeths Seele ist im ersten Augenblick der Entschluß reif. Sie ist Weib, das nach Empfindungen, im Guten und Schlimmen, handelt. Macbeth sträubt sich lange gegen die Idee ... Lady Macbeth bestimmt ihn zur Tat[6].» Auch diese ist nur durch ein Unberechenbares in dieser Weise und Raschheit möglich: jetzt gerade kommt der König, um in Macbeths Schloß zu übernachten. Dies ist ein ebenso unberechenbar Fatales, wie in der «Emilia Galotti» das Bittgesuch der Emilia Bruneschi, im «Tasso» die Kränze.

Nach alter Auffassung bietet solches Drama keinen Ansatz zur Konzeption eines wesenhaft Dramatischen. Der tragische Held steht unter der Macht der Transzendenz. Hegel hingegen führt die Tragödie auf ein sich manifestierendes geistiges Sein zurück, dessen Wesen das Handeln ist. Die Tragödie zeigt den handelnden Geist, freilich zeigt sie den Menschen als das Objekt solchen Handelns. Doch findet jetzt ein Handeln statt, und der Begriff des Dramas wird wesenhaft bedeutsam, da er ein Handeln ausspricht. Zugleich kann dieses Handeln eine Form gewinnen, die spezifisch dramatisch zu sein scheint. Es stehen in diesem Handeln sich zwei Kräfte entgegen. Der Held handelt gegen die allgemeinen Umstände, die Umstände handeln gegen den Helden. So ist also die Tragödie zugleich wesenhaft ein Drama, weil es gegeneinandergestellte und gegeneinander handelnde Kräfte zeigt.

Für Hegel betätigt sich im Handeln des tragischen Helden noch das dialektisch zerspaltene Sein selbst. Doch ist dieser Held jetzt ein Handelnder. Die Bestimmtheit des Gemüts geht im Drama «zum Triebe, zur Verwirklichung des Innern durch den Willen, zur Handlung über». So allein «tritt die Handlung als Handlung auf, als wirkliches Ausführen innerer Absichten und Zwecke[7]». Diesem Sein steht das Sein selbst entgegen; doch ist jetzt für den handelnden Helden ein tätiger Gegenspieler da. «Dadurch wird das Handeln Verwicklungen und Kollisionen überantwortet[8].» Noch deutlicher hebt diese Aktivität des dramatischen Helden Fr. Th. Vischer heraus. Der Charakter der dramatischen Person ist wesentlich «der persönliche Wille ..., dem sein Zweck zum Pathos geworden». «Was durch diese Zwecktätigkeit des Willens hervorgeht, ist im intensiven Sinne des Wortes Handlung, eine Reihe von Taten mit einer entscheidenden Tat im Mittelpunkte. Durch sie bereiten sich die Personen ihr Schicksal.» Darum ist keine Form der Kunst «so ganz, wie das Drama, zur Darstellung des Tragischen berufen[9].» Gibt man in dieser Auffassung den metaphysischen Hintergrund preis, daß der tragische Charakter eine Seite des dialektisch auseinandergetretenen Seins vertritt, so ist die Auffassung Freytags vom Drama erreicht. Der Inhalt des Dramas ist ein dramatisches Handeln. Es wird dramatisch, indem sich hier handelnd zwei Kräfte entgegenstehen. Das Drama wird demnach gebildet durch die Konzeption eines Spiels und eines Gegenspiels, einer Partei und einer Gegenpartei. Siegt der Held, so entsteht das Schauspiel mit gutem Ausgang. Siegt die Gegenpartei, so entsteht ein Trauerspiel. Bei solcher Konstituierung kann das Trauerspiel auf zweifache Weise gebaut werden. Entweder handelt zuerst der Held, und er ruft die Gegenkräfte hervor. Oder es handeln die Gegenkräfte, und sie rufen den handelnden Helden hervor. Im ersten wie im zweiten Falle erliegt der Held den Gegenkräften. Ein eigentlich Tragisches gibt es für Freytag nicht mehr, dafür gibt es für ihn das Dramatische. Man habe seit Lessing, sagt er, vergeblich nach der geheimnisvollen Qualität des Tragischen gesucht, und er gibt dem Dichter auf die Frage, wie er seine Handlung zusammenfügen müsse, damit sie tragisch werde, den ernstgemeinten Rat, «daß er darum wenig zu sorgen habe. Er soll sich selbst zu einem tüchtigen Mann machen, dann mit fröhlichem Herzen an einen Stoff gehen, welcher kräftige Charaktere in großem Kampf darbietet, und soll die wohltönenden Worte Schuld und Reinigung, Läuterung und Erhebung, andern überlassen ... Was in Wahrheit dramatisch ist, das wirkt in ernster starkbewegter Handlung tragisch, wenn der ein Mann war, der es schrieb; wo nicht, zuverlässig nicht[10].»

Das Schema dieses Dramatischen kann genauer entfaltet werden. Freytag wehrt eine zu äußerliche Auffassung ab: dramatisch ist nicht das bloße äußere Getümmel. Vielmehr übernimmt er aus Hegel das Prinzip eines geistigen Vorganges. Für Hegel vollzieht sich in der Tragödie das Tiefere des dialektischen Prozesses, worin das Ich der Welt sich entgegenstellt und entgegengestellt wird, und worin in weiterem Fortgang das Ich wieder in die Welt hineingenommen wird auf dem Wege seiner Vernichtung in seinem Dasein. Auch für Freytag soll das Dramatische ein wesenhafterer Prozeß sein, doch jetzt nicht mehr ein metaphysischer, sondern ein seelischer Prozeß. Dramatisch sind für Freytag «diejenigen starken Seelenbewegungen, welche sich zum Willen und zum Tun verhärten, und diejenigen Seelenbewegungen, welche durch ein Tun aufgeregt werden, also die innern Vorgänge, welche der Mensch vom Aufleuchten einer Empfindung bis zum leidenschaftlichen Begehren und Handeln durchmacht, sowie die Einwirkungen, welche eignes und fremdes Handeln in der Seele hervorbringt; also das Ausströmen der Willenskraft aus dem tiefen Gemüt nach der Außenwelt und das Einströmen bestimmender Einflüsse aus der Außenwelt in das Innere des Gemüts, also das Werden einer Tat und ihre Folgen auf das Gemüt[11].» So wird, wenn der Held handelt, der Bau des Dramas durch die werdende Tat des Helden bestimmt. Das Drama beginnt in einem Ruhestand, dann fällt in die Seele des Helden das erregende Motiv zu einer Handlung, dann steigert sich die Handlung bis zu des Helden Handeln, dann sinkt sie, indem die Gegenkräfte das Übergewicht gewinnen.

Nach solchem Schema baut Freytag nicht nur seine Dramen, er will hierdurch auch den überlieferten Tragödienbestand verstehen. Doch haben die Tragödien nicht den ihnen von Freytag zugesprochenen Inhalt, nicht diese Bauform. Herrscht in ihnen die tragische Lage, so stellen sie diese Lage dar und den tragischen Helden unter der Macht des Umgreifenden. Hierbei kann das Gegenspiel fehlen, wie im «König Ödipus» oder in der «Braut von Messina». Ist ein Gegenspiel da, so dient es nicht der Fügung eines dramatischen Gegeneinander, sondern es ist entweder als Kraft angesetzt, dem tragischen Helden die Lage zu bereiten, oder es steht selbst im Banne der Lage. Jago ist da, um dem Othello seine Lage zu bereiten. Der Kaiser in Schillers «Wallenstein» ist nicht weniger im Banne der Lage als Wallenstein. Wenn der Kaiser nicht Wallenstein stürzt, wird Wallenstein den Kaiser stürzen. Schillers Fügung in den «Räubern» und in «Kabale und Liebe» steht zwischen diesen beiden Möglichkeiten. Franz Moor, Wurm müssen Karl Moor, dem Liebespaar die Lage bereiten. Zugleich sind sie selbst nicht außerhalb der Lage. Für Franz Moor ist wie für Richard III. die große Chance zum Handeln da. Wurm kämpft gegen Ferdinand von Walter, um Luise nicht an ihn zu verlieren. Nie zeigt der Dichter, wie der Held zum Handeln von innen her gelangt – weil er dies nicht zeigen kann –, sondern er zeigt stets, wie durch Kräfte von außen der Held zum Handeln getrieben wird – denn dies kann er zeigen. Wo er den Helden handeln läßt, setzt er ihn schon als Handelnden voraus: Richard III., Jago, Franz Moor. Ein Getriebenwerden zum Handeln aber ist Bedingtheit, nicht Handeln. Freytag will in dem «Othello» bei Shakespeare die zweite Dramenform finden, daß das Gegenspiel den Helden zum Handeln aufreizt. Doch zeigt der Dichter auch hier, wie durch die Fatalität der Lage Othello zum Ungeheuerlichen einer blinden Affekthandlung getrieben wird.

Schiller hat seinen «Wallenstein» nach dem Muster des «König Ödipus» gebaut: Wallenstein steht im Banne einer umgreifenden Lage. Er ist so hoch gestiegen, daß er mit dem Kaiser kollidieren muß. Doch greift nicht er an, sondern der Kaiser. Der Kaiser will ihn stürzen. Er befiehlt ihm, sieben seiner besten Regimenter dem Infanten als Begleitung nach den Niederlanden zu geben. Befolgt Wallenstein den Befehl, so ist er schon gestürzt, befolgt er ihn nicht, so muß er Rebell werden. Mit dieser fertig geschürzten Lage beginnt der Dichter das Spiel. Er zeigt, daß Wallenstein alle seine Truppen in Pilsen zusammengezogen hat, um dieser Lage zu begegnen. Doch eine Rebellion gegen den Kaiser ist ein sehr schwerer, sehr gefährlicher Schritt. Wallenstein zaudert, er sucht Sicherungen. Das Tragische ist, daß er hierdurch seine Lage verschlechtert. Er hat mit dem Gedanken gespielt, sich auch auf die Schweden zu stützen. Die Lage entwickelt sich so, daß er der Schweden bedarf; nur mit ihnen zusammen kann er den Abfall wagen. Der Übergang zu den Schweden ist kein Schritt der dramatischen Tat, sondern ein Schritt letzter Not. Wallenstein stürzt nicht, weil er verrät, sondern er verrät, um nicht zu stürzen. Freytag hingegen sieht in Wallenstein den dramatisch handelnden, den zur Tat schreitenden Helden, er sieht im Übergang zu den Schweden das Reifwerden des lang schwebenden Vorsatzes zur Tat. Schiller zeigte, wie Wallenstein «zum Verräter wird, allmählich durch sein eignes Wesen und durch den Zwang

der Verhältnisse». Die Handlung zeigt «eine fortschreitende Betörung des Helden
bis zum Höhepunkt, dem Entschluß des Verrates[12]». Schiller hat sein Drama nach
dem Schema der antiken Schicksalsfabel gebaut: aus der fertig geschürzten Lage
entfalten sich die Geschehnisse so, daß sie zum Untergange des tragischen Helden
führen. Seine dramatische Fabel ist also die schrittweise und konsequente Entfaltung der tragischen Lage an dem Helden. Sieht man das Drama dem Gipfel des
dramatischen Entschlusses zueilen, so ist es schlecht gebaut. Für Hettner hat dieses
Drama «eine über alle gewohnten Tragödiengrenzen hinausquellende Breite der
Exposition. Sie umfaßt nicht nur ,Wallensteins Lager' und die ,Piccolomini', sondern auch die ersten zwei Akte von Wallensteins Tod ..., d. h. mehr als zwei Drit-
tel der gesamten Dichtung[13]».

Seit Freytag sind die Versuche nicht abgerissen, das Drama vom Wesen des
Dramatischen her zu erschließen. Die Schuldramaturgie stützt sich weitgehend auf
Freytag und ist mit ihm überzeugt, daß das Wesenhafte des Dramatischen das
dramatische Handeln ist. H. Schlag greift in seiner Dramaturgie auf das alte «drao»
zurück, um so zu belegen, daß ursprünglich schon ein Handeln der Inhalt des Dramas gewesen sei. Die dramatische Handlung besteht für ihn «einzig und allein in
dem einen das Ganze völlig durchdringenden und auf bestimmtes Ziel hintreiben-
den Wollen[14]». Für Rudolf Franz ist dramatische Handlung «jede einschneidende
Begebenheit, jede leidenschaftliche Erregung, aus der ein Begehren, ein Entschließen, ein Tun erwächst[15]». Saran und seine Schüler versuchen vergeblich, auf diesem verengten Boden das Wesen der Handlung in den einzelnen Tragödien genauer zu charakterisieren. Auch die Bemühungen von Robert Petsch, Wesen und
Formen des Dramas aufzudecken, leiden daran, daß nun in vertiefter Weise das
Wesen des Dramatischen erschlossen werden soll. Das Problematische tritt durch
problematische Definition hervor. Das Dramatische, sagt Petsch, «diese letzte ir-
rationale Steigerung und Verwesentlichung des Mimischen nach der Seite einer in
charakteristischen Bewegungen und unter Widersprüchen sich entfaltenden
Menschlichkeit ist im Grunde ein undefinierbares, dynamisch zu wertendes, Es'[16].»
Erst in jüngster Zeit wird als Ergebnis unbestochener Phänomenologie mit dem
Gefühl einer neuen Erkenntnis wieder gesehen und gewürdigt, daß in dem Drama
nicht nur der handelnde, sondern auch der leidende Mensch erscheine[17].


## DAS TRAGISCHE KUNSTWERK

Das tragische Kunstwerk ist ein Gebilde rein künstlerischer Gestaltung zu dem
Zweck, sich in dem es Empfangenden durch Schau und Zustand des Gemüts zu
realisieren. Einen wesentlichen Teil dieser Gestaltung nennen wir seine Form.

Unsere Erkenntnis der Dichtung geht von der Grundvoraussetzung aus, daß
die Dichtung ein Gebilde sei, worin ein Gehalt sich eine Gestalt geschaffen habe.
Demnach ist wahre Dichtung gekennzeichnet und ausgezeichnet durch eine innere Form. Man versteht hierunter eine Form, die das Ergebnis einer von innen
wirkenden Formkraft auf Grund eines zur Form drängenden Gehalts ist.

Den Begriff der inneren Form führt man auf den jungen Goethe zurück. Goethe hat einmal gesagt: das wahre Kunstwerk sei eins und lebendig, gezeugt und entfaltet, nicht zusammengesetzt und geflickt[18]. Ferner: das Zusammenwerfen der Regel ergebe keine Ungebundenheit, sondern «innere Form[19]». Solcher Vergleich des Dichtens mit einem organischen Schaffen und der Dichtung mit einem organisch geschaffenen Gebilde ist nicht neu, und er ist nicht mehr als ein Vergleich. Er besagt nicht mehr, als daß in dem Dichter ein quasi naturhaftes Vermögen mit einem quasi naturhaften Trieb herrscht, und daß das Ergebnis dieses Bildens ein Ganzheitliches ist. Doch ist dies nicht die reale Ganzheit des Gebildes selbst, sondern der Dichter hat im genialen Anschauungsakt ein ganzheitliches lebendiges Bild von Wirklichkeit gewonnen, und es ist ihm gelungen, durch sein Kunstwerk dem Empfangenden solche Suggestion von Menschen- und Geschehenswirklichkeit mitzuteilen. Dies beansprucht schon Lessing in seiner «Miß Sara Sampson» geleistet zu haben. Kritischen Einwendungen gegen sie entgegnet er mit einem Wort Voltaires: sein Kind möge einen Buckel haben, aber es lebe[20]. Es mag also einem formalen Formbegriff nicht ganz entsprechen, aber es ist als lebendige Anschauung empfangen und zu lebendiger Anschauung verwirklicht. In einem ähnlichen Sinne ergibt auch das Zusammenwerfen der Regeln keine Ungebundenheit, sondern innere Form. Der französische Klassizismus forderte diese äußere Form im Sinne der antikischen Formprägung aller Stoffe. Hiergegen schien Shakespeare sich offen zu halten für das Besondere seines jeweiligen Stoffs; er ließ sich mehr von diesem Stoff inspirieren. Ein Absehen von der vorgestimmten klassizistischen Form machte ihn frei zu der inneren Form, zu dem Formanspruch, der durch den Stoff auf ihn zukam. So gehören diese Formbegriffe dem kunstkritischen Verstehen des Kunstwerks zu. Sie widersprechen dem Anspruch einer Kunstform nicht, sondern präzisieren ihn. So ist sich der junge Goethe auch nicht weniger als Lessing der sachlichen Kunst- und Formansprüche bewußt. Er wünscht: «Gott ... gebe jedem Anfänger einen rechten Meister[21]». Er meint, seinen «Mitschuldigen» sei ein fleißiges Studium der Molièreschen Welt nicht abzusprechen[22]. Er bildet sein Drama Formmustern gemäß, seinen «Götz» nach Shakespeare, den «Clavigo» nach Lessing, die «Iphigenie» nach Sophokles.

Der neuere Formbegriff entstammt nicht dem Sturm und Drang, sondern der Kunstmetaphysik der Romantik. Für den Sturm und Drang war der Künstler der aktive Bildner, als solchen konzipiert Goethe seinen Prometheus. Für die Romantik ist der Dichter Organ, worin eine Wirklichkeit sich offenbaren will. Hier also erst kann die Dichtung durch einen Gehalt begriffen werden, der sich eine Gestalt schafft. Die Form der Dichtung ist jetzt nicht mehr die vom Dichter geprägte Gestalt, sondern Formwerdung des im Dichter sich offenbarenden Gehalts. Der Dichter wird wesentlich als Offenbarungsorgan für Wirklichkeit begriffen; er soll in seiner säkularisierten Kultur die religiöse Offenbarung übernehmen. So ist auch, was sich im Dichter offenbart, ursprünglich das Sein selbst, so, wie es für die säkularisierte Weltansicht noch gegenwärtig ist. Für die Romantik ist das Sein weitreichend der Geist der Poesie, und diese Poesie ist das Sein als Geist. Es offenbart sich in seinen zwei Grundweisen, in der Form der Natur und des zu sich selbst gekommenen Geistes; in der Antike als naturhaft klassische, in der Nachantike als geisthaft romantische Dichtung. Für Hegel ist es unmittelbar das absolute Sein als Geist selbst, das sich in der Dichtung offenbart. Die Dichtungswissenschaft übernimmt aus dieser Metaphysik die Voraussetzung, daß Dichtung als ein Sichoffenbaren von Sein in poetischer Gestalt begriffen werden müsse. Nur gibt sie das ihr ungemäße metaphysische Sein preis, um statt dessen in der Dichtung das Sichoffenbaren eines physischen Seins zu suchen. Hier offenbart sich das Sein einer Zeit, ein nationales Sein, das Sein des Dichters selbst. Nun scheint besser, dieses Sein als Leben zu bezeichnen; dies scheint eine empirisch faßlichere Wirklichkeit.

Setzt man den Ursprung der Dichtung in ein sich in poetischer Gestalt offenbarendes Sein, so ist die Form Produkt einer inneren, gehalterfüllten, sich zur Form bildenden Kraft. Sie muß, wie A. W. Schlegel fordert, organisch begriffen werden. Solche organische Form «ist eingeboren, sie bildet von innen heraus ... Auch in der schönen Kunst wie im Gebiete der Natur, der höchsten Künstlerin, sind alle Formen organisch, d. h. durch den Gehalt des Kunstwerks bestimmt». Wechselt dieser Gehalt, oder manifestiert er sich doch auf verschiedenen Entwicklungsstufen, zu verschiedenen Zeiten, in verschiedenen Räumen, so muß er auch in anderer Form erscheinen. Es leuchtet ein, «daß der unvergängliche, aber gleichsam durch verschiedene Körper wandernde Geist der Poesie, sooft er sich im Menschengeschlechte neu gebiert, aus den Nahrungsstoffen eines veränderten Zeitalters sich auch einen anders gestalteten Leib zubilden muß[23]». Noch für Robert Petsch sind (1945) Kunstwerke Produkte eines sich Gestalt gebenden Lebens, sind gleichsam von innen heraus gewordene Formgebilde. Innere Form «haben alle lebenden Organismen und geistigen Wirkungseinheiten, an denen wir mit unserem eigensten Leben teilnehmen: dieses Gesetz, das alle Lebensvorgänge beherrscht, ist die innere Formkraft, kraft deren sich das Wesen eine Gestalt zu geben versucht. Das gilt ... in besonderem Maße von den künstlerischen Gebilden, die ... ihrem Urheber ... mit eignen Lebensgesetzen gegenübertreten, wie denn auch wir sie als eine Art lebendiger Wesen empfinden ... Durch die Wahrnehmung der (von innen bedingten) Gestalt (also nicht bloß der äußeren Form ...) fühlt sich der Gestaltungstrieb selbst zur Tätigkeit aufgefordert[24]».

Auf dem Boden klassischer kritischer Phänomenologie gibt es für den romantischen Formbegriff keinen Ansatz. Es gibt nur das Dichtwerk als das die dichterische Erfahrung Bewirkende, es gibt nur diese bewirkte Erfahrung.

Der bewirkten Erfahrung ist keine künstlerische, keine poetische Form zuzuordnen. Vielmehr kommt dieser Erfahrung eine relative Erfahrungsganzheit zu, in dem Sinne, daß sich ein Erfahrungskomplex befriedigend rundet. Dies kann am meisten zutreffen für ein lyrisches Gedicht, wenn es einen Erlebnismoment genau ausmißt. Das Drama ist schon eine Erfahrungsganzheit weniger bestimmter Art, zwar ein sich rundendes Ganzes, mit Anfang, Mitte und Ende, doch mit erheblicher Spannweite zwischen einem Minimum und Maximum. Noch weniger bestimmt ist dieses Ganze im Epischen, das auch eine Zusammenfügung relativer Ganzheiten wie in der Rahmenerzählung sein kann. Form in einem greifbaren

Sinne kann mithin nur der Dichtung als Kunstwerk zugesprochen werden. Sie ist damit Kunstform, eine diesem Kunstwerk zukommende künstlerische Qualität. Sie besteht als solche nicht in sich selbst als Gestalt eines Gehalts. Sondern sie besteht durch ihre rein künstlerische Qualität; und sie ist künstlerisch real, indem sie eine Funktion erfüllt zur Realisierung des Kunstwerks als Dichtung in dem Empfangenden. Damit sind, da die Erfahrung der Dichtung mehrschichtig ist, auch verschiedene Formungen anzusetzen, die jeweils eine bestimmte Erfahrungsfunktion erfüllen. Es bestehen dann in dem dichterischen Kunstwerk mit- und ineinander verschiedene Formen, den Seiten des Bewirkens im Empfangenden entsprechend.

Ein erstes ist, daß der Dichter seine Wirklichkeit dem Gemüt besonders intensiv erfahrbar machen will. Hierzu dient die dramatische Form. «Der durchschnittliche Kunstrichter», sagt Lessing, «sieht die dramatische Form als Hergebrachtes an, das nun so ist, weil es so ist, und das man so läßt, weil man es so gut findet.» Der einzige Aristoteles aber habe schon die Ursache ergründet. Er bemerkte, «daß das Mitleid notwendig ein vorhandenes Übel erfordere, daß wir längst vergangene oder fern in der Zukunft bevorstehende Übel entweder gar nicht oder doch bei weitem nicht so stark bemitleiden können als ein anwesendes, daß es folglich notwendig sei, die Handlung, durch welche wir Mitleid erregen wollen, nicht als vergangen, das ist, nicht in der erzählenden Form, sondern als gegenwärtig, das ist, in der dramatischen Form nachzuahmen[25]. So erst rechtfertigt sich die große äußere Zurüstung, die die Aufführung eines Dramas verlangt. «Ein Bund Stroh aufzuheben, muß man keine Maschinen in Bewegung setzen; was ich mit dem Fuße umstoßen kann, muß ich nicht mit einer Mine sprengen wollen; ich muß keinen Scheiterhaufen anzünden, um eine Mücke zu verbrennen[26].» «Wozu die saure Arbeit der dramatischen Form? wozu ein Theater erbauet, Männer und Weiber verkleidet, Gedächtnisse gemartert, die ganze Stadt auf einen Platz geladen? wenn ich mit einem Werke und mit der Aufführung desselben weiter nichts hervorbringen will, als einige von den Regungen, die eine gute Erzählung, von jedem zu Hause in einem Winkel gelesen, ungefähr auch hervorbringen würde? Die dramatische Form ist die einzige, in welcher sich Mitleid und Furcht erregen läßt; wenigstens können in keiner anderen Form diese Leidenschaften auf einen so hohen Grad erregt werden ...[27].»

Diese allgemeine Form, als Bedingung der Erregung, erfüllt sich in der Gattungsform. Sie ist die Summe der Formzüge, durch die genauer die durch die Tragödie bewirkte Erregung eine tragische wird. Schiller definiert die Tragödie im Sinne der Poetik des Aristoteles als «dichterische Nachahmung einer zusammenhängenden Reihe von Begebenheiten (einer vollständigen Handlung), welche uns Menschen in einem Zustand des Leidens zeigt, und zur Absicht hat, unser Mitleid zu erregen», und er entwickelt von diesem Zweck her das Ganze der tragischen Gattungsform. Tragödie ist dann 1. *Nachahmung* einer Handlung, d. h. auch im Sinne der Bühnenschau, optische Vorstellung, 2. Nachahmung einer *Handlung*, d. h. eines Geschehenszusammenhangs, 3. Nachahmung einer vollständigen Handlung, die Anfang, Mitte und Ende hat, 4. die poetische Nachahmung einer mitleidswürdigen Handlung, und 5. Nachahmung einer Handlung, welche uns Menschen im Zustand des Leidens zeigt. Alle diese Eigenschaften vereinigt sie, um den tragischen Affekt zu erregen. Der letzte Grund, «auf den sich alle Regeln für eine bestimmte Dichtungsart beziehen, heißt der Zweck dieser Dichtungsart, die Verbindung der Mittel, wodurch eine Dichtungsart ihren Zweck erreicht, heißt ihre Form. Zweck und Form stehen also miteinander in dem genauesten Verhältnis. Diese wird durch jenen bestimmt und als notwendig vorgeschrieben, und der erfüllte Zweck wird das Resultat der glücklich beobachteten Form sein[28].»

Hiermit ist der Umkreis der sachlich tragischen Formung noch nicht ausgemessen. Shakespeare, sagt Herder, habe nicht Handlung im antiken Sinne. Will man also als Handlung nur das gelten lassen, was die Franzosen Handlung nannten und selbst erstrebten, dieses einfache einlinige Gebilde in der Einheit von Ort und Zeit, so spricht man bei Shakespeare besser von Begebenheit, großem Ereignis. Doch fehlt hier die Einheit der Handlung nicht. Nur fordert der historische Stoff eine andere Formung. Ein so umfänglicher Wirklichkeitskomplex, der so vielschichtig ist, von so vielen Charakteren erfüllt und getragen wird, dessen Geschehnisse so ausgebreitet und verwoben sind, läßt sich nicht im Rahmen einer antiken Handlung bewältigen. Goethe nennt diese Form die freie Form, und er grenzt sie ab gegen die beschränkte Form. Er selbst habe in dieser Form seinen «Götz» geschrieben und seinen «Egmont». Bei einfacheren Gegenständen habe er sich wieder der beschränkten Form zugewandt, im «Clavigo», der «Stella»[29].

Diese Formungen werden nahegelegt durch den Stoff, durch die ihm innewohnende Formlogik. Man kann den «Götz» nicht in die beschränkte Form pressen, und den «Clavigo» nicht in der freien Form zerflattern lassen. Doch mischt sich ein weiteres Element ein. Man fühlt die Notwendigkeit der freien Form, sagt Goethe, und man schlägt sich auf die englische Seite[30]. So fühlte er später die Notwendigkeit der beschränkten Form und schlug sich auf die antike Seite. Form gewinnt hier noch einen ästhetischen Eigen-Sinn. Sie ist nicht nur die dramatische, nicht nur die tragische, nicht nur die genauere Sachform, sondern sie ist auch eine spezifisch künstlerische Form. Sie erfüllt eine künstlerische Formerwartung. Es gibt eine formbetonte Form und eine formverbergende Form. Goethe erfährt den Sinn solcher Formungen vor dem Straßburger Münster. Der antike Tempel ist formbetonter Bau, dagegen der Eindruck, durch den dieses Münster wirkt, besteht aus tausend harmonierenden Einzelheiten, die man wohl schmecken und genießen, keineswegs aber erkennen und erklären kann[31]. Solcher Bau ist von einem geheimen Mittelpunkt aus organisiert, und wirkt wie die freie Fülle des Lebens selbst. Dies ist nach Herder auch die Bauart Shakespeares, der eine Welt entfaltet, reich wie die göttliche Lebenswelt selbst, und doch sie organisiert, wie Gott sie organisiert hat, zu dem Ganzen «Eines theatralischen Bildes, Einer Größe habenden Begebenheit, die nur der Dichter überschauet[32]». Es sei Shakespeare gelungen, sagt Otto Ludwig, «die Blumenstiele dem Auge zu verbergen, so daß der Kranz nur aus den Blumen selbst zu bestehen scheint[33]». Dies ist auch Goethes Form im «Götz». Ihr strebt auch wieder der Naturalismus zu. In Hauptmanns «Ratten» verficht der Theologiestudent Spitta im Sinne des Dichters gegenüber dem akademischen Theaterdirektor Hassenreuter die freie Form des jungen Goethe und Schiller; finde man aber im Drama so etwas, was die dramaturgischen Schädlinge mit «Handlung» bezeichnen, so solle man einen Knüppel nehmen und ihn totschlagen. Hier soll nicht das tragische Geschehen erschlagen werden, das Hauptmann wahrt, sondern die Theaterkonstruktion und jede Handlung im Sinne Gustav Freytags.

Noch eine weitere Formung ist zur ganzen Verwirklichung der Tragödie nötig. Sie bezieht sich nicht auf die Fügung des Ganzen, und sie ist auch nicht dem Drama, der Dichtung allein, sondern aller Kunst eigentümlich. Man darf sie Stilprägung nennen im Sinne eines Kunststils. Dann sind die antiken Tragödien in einem schönen Stil geschrieben, und der Klassizismus entnimmt aus der Antike auch diesen Willen zur schönen Poesie. Shakespeare aber schreibt im charakteristischen Stil. Zur künstlerischen Gestalt gehört stets auch solche Prägung. Die realistische Kunst widerspricht dem nicht. Auch sie gibt nicht kopierte, sondern bestimmt geprägte Wirklichkeit. Auch sie ist realistischer Stil. Geht man vom Leben aus, das der Gegenstand der Tragödie ist, so kann die Tragödie gebildet werden 1. im realistischen Stil, der auf eine künstlerische Weise die Illusion des realen Lebens selbst erwecken will und dies auch sachgemäß tun muß, um nicht der durch seinen Stoff geforderten Illusion zu widersprechen, 2. im idealen, schönen Stil, der von den Besonderheiten des Lebens absieht, und 3. im charakteristischen Stil, der diese Besonderheiten als künstlerisches Ausdrucks- und Wirkungsmittel betont. Durch solche Prägung erst vollendet die Tragödie sich als Kunstwerk, denn in einer dieser Stilprägungen muß sie da sein. Hierbei ist mit jeder Prägung wieder ein weiterer Kreis gegeben, der vieles in sich fassen kann. Alle antiken Tragödien sind, an Shakespeare gemessen, schöne Kunst; doch bei Aischylos, Sophokles, Euripides sehr verschieden geprägt. Realistisch ist schon Lessing und noch der Naturalismus. Da es keinen neutralen Realismus gibt, kann man sich hier teils mehr dem Schönen, oft mehr dem Charakteristischen nähern. Mancher Naturalismus kann charakteristischer Stil im modernen Gewand sein.

Durch jede dieser Formungen wird die Tragödie als Kunstwerk geprägt und verwirklicht, sie wird so konkrete Kunstgestalt. Der sich verstehende Dichter bildet hierdurch jeweils einheitliche Kunstganzheiten. Jede dieser Ganzheiten besitzt ihren eignen Stoff, ihre eigne Menschenvorstellung, ihre eigne Wirkung. Wenn der Dichter die Vorzüge der einen Prägung wählt, wird er auf Vorzüge der anderen Prägung verzichten müssen. Die antike Tragödie erlaubte dem Dichter, durch ihre Verknüpfung mit der Musik, auch als schöne Dichtung stark zu erschüttern; der neuere Dichter wird entweder schöne Dichtung bilden, doch von minder erschütternder Kraft, oder stark erschütternde Dichtung, aber minder im Geiste des Schönen. Diese Minderung kann ein bewußtes Kunstziel werden, wie in dem deutschen Klassizismus: hier soll ein Höchstmaß an Freiheit des Gemüts und an ästhetischer Stimmung gewahrt bleiben.

Ist die Tragödie als Formgebilde die Summe von Kunstzügen, so werden ihre Elemente auch am besten als Kunstelemente gekennzeichnet. Einmal darf das Kunstelement nicht mit Lebenswirklichkeit verwechselt werden, ferner muß es im

Ganzen der tragischen Kunst seinen richtigen Ort erhalten, also als Element des Kunstwerks und nicht der künstlerischen Erfahrung gefaßt werden. Die von uns durchschnittlich gebrauchten Begriffe begünstigen oft solche Verwechslungen.

Der Begriff der Handlung kann vermuten lassen, als zeige sich in der Tragödie die Lebenswirklichkeit des handelnden Menschen. Er wird mithin in seiner poetischen Verfassung gesichert, indem man hierunter einen Geschehenszusammenhang begreift, worin der Mensch nur ein Moment ist, und meistens als Leidender. Diese Handlung gehört in der tragischen Kunst der tragischen Vorstellungswirklichkeit zu. Das ihr Entsprechende im tragischen Kunstwerk, die Kunstfügung also, durch die die Vorstellung der Handlung bewirkt wird, nennt man besser Fabel. Sie ist die Summe der Gestaltungszüge, durch die sich dem Kunstempfangenden die Tragödie als Handlung vorstellt.

Hinsichtlich der Menschenerscheinung in der Tragödie sprechen wir von Charakteren oder vom tragischen Helden. Auch diese Bezeichnungen leiten auf Lebenswirklichkeit und erwecken den Eindruck, als sollten bestimmt geartete, diesen Begriffen im Leben entsprechende Menschen in der Tragödie erscheinen. Man erwartet den Charakter im Sinne des Bedeutenden, der kraftvollen Tätigkeit, der dämonischen Selbstgesetzlichkeit, der Stärke zur Freiheit. Der Dichter solle kräftige Charaktere in großem Kampf darbieten, fordert Gustav Freytag[34]. Für Petsch verweist der Begriff «Charakter» auf «eine ausgeprägte menschliche Persönlichkeit mit den ihr eigentümlichen ausdrucksvollen und schicksalsträchtigen Bewegungen[35]». Dann sind die Dramen tadelhaft, in denen die innere Schicksalsbestimmtheit des tragischen Helden fehlt. Lessings «Emilia Galotti» steht für Hettner unter Goethes «Clavigo»; denn Lessing schreibt eine «Intrigentragödie», Goethe eine «Charaktertragödie» «in echt Shakespearescher Art ... In ‚Emilia Galotti‘ wird die Verwirklichung rein äußerlich und zufällig ... herbeigeführt ... In ‚Clavigo‘ entspringt die Verwicklung der tragischen Schuld des Helden[36]». Dann ist auch die ganze Anlage von Hauptmanns «Webern» nicht echt tragisch: denn diese Weber sind nicht bedeutend, nicht kraftvoll tätig, nicht dämonisch, nicht schuldig, nicht wahrhaft frei. Mit dem Begriff eines Charakters werden den Kunstbegriffen oft Lebensbegriffe untergeschoben. Umgekehrt kann man Lebensbegriffe für die Kunst verbindlich machen. Petsch meint, die poetischen Charaktere hätten sich vor der modernen Charakterologie nicht behaupten können. Es läge im Sinne der Wissenschaft, wenn die Dichtung auf sehr weit und fein differenzierte Charaktere ausgeht[37]. Zwar nimmt der Dichter an der Menschenauffassung und -kunde seiner Zeit teil, doch erfährt er den Menschen auf eigne Weise, durch intuitive Phantasieanschauung, und stellt ihn auf eigne Weise vor, so, daß er dem Empfangenden suggestive künstlerische Wirklichkeit wird. Der antike Dichter stellte im großen Raum seines Theaters monumental das Monumentale vor; Ibsen im modernen Kammerspiel eine sorgsam ausgemalte Wirklichkeit, die durch diese Konkretheit im Kleinen wirken mußte, da sie durch das Monumentale nicht wirken konnte. Doch droht hier eine Schwächung, von der Gerhart Hauptmann sich schon abwandte, indem er vitaler malte, mit breiterem Pinsel,

gleichsam wie Lovis Corinth, und die Expressionisten vereinfachen und brutali-
sieren ihre Darstellung sogar oft bis zur Plakatwirkung.

Charakter im poetischen Sinne ist die sich dem Empfangenden vorstellende
Menschenwirklichkeit. Dies sich Vorstellende sind wesenhaft Menschen im Umkreis möglicher menschlicher Beschaffenheit, ausgewählt mit Rücksicht auf das
tragisch Fruchtbare. Der Zuschauer empfängt hier eine Charakterkonzeption, das,
was dem Dichter als Menschenbild vorschwebte. Dieses Vorschwebende ist außer
menschlicher auch sofort künstlerischer Art. Der antike Dichter konzipierte die
typischen Personen aus Mythus und Sage, Shakespeare die Individuen der Geschichte. Damit ist eine mehr typisierende oder mehr individualisierende Darstellungsweise verbunden. Dieser Ausdruck kann wieder mehr realistisch oder mehr
charakteristisch sein. Dem Charakter entspricht im tragischen Kunstwerk das
Charakterisierte, die Kunst, die dem Dichter vorschwebende Intention im Zuschauer zu verwirklichen. Hier mithin findet man auch keinen Charakter im poetischen Sinne, sondern nur die Kunstmittel der Charakteristik. Mithin ist zwischen
Charakter und Charakteristik zu trennen. Petsch sagt, der für das Drama zu fordernde Charakter fehle einer ganzen Reihe umrißartiger, allenfalls flachbildnerisch
wirkender Figuren[38]; und er vermischt so das sich Vorstellende mit dem Vorstellenden. Das sich Vorstellende braucht kein ausdrucksvoller Charakter im Sinne
positiver Charakterstärke zu sein, wie dies einem Falstaff fehlt oder einem Profes-
sor Crampton, die Darstellung aber kann von höchstem Ausdruck, von zwingend-
ster Suggestion sein. Ebenso kann ein höchst ausdrucksvoller Charakter konzipiert worden sein, aber der Dichter hat ihn mangelhaft, nur umrißartig, flächen-
bildnerisch ausgeführt.

Spricht man von tragischen Charakteren, so hat man also nicht das Besondere
eines Charakters zu erwarten, sondern nur dieses Kunstartige, bestimmt geartete
Menschen in bestimmter Kunstfügung, mit bestimmten Kunstmitteln dargestellt.
Der tragische Held braucht nicht heldisch zu sein, er ist nur die dem einheitlichen
Interesse nützliche Zentralfigur. Unverfänglich ist die Bezeichnung als tragische
Person, schon durch den eigentlichen Wortsinn, daß durch sie ein Wesenhaftes
tönt. Am unverfänglichsten spricht man von tragischen Figuren. Auch Petsch be-
fürwortet dies und erinnert glücklich an die Figur im Schachspiel[39]. So wird nicht
nur der Kunstcharakter dieser Vorstellungen an sich selbst festgehalten, sondern
auch ihre kunsthafte Funktion, daß sie nicht als selbstwertige Wirklichkeiten im
Drama stehen, sondern nur Elemente des Ganzen der tragischen Vorstellung sind,
zusammenwirkend mit anderen Figuren und gebunden an bestimmte Verhältnisse
im Raum. Noch treffender wäre der Vergleich mit der Figur eines Gemäldes; hier
wird außer dem Kunstelement der Komposition das Illusionistische betont, daß
sich nur Kunstscheine vergegenwärtigen und nicht Wirklichkeiten des Lebens.
Für die jeweilige Bezeichnung der Figuren kann man das jeweils Treffendste wählen, ob sie sich mehr als Personen, mehr als Persönlichkeiten, mehr als besonders
geartete Charaktere vorstellen. Stets auch kann man ihren Namen wählen, wor-
unter alle Züge begriffen sind, die der Dichter seiner tragischen Figur gegeben hat.

Das Ganze des tragischen Kunstwerks ist als das Ganze der Kunstzüge zu erfassen, durch das der Dichter seinen tragischen Zweck verwirklicht. Es kann also jetzt als das für diesen Zweck Zweckhafte erschlossen werden. Doch ist für eine konkrete Erfassung dieses Werks der Zweck durch seine Ganzheit noch nicht hinreichend gekennzeichnet. Dieser *eine* Grundzweck wird doch faktisch differenzierter verwirklicht. Das Erste ist, daß der Dichter seine Tragödie als tragische Schau verwirklicht. Also ist seine erste Aufgabe das Vorstellen. Zweitens will mit dieser Schau der Dichter das Gemüt tragisch erschüttern, also ist seine zweite Aufgabe das Wirken in dem Sinne, daß durch die Schau Wirkungen ausgehen auf das Gemüt. Drittens aber soll der Dichter durch solche Schau die Wirklichkeit verdeutlichen, die Wirklichkeit erhellen. Also bildet er auch eine erhellende Schau. In jeder Tragödie sind diese drei Seiten des einen Grundzwecks verwirklicht, aber doch als eigne Themen, jeweils mit einer besonderen Ausbildung einer Seite. Jeder Seite gehört ein ihr eignes künstlerisches Verfahren zu. Insofern muß man, will man den Dichter in seinem Bilden konkret erfassen, diese drei Seiten gesondert behandeln. Man muß sehen, was der Dichter tut, um durch seine Tragödie Schau zu bewirken, Erschütterung des Gemüts und eine Erhellung der Wirklichkeit durch solche Schau und Erschütterung.

ZWEITER TEIL

# DAS VORSTELLEN

Der Dichter, als Künstler, empfängt das Drama nicht als eine Schöpfung, sondern er bildet es durch Gebrauch seines Kunstvermögens. Darum spricht Jean Paul von Bildungskraft, Gerhart Hauptmann von Ausbildekraft, und diese gehört nach ihm zur «Kunstfertigkeit[1]». Nur die Grundkonzeption, sagt Goethe in bezug auf Shakespeares Hamlet, verdanke der Dichter der Inspiration, die Ausführung habe er ganz in seiner Gewalt[2].

Dieses Bilden umfaßt das Ganze des dichterischen Tuns. Der Dichter bildet, indem er vorstellt, indem er Wirkung erstrebt, indem er erhellt. Es ist zu klären, was er in Rücksicht auf diese drei Zwecke jeweils tut. Wie bildet er, um sein Drama vorstellig zu machen?

Man muß hier in Stufen unterteilen. Die Tragödie ist für den Dichter nicht sofort fertig da, sie entspringt nicht seinem Haupte wie dem Haupte des Zeus die Pallas Athene. Vielmehr vergegenwärtigt sie sich ihm zuerst als ein Grundschema, als eine poetische Totalidee in einem ursprünglichen Konzeptionsakt. Hier ist der Ort, an dem die Dichtung dem Dichter aufgeht, an dem er also auf Inspiration angewiesen ist. Doch kann der dramaturgische Betrachter diese Inspiration als gegeben voraussetzen. Er muß dies, weil er schon hier den Dichter unter Ansprüche gestellt sieht. Er muß von dem Dichter die taugliche Inspiration fordern. Er wird die gute Inspiration dem Dichter als Person zurechnen, ihn loben; er wird Verfehltes tadeln. Diese Stufe kann man das Finden nennen. Der Dichter findet entweder unmittelbar eine taugliche Idee zu einem Drama in sich vor, oder er sucht eine taugliche Idee, und auch dann findet er sie.

Die zweite Stufe ist das Erfinden. Im Finden leuchtet dem Dichter an einem Stoff ein tragisches Grundschema auf. Eine Liebe erblüht zwischen zwei feindlichen Häusern, unter Bedingungen, die für die Liebenden vernichtend sind (Romeo und Julia). Ein König entäußert sich unbesonnen der Herrschaft, des Besitzes; er liefert sich hartherzigen Kindern aus (König Lear). Ein Farbiger hat eine weiße Frau geehelicht, ist durch Temperament und Lage anfällig zur Eifersucht und wird hierzu gereizt (Othello). Erfindend gibt der Dichter diesem unbestimmt Vorschwebenden die fertige Kunstgestalt, die sich als volles Leben vergegenwärtigt; er entfaltet das Schema als Fabel zu einem wohlgegliederten Ganzen, zu dem Zusammenhang des inneren und äußeren Geschehens; er bildet als Träger des Geschehens die tragischen Personen aus. Dies ist eine eigne Gabe und ein Anspruch an ein eignes Tun. Goethe rühmte von den Alten, daß sie nicht nur große Intentionen gehabt hätten, sondern auch die Kraft, sie durchzuführen; er vermißt diesen Vorzug bei vielen jungen Dichtern der Gegenwart; ihre Ausführung entspräche nicht ihren Intentionen.

Mit der fertigen Erfindung ist auch das Drama vollendet. Doch können im Erfinden selbst zwei Stufen unterschieden werden. Der Dichter kann sich darauf beschränken, sein Drama nur für die innere Schau auszubilden. Es fehlen dann die Gestaltungszüge, die ganz für die optische Schau auf der Bühne berechnet sind und sich keiner inneren Vorstellung vermitteln können. An dieses mehr Innerliche wandte sich Goethe in seinem «Götz», auch in den ersten Partien seines «Faust». Es handelt sich an sich um zwei Richtungen im Erfinden, von denen jeweils mehr

die eine oder die andere eingeschlagen werden kann. Doch kann man sich dieses
Bilden auch so verdeutlichen, daß man zuerst mehr die Züge betrachtet, die allgemein einem Vorstellen dienen, dann die Züge, die genauer auf die Bühnenschau
berechnet sind. Man hebt so eine eigne Weise der dramatischen Erfindung und
eine eigne Bemühung des Dichters heraus, die an jedem für die Bühne arbeitenden
Dramatiker faßlich, die für sein Produzieren von höchster Bedeutung ist, und die
doch im allgemeinen zu wenig beachtet oder als etwas scheinbar bloß Äußerliches,
weil nicht eigentlich Poetisches sogar mißachtet wird, während sie doch ein
eigentliches Kennzeichen des dramatischen Genies ist. Man kann jetzt das Erfinden mehr auf die allgemeinen Züge des Vorstellens einschränken, die Züge aber,
die der Verkörperung des dramatischen Vorgangs auf der Bühne dienen, das Darstellen nennen. Denn hier herrscht die Absicht, das Erfundene auf der Bühne darzustellen. Die Stufen des Bildens sind dann erst mit dem Finden, dem Erfinden,
dem Darstellen ganz erfaßt.

# ERSTES KAPITEL

# DAS FINDEN

Das Finden bezieht sich, dramaturgisch betrachtet, auf den poetischen Stoff. Der Dichter ist hier um einen tauglichen Stoff bemüht, oder ihm geht ein tauglicher Stoff durch höhere Gunst auf. Denn es gibt keine Konzeption des Dichters schlechthin, sondern nur eine solche an einem bestimmten Stoff. Die jeweilige Konzeption kann auch die tragische Idee genannt werden. Diese Idee ist aber die bestimmte Prägung in einem Stoff, worin schon die Idee wie vorgeprägt ist.

Die Bedeutung des Stoffes, d. h. des zunächst vordramatisch nur Stofflichen, worin dem Dichter die tragische Idee aufgeht, ist heute kaum hinreichend noch gegenwärtig. Für die Metaphysik seit der Romantik und die sich ihr anschließende Wissenschaft ist der Dichter Offenbarungsorgan für eine in ihm sich äußernde Wesenheit: für einen antik klassischen, für einen nachantik romantischen Geist, für das absolute Sein bei Hegel, für den Volksgeist, für einen Geist der Zeit, oder auch für sein eignes Wesen. Hier kann ein Stoff als ein Eigengewichtiges nicht mehr bestehen, vielmehr wird er wie ein zuvor neutrales Material, worin dieses Wesenhafte sich zur Anschauung bringt. Shakespeare hat nicht mehr oder minder glücklich seine Stoffe gewählt, sondern in ihm hat sich der romantische Geist offenbart. Goethe, in seinem «Götz», hat nicht einen fruchtbaren Stoff künstlerisch glücklich gestaltet, sondern er hat ein poetisches Symbol gegeben für menschliches Wesen um 1770, für deutsches Wesen, für sich selbst. Ähnlich wird die Bedeutung des Stoffes herabgedrückt durch eine Überbetonung des schöpferischen Vorgangs. Jedes Drama soll als ein ganz neues, ganz eignes Geschöpf da sein. Es soll mit einem außerpoetischen Rohstoff nichts mehr zu tun haben.

Die vorromantischen Dichter dachten und verfuhren nicht so. Das Drama war für sie eine mögliche Sachaufgabe; der erste Schritt, sie zu leisten, war die Wahl eines tauglichen Stoffs. Sie waren als Dichter Stoffbearbeiter. Je besser die Stoffe waren, die sie ergriffen, desto größer war die Aussicht auf ein taugliches Drama. Sophokles, sagt Goethe, ging nicht von tragischen Ideen aus, sondern er ergriff Stoffe, worin bereits eine gute Idee vorhanden, und er dachte nur darauf, diese für das Theater so gut und wirksam wie möglich darzustellen[3]. Auch Wilamowitz bemerkt, daß die griechischen Tragiker «auch Dichter von Handwerk» sind; sie «verfassen viele Dutzende von Dramen, da können diese keine Bekenntnisse sein»[4]. Auch Shakespeare ist Stoffbearbeiter, Benutzer der ihm vorfindlichen Stoffwelt zum dramatisch-theatralischen Zweck. Hierbei wirkt die äußere Nötigung mit, die Dramen für die Festspiele oder für das Repertoire des eignen Theaters fertigzustellen. Auch können dem Dichter Aufträge erteilt werden. Große Kunstwerke, sagt Hegel, sind oft aus ganz äußerlichen Anlässen geschaffen worden[5]. In späterer Zeit tritt die Bedeutung des Stoffes an einer Stoffnot des Dichters hervor. Schon Lessing in seiner bürgerlichen Zeit ist sichtlich um taugliche Stoffe bemüht. Goethe beklagt den Mangel an tauglichen Stoffen als eine Not des Deutschen um

die Mitte des 18. Jahrhunderts. Es fehle nicht an den Talenten, aber an dem bedeutenden Stoff. Wollte hier ein Dichter etwas aus sich produzieren, so blieb ihm
nichts weiter übrig, «als sich früh und spät nach einem Stoffe umzusehen, den er
zu benutzen gedächte[6]». So kommt Goethe dazu, den Stoff zunächst in seinem
inneren und äußeren Leben zu suchen. Doch drängt er rasch über diese Schranke
hinaus. Schon in den «Mitschuldigen» gibt er ein Gemälde von dem bürgerlichen
Leben seiner Zeit, im «Götz» greift er hinaus in die deutsche Geschichte, im
«Faust» in die deutsche Sage, im «Prometheus» in den Stoffbereich der Antike.
Er ermöglicht sich so wieder wirklichkeits- und gehaltreiche Tragödien großen
Stils. Der Dichter solle sich an das Gegebene anschließen, fordert er. Den jungen
Dichtern fehle es daran, «daß ihre Subjektivität nicht bedeutend ist, und daß sie im
Objektiven ihren Stoff nicht zu finden wissen. Im höchsten Falle finden sie einen
Stoff, der ihnen ähnlich ist, der ihrem Subjekte zusagt; den Stoff aber um seiner
selbst willen, weil er ein poetischer ist, auch dann zu ergreifen, wenn er dem Sub-
jekt widerwärtig ist, daran ist nicht zu denken[7]». Schiller ist in seiner klassischen
Zeit nur noch der Sucher, Finder, Bearbeiter von Stoffen mit tragischer Qualität.
So begegnet ihm der Wallenstein-Stoff. In der Bearbeitung des Maria-Stuart-Stoffs
überzeugt er sich immer mehr, wie vorzüglich er für eine Tragödie ist. Diese Stoff-
bezüge treten im Realismus, Naturalismus wieder stärker hervor.

Der Stoff ist mithin etwas für die fertige Dichtung nicht Äußerliches und
Gleichgültiges. Er wird erfahren als das, was eine taugliche Dichtung ermöglicht.
Dies geschieht nun in jeweils besonderer Art. Wenn Goethe empfiehlt, daß der
Dichter, anstatt seine dramatische Wirklichkeit frei aus sich zu erfinden, sich dem
Leben anschließen solle, so weist er auf eine bestimmte Stoffgruppe hin, auf die dem
Leben entnommenen Stoffe. Diesen Lebensstoffen eignet eine besondere Gunst
für die volle und konkrete Vorstellung. Zugleich treten sie mit einem bestimmten
Anspruch an den Dichter heran; d. h. der Dichter, der einen Stoff des Lebens ergreift, ist durch den Stoff selbst gedrungen, solche Fülle und Konkretheit zu
suchen. Dies liegt in der Logik des Stoffes. Wenn Goethe den Götzstoff ergreift,
dann hat er sich diese Vorzüge ermöglicht, zugleich ist er durch seinen Stoff auf
sie verpflichtet. Denn ein Drama, in einem Lebensstoff gebildet, soll auch die
suggestive Vorstellung des hier ergriffenen Lebens sein. So hat Goethe auch in
seinem «Götz» auch nicht zuerst einen Lebensausdruck des Menschen um 1770 in
einem geschichtlichen Stoff des 16. Jahrhunderts gegeben, sondern er hat in einem
Drama, das künstlerisch die Beschwörung deutschen Lebens im 16. Jahrhundert
ist, tragische Grundverfassung menschlichen Seins zur Anschauung gebracht.
Dieser Stoffanspruch aber kann durch die Daten erfüllt werden, die durch diesen
Stoff dem Dichter gereicht werden. Der Dichter kann dieses Leben beschwören,
weil es ihm durch seinen Stoff als Gegenstand solcher Beschwörung gegeben ist.
Darum betont Goethe als den Vorzug solcher Stoffe, daß dem Dichter die Tat-
sachen des Lebens schon gegeben sind. Er braucht sich hier nicht der hybriden
Mühe zu unterziehen, das Leben bis in seine besonderen Einzelzüge erst zu er-
finden; er braucht hier gegebenes Leben nur tragisch zu strukturieren. Mit aller
Mühe, sagt Goethe, könne der erfindende Dichter nur das erreichen, was ihm das

Leben selbst schon gibt. «Bei einem gegebenen Stoff hingegen ... werden Fakta und Charaktere überliefert, und der Dichter hat nur die Belebung des Ganzen[8]». Das Gegebene eines historischen Stoffes, sagt auch Schiller, könne man sehr wohl mit Ideen verbinden, umgekehrt aber wohl kaum zu einer Idee einen neuen überzeugenden Stoff hinzuerfinden[9].

Der Stoff in diesem Sinne hört auf, als etwas Äußerliches dem Werke nur voranzugehen. Er ist im Werke als das dieses Werk Ermöglichende faßbar. Er ist wie ein Anspruch, dessen Erfüllung das Werk bekundet. So ist der durch den Lebensstoff gestellte Anspruch durch Goethe im «Götz», durch Schiller im «Wallenstein» erfüllt worden. Hier hat der Dichter suggestive Bilder geschichtlicher Wirklichkeit geschaffen. Klinger hingegen und die Mitläufer des Sturm und Drang begnügen sich damit, einen literarisch konstruierten Vorgang in einen Raum zu setzen, dem durch zeitliche Distanzierung jede konkrete Bestimmtheit fehlt.

Es tritt hier zunächst ein Eigenes des Stoffes hervor. Dem Stoff eignet eine Logik eigner Art, die der Dichter bestrebt sein muß zu erfüllen. Es ist dann möglich, die Stoffe in bestimmte Stoffgruppen zu ordnen und die ihnen entsprechende Logik zu fixieren. So fordert also der Lebensstoff, daß ein bestimmtes Leben in ihm erscheint; damit tendieren alle Lebensstoffe grundsätzlich zu einem Realismus. Dieser Anspruch besteht auch und wird auch da gewahrt, wo, durch die Stilgebung, dieses Realistische charakteristisch gesteigert wird wie bei Shakespeare oder idealistisch gemildert wird wie bei Schiller. Ferner nun gibt es bestimmte Absichten vom Dichter her. Der Dichter wünscht ein Bild des Lebens zu geben und ergreift den Lebensstoff. Oder er wünscht mehr ein Sinnbild des Lebens zu geben. Dies erste tut Goethe in seinem «Götz», dies zweite in seiner «Iphigenie». Er ergreift dann nicht den Lebensstoff, sondern einen sinnbildlich idealen Stoff der Antike.

Die Stoffe selbst lassen sich in zwei Hauptgruppen unterteilen, in die literarischen Stoffe und die Lebensstoffe. Einen literarischen Stoff bildend, will der Dichter schon im Ansatz sein Drama nicht zu einer Illusion des unmittelbaren Lebens selbst bilden, sondern wahrt einen dichterischen Eigenbereich, daß sein Drama nur poetische Vorstellung ist. Der Lebensstoff hingegen soll wie die Gegenwart des Lebens selbst sich vorstellen. Den ersten Bereich bevorzugt der antike, den zweiten der nachantike Dramatiker. Indem diese Stoffe als bestimmte Qualitäten des Dramas erscheinen, hören sie noch mehr auf, etwas Vor- und Außerpoetisches zu sein. Es ist jetzt so, als gehöre dieser Stoff zu der poetischen Illusion selbst, d. h. durch den Bezug auf ihn wird das Drama in einer bestimmten Weise formiert. So kann der literarische Stoff sehr wohl Lebenskerne enthalten, wie die Homerischen Gesänge oder das Nibelungenlied; doch haben sie aufgehört, Elemente des Lebens zu sein, sie sind Bestandteile der Sage geworden; und der solche Stoffe behandelnde Dichter soll diesen Charakter wahren. Umgekehrt können die Lebensstoffe mit literarischen Elementen erfüllt sein. An Kleists «Prinzen von Homburg» ist nur der geschichtliche Rahmen historisch wirklich und die Tatsache, daß unter dem Großen Kurfürsten ein Prinz von Homburg als Reitergeneral gedient hat. Schiller besaß als Stoff für «Kabale und Liebe» nichts als eine kur-

ze Zeitungsnotiz. Sehr oft werden bestimmte tragische Verfassungen literarischer
Art in den realistischen Stoff hineingelegt. Lessing nimmt sich für seine Marwood
in «Miß Sara Sampson» die Medea zum Vorbild, er kleidet in der «Emilia Galotti» Züge der Virginiasage in ein modernes Gewand. O'Neill betitelt sein Drama
aus der Mitte des 19. Jahrhunderts «Trauer muß Elektra tragen». Auch die Motive des einen realistischen Dramas gehen als nun literarische Motive in andere
Dramen über. Bulthaupt bemerkt von Gerhart Hauptmann, «daß die Probleme
und Stimmungen aus fremden Werken in seiner Dramatik wieder und oft sehr auf-
fallend anklingen[10]». Seine «Einsamen Menschen» und Ibsens «Rosmersholm»
lassen sich «wie Schablonen aufeinanderlegen[11]». «Der Buchhalter Selicke (im
Drama von Holz-Schlaf) ist ein Trinker wie der Dr. Scholz (Hauptmann: Friedensfest), und beide scheint die ewige Grämlichkeit und Nörgelsucht ihrer Frauen,
die sich fast völlig gleichen, in der schlimmen Gewohnheit noch tiefer verstrickt
zu haben[12]». Der Stoff wird hier selbst zu einer literarischen Qualität, die an sich
selbst besteht. Ein Drama im Lebensstoff kann ebenso literarisch sein wie ein
Drama im sichtlich literarischen Stoff. Es wird hier nur eine andere Art der poetischen Illusion angestrebt, die aber nun doch wieder eng der Art des gegenständlichen Inhalts und seiner selbstwirklichen Beschaffenheit verbunden bleibt. Charakter und Geschehen im «Prinzen von Homburg» mögen Kleists freie Erfindung sein. Gleichwohl muß er die Illusion erregen, als handle es sich um einen
Vorgang der brandenburgischen Geschichte, und für diese Illusion muß er wieder
das Konkrete dieser Geschichte aufgreifen und dieses Konkrete auch mit historischer Realistik darstellen. Er muß sein Drama mit der Anschauung und der Erfahrung dieses stofflich vorgegebenen geschichtlichen Lebens erfüllen.

Die literarischen Stoffe lassen sich in sinnbildliche und bildliche unterteilen.
Sinnbildlich sind die mythischen Vorstellungen, oft auch die Sagen, nur bildlich
die literarischen Stoffe, die nur der Unterhaltung dienen. Ursprünglich Sinnbild-
liches kann hier zugrunde liegen, wie in den Märchen und bei manchen Themen
der Volksbücher; es ist aber verloren gegangen. Ursprünglich rein literarisch sind
die Novellen, Fabeln, Anekdoten, Schwänke, Formen der reinen Unterhaltung. Die
Lebensstoffe können unterteilt werden in die Darstellungen des öffentlichen und
des privaten Lebens, in die geschichtlichen Dramen und in die Lebensgemälde.
Geschichtliche Dramen brauchen nicht in dem Sinne historische zu sein, daß in
ihnen das Vergangensein zum entscheidenden Faktor wird. Vielmehr werden sie
gekennzeichnet durch den Raum des öffentlichen geschichtlichen Lebens. Gryphius dramatisierte in seinem «Carolus Stuardus» geschichtliche Wirklichkeit seiner Gegenwart, Grabbe in seinem Napoleondrama «Die hundert Tage» eine jüng-
ste Vergangenheit. Solche Dramen geschichtlicher Gegenwart werden für die
fortschreitende Zeit historische Dramen. Indem der Dichter eigentlich geschichtlich dichtet, nicht historisierend, d. h. auch in den von ihm zeitlich distanzierten
Stoffen das geschichtliche Leben vergangener Gegenwart zu erfassen versucht, so
bleibt das wesentliche Kennzeichen solcher Dramen das Geschichtliche, d. h.
die Gegenwart von Vorgängen im Raum des öffentlichen Lebens, und nicht das
Historische, d. h. die Rekonstruktion vergangenen Lebens mit der Betonung sei-

nes Vergangenseins. Die privaten Lebensgemälde sollen stets wie Bilder der jeweiligen Gegenwart sein. Denn nur diese Gegenwart ist für den Dichter mit den vielen kleinen besonderen Zügen da, die zur Konkretion solcher Bilder nötig sind. Für den Späterlebenden werden auch diese Gemälde historisch. Was für den Dichter Erfassung seiner Gegenwart war, ist jetzt Vergegenwärtigung eines zeitlich zurückliegenden gesellschaftlichen und privaten Lebens.

Diese Stoffgruppen sind für die einzelnen Zwecke des Dichters, für das Vorstellen, das Wirken, das Erhellen, mehr oder weniger günstig. Dieses Verhältnis kann unterschiedlich sein je nach Beschaffenheit der Bühne und den Ansprüchen des Publikums. Für die antike Bühne, für den antiken Zuschauer war der mythischsagenhafte Stoff für alle Zwecke gleich günstig. Heute fehlt die Bühne, auf der er so anschaulich, zugleich mit solchen sinnenhaften Wirkungen dargestellt werden könnte; zudem entspricht ihm nicht die Erwartung des Publikums. Dem modernen Publikum liegt das Lebensgemälde am nächsten, das aber keineswegs der poetisch günstigste Stoff ist. Hinsichtlich des Vorstellens ist zunächst nach der Gunst für das Vorstellen zu fragen, sodann für die spezifisch tragische Vorstellung.

Für den Griechen war der ideale Stoff seines Dramas durch die repräsentativ plastische Aufführung, durch den Tanz des Chors, durch das Sinnenhafte des Gesangs durchaus vorstellungsreich genug. Für den späteren Dichter verbleibt mehr das Poetische, Ideale, Sinnbildliche; so scheint dieser Stoff heute am günstigsten für das erhellende Drama. Das Bedürfnis nach Vorstellung wurde im neueren Drama befriedigt durch die mimische Schau. Sie ist zuerst Schau des geschichtlichen Lebens, doch auch die Lebensgemälde sind zuerst mimische Spiele. Probleme grundsätzlicher Art treten erst seit 1800 auf, durch ein Poetisch- und Philosophischwerden des Dramas. Durch die Romantik schien an dem Drama das Poetische das Wichtigste, durch die spekulative Philosophie Hegels die Demonstration tragischer Ideen. Auch Hebbel opfert dieser Tendenz und wird auch ihr Opfer. Otto Ludwig vergleicht die philosophische Behandlungsweise in der dramatischen Literatur mit einem Wurm, der, wie er sagt, schon in der Knospe der deutschen Literaturblüte entstand, mit der Blume zunahm und nun die Schuld dafür trägt, daß diese Literatur blätterlos dasteht. Die dramatische Poesie besteht nicht durch das Ideelle; ihr ist «die Gestalt und ihre Bewegung, das poetisch und schauspielerisch Überzeugende dieser Gestalt, die Leidenschaft wichtiger[13]». Dieser Einseitigkeit des Ideellen setzt man seit dem Realismus bis zum Naturalismus die Einseitigkeit des bloß stofflich Anschaulichen entgegen. Hier wird Anschauung um ihrer selbst willen, ohne tragischen und oft ohne poetischen Zweck erstrebt, aus dem stofflichen Prinzip, daß Anschauungswirklichkeit schon Kunstwirklichkeit sei. Otto Ludwig steht hier der Kunst Hebbels polar entgegen. Glaubt Hebbel schon genug getan zu haben durch die Demonstration einer philosophischen Idee, die als tragisch angesprochen wird, so sucht Otto Ludwig eine äußerste realistische Konkretheit der dramatischen Vorstellung, im Milieu, im Geschehen, in der individualisierenden Gestaltung seiner Charaktere. Hier kann die Veranschaulichung auf Kosten der spezifisch tragischen Anschauung gesteigert werden[14]. So untersteht das Veranschaulichen des tragischen Dichters den Ansprüchen tragischer Anschaulichkeit. Wird aber die Tragödie als Kunstwerk konstituiert durch die Darstellung von Lage und Leiden, so muß der Stoff einmal ermöglichen, die Lage des Menschen sinnenfällig zu machen, sodann diesen Menschen in dieser Lage selbst, vorzüglich also den leidenden Menschen und die Entäußerung des Menschen in seinem Leiden.

Hinsichtlich der Lage wird gefordert, daß zunächst zwingende Verhältnisse zwingend dargestellt werden, in die der Mensch gestellt ist, ferner müssen diese Verhältnisse sich rasch und anschaulich entwickeln lassen, schließlich müssen sie zu einem festen und sinnenfälligen Abschluß führen.

Diesem Anspruch entsprechen die Stoffe der antiken Tragiker. Sie boten dem Dichter einfache, feste, zwingende Situationen. Ihnen entsprangen rasch entscheidende Folgen. Es brauchte nur Agamemnon aus Troja zurückzukehren, es brauchten nur Odysseus und Achills Sohn Neoptolemos auf Lemnos, dem Verbannungsort Philoctets, zu landen mit der Absicht, diesen mit seinem Bogen des Herakles zu entführen, Medea brauchte nur den Befehl zu empfangen, Korinth zu verlassen ohne ihre Kinder. Diese Voraussetzungen bewirkten das tragische Geschehen rasch und konsequent. Es mußte sogar scheinen, als benötige der reale Vorgang nicht mehr Zeit als das Geschehen auf der Bühne. Nicht so fest angelegt ist in diesen Stoffen das unglückliche Ende; doch war dies für den griechischen Dichter der geringste Mangel. Für die Tragödie wurde nur das Übergewicht von Lage und Leiden gefordert, nicht unbedingt der unglückliche Ausgang. Auch konnte der Überlebende doch innerlich vernichtet sein, wie Herakles, nachdem er im Wahn seine Kinder getötet hatte. Schließlich erlaubte eine bedingte Vernichtung das Fortschreiten zu einer festeren Lösung. Sophokles fügte seinem «König Ödipus» den «Ödipus auf Kolonos» hinzu.

Diesen Vorzug der Anschaulichkeit besitzen die antiken Stoffe für die neuere Bühne nicht. Ihnen fehlt das Mimische, worin diese Bühne begründet ist; und dieser Bühne fehlt die Art der antiken Anschaulichkeit. So führen sie zu einem mehr gelehrten Drama bei den frühen Humanisten, zu einem spezifisch literarischen Theater bei den Franzosen, zu dem idealen Seelendrama bei den Deutschen. Diese einfachen Stoffe waren, wie Aristoteles heraushebt, zuweilen schon für die Aufführung auf der griechischen Bühne zu kurz, so daß mancher Dichter sie künstlich dehnte, um den Ansprüchen der Wettspiele zu genügen; der raschen mimischen Darstellung konnten sie nie genügen. Die Franzosen dehnten die Handlung, indem sie sie verwickelten. Sie woben die Fäden mehrerer Motive kunstvoll zusammen und ließen das Geschehen immer wieder in erregenden Situationen gipfeln. Den Mangel an äußerer Schau vergüteten sie so durch eine Steigerung der Spannung. Sie wurden die Meister einer mehr im engeren Sinne dramatischen Kunst, der Darbietung eines raschen, kunstvoll verwickelten, spannenden, erregenden Geschehens. Doch ging dies oft auf Kosten des Lebenswahren, damit der tragischen Wirkung. Statt des Lebens herrschte hier das Kalkül des berechnenden Autors. Lessing tadelt dies an den Franzosen und begründete seine Dramen in der Logik des Lebens selbst. Goethe folgte ihm, schon in seinem «Götz» und auch in seiner «Iphigenie». Strengere Klassik führte damit weitgehend zur Preisgabe der optischen Anschauung.

Klopstock versucht zuerst, die deutsche Literatur statt in der griechischen Mythen- und Sagenwelt in der eignen Überlieferung zu begründen. Als Dramatiker blieb er bei der germanischen Geschichte stehen, mit dem utopischen Anspruch, auch alte germanische Formen zu erneuern. Solange die dichterischen Antriebe stärker sind als die patriotischen oder weltanschaulichen, hat er keine Nachfolge gefunden. Goethe hielt das Germanische unserer Dichtung für verloren, Hegel nicht weniger. Dies bleibt richtig trotz der «Nibelungen» Hebbels oder Richard Wagners. Dies ist einmal darin begründet, daß wir, im Gegensatz zu den Griechen, durch das neuaufgekommene Christentum in einer neuen Glaubens- und Anschauungswelt leben, durch die uns unser eignes Altertum fremd geworden ist; doch wäre in diesem Sinne auch die griechische Mythen- und Sagenwelt für uns ein Fremdes. Entscheidender wird der Mangel an Entfaltung in dieser alten Welt selbst, die die Griechen kontinuierlich haben vollziehen können. So sind hier Urbilder des Schönen, Urbilder tragischer Situationen geschaffen worden, die heute noch, und nicht nur durch den Bildungszusammenhang mit der Antike, ergriffen werden können. Die Sagen von Tantalus und seinem Geschlecht, von König Laios und seinem Sohne Ödipus sind schon wie einer tragischen Phantasie entsprungen, und die tragischen Dichter haben deren ganzen Gehalt herausgehoben und ihn in souveränen poetischen Kunstwerken zur Anschauung gebracht. Dies fand sich in der germanischen mythologischen Welt im gleichen Sinne und mit gleicher Vollendung nicht vor, und was in kontinuierlicher Entfaltung nicht herangebildet worden, konnte der spätere Dichter nicht im Rückgriff über die vielen Jahrhunderte hinweg vollenden. Er blieb Diener alter ehrwürdiger Bestände, wie Hebbel, oder er aktualisierte diesen Stoff durch Einflößen moderner Philosophie und durch Darbietung moderner Musik wie Richard Wagner.

Das Christentum ermangelt solcher Mythologie und Sage. Die Juden begründeten sich in der positiv geschichtlichen Offenbarungsreligion, in den fest gegebenen Geboten Gottes, in einer festen, von Priestern gehüteten Glaubenslehre. Das hier Gegebene konnte nicht auf Akte anschauender religiöser oder künstlerischer Phantasie vom autonomen Menschen her zurückgeführt werden und konnte auch nicht Stoff für solche freiere Phantasie werden. Im Christentum wurde diese Verfassung gewahrt, durch die Reformation wurde sie sogar gesteigert. Denn jetzt wurde die Frage nach der Rechtgläubigkeit aufs äußerste aktualisiert. Für freiere Phantasie und freiere Gedanken fand sich hier kein Raum. Statt Mythologie und Sage bot jetzt die Bibel den poetischen Stoff. Das Alte Testament besonders bot eine Fülle konkreter Lebensgeschehnisse an, einen historischen Stoff im religiösen Raum. Für die Darstellung des eigentlich christlichen Menschen erwies sich die Bibel als weniger fruchtbar. Beispiele für christliches Leben fand man mehr in den Legenden und der geschichtlichen Überlieferung, die das Schicksal des Gläubigen schilderten, des Bekenners, des Märtyrers, oder auch den Menschen in einem problematischen Verhältnis zu Gott, in Irrtum, Abfall, Rückführung oder Verdammnis. Noch Goethe bedient sich dieser Stoffe in seinem «Faust».

Die Tragödie im nur Literarischen, im Stoffe der bloßen Unterhaltung zu dichten, konnte dem Griechen nicht beifallen. Die Epen Homers waren ihm nicht bloße Literatur, sondern Quelle der religiösen, sittlichen, nationalen Bildung. Später genügte man diesem Bedürfnis nach verbindlicher Realität durch die geschichtlichen Stoffe. Das frei Poetische machten für die Tragödie erst die Romantiker geltend, Stoffe der Volksbücher, Märchen, im Bestreben, die Dichtung zugunsten der reinen Poesie vom empirischen Lebensstoff zu befreien. Für die verbindliche Tragödie ist diese Tendenz untauglich. Diesen Stoffen fehlt das Reale der Lebenswirklichkeit und das Ideelle des poetisch Sinnbildlichen. In einem Raum allgemeinster Art spielen sich Vorgänge ohne festen Zusammenhang ab, durch Zufälle bewegt oder durch das Alogische des Märchens. Für Hebbel war Tiecks Tragödie «Leben und Tod der heiligen Genoveva» nur eine Spielerei. Tieck selbst ließ dieses Produkt bald hinter sich. Die eigentlich dramatischen und tragischen Dichter, Zacharias Werner und Kleist, bevorzugten die Geschichte und dramatisierten nur Sagen von tieferem Sinn. Goethe mit seinem «Faust» ergriff einen halbhistorischen Stoff, dazu ein Sinnbild für menschliches Wesen, schließlich einen Stoff des 16. Jahrhunderts, einer noch konkret zu fassenden und doch poetisch hinreichend distanzierten Zeit. Hier konnte weltlich Wirkliches und Überweltliches ohne Verlust der Realität und ohne Bruch mit der poetischen Illusion erscheinen, die Zechbrüder in Auerbachs Keller mit der gleichen Dringlichkeit wie Mephistopheles und die Welt der Geister.

Als ein der Antike vergleichbarer Stoff scheint uns das Nibelungenlied gegeben zu sein. Es ist wie unser Homerisches Epos, zugleich, wie es scheint, diesem an tragischer Gunst überlegen; denn wenn Homer nur eine Fülle von Episoden bietet, die zum Stoff von Tragödien werden können, so scheint dieses Epos wie eine Tragödie in epischer Form. Der gewaltige Schöpfer des Nibelungenliedes, sagt Hebbel, sei ein Dramatiker vom Wirbel bis zur Zehe. «Ihm mit schuldiger Ehrfurcht für seine Intentionen auf Schritt und Tritt zu folgen, soweit es die Verschiedenheit der epischen und dramatischen Form irgend gestattete, schien dem Verfasser Pflicht und Ruhm zugleich[15].» Doch bleibt das Ergebnis zwiespältig.

Paul Ernst bemerkt von Hebbels «Siegfrieds Tod»: Die Geschehnisse wirkten im Epos dramatischer als hier gut sei, dagegen in einem Drama dargestellt wirkten sie episch[16]. So fehlt es dem Epos, mißt man es an Homer, an epischer Rundung, Fülle, Ruhe. Doch führt dieser Mangel nicht zu einem tragischen Vorzug. Die Tragödie soll den Menschen von der Seite der äußeren und inneren Nötigung, in seinem Leiden und Scheitern zeigen. Freilich geht hier Siegfried unter. Doch Siegfried erfährt, erleidet seine Lage nicht, wie Ödipus dies tut, oder Hamlet, oder Wallenstein. Er ist nur blindes Opfer. Dies möchte auch für Agamemnon im Drama des Aischylos zutreffen. Doch ist hier nicht nur der Untergang Agamemnons das eigentlich tragische Thema, sondern auch der Zwang, dem Klytaimnestra unterliegt. Ferner fügt der Dichter die untergehende und die dies wissende, erleidende, aussprechende Kassandra hinzu; er bietet ein Spiel hoher, düsterer Stimmung. Das Thema im Nibelungenlied ist weniger Siegfrieds Tod als Brunhilds Rache, mithin ein Thema epischer Tat und nicht tragischen Leidens. In diesem

Teile könnte Brunhild Heldin einer Tragödie werden, indem man sie von der Seite des tragischen Leidens zeigt. Es ist die betrogene Brunhild zu zeigen, die sich in der schon fertigen Situation entdeckt, die ihr Schicksal nur noch erleiden kann, und für die die Vergeltung an Siegfried selbst das äußerste Leiden ist, der erste Schritt zu ihrem eignen Untergang. So schreibt Paul Ernst auch ein Brunhilddrama, freilich ohne, im Banne eines philosophischen Begriffs vom Tragischen, das tragische Thema auch poetisch tragisch zu gestalten. Anstatt seine Person in Lage und Leiden stehen zu lassen, läßt er sie seine Philosophie des Tragischen aussprechen.

Im zweiten Drama Hebbels, in «Kriemhilds Rache», will Paul Ernst echte Tragik finden. Ernst hat an manchen Orten das Wesen des poetisch Tragischen exakt gefaßt, doch ist er im Ganzen seiner ästhetischen Untersuchung ein Denker nicht nur ohne Systematik, sondern auch ohne durchgehende innere Konsequenz. Er hat hier als das Tragische das Dramatische Gustav Freytags gegenwärtig. Er begreift das Drama hier als Darstellung eines dramatischen Kampfes; für ihn findet er hier zwei kraftvolle Träger, Kriemhild und Hagen. Spiel und Gegenspiel seien hier gleich. Dieses Thema aber ist episch. Kriemhild handelt, indem sie rächt, die Nibelungen handeln bis zum letzten Moment. Wenn Lessing den leidenden Helden der Tragödie, den handelnden Helden dem Epos zuordnet, wenn er dort als Wirkung Mitleid verlangt, hier Bewunderung, so sind die Nibelungen darauf angelegt, Bewunderung zu erregen für ihre heldische Haltung. Eine Tragödie müßte hier das Schicksal des Königs Etzel gestalten. Er hat Kriemhild gehelicht, um sein Haus zu befestigen; er richtet es durch diesen Schritt zugrunde. Die Geschehnisse fügen sich so, daß er diesen Untergang selbst mit herbeiführen muß.

Der eigentlich tragische Stoff, worin der neuere Dramatiker seine Tragödie bildet, ist die Geschichte. Sie verdient diese Wahl durch ihre Gunst für die tragische Vorstellung. Der Mensch steht im freien Mächtespiel des Lebens, worin ihm stets das Vernichtende begegnen kann, das Leben tritt in großen Handlungen anschaulich nach außen, die Situationen entwickeln sich rasch und zwingend, auch endigt hier der Vorgang zumeist mit dem Tode des tragischen Helden. Dieser Stoff ist auch unmittelbar der mimischen Bühne zugeordnet; er entspricht ihr, ihrem Bedürfnis nach einem bewegt und farbig Schaubaren, das getragen wird durch den Charaktere vorstellenden und rasch agierenden Mimen, ebenso wie der antike Stoff der gemessenen und stilisierten sakral gefärbten Schau.

Das private Lebensgemälde scheint zunächst der Vorstellung tragischer Situationen günstig, da hier der Mensch oft die wenigste Freiheit besitzen und durch die Macht der Verhältnisse der bedingteste sein kann. Doch widerspricht diese Bedingtheit zugleich dem tragischen Geschehen. Der Bürger ist zwar durch die Verhältnisse oft sehr bedingt, zugleich aber auch durch die Ordnung des Staates geschützt. Eine radikale Störung dieser Verhältnisse gewinnt hier fast stets den Charakter des Verbrechens. Entweder wird der Held ein Verbrecher wie Karl Moor, oder er wird Opfer eines Verbrechens wie Sara Sampson. Es kann hier sehr leicht das Verbrecherische empfunden werden statt des tragischen Geschehens. Um nicht nur dem traurigen Lebensgemälde verhaftet zu bleiben, um das Gesteigerte und Schlagende des Tragischen zu erreichen, muß der Dichter immer wieder dieses Kriminelle berühren. Woyzeck tötet die ungetreue Geliebte, Förster Ulrich in Otto Ludwigs «Erbförster» will den vermeintlichen Mörder seines Sohnes töten und tötet seine Tochter, Hedda Gabler drückt Lövborg die Pistole in die Hand, mit der er sich erschießen wird, die Weber im Drama Gerhart Hauptmanns werden zum Aufstand und zu Gewalttaten getrieben. So führt weniger das Poetische als eine allgemeinere Kultursituation zur Bevorzugung solcher Stoffe. Im 18. Jahrhundert, mit dem Fortschreiten der rationalen und empirischen Gesinnung der Aufklärung, verliert die Eigenwelt und Eigenform der poetischen Phantasie, in der Shakespeare noch seine Dramen schuf, an selbstverständlicher Wirklichkeit, und eine in diesem Stoff gebildete Kunst schien weniger wirklich zu sein als die realistische Abbildung des eignen Lebensraums. Für den englischen, französischen und deutschen Bürger trat hinzu, daß er die heroisch tragische Darstellung des Klassizismus des 17. Jahrhunderts mehr als eine Darstellung der Welt der Großen empfand und nicht menschlicher Schicksale schlechthin, die nicht weniger das bürgerliche Leben durchwalten. Lessing gab schon aus diesem Grunde seinen Tragödien den Stoff und die Form des bürgerlichen Realismus; er begründete diese bis zur Gegenwart reichende Tradition. Doch tritt die Dichtung nicht immer mehr und endgültig in einen neuen Raum. Vielmehr wird jetzt das Drama nur in dieser Doppelform gestaltet, als realistisches und idealistisches Drama. Goethe und Schiller stellen das historische Drama und die große ideale Form wieder her, die Romantik schließt sich an sie mit der Tendenz einer extremen Poetisierung an. Der Expressionismus stellt vor die Frage, ob es unbedingt nötig sei, in solchen Lebensgemälden den Realismus, die Suggestion dieser Lebenswirklichkeit zu wahren, oder ob es nicht erlaubt sein könne, auch diese Stoffe zu entrealisieren und sie in betontester Stilisierung darzubieten. Diese Tendenz erklärt sich genugtuend aus der Reaktion gegen Züge des Naturalismus und des poetischen Impressionismus, die zugunsten exakter Wirklichkeitsnachbildung oder des Einfangens subtiler Eindrücke in Gefahr sind, die Kunst mit Kopie oder mit der Reproduktion von Sinneseindrücken zu verwechseln, damit auch Gestalt und Energie des Dramas preiszugeben; doch wird hierdurch solche Reaktion noch nicht künstlerisch legalisiert. Das Drama ist begründet in Lebensverkörperung, das Lebensgemälde ganz besonders; und es wird hier die Aufgabe gestellt, diesem Leben selbst, wie Gerhart Hauptmann dies tut, die Fülle und Energie zu verleihen, daß es in seiner Konkretheit durchschlagend wirkt, und nicht, dieses Leben durch Preisgabe seiner selbst zu einer abstrakten Dynamik zu stilisieren.

Die poetische Wirklichkeit der tragischen Figuren ist zuerst ihr Leiden und Sichaussprechen in ihrem Leiden, also der Umfang und die Fülle ihres pathetischen Ausdrucks. So sind in diesem Sinne die Stoffe tragisch am günstigsten, die den Menschen am meisten im Leiden zeigen und die die umfänglichste Gestaltung des Leidens ermöglichen. Dies fand der antike Dichter in seinen überrealistischen Stoffen. Sie zeigten Situationen starken Leidens, sie erlaubten zugleich ohne die Schranke der Realistik den Menschen in seinem Inneren sich aussprechen zu lassen. Die Charaktere waren hier sofort in Schicksal wie in eigner Beschaffenheit ganz auf das Menschliche angelegt: Menschen in schicksalvollen Begebenheiten, und nicht Personen der Gesellschaft und des Standes. Auch der König und der Held konnte hier zuerst der Mensch sein. Diesem Ideal eifert jeder Klassizismus nach, um durch Stoff oder doch wenigstens durch idealisierende Form dieses Sich-aussprechen zu wahren. Die germanischen Stoffe versagen sich diesem Anspruch noch mehr als der Gestaltung der tragischen Situation. Der nordische Held ist, oft mehr aus unentfalteter Innerlichkeit als aus Charakter, zuerst der Held, der trotzig Verschlossene. Will der Dichter durch seine Darstellung nicht seinem Stoff wider-sprechen, so muß er diesen Zug an ihm wahren. Dies liegt mehr im Interesse eines Dichters, der nordischen Heroismus demonstrieren möchte, als des tragischen Dichters, der Leiden offenbaren will.

Der poetisch frei literarische Stoff ist meistens arm an psychologisch versteh-barer und zu vertiefender Menschenerscheinung. Ein Märchenhaftes auch in den Charakteren überwiegt, so daß sie besser von außen zu schildern als von innen zu entwickeln sind. Es gelingt auch Hebbel nicht, den Genevevastoff überzeugend zu dramatisieren. Wenn er seinen Golo modern psychologisch entwickelt, so sprengt er den Rahmen eines mittelalterlichen Legendenbildes. Wenn er die Personen in ihrer ursprünglichen Anlage wahrt, so kann er ihr Handeln nicht eingängig ma-chen, wie etwa dies, daß der Pfalzgraf Siegfried sich von der Untreue Genovevas überzeugen läßt und sie verstößt.

Den geschichtlichen Personen eignet die überzeugende Realität, doch erlauben sie nicht soviel pathetischen Ausdruck wie die Personen der griechischen Sage. Eine zu breite Entladung widerspräche nicht nur der realistischen Illusion, son-dern auch dem mimischen Spiel, das mehr auf Aktion als auf Deklamation drängt. Doch sind hier Ausweitungen möglich, deren sich der Dichter ausgiebig bedient. Die französischen Klassizisten wählen ihre historischen Stoffe schon so, daß eine ideale Gestaltung ihnen nicht widerspricht. Shakespeare wahrt den Vers, und er füllt seine Charaktere mit einer Lebens- und Ausdruckskraft, durch die eine aus-ladende barocke Dynamik des Sprechens nicht nur den Stil- und Ausdrucksabsich-ten des Dichters, sondern auch dem Wesen dieser Charaktere gemäß zu sein scheint. Auch die deutsche Klassik sucht diese Distanzierung, eine idealere Dar-stellung der Geschichte ohne Preisgabe der historischen Illusion. Schiller leitet diese Darstellung mit seinem «Don Carlos» ein. Tatsachen des geschichtlichen Raums lassen sich hier auf die Tragödie hinformen; für die Persönlichkeiten ist ein überrealistischer Ausdruck möglich. Zu große zeitliche Nähe verhindert dies, be-sonders noch, wenn der Dichter eine geschichtliche Figur wählt, die im hellsten Licht des Wissens der Gegenwart steht. Grabbe kann sein Napoleondrama nur als realistisches Lebensgemälde gestalten und seinen Napoleon in einer Art histori-scher Reportage darstellen. Rede und Ausdruck können das historisch Richtige oder doch das historisch Wahrscheinliche nicht überschreiten.

Im Lebensgemälde der Gegenwart wäre der Dichter am meisten auf Realistik verpflichtet, wäre damit im pathetischen Ausdruck am beschränktesten. Doch sind hier viele Stellungen möglich. Goethe zeichnet die Personen seiner histori-schen Stücke knapp, im Ausdruck männlich gehalten, und zeichnet so einen männ-

lichen Götz und einen Egmont als großen Herrn. Dagegen sprechen sich seine
bürgerlichen Charaktere intensiv fühlend, in ihrem Gefühl sich ergehend, in Gefühlen schwelgend aus. Dies kann zum Realismus dieser Zeit gehören, zu einer ge-
fühlsschwelgerischen Haltung, wie sie auch aus den Briefzeugnissen dieser Zeit
spricht. Zugleich leiht der Dichter hier seinen Personen von dem Reichtum,
Schwung seines Innenlebens und seine eigne Ausdruckskraft menschlicher Zustände. Lenz teilt diese Fülle seinen Charakteren nicht mit und könnte dies auch
nicht. Bis um 1850 ist hiervon nichts mehr verspürbar. Der Mensch selbst will realistisch, knapp, nüchtern sein, verbirgt lieber seine Gefühle als daß er sie zugibt;
er läßt sein Gefühl nur durch verbergende Sachlichkeit durchscheinen. Zugleich
hat der Realismus sich radikalisiert, so daß der Dichter auch seine dramatischen Charaktere mehr als von außen beobachtete und nicht als im Medium eigner Innerlichkeit erlebte gibt. Es kommt darauf an, im Umfang, Inhalt, Niveau des Sprechens
den Kreis dessen nicht zu überschreiten, was diesen Charakteren ganz an ihnen
selbst zukommt. Ibsen bildet so seinen indirekt pathetischen Ausdruck aus, ein
Sprechen in der durchschnittlichen Alltagssprache, das nun doch pathetische
Macht gewinnt. Die Verwirklichung dieses Gefühls wird jetzt sehr dem Schauspieler zugeschoben, der eine Rede, die durchschnittlich gesprochen werden könnte, zum Zeichen einer dahinter stehenden, aber nicht in freier Eigenliteratur aus-
geformten Innerlichkeit macht. Das Wie des Gesprochenen wird jetzt bedeutender
als das Was des Gelesenen. Der fortschreitende Naturalismus ermöglicht sich
durch sein Kunstprinzip wieder einen schlagkräftigeren Ausdruck. Ibsens Darstellungsmittel ist die hintergründliche Konversation, das Sprechen mit verborgenen
Hintergründen. Der Naturalismus gibt alles Literarische einschließlich der literarischen Wesensverfassung der dramatischen Charaktere preis, um statt dessen dem
Menschen die Sprache seines Lebens abzulauschen. Literarisches Sprechen aber,
wie bei Ibsen, gehört an sich dem Leben selbst zu, nämlich der Rede des gesellschaftlich gebildeten Menschen. Preisgabe dieser Sprache bedeutet dann etwas anderes, daß die Sprache selbst wie ein Lebensausdruck aufgefaßt wird und daß der
Mensch in einer vorgesellschaftlichen und vorrationalen Schicht sprechen soll. Es
ist dann eine gefühlhafte Seinsintensität, die sich in diesen Menschen äußert und
alles Gesellschaftliche und Rationale zerbricht. So verfährt Gerhart Hauptmann.
Von hier her findet er auch wieder Zugang zu der Gefühlswelt, dem wogenden
Innenleben der Menschen des jungen Goethe und entfesselt in seinem «Friedensfest» Stürme der inneren pathetischen Bewegung wie Goethe mehr als hundert
Jahre zuvor. Weiter als eine Kunst zuvor geht auch in diesem Stoffkreis der Expressionismus. Er läßt die mögliche Ausdruckskraft seiner Charaktere frei und
bindet sich in ihrem Ausdruck nicht mehr an die realistische Wahrscheinlichkeit.
Doch ist diese Expression keine Steigerung der Wirklichkeit gegenüber der
Schreibweise eines Gerhart Hauptmann. Zu oft läßt der Expressionist die dramatische Person verschwinden vor einer Entäußerung des Innern mehr lyrischer Art,
macht sie zum Sprachrohr der Empfindungen und Gesinnungen des Dichters
selbst statt zur Menschenerscheinung, der Empfindung und Gesinnung zugehören.
Die Zustände der dramatischen Charaktere werden dem Zuschauer künstlerisch

erst real durch die Vorstellung bestimmter Menschenwirklichkeit, deren Erscheinung und Ausdruck sie sind. So wird vom Stoff ferner verlangt, daß er suggestive Menschenerscheinung ermöglicht. Hier sind dem tragischen Zweck die antiken Stoffe am günstigsten. Der pathetische Ausdruck verlangt ein Allgemeines des Menschentums, die sinnenhafte Vorstellung eine Besonderung, den jeweils einmaligen Charakter. Die Personen der griechischen Sagen vereinigen beides. Ihrem Kerne nach sind sie, wie Schiller bemerkt, idealische Masken; so ist «Ulysses im Ajax und im Philoctet offenbar nur das Ideal der listigen, über ihre Mittel nie verlegenen, engherzigen Klugheit; so ist Kreon im Ödip und in der Antigone bloß die kalte Königswürde[17]»; doch sind sie ihrer Erscheinung nach besondere Menschen und nicht bloß Benennungen für Typisches. Der Grieche konnte sie erfahren als konkrete Lebenswirklichkeiten und als sinnbildlich zugleich; und so wirken sie noch heute. Hier scheint mehr eine glückliche Phantasie eines Volkes als nur der einzelne Dichter gewirkt zu haben; dem Einzelnen wäre dieser Ausgleich zwischen dem Besonderen und Allgemeinen wohl kaum möglich: seine Vorstellungen wären entweder zu individuell oder zu generell. Der griechische Dichter übernahm hier den schon grundsätzlich fertigen Bestand auch an Charakteren; er brauchte sie nur von sich aus neu zu beleben.

Die Geschichte kann so Vorbereitetes nicht bieten. Soweit sie als bloß stoffliche Überlieferung gegenwärtig ist, bietet sie nur Daten für Charaktere, soweit sie schon erzählende Geschichte geworden ist, bietet sie die Charakterbilder, die der Chronist oder Historiker von den geschichtlichen Gestalten gewonnen hat. In dem Dichter erst strukturieren sich die Geschehnisse zu einem poetischen Fabelganzen, und die geschichtlichen Charaktere müssen sich in dieses Ganze hineinbilden. Auch bei reichster Überlieferung schafft erst der Dichter seinen Charakteren diese innerste Ganzheit, die in Geschichtsberichten nie erscheinen kann, und gibt ihnen ebenso die hier sich verbergende Innerlichkeit. Je weniger der Stoff selbst schon eine Dichtung ist, desto mehr ist der ihm entnommene tragische Charakter eine Schöpfung des Dichters. Hierbei kann der Dichter wie der eigentliche Historiker sein, der von innen als Subjekt gestaltet, was der Historiker nur von außen als Objekt zeigen kann; doch ist hier auch durchgreifend eigne Erfindung über die Geschichte hinaus oder von der Geschichte fort möglich. Die Geschichte liefert dann mehr alles Äußere dieses Charakters, die Züge seines besonderen Daseins in Raum und Zeit, der Dichter die innerste synthetische Einheit und das Eigentliche des inneren Lebens.

Die Figuren der antiken Tragödien sind am besten als Personen zu bezeichnen, als Gestalten von faßlicher Besonderheit, doch nur in der Art, daß in ihnen ein allgemein Menschliches erscheint und sich ausspricht. Personen dieser Art sind nur im idealen poetischen Stoff möglich, nicht in der Geschichte. Ihnen fehlte hier das Besondere des geschichtlichen Daseins. Sucht man in diesem Besonderen das Innere und Allgemeine, so wären die Figuren bei Shakespeare mit Charakteren zu bezeichnen, und zwar im Sinne sehr starker, sehr unmittelbarer Lebenspotenzen, die mehr unter der Macht dunkler Antriebe als unter der Macht des Denkens, der Vernunft stehen. Auch Hamlet wäre zuerst ein solcher Charakter, nur ein solcher, worin das Leben sich bis zur Reflexion abgeschwächt hat, die Reflexion aber doch Lebensäußerung bleibt. Hier fehlt die Haltung, die so oft die antiken Figuren auszeichnet, und die wahre Macht der Vernunft, die in den Helden Corneilles tätig ist. Ferner ist die Geschichte ein Raum, worin der Mensch als Persönlichkeit erscheinen kann. Persönlichkeit in diesem Sinne hat zuerst Corneille auf der Bühne sichtbar gemacht. Goethe und besonders Schiller schließen sich ihm an. In seinem Naturgegebenen ist der tragische Held zuerst die bloße Individualität, bloß sein subjektiv Eignes mit seinem subjektiv eignen Anspruch. Für Shakespeare ist die Geschichte noch der Raum, worin der Mensch mit dieser Macht erscheint und sich auswirkt. Für Goethe und Schiller oder Kleist ist sie schon wie die Erscheinung einer höheren Fügung, an der die Individualität scheitert und sich zu erziehen hat, ein Egmont, eine Maria Stuart, ein Prinz von Homburg. Der Mensch bewährt sich hierdurch als Persönlichkeit.

Der private Lebensraum ist für solche Menschenerscheinungen der Ort nicht. Insofern scheint er für die Tragödie nicht günstig, wenn man die Person, den Charakter, die Persönlichkeit verlangt. Doch kann nun hier das Individuelle wesenhaft und in seiner künstlerischen Bedeutung zu seinem Recht kommen. Für Schiller ist die Individualität bloße Naturform, die zugunsten der Persönlichkeit zu überwinden ist. Herder dagegen wahrt die Bedeutung auch des Individuellen im religiösen Sinne, als die jeweils besondere Weise, die Gott seiner Schöpfung und auch dem Menschen gegeben hat. Shakespeare habe den Menschen und das Leben in solcher Vielheit ergriffen und dargestellt. Zwar bildet Shakespeare das Besondere heraus, in einem charakteristischen Stil, doch sucht er dieses Individuelle nicht und auch nicht dessen genauere Darstellung. Es ist ihm das zu besondere, das unrechtmäßige Dasein, Gegenstand der komischen Darstellung wie an einem Falstaff. Die religiös betonte Individualität tritt mehr im Bürgertum seit dem 18. Jahrhundert hervor. Der im öffentlichen Leben eingeschränkte, auf sich selbst zurückgewiesene Mensch möchte wenigstens dieses sein Eigenstes besitzen und genießen können. Dies liegt Goethe sehr nahe, weniger Schiller, der am Egmont zu sehr bloße Individualität, eine bloß subjektive Art des Lebens findet. Diese Art der Menschenschau verwirklicht der Dichter durch eine mehr individualisierende Gestaltung, die den Menschen in den feinen Zügen seiner Besonderheit trifft. Diese Tendenz nimmt im 19. Jahrhundert als Realismus zu und gipfelt im Naturalismus von Gerhart Hauptmann. Hier wird die individuellste Gestaltung individueller Menschen dem Dichter zur wesentlichen Aufgabe, und es wird dieses Drama wieder in einer künstlerisch zu vergegenwärtigenden Menschenwirklichkeit begründet, die auf ihre Weise an die Seite der großen idealen und geschichtlichen Menschenvorstellung tritt.

# ZWEITES KAPITEL

# DIE VORERFINDUNG

## DIE VORERFINDUNG DER FABEL

Der tragische Dichter stellt den Menschen in seinem äußeren und inneren Gelegensein vor. Dies ist zunächst bloß Tatsache, und zunächst nur mit ihr hat der Dichter zu tun, nicht mit ihrer weltanschaulichen Auslegung und Erhellung. Schopenhauer hebt drei Hauptkonstellationen heraus, durch die das Unglück in der Tragödie möglich ist. 1. durch außerordentliche, an die äußersten Grenzen der Möglichkeiten streifende Bosheit eines Charakters, 2. durch Schicksal, das ist Zufall, Irrtum, 3. durch die bloße Stellung der Personen zueinander. Die Charaktere «sind so gegeneinander gestellt, daß ihre Lage sie zwingt, sich gegenseitig wissend und sehend das größte Unheil zu bereiten, ohne daß dabei das Unrecht auf irgendeiner Seite ganz allein sei[1]». Dies sind nur mögliche Fälle dieses Gelegenseins. Richard III., der außerordentlich Böse, ist in bestimmter Weise innerlich und auch äußerlich gelegen durch seine Mißgestalt und den zu erwartenden Tod des Königs; sonst ist der Böse noch sichtlicher nur Fatalität für den tragischen Helden, sein Gegenspieler, der ihm sein Unglück bereitet, wie Jago dem Othello, Franz Moor dem Karl Moor. Überall zeigt sich, daß durch die innere Beschaffenheit des Menschen und die äußere Beschaffenheit der umräumlichen Wirklichkeit Konstellationen möglich sind, die dem Menschen Unglück und Untergang bereiten. Der Dichter sucht zunächst nur solche Konstellationen, als bloße Faktizität, ohne weltanschauliche Prinzipien. Sie sind in dem Umfang möglich, wie Faktoren in dem Menschen und außerhalb seiner gegeben sind und zusammenwirken. Der Dichter ergreift sie aus den Fällen des Lebens und noch mehr aus den schon geklärten Aufzeigungen der Literatur. Doch wird für ihn als tragischer Dichter entscheidend, daß er mit dem Stoff noch nicht die tragische Lage im poetischen Sinne gegenwärtig hat. Vielmehr wird ihm der Stoff nur zur Möglichkeit der poetisch tragischen Darstellung. Aufgabe und Leistung des Dichters muß also darin gesehen werden, daß er nicht tragische Lagen aus Leben und Literatur aufgreift, sondern daß er hier vorfindliche Lagen tragisch gestaltet. Nicht die Lage ist tragisch an sich selbst, sondern sie ist erst im greifbaren Sinne tragisch durch die Gestaltung.

An Sophokles' «König Ödipus» läßt sich dies verdeutlichen. Die Sage berichtet ein Geschehen, das schon vor der Geburt des Ödipus anhebt. Dieses ganze Geschehen stellt der Dichter nicht dar. Dies geschieht nicht nur mit Rücksicht auf die Ökonomie der tragischen Darstellung; eine solche Dramatisierung wäre grundsätzlich möglich. Vielmehr kommt es auf die poetische Vergegenwärtigung der Lage und ihres Wirkens auf die tragische Person an. Bei der Lage soll das Wort, bei dem Menschen die von ihr erzwungene Antwort sein. Dies ist nicht der Fall, wenn das Königspaar Laios und Jokaste den soeben geborenen Sohn, mit dem sich für sie Unglück verknüpfen soll, aussetzt. Dies ist freie, vorsorgliche Handlung. Hier besteht nicht der Lagedruck, aus dem vielleicht der alte Miller sich entschließt, die Beziehung zwischen seiner Tochter und dem vornehmen Herrn zu unterbinden. Denn hier drängt den alten Miller die Situation. Entweder kommt die Tochter in Schande, oder den kleinen Musikus trifft der Zorn des mächtigen Präsidenten. Auch wenn der erwachsene Ödipus, als er befürchten muß, das Königspaar von Korinth seien nicht seine leiblichen Eltern, nach Delphi geht und Auskunft sucht, so handelt er. Er handelt, wenn er, unterrichtet, er solle den Vater töten, die Mutter ehelichen, aus Korinth flieht. Er handelt, wenn er den Greis am Dreiweg erschlägt, das Rätsel der Sphinx löst, die Königinwitwe von Theben ehelicht. Er handelt noch, wenn er, nachdem in Theben die Pest ausgebrochen ist, Kreon nach Delphi schickt, die Ursache des Übels zu erfragen. Doch wenn Kreon zurückkehrt, wenn er berichtet: es laste Blutschuld auf der Stadt, da der Mörder des Königs Laios noch unentdeckt in ihr weile, der Mörder sei zu entdecken; so hört jetzt das Handeln vom Menschen her auf. Jetzt beginnt der Mensch zu handeln im sichtlichen Auftrag von der äußeren Lage her. Er ist jetzt faktisch genötigt, Ödipus schon dadurch, daß er der König von Theben ist und daß ihm, dem König, die Götter gebieten. Der Dichter der Sage mithin konnte den Menschen in seinen Handlungen darstellen und zugleich sichtbar machen, daß der Mensch entweder so handelte, um einem drohenden Schicksal zu entgehen, oder so handelte, weil er das hierdurch ihm drohende Schicksal nicht sah. Der tragische Dichter kann nicht kommentierend erzählen, sondern er muß dramatisch theatralisch zeigen. Er zeigt, daß die Lage, als Aktion, den Helden zu einer Reaktion bringt. Er zeigt zunächst bloß das Faktum dieses Gelegenseins auf und sein Sichauswirken auf den tragischen Helden. Die Lage, die Lebensrealität ist sein eigentliches Thema, weil sie das poetisch Darstellbare ist. Daß sich hier Schicksal auswirkt, Wille der Götter usf., tritt nur als deutender Gedanke hinzu.

Die dramatische Fügung von Sophokles ist immer wieder nachgeahmt worden. Doch sieht man hier oft nur einen grundsätzlich besonderen Fall. Sophokles habe ein Muster gegeben der analytischen Fabel. Man versteht hierunter ein Geschehen, das alles Verhängnisvolle schon als vollendet voraussetzt und es nur noch enthüllt. Hiernach scheinen auch Fabeln ganz anderer Art, synthetische Fabeln möglich zu sein. Beispiel hierfür wäre die «Emilia Galotti». Hier ist zu Beginn der Handlung noch nichts Unglückliches geschehen. Die Katastrophe liegt hier am Ende durch die synthetische Verknüpfung der Handlungsmomente.

Diese Auffassung ist irrig. Sie wird möglich dadurch, daß der Unterschied zwischen der sich vorstellenden Handlung und der vorstellenden Fabel nicht beachtet wird.

Die Tragödie als sich vorstellende Handlung wird stets als eine Synthese, als ein jetzt sich erst knüpfendes Geschehen erfahren und mit dem Gefühl, daß der Ausgang des Geschehens noch offen ist. Erst jetzt, in diesem Augenblick, geschieht jeweils ein Unglückliches, das aber auch – so scheint es – noch ausbleiben könnte. So allein wird durch dieses Geschehen tragische Furcht erregt. Dies trifft für den «König Ödipus» so gut zu wie für die «Emilia Galotti».

Der Handlungsinhalt des «König Ödipus» wird unzureichend bezeichnet, wenn man hier die Aufdeckung des schon Geschehenen betont. Der Inhalt ist die Suche nach dem Mörder des Königs Laios. Die Aufdeckung ist nicht der eigentliche Handlungsinhalt, sondern das Ergebnis dieses Geschehens für Ödipus. Die Vernichtung geschieht nicht durch das schon Geschehene, sondern durch das jetzt Geschehende. Damit aber ist das Ergebnis noch völlig offen. Es ist für den dieses Geschehen Schauenden die Folge einer sich jetzt knüpfenden Synthese, in der jeder Moment diesem Ergebnis näher führt. Dieses Ergebnis könnte auch ausbleiben. Träte nicht gerade jetzt der Bote aus Korinth auf, den Tod des Königs Polybos berichtend, so bliebe die entscheidende Aufdeckung aus.

So ist der «König Ödipus» als Handlung betrachtet, eine furchterregende Synthese. Zugleich ist diese Handlung, als Fabel betrachtet, das Ergebnis einer Analyse. Der Dichter geht bei der Konstruktion seiner Fabel den Weg vom Ende rückwärts zum Anfang hin. Soll das Ende begründet erscheinen, so darf im Geschehen selbst kein neuer Faktor auftreten, der jetzt erst das Unglück bewirkt. Dies wäre ein von außen kommender Zufall, würde als zufällig empfunden. Die Tragödie würde romanhaft, wenn nicht sogar eine künstliche Zurichtung zum Zwecke des traurigen Endes. Also muß der Dichter alle entscheidenden Faktoren schon vorausgesetzt, er muß sie schon in die Exposition gesetzt haben. Kunsttechnisch betrachtet ist die Handlung das konsequente Folgern, d. h. die analytische Entfaltung des schon am Anfang des Geschehens Vorausgesetzten. Je kompletter dieses Voraussetzen ist, je konsequenter dieses Folgern, desto mehr wird die Handlung als schicksalhafte Synthese erfahren. «Die Handlung», sagt darum Schiller, «ist eine aufbrechende Knospe, alles liegt schon darin, und es entfaltet sich nur in der Zeit. Alles muß sich natürlich und notwendig aus den Prämissen entwickeln; was daher geschieht und sich ereignet, muß zugleich in der Idee und in der Anlage des Stückes vorbereitet und begründet sein[2].» «Der Ödipus ist gleichsam nur eine tragische Analysis, alles ist schon da, und es wird nur herausgewickelt[3].» «Daß Ödipus seinen Vater erschlug und seine Mutter heiratete», sagt Paul Ernst, «erscheint uns heute ... als Zufall ..., aber dieser Zufall ist in die Exposition verlegt, als längst geschehen und wirkt nun als Ausgangspunkt einer Notwendigkeit; der Ablauf dieser Notwendigkeit ist das Drama[4].» Ibsen verfahre nach dem gleichen Grundsatz, nicht nur in den «Gespenstern», worin schon vorbereitetes Unglück nur aufgedeckt wird, sondern grundsätzlich. Bei Ibsen könne Zufälliges gefunden werden, weil er seine Verwicklungen weitreichend in den Charakteren begründet, aber das Zufällige, das ihnen anhaften würde, «wird dadurch vermieden, daß dieser Teil in die Exposition gesetzt wird und so im Verlauf des Stückes als Schicksal wirkt[5]». Hofmannsthal ist für Paul Ernst in seinem «Ödipus und die Sphinx» als tragischer Dichter ein Dilettant, weil er den handelnden Ödipus zeigt, der seinen Vater erschlägt, das Rätsel der Sphinx löst und Gatte der Königinwitwe von Theben wird. Eine gewisse Zwangslage bei der Tötung eines heftigen Greises, tragische Ironie wird fühlbar bei Ödipus' großem Glück in dieser Welt; doch appelliert der Dichter hier an das literarische Wissen seines Lesers, der das Unglück dieses Glücks kennt[6].

In diesem Sinne ist auch die «Emilia Galotti» in der Anlage ihrer Fabel analytisch. Alle entscheidenden Faktoren des Verhängnisses hat der Dichter in die Exposition gesetzt: des Prinzen Leidenschaft zu Emilia, deren Hochzeit an diesem Tag, des Prinzen Ununterrichtetsein von diesem bevorstehenden Ereignis. Zudem geht Emilia mit diesem Tag außer Landes. Der Prinz steht mithin unter einem äußersten Lagedruck, der zu einer Aktion auffordert, wenn er Emilia nicht endgültig verlieren will. Dieser Druck wirkt auf einen Mann, der im Banne seiner Leidenschaft, in seiner Bedenkenlosigkeit gezeigt wird. Auch ein intriganter Höfling ist da, der seinen Herrn fördert, der zugleich der Familie Galotti und dem Bräutigam wenig gut gesonnen ist. Auch eine abgedankte Geliebte des Prinzen ist da, die des Prinzen oder Marinellis Konzept entscheidend stören wird. Dieser Fabelbau ist sogar auf eine konsequentere Analyse als bei Sophokles angelegt. Denn auch daß die Gräfin Orsina im 4. Akt eingreifen wird, ist schon im 1. Akt für den Zuschauer in den Bereich der Möglichkeit gerückt; jedenfalls tritt die Orsina hier nicht als ein neuer Faktor hervor. Die Analyse des Sophokles hingegen ist nicht so konsequent; der Bote aus Korinth ist ein neuer entscheidender Faktor.

Wenn nun auch die Tragödien in ihrer Grundverfassung sich gleich sind, wenn alle Fabeln die Grundlage für analysierende Darstellung, wenn alle Darstellung Inhalt einer als Synthese erfahrenen Handlung wird, so sind doch in diesem Gleichen verschiedene Bauformen möglich. Es gibt mehrere Fabeln und Handlungen.

Besonders Saran und seine Schüler haben versucht, die verschiedenen Typen dramatischer Handlungen zu fixieren[7]. Sie gehen von Gustav Freytag aus, grenzen sich gegen ihn kritisch ab, ohne den Boden seiner Voraussetzungen zu verlassen. Handlung soll für sie das Geschehen sein, das mit dem erregenden Moment beginnt und bis zur Katastrophe hinführt. Hier scheinen verschiedene Fügungen möglich: die Zielhandlung in der «Emilia Galotti», die Aufhellungshandlung im «Zerbrochenen Krug», die Folgehandlung in Hebbels «Herodes und Mariamne», die Entwicklungshandlung in Schillers «Räubern». Davon abgesehen, daß die Voraussetzungen für diese Feststellungen zu wenig geklärt sind, bleiben sie in sich selbst heterogen. In der «Emilia Galotti» soll das Geschehen durch einen Willen bewirkt werden, im «Zerbrochenen Krug» durch einen Geschehenszusammenhang, in «Herodes und Mariamne» durch ein zuvor Geschehenes; in den «Räubern» scheint das Wesentliche die innere Entwicklung der dramatischen Person. Solche Feststellungen lassen sich beliebig austauschen. Die «Räuber» sind auch Folgehandlung, denn Karl Moor steht hier unter der Folge seines Entschlusses, Räuber zu werden, «Herodes und Mariamne» ist auch Aufdeckungshandlung, denn es deckt sich zweimal der Mariamne auf, daß Herodes vor einer gefährlichsten Reise befohlen hat, sie im Falle seines Nichtzurückkehrens zu töten, ebenso liegt hier eine Entwicklungshandlung vor, denn in der Stellung der Mariamne zu Herodes vollzieht sich eine entscheidende Entwicklung. Ganz abwegig ist es, das Wesen der Handlung von einem Wollen des tragischen Helden her zu bestimmen. Für die «Emilia Galotti» ist dies schon falsch, da nicht der Wille des Prinzen dieses Drama vorantreibt, sondern die Fatalität der Lage, durch die Emilia dem Prinzen rasch und endgültig verloren zu gehen droht. Das Ziel des Prinzen ist nicht unmittelbar die Emilia, sondern die Meisterung einer Lage, durch die er Emilia zu verlieren droht. Doch auch wo Ziele herrschen, wie in dem Streben Fiescos nach der Vorherrschaft in Genua, ist der Bau der Fabel nicht von hier her zu beurteilen. Nur eine Zielsetzung ist für ein Drama wichtig, das Ziel des Dichters. Er fügt das Geschehen so, daß es mit dem Scheitern des Helden endet. Hierbei kann ein entscheidendes Motiv sein, daß der Held handelt, wie Richard III., aber auch, daß der Held das Handeln versäumt, wie Hamlet.

Die Fabel wird gefügt durch ein Verhältnis von Lage und Anlage, und zwar ganz überwiegend so, daß die Lage den tragischen Helden bestimmt, seine Anlage nur erklärt, wie er auf die Lage reagiert, sofern überhaupt die persönliche Beschaffenheit eine Rolle spielt. Für Wallenstein ist dieses Persönlichste noch von entscheidender Bedeutung, für die schon gefangene und zum Tode verurteilte Maria Stuart nicht. Für Gustav Freytag scheint das Drama in einer noch vordramatischen Ruhelage zu beginnen, die durch einen werdenden Entschluß des dramatischen Helden in Bewegung übergeht. Für den sich verstehenden Tragiker wird ein wesentlicher Teil seiner Fabelerfindung die Vorerfindung der Lage, die Setzung aller der Prämissen des Geschehens, aus denen er in der Fabel nur die Folgerungen zieht. Das Drama ist nur die letzte Konsequenz aus einer Lage, die den Grad des Tragischen, also des möglicherweise Vernichtenden, erreicht hat, und die nun beginnt, sich an dem tragischen Helden auszuwirken. Perger in seiner Dramaturgie spricht von der Vorfabel[8]. Sie enthält nicht nur die stets notwendigen Voraussetzungen für ein dramatisches Spiel, sondern die schon fertig geschürzte Lage, die sich nur entfaltet. Gerhart Hauptmann nennt das ganze Drama nur eine Exposition, ein Herausentwickeln dessen, was im Anfang des Geschehens schon beschlossen ist. «Ein Drama, das nicht vom ersten bis zum letzten Wort Exposition ist, besitzt nicht die letzte Lebendigkeit[9].» Das Drama beginnt schon mit dem Wirken dieser Lage, wie im «König Ödipus» und in der «Emilia Galotti». Diese Lage wird teils durch das sofort anhebende Spiel sichtbar. Was ferner noch zu ihrer Erklärung gehört, wird nach Goethe und Schiller im Spiel vergegenwärtigt durch «rückgreifende Motive[10]», durch klärende Redeinhalte, die der Dichter in das voranschreitende Spiel einwebt. Dieses Vorangehende kann selbst dramatischer Inhalt werden, wie für König Ödipus, der den Mord an seinem Vorgänger aufdecken soll.

Diese Herrschaft der Lage ist stets dieselbe. Auch ihre Endwirkung ist stets dieselbe, in der neueren Tragödie wenigstens, die Vernichtung des tragischen Helden. Das Ende der Tragödie ist also stets, daß etwas für den Helden Vernichtendes geschieht. Dieses Vernichtende selbst aber kann in verschiedener Weise da sein. Es sind hier zwei extreme Fälle möglich. Das Vernichtende kann einmal als Faktum schon vorliegen, aber noch verborgen sein. Es kann ferner am Anfang noch nichts von einem Vernichtenden da sein, sondern erst die letzte Konsequenz des Geschehens führt hierzu. Der Gang der Fabel ist in beiden Fällen darin gleich, daß er die Vernichtung herbeiführt, insofern sind diese Dramen sich strukturell völlig gleich. In beiden Dramen liegt das Verhängnisvolle schon in der Exposition beschlossen und ist erst mit dem Abschluß des Geschehens und nur durch das Reale dieses Geschehens verwirklicht. Doch in dem einen Falle geschieht die Vernichtung, indem durch das Geschehen ein Geschehenes aufgedeckt wird, im andern

Falle, indem die Prämissen zu einer jetzt vernichtenden Tat führen. Bei gleicher Struktur des Geschehens sind die Bedingungen verschieden, unter denen der Dichter in seinem Bilden steht. Es sind so viele Fabeln zu unterscheiden, wie sie sich unterscheiden in der Durchführung des gleichen Themas. Daß der Bote von Korinth in das Geschehen eintritt, ohne in der Exposition schon vorausgesetzt zu sein, ist ohne Widerspruch zur tragischen Fügung nur in solchem Geschehen möglich, das die Katastrophe durch ein Aufdecken herbeiführt.

Ihrer künstlerischen Beschaffenheit nach ist dann der «König Ödipus» keine analytische Tragödie, sondern eine Tragödie mit einer Fabel, in der die Katastrophe durch ein Aufdecken herbeigeführt wird. Wir haben es hier mit einem Aufdecken in der Weise zu tun, daß durch das Geschehen ein Tatbestand nur aufgedeckt werden muß, um die Katastrophe herbeizuführen. Dies kann einmal so geschehen, daß sich dem tragischen Helden etwas ihm selbst Verborgenes aufdeckt. Dies geschieht für den König Ödipus, aber auch für die Frau Alving in Ibsens «Gespenstern». Ihr deckt sich auf, daß ihr Sohn, den sie aus ihrer unglücklichen Ehe hat retten wollen, durch die Ausschweifungen seines Vaters dem Wahnsinn verfallen wird. Doch kann ein fataler Tatbestand auch dem tragischen Helden bekannt, er kann der Umwelt verborgen sein. Dies sind vielleicht Tatbestände ehrenrühriger, krimineller Art, deren Entdeckung den Helden in seiner bürgerlichen Existenz ruiniert. In Ibsens «Stützen der Gesellschaft» hat Konsul Bernick das falsche Gerücht geduldet, sein Schwager sei wegen Unterschlagungen nach Amerika gegangen. So rettete er in Geldbedrängnis seine Firma. Oder in Halbes «Strom» hat Peter Doorn das letzte Testament seines Vaters unterschlagen und ist auf Grund eines früheren Testaments der Alleinerbe des Hofes geworden.

Hier überall wird das Ende des tragischen Geschehens auch nur durch ein Verknüpfen der einzelnen Geschehensmomente erreicht. Doch da dieses Ende durch das schon Geschehene für den Zuschauer vorgezeichnet ist, ist er auf eine zu strenge Konsequenz im Verknüpfen nicht angewiesen. Anders in solchen Fabelfügungen, in denen das Unglückliche erst durch das Geschehen geschaffen wird. Man kann hier auch von einem Entfaltungsdrama sprechen. Denn am Anfang ist alles Unglückliche nur im Keime da. Diesen Keim muß der Dichter mit strenger Folgerichtigkeit entfalten, um den Zuschauer aus dem scheinbaren Normalzustand des menschlichen Lebens rasch und überzeugend bis zur Hinnahme schrecklicher Konsequenzen zu führen. Dies hat Lessing in der «Emilia Galotti» geleistet; durch den Anspruch dieser Fabel, in der am Anfang noch gar kein Unglückliches, kein offenes und kein verborgenes da ist, unterscheidet sich sein Drama in der Art seiner Durchführung von dem «König Ödipus».

Zwischen diesen beiden Extremen sind mittlere Formen möglich. Die Fabel im «König Ödipus» könnte auch eine Folgehandlung genannt werden, insofern der tragische Held sofort und im ganzen Geschehen schon unter den Folgen eines Geschehens steht. Doch geht hier nicht ein Geschehen einheitlich durch. Erst später treten die Folgen auf. Insofern wird das eigentlich Gefährliche das Aufdecken. Beide Momente, Folge und Aufdecken, lassen sich auch verknüpfen, indem sofort an das Geschehene als Folge sich ein Aufdecken anschließt. Kleist fügt so seinen

«Zerbrochenen Krug». Doch gibt es auch Folgedramen noch greifbarerer Art, indem der Held sofort tragische Folgen eines Geschehenen erleidet. Ajas, von Athene verwirrt, hat statt der Fürsten der Achaier die Schafherden niedergemetzelt. Dies ist vor Beginn der Handlung geschehen. Inhalt der Handlung ist nur noch die tragische Folge. Ein Aufdecken spielt hier mit, indem Ajas erst in der Handlung aus seinem Wahn erwacht, doch ist dies nur ein plötzliches tragisches Entdecken. Das Drama selbst zeigt den Helden unter der realen verhängnisvollen Auswirkung des soeben Geschehenen. Es selbst ist nur noch wie die Katastrophe. Dies trifft auch für Hekuba zu, die schon gestürzte Königin, für den gefangenen Karl I. am Tage vor seiner Hinrichtung bei Gryphius, für Ugolino und seine Söhne bei Gerstenberg.

Ähnlich ist die Fügung, in der der Dichter schon bald etwas über den tragischen Helden Entscheidendes geschehen läßt, so daß er, wenn schon nicht sofort, so doch bald im Banne tragischer Folgen steht und sie nur noch erleiden kann. König Lear handelt im 1. Akt, indem er Besitz und Herrschaft abgibt. Die übrigen vier Akte zeigen, wie er die tragischen Folgen erleidet. So auch wird Macbeth bald angetrieben zum Königsmord. Im weiteren Drama werden die Folgen gezeigt. Ähnlich wird Karl Moor noch im 1. Akt Räuber.

Aufdecken eines schon geschehenen Unglücklichen, Entwicklung eines keimhaft angelegten Unglücks, Erleiden eines schon vor dem Geschehen oder an dessen Anfang bereiteten Unglücks sind die drei Hauptweisen, in denen der Dichter seine tragische Fabel begründet. Die einzelnen Fälle müssen sich in dieses Schema einordnen lassen. Dramen, die der Dichter in dem anfänglichen Willen des Helden begründet, gehören zu den entfaltenden Fabeln. Der Wille des Helden ist hier der Keim, aus dem sich Verhängnisvolles entfaltet. Doch können die Formen sich mischen. Dem Verrat Wallensteins kommt nicht diese Bedeutung zu, daß hier eine lange Bewegung auf eine Tat hin endlich Tat wird, bezeichnet aber den Ort, an dem Wallenstein unter den Folgen eines Geschehenen steht. Bis zu diesem Verrat herrscht die Entwicklung vor, die Entfaltung des Geschehens bis zu einem verhängnisvollen Tun. Hier ist die Entfaltung das Hauptbemühen. Der Entschluß, der unglückliche Folgen haben muß, ist so nahe an die Katastrophe herangerückt, daß er wie die beginnende Katastrophe selbst ist. Auch ist er schon wie eine Nötigung, die die Katastrophe aufhalten soll und sie um so unvermeidlicher herbeiführt. Schillers «Maria Stuart» wäre zunächst nur eine Folgehandlung, indem schon am Anfang das Unglückliche da ist und schon im Verlauf des 1. Akts das Todesurteil gefällt wird. Schiller sah auch die Gunst des Stoffes in dieser fast schon vollendeten Katastrophe. Doch ermöglicht er sich eine reiche und spannende Entfaltung, indem der über Marias Leben und Tod entscheidende Akt die Bestätigung oder Nichtbestätigung dieses Urteils durch Königin Elisabeth ist. So wird zum Inhalt des Dramas die Entfaltung des Geschehens auf dieses Ziel hin, die Unterschrift der Königin. Maria Stuart erleidet nicht nur unausweichliche Folgen, wie Karl Moor sie erleiden muß, nachdem er einmal Räuber geworden ist. Vielmehr wird in einem reichverwobenen Spiel das Geschehen auf diesen entscheidenden Akt hin entfaltet, der für Maria erst den Untergang bedeutet.

Ist die Tragödie begründet in der Darstellung des Gelegenseins des Menschen und wird dieses Gelegensein dargestellt, indem der Dichter vorerfindend dem Helden seine Lage bereitet, so kann nur das Drama als tragisch angesprochen werden, das diese Art des Baus zeigt, anfänglich dem tragischen Helden seine Lage gibt und diese Lage furcht- und mitleiderregend ausentfaltet. Problematisch bleiben als Tragödien einmal grundsätzlich solche Gebilde, in denen der Autor, statt eine Fabel zu bilden, die von der Bühne herab wirkt, sich mit der Zusammensetzung poetischer Vorstellungen, damit mit einem nur dem äußeren Anschein nach tragischen Gebilde begnügt. Problematisch aber werden auch solche Tragödien, in denen der Autor nicht von der poetischen Verfassung einer Tragödie ausgeht, die mit einem philosophisch Erhellenden zu verbinden ist, sondern von einem philosophischen Begriff des Tragischen, den er in einem dramatischen Gebilde vorstellt. Dies träfe für Hebbel zu. Er nennt sein Judith- und Holofernesdrama eine Tragödie. Doch gibt er nur die dramatische Demonstration seiner Philosophie des Tragischen. Judith entschließt sich in der Not ihrer Vaterstadt, Holofernes durch Liebe zu betören und ihn hierbei zu töten. Sie tut dies. An diesem Vorgang ist nichts Tragisches. Doch soll nun hier für Hebbel sich ein innerlich Tragisches vollziehen, eine Seelentragödie der Judith. Sie soll in Holofernes den ihr wahlverwandten Mann erkennen, sie soll ihn dennoch töten, diese Tat soll sie innerlich vernichten. Das kann sexualpsychologisch interessant sein, doch wird solches Seelenproblem nur willkürlich als tragisch bezeichnet. Sophokles, sagt darum Paul Ernst, hatte den Stoff anders behandelt, Judith sofort im Gefolge des Holofernes vor ihrer Vaterstadt auftreten lassen, ihr damit eine Konfliktlage zugeordnet[11]. So herrscht aber auch bei Paul Ernst der philosophische Begriff. Die tragische Lage kann in manchen Fällen auf Konflikte im Sinne eines unlösbaren Widerstreits zurückgeführt werden. Wallenstein, sagt Petsch, steht in dem Widerspruch von Autorität und tatsächlicher Herrschgewalt[12]. Doch steht er zunächst in einer Lage. Der Kaiser bereitet sie ihm, indem er ihm befiehlt, sieben seiner besten Regimenter abzugeben. Auch der Kaiser steht in der Lage. Entmachtet er jetzt nicht seinen Feldherrn, wird bald dieser ihn entmachten. Kein Konflikt herrscht, sondern eine alle Beteiligten übergreifende tragische Situation. Mit Konflikt bezeichnet man die Struktur der Situation. Sie entspringt der Tatsache, daß bei dem Kaiser die Autorität ist, die aber der tatsächlichen Herrschgewalt Wallensteins zu erliegen droht, und bei Wallenstein die tatsächliche Herrschgewalt, die am Ende doch der Autorität des Kaisers unterliegt. Hierin ist für Wallenstein das Tragische seiner Lage begründet, daß er an der Autorität scheitert. Dieser Widerspruch begründet hier die Lage, als eine unter vielen möglichen Begründungen. Spricht man von Konflikt, so ist dies doch ein erhellender Begriff für die Struktur der tragischen Lage, nicht ein Konflikt, worin der tragische Held steht und den er erlebt. Wallenstein steht nicht in dem Konflikt zwischen zwei Möglichkeiten, sondern in einer Lage, die ihm, bei seiner Natur, nur den einen Weg offen läßt, sich als Rebell zu behaupten.

Paul Ernst korrigiert Hebbel, der einen innerlichen seelischen Prozeß tragisch nennt. Er selbst aber ersetzt diese Philosophie des Tragischen nur durch eine neue Philosophie, indem das Tragische der Judith nicht eine Lage, sondern eine Konfliktlage sein soll. Sie soll tragisch werden, indem der Konflikt unauflöslich ist, indem zwei Ansprüche radikal einander widerstreiten. Judith steht jetzt zwischen Liebe zum Manne und Liebe zum Vaterland, oder zwischen Pflicht als Frau und als Patriotin. Ein solcher Konflikt wird verabsolutiert und tragiziert. «Der Kern, aus welchem sich im Dichter die Tragödie entwickelt, entsteht durch die Kreuzung zweier Notwendigkeiten, in dem Kreuzpunkt befindet sich der tragische Held, und die beiden Notwendigkeiten erscheinen ihm als sein seelischer Kampf, den er kämpfen soll; bei dieser Aufgabe entfaltet er seine höchsten Kräfte, indem er der einen Notwendigkeit folgt, und wird vernichtet durch die andere Notwendigkeit[13].» Als Schulbeispiel will Paul Ernst Sophokles' «Antigone» nennen. Er hebt sie und die ganze griechische Tragödie hoch über Shakespeare hinaus, weil die Griechen die objektiven tragischen Antinomien des menschlichen Lebens aufgedeckt hätten, indessen Shakespeare seine Tragödien, wie das Schicksal seines Lear, nur in einem Persönlichsten und Privaten begründet habe. Lear, den Ausgang seines Schrittes vorhersehend, hätte ihn nie getan; Antigone und Kreon aber hätten ihn aus objektiver Notwendigkeit tun müssen und müßten ihn im Wiederholungsfalle immer wieder tun. Doch besteht zwischen Sophokles und Shakespeare hier kein Unterschied. Es kommt für das Tragische der Antigone nicht darauf an, daß sie dem Gebot der Pietät folgt, sondern nur, daß sie durch eine fatale Zuordnung von Lage und Anlage zugrunde geht. Diese Anlage ist hier Antigones Pietät. Bei Ajas ist sie blindwütende Rachsucht, bei Ödipus eine eifernde vorschnelle Heftigkeit. Anouilh läßt seine Antigone aus persönlichstem Antrieb zum Märtyrertum streben. Er trifft damit einen Zug, der schon der antiken Antigone nicht fehlt. Auch Kreon hat zwar als König befohlen, doch zwingt ihn keine objektive Notwendigkeit. Er kann seinen Befehl zurücknehmen, und im Namen der Götter drängt ihn Teiresias hierzu. Er sträubt sich, widerruft zu spät, und nicht nur Antigone geht zugrunde, sondern auch ihr Verlobter, Hämon, Kreons Sohn, und dem Sohn folgt die Mutter. Dies voraussehend, würde Kreon seinen Befehl nie durchgeführt haben. Er steht hier neben Lear. Beide sind Opfer ihrer Blindheit, beide handeln so nur durch ihren Mangel an Einsicht. Objektiv sehend und einsehend, hätten sie sich anders verhalten.

Poetische und philosophische Behandlung eines Themas kann auch an dem Demetriusstoff aufgezeigt werden. Schiller geht noch ganz von der tragischen Lage aus: er zeigt seinen Demetrius vor dem Reichstag in Krakau und wie er die Hilfe der Polen erhält. Demetrius ist guten Glaubens, getäuscht. Schiller zeigt seinen entscheidenden Schritt in die große politische Öffentlichkeit, aus der er nun nicht mehr so leicht zurück kann. Was vorher liegt, wie Demetrius als Zarensohn sich entdeckt und entdeckt wird, bringt Schiller als rückgreifendes Motiv, als Bericht. Bei Hebbel drängt sich schon das Psychologische vor, der seelische Prozeß. So legt er Wert darauf, diesen sich entdeckenden Demetrius in einem Vorspiel zu zeigen. Denn hier vollzieht sich für Hebbel ein entscheidender seelischer Vorgang von tragischem Gewicht. Paul Ernst verlegt diesen Stoff in das späte Sparta; aus dem Demetrius wird der Sklave Demetrios. Er gibt nun ganz ein episches Nacheinander, wie Demetrios als Sohn des letzten rechtmäßigen Spartiatenkönigs ent-

deckt wird, wie er seine Rolle zu spielen beginnt, gegen den Heloten Nabis antritt, der sich zum Herrscher aufgeschwungen hat, ihn besiegt, selbst König wird
und wieder untergeht. In diesem Nacheinander scheitert er nicht an einer Situation, sondern an einem tragischen Konflikt. Die harte Grundkonzeption, daß Demetrios Betrogener und Betrüger ist, hat Paul Ernst nicht übernommen. Sein Demetrios ist wirklich ein Sohn des Königs, nur aus einer Verbindung mit einer
Sklavin. Dies ist auch nicht mehr das Problem, die Situation, die den Menschen
vernichtet, sondern ein tragischer Konflikt, daß Demetrios, der Spartiat, da die
Spartiaten fast ausgestorben sind, seine Herrschaft nur mit Hilfe der Heloten und
der aus ihnen aufgehobenen Söldnerheere behaupten kann. Wie bei Hebbel die
Judith, so gerät auch dieser Demetrios in innere Widersprüche, die nach des Dichters Willen so sein müssen, daß der tragische Held innerlich und äußerlich an
diesem Gegeneinander zweier Notwendigkeiten, in deren Kreuzungspunkt der
Dichter ihn hineinstellt, zugrunde geht.

### DIE VORERFINDUNG DER FIGUR

Nicht weniger als die tragische Fabel hat der Dichter die tragische Figur vorzu-
erfinden. Schon welche Person er als tragischen Helden aus dem Stoff herausgreift,
hängt von dem Anspruch der tragischen Kunst ab. Das fertige Drama scheint
selbstverständlicher als es ist, da man das Gegebene wie ein Lebensgeschehen hinnimmt. Teils enthalten manche Stoffe mehr als eine Tragödie, mehr als eine tragische Situation[14]. Sie lassen auch verschiedene Personen als Mittelpunkt zu. Im
gleichen Geschehensgang konnte der antike Dichter mehr das Drama der Elektra
oder des Orest schreiben. Es ist die Tragödie des Hippolytos möglich, die Euripides geschrieben hat, und die Tragödie der Phädra, die Racine schrieb. Auch
kann sich das Gewicht fast gleich auf mehrere Personen verteilen. Agamemnon
gibt den Titel für das Drama des Aischylos, doch Klytaimnestra beherrscht das Geschehen noch mehr. Ebenso dringlich ist die Tragödie der Kassandra, die zum
eignen Drama ausgebildet werden kann. In anderen Fällen wieder führt die Ab-
wägung auf die Wahl eines bestimmten Helden. Laios, Jokaste, Ödipus, sie alle
sind Opfer in demselben Vorgang und Symbole für denselben Seinssinn. Doch
wird Laios erschlagen, ohne sein Verhängnis zu ahnen und es je zu erfahren, Jokaste wird hiervon nur kurz berührt. Für den antiken Dichter zudem mußte im
Mittelpunkt der Mensch stehen, der das Schreckliche getan hatte, Ödipus. Er auch
erlitt den Vorgang ganz durch, erlebte durch ihn in einem tragischen Gang sein
Scheitern.

Wenn im historischen Drama der tragische Held oft so selbstverständlich in der
Mitte des Geschehens steht, als der Überragende, so ist dies oft mehr der Kunst-
griff des Dichters. Tragische und geschichtliche Bedeutung widersprechen sich sogar oft, denn der tragische Held ist stets der scheiternde, der große geschichtliche
Held aber durchschnittlich der Sieger. Die Untergänge des Großen sind die Ausnahme, etwa bei Hannibal oder Napoleon I. Gibt ein großer Held dem Drama den

Titel, wie bei Shakespeare Cäsar, so ist er hier nicht Hauptperson, sondern mehr die Gestalt, um die sich das Geschehen dreht. Das Thema ist die Ermordung Cäsars; die Tragödie schildert das Schicksal der Verschworenen. Brutus ist die zentrale tragische Gestalt. Götz oder Egmont aber werden erst durch den Dichter groß, ebenso Don Carlos. Auch Wallenstein erhält seinen hohen Rang erst durch Schiller. Auch kann der Dichter die Gewichte verlagern, wie im «Don Carlos» von Carlos immer mehr auf den Marquis Posa, von der frei erfaßten geschichtlichen Wirklichkeit auf ein Gebilde freier poetischer Phantasie.

Nächst der Wahl seiner Personen widmet sich der Dichter diesen Personen selbst. Indem er sie aus dem ganzen Geschehen heraushebt, verändert er sie häufig, sieht er sie so, wie sie dem ganzen ihm vorschwebenden Geschehen gemäß sind. Wir gehen heute, sagt Paul Ernst, «bei der Betrachtung der Dichterwerke gewöhnlich vom Charakter der Gestalten aus. Das ist aber ein falscher Ausgangspunkt. Der Dichter beginnt mit der Handlung, und die Darstellung der Handlung ergibt ihm die Charaktere[15].» Der Dichter sichtet und bildet also seine Charaktere so, daß sie mit ihrer Lage eine schicksalhafte Ganzheit bilden[16].

Es gibt Fälle genug, in denen der genauere Charakter des tragischen Helden ohne Bedeutung für sein Schicksal ist. Hekuba wird Opfer, weil sie die Königin ist. Auch wenn Agamemnon im Jagdeifer Hindinnen der Artemis erlegt, wenn Philoctet in den Hain der Chrysis gerät, so sind nur menschliche Schwächen die Ursache, ein Mangel an Aufmerken, nicht eine bestimmte Charakterart. Nicht die Weltanschauung, sondern der Stoff und seine Behandlung lassen hier die Charakterart nicht so bestimmend hervortreten wie in den neueren geschichtlichen und realisticheren Dramen. Im einfachen Vorgang herrscht jetzt sichtlich die Situation. Trotzdem bedarf der Dichter häufig ganz bestimmter Charakterweisen, um sein Geschehen als diese Tragödie bilden zu können. Und zwar wird der Charakter wichtig zur Begründung der Vorgeschichte, wie es zur jetzigen Lage kommt, und zur Begründung dieses Geschehens selbst, warum es jetzt diesen Verlauf nimmt.

Die Vorgeschichte ist nicht mehr da, doch ist der tragische Held da, worin diese Vorgeschichte mit begründet ist. Er muß so sein, daß man ihn als Mitfüger dieser Vorgeschichte, daß man das jetzt Vorliegende mit in ihm motiviert sieht, daß er durch sein Wesen wahrscheinlich macht, wie es zu der jetzigen Lage hat kommen können. So ist, was Ödipus erleidet, doch auch durch ihn herbeigeführt worden. Er muß der Starke sein, der Herrscherliche, der schnell Aufbrausende, der Kluge, der sich Wagende. Nur als dieser Charakter erschlug er den alten Mann am Kreuzweg und so nur wagte er sich darauf, das Rätsel der Sphinx zu lösen und damit Jokastes Hand zu erringen. Prometheus hat sich sein Schicksal bereitet durch seinen Trotz, Ajas durch seine Rachgier. Solche die Vorgeschichte motivierenden Züge können auch das Geschehen selbst motivieren oder sich doch in ihm bewähren. Auch an den Kaukasus geschmiedet, bleibt Prometheus in trotziger Auflehnung. Dieser Ödipus übereilt sich auch jetzt gegenüber Teiresias und Kreon. Ajas hingegen kann und braucht jetzt nicht mehr der Rachgierige zu sein. Er ist jetzt der durch sein Unglück Geschlagene.

Ferner muß der Charakter des tragischen Helden das jetzt ablaufende Geschehen erklären. Für Hippolytos ist zwar, was jetzt geschieht, nach Aussage Aphroditens in seinem Charakter begründet, in seiner Keuschheit, daß er ihr den Dienst verweigert; doch wird sichtlicher die Auswirkung seines Charakters im Spiel, daß er, von der Leidenschaft seiner Stiefmutter Phädra zu ihm erfahrend, sich aufs äußerste empört und dies seinem Vater Theseus mitteilen will. Ebenso sieht man mehr, was jetzt durch Medea auf Grund ihres Charakters geschieht, als daß man sich vorhält, wie weit ihr Charakter die jetzige Situation herbeigeführt hat. Für Antigone ist nichts von der jetzigen Situation in ihrem Charakter begründet, aber von entscheidender Bedeutung ist, wie sie als dieser Charakter auf diese Situation antwortet. Dasselbe gilt für Kreon.

Der antike Dichter bearbeitete Sagen und Mythen, deren Personen und Geschehnisse den Griechen fest gegenwärtig waren. Er mußte und konnte auch seine Charaktere so vorstellen, wie er sie in seinem Stoffe vorfand. Der Dichter des geschichtlichen Stoffes ist von dieser Rücksicht frei. Auch sind ihm die Charaktere nicht schon poetisch so vorbereitet, so schon in einem literarischen Zusammenhang und schon so erschlossen gegeben. Doch sucht der ältere Dramatiker vorwiegend Stoffbearbeiter zu sein, das nutzend, was ihm als Charakterschema und als einzelne Inhalte gegeben ist. Zudem dramatisiert auch Shakespeare teils nur Geschichte, wahrt also das in den Chroniken Gegebene. Bei flüchtigeren Arbeiten, wie in «Heinrich VIII.» bringt er sogar in Charaktere Widersprüchliches hinein, das sich schon in seinen Quellen findet, und hier das Ergebnis einer kritiklosen Benutzung widersprüchlicher Versionen ist[15]. In sehr sagenhaften Stoffen findet er auch die tragische Charakterstruktur schon mehr vorgebildet, im Lear- oder Othellostoff. Auch im Coriolanstoff oder für Antonius ist ein Verderbliches des Charakters schon gegeben: Stolz oder Sinnlichkeit.

In anderen Fällen ist Umbildung nötig. Diese trifft für den Hamletstoff zu. Das Motiv ist literarisch, sagenhaft, mithin ist hier schon ein poetischer Charakter gegeben. Aber es ist episch. Der Held handelt hier, siegt. Shakespeare fand schon einen dramatischen Hamlet, den von Kyd vor. Dieses Drama ist verloren. So kann man nur sehen, wie Shakespeare diesen Stoff gestaltete.

Herder sagt: Hamlet sei Shakespeares Orest. Auch hier ist ein König ermordet worden, auch hier durch einen nächsten Verwandten, die Gattin des Ermordeten trägt Mitschuld. Sie wird Gattin des Mörders, der nun als König herrscht. Auch in der griechischen Sage herrschte zuerst das Epische, der Kampf zwischen den Männern. Der Tragiker schiebt Klytaimnestra in den Vordergrund, die zuerst Untreue, die den zurückkehrenden Gatten ermordet. Zwang auf der Seite der Gattin, Fatalität auf der Seite des Agamemnon schaffen die tragische Situation. Damit entsteht die tragische Situation für Orest, der den Vater an der Mutter rächen muß.

Dies konnte in der Antike begründet werden als religiöses Gebot. Die Götter befahlen den Muttermord. Hiermit setzte sich das Unheil im Hause des Tantalus fort. Hamlet konnte und durfte dieser Muttermörder nicht sein. Der Grad der Schuld der Mutter bleibt ungeklärt. Der Mord ist an dem Oheim zu rächen, an dem König, an dem Gatten der Mutter.

Dies müßte nun geschehen. Dem Sohne erscheint der Geist des Vaters, enthüllt das Geschehene und ruft zur Rache auf. Man hat hier sachliche Hindernisse vermutet. Der König sei legitimer Herrscher, seine Schuld sei dem Hamlet bekannt, der König habe zuerst entlarvt werden müssen[18]. Doch hätte der Dichter dies nicht verschwiegen. Auch hätte er dann den Charakter nicht so zu bilden brauchen, wie er ihn gebildet hat. Der epische Hamlet handelt und siegt. Für den tragischen Hamlet wäre die Situation nicht hemmender als für den epischen Hamlet, wenn er nur dieser Charakter wäre. Diese Situation wird nur tragisch, indem der Held nicht handelt.

Daß der Held hier nicht handelt, ist hier eine dramaturgische Notwendigkeit, da so nur die Situation tragisch wird. Dies muß motiviert werden. Hamlet kann schwach sein, gleichgültig, feige. Doch stellte sich so nicht ein Schicksalhaftes vor, sondern nur ein trauriges Versagen. Hamlets Versagen muß tiefer, menschlicher begründet sein. Hamlet sei von Natur aus nicht nachdenklich, nicht traurig, sagt Goethe. Er wird dies erst durch seine Situation. In ihr also kann etwas sein, durch das vielleicht eben ein edlerer Mensch gelähmt wird. Hamlet ist mit einer schweren Bürde belastet. Die Welt wird ihm, nach Goethe, immer bodenloser, durch den Verlust des Vaters, durch seine so herabgeminderte Stellung, nachdem der Oheim den Thron bestiegen hat, durch die Eröffnung des Geistes des Vaters, welches Verbrechen geschehen ist, durch die Andeutung der Mitschuld seiner Mutter. Dieser Last ist seine Seele nicht gewachsen[19].

Dieses Motiv bildet Shakespeare zu voller Menschlichkeit und zu tiefster Begründung aus. Er blickt auf den Zuschauer, der dem tragischen Helden folgen muß. Ein nur zarter, sensibler Hamlet könnte hier nicht bestehen. Es muß etwas positiv Menschliches den Helden hemmen. Dies ist nicht nur eine tiefe Neigung zum toten Vater, sondern auch ein innerliches Verhältnis zur Mutter. Um so mehr trifft ihn ihre rasche Neuvermählung und ihre Mitschuld. Dies wird zur Quelle eines tiefen, rastlos fortwühlenden, zerstörenden Leidens. Doch könnte immer noch die persönliche Schwäche überwiegen. Hier schaltet Shakespeare das philosophische Motiv ein. Hamlet ist Philosoph. Er erfährt nicht den einzelnen Fall, er erfährt in diesem Falle die Grundverfassung der Wirklichkeit. Er leidet an der unheilbaren Gebrochenheit dieser Welt. Die Kunde des Geistes macht ihm das schon dunkel Gegenwärtige weiter hell. Die Welt ist aus den Fugen. Nicht die Mutter ist schuldig geworden, sondern in ihr das Weib. Der Name des Weibes ist Schwachheit. Nicht der persönlich schwache, fühlende, leidende Mensch kann jetzt nicht mehr handeln, sondern der Mensch, der in den Grund und Abgrund dieser Welt hineingeblickt hat. Auch die Liebe zu Ophelia zerbricht hieran. Auch Ophelia ist ihm nur noch Weib.

Dieses Philosophische begründet, warum dieser Mensch in dieser Situation nicht ihrem Sachanspruch gemäß handeln kann. Zugleich will dieses Philosophische begründet sein, es muß nun sichtlich und überzeugend den Raum des tragischen Helden beherrschen. Hamlet hat in Wittenberg studiert, neben ihm steht Horatio, der humanistisch gebildete Freund. Er ist Liebhaber und Kenner des Schauspiels und der Kunst der Schauspieler. So wird das Verhängnis in das Ganze eines Menschen und seines Raums eingelagert, Hamlets Verhalten gewinnt an Bedeutung und Notwendigkeit. Zugleich bleibt hier ein Versagen, ein Mangel, doch von der Art, wie man ihn auch am würdigsten Menschen finden kann. Dieser Mangel führt in dieser Lage Ungemäßes herbei. Statt zur Tat kommt Hamlet nur zu immer neuer Besinnung, statt zur Gewißheit zu immer neuen Bedenken und Zweifeln. Es herrscht oft ein geistiges Florettspiel, und der Freund der Schauspieler schauspielert selbst. Dieses Philosophische hat sein eignes Vernichtendes, nicht nur, indem die Situation des Lebens ungemeistert bleibt, sondern auch indem das Denken keine Lösung findet. Hamlet stirbt nicht wie Sokrates. Er fällt resigniert in den Tod. «Der Rest ist Schweigen.»

Nach diesem Prinzip fügt Shakespeare alle seine Fabeln, indem er den Charakter so formiert, wie dies für das Zwingende der Gesamtlage nötig ist: daß er dem Äußeren der Lage entspricht, auf die er reagiert. Hamlet muß, um der Lage wie auch dem Anspruch des Publikums zu genügen, dieser menschlich subtile, philosophische, differenzierte, vieltönige, geheimnisvolle und schwer durchdringliche Charakter sein. Macbeth muß der durch die Hexen Verführbare sein. Der Ehrgeiz muß ihm möglich sein. Aber er braucht kein Richard III. zu sein, kein Wallenstein, kein durch eigne Dämonie getriebener Held. Vielmehr ist er mehr der rauhe Krieger, der Mann des Schwertes. Der aktive Ehrgeiz, der berechnende Verstand, die treibende Kraft liegen bei Lady Macbeth. Andere Charaktere werden mehr mit einer beherrschenden eindeutigen Eigenschaft ausgestattet, die genau und verhängnisvoll ihrer Lage korrespondiert, mit Eifersucht Othello, mit Stolz Coriolan, mit Sinnlichkeit Antonius.

Shakespeare zeigt den Menschen in der Vielfalt seiner inneren Beschaffenheit und ihnen korrespondierender Lagen. Er stellt nicht, im Gegensatz zu seinen Vorgängern, bestimmt geartetes Menschentum dar, gibt nicht die Verkörperungen des Kraft- und Willensmenschen der Renaissance. Daß Antonius eine mächtige Vitalität ist, gehört zur tragischen Struktur des Stoffs. Cäsar ist nicht mehr aktiv; er ruht schon zu selbstsicher, fast schon ermüdet im fertig Erreichten. Hamlet ist in der Unmittelbarkeit seines Lebens und Tuns durch Reflexion gehemmt. Auch ein Ausmalen des besonderen Menschen um des Menschen selbst willen liegt nicht in Shakespeares Absicht. Hamlet muß dieser Charakter sein, damit seine Lage tragisch und damit für diese Lage menschlicher Anteil gewonnen wird. Romeo und Julia brauchen nur junge, unbedingt liebende Menschen sein.

Einsatz für einen bestimmten Menschen leisten erst die Franzosen. Des Menschen wahres Sein liegt in der Vernunft und in deren Forderungen. Ihr entgegen steht der Mensch als Natur. Hier kann das Spiel eine Demonstration für den Menschen der Vernunft und für die Haltung werden, die dem Menschen durch Vernunft möglich ist. Doch tritt dies in der Tragödie zurück vor den Konflikten, die dem Menschen durch diese Spannung werden. Die Lage ist so, daß sie den Menschen in einen leidenerregenden Widerspruch zwischen dem Drang seiner Natur und dem Anspruch der Vernunft stellt. Die subjektiv pathetische Gewalt der Situation wächst, indem sie den Menschen nicht nur äußerlich bedroht, sondern auch innerlich zerreißt. Das Ende ist zumeist ein Untergang des äußeren Menschen, mit der Möglichkeit freilich, daß hierbei der innere Mensch siegt.

Mehr als bei Shakespeare muß jetzt der Dichter den tragischen Charakter von sich aus, er muß ihn dieser von ihm erstrebten Führung gemäß konzipieren. Shakespeare findet zumeist in der stofflichen Überlieferung schon die tragischen Lebensfälle, indem er hierzu nichts weiter bedarf als eines Falls von dem unglücklichen Zusammenhang von Lage und Anlage; die Franzosen sind auf solche Fälle verwiesen, in denen der Mensch durch die Situation in einen absoluten Konflikt zwischen Natur und Vernunft gesetzt wird. Dieser Konflikt muß oft in die Stoffe hineingetragen, die ganze Situation muß auf einen solchen Konflikt hin gestaltet sein. Für Euripides genügt die tragische Lage des Hippolyt und der Phädra; für Racine muß ein Hauptgegenstand der tragische Konflikt der Phädra, und darum muß Phädra die Heldin des Dramas werden; doch auch dem Hippolyt wird ein Konflikt zugeordnet, eine Liebe zu einer Angehörigen eines feindlichen Stamms. Damit muß Hippolyt aufhören, das zu sein, was er in der Sage ist: der keusche, sich vor der Frau bewahrende Jüngling.

Die Konfliktsituation bleibt auch ein Bestand der deutschen Dramatik. Iphigenie steht in dem Konflikt zwischen dem mehr Naturtriebhaften, den Bruder zu retten und mit ihm zurückkehren zu können in die Heimat, und dem sittlichen Anspruch, gegen Thoas nicht unredlich zu sein. Wallenstein steht auch im Konflikt zwischen Treue und Abfall. Doch tritt dies zurück hinter der Gewalt der tragischen Situation. Der Konflikt Wallensteins entsteht, indem er von der Dämonie des Herrschens erfüllt ist, und diese Dämonie läßt ihm keine andere Wahl als den Versuch, sich in seiner Herrschaft zu behaupten. Damit tritt in dieser deutschen Dramatik ein anderes Menschenprinzip bedeutender hervor. Die Situation bringt die tragische Person nicht so sehr in einen Konflikt zwischen Natur und Vernunft, als daß sie sie in ihrem Selbstsein bedroht. Es bricht hier ein absoluter Gegensatz auf zwischen dem, was die Situation erzwingt, und dem, was der Mensch von seinem Selbstsein her fordert.

Damit hat im historischen Drama die Situation selbst sich gewandelt. Shakespeare stellt das geschichtliche Leben mehr als ein freies Mächtespiel vor, in dessen Hintergrund ein für sittliche Ordnung eintretender Gott steht, der jeweils das sich willkürlich ausbreitende Subjekt vernichtet. Für Goethe und Schiller hat der Staat schon den Charakter einer an sich bestehenden und einer zwingenden Macht angenommen. Das Tragische geschieht, indem dieses Zwingende mit dem Selbstsein des Menschen kollidiert. Wird dies zu einem bevorzugten Thema, so ist auch hier die Geschichte nicht nur das Reservoir für vielfältigste tragische Lagen, sondern nur der Raum für eine solche mögliche Kollision. Auch hier ist meistens der Charakter nicht so in der Geschichte vorgegeben, sondern dem Dichter ersteht an der Geschichte ein Bild solcher Kollision. Götz lebte in einer Zeit, in der Kaiser- und Rittermacht im Sinken war, und er hat dies erlitten. Goethe macht diesen Götz zu einem betonten Selbstsein, zum Lebenmüssen in Freiheit; damit ist der tragische Konflikt da. Noch freier konzipiert er seinen Egmont.

Lessing beurteilt die Konzeption der Charaktere im historischen Drama noch von Shakespeare her. Er meint, die Wahrung des geschichtlich gegebenen Charakters allein berechtige den Dichter, seinem Helden diesen geschichtlichen Namen zuzulegen. In der Darstellung der äußeren Umstände dürfe er ändern[20]. Hier ist der Dichter der tragische Chronist, der Bearbeiter der vorgegebenen Fälle. Goethe hingegen betont mehr die tragische Situation, die unter bestimmten Umständen einer bestimmten Person werden könnte. Solche Situationen liegen vor, wenn die Ritter ihre Vorherrschaft und Freiheit verlieren, wenn Alba in den Niederlanden ein despotisches Regiment errichtet. Jetzt kann Götz nicht mehr bestehen, wenn er unbedingte Freiheit will, ein Egmont nicht mehr, wenn er sich in seiner Unabhängigkeit wahren will. So kann Goethe mit Blick auf seinen Egmont bemerken: der Dichter sichte den geschichtlichen Charakter nicht, täte er dies aber, so könne er ihn für seine Zwecke nicht brauchen[21]. Der klassische Schiller mildert diese Spannung wieder, indem er wie ein vertiefter Historiker bildet. Er schafft mit seinem Wallenstein, seiner Maria Stuart nicht aus freier Machtvollkommenheit ganz eigne poetische Gestalten. Sondern er vertieft diese Gestalten in ihrer Lage zu einer Innerlichkeit, die ihnen hätte zukommen können.

Der Charakter ist zunächst das Ganze eines Menschen, dem das Ganze seiner Verhältnisse zugehört. Doch ist das Drama ein Geschehen in der Zeit und eine Kunstfügung mit einem festen Anfang, einer Mitte, einem festen Ende. In der Vorfindung seiner Charaktere hat der Dichter die möglichen Funktionen zu berücksichtigen, die einem Charakter an den verschiedenen Orten des Geschehens zukommen. Er braucht einmal seinen Charakter, um das Geschehen zu begründen. Dies gehört teils schon der Vorfabel an, sofern die anfängliche Situation nicht ohne diesen Charakter möglich ist. Wallensteins Situation ist ohne seinen Charakter nicht erklärlich. Dagegen steht Götz in einer Situation, die unabhängig von seinem Charakter besteht. Im Drama selbst ist ein Charakter oft nötig für die Exposition. Hierzu braucht der Dichter Macbeths möglichen Ehrgeiz, Lears kurzsichtige Unbesonnenheit, Karl Moors heftiges, sich rasch zum Affekt steigerndes Temperament, des Prinzen von Homburgs Erfülltsein von den Träumen des Ehrgeizes und der Liebe. Für die Durchführung des Geschehens ist wichtig, daß Richard III. und Fiesco solche vorantreibenden Kräfte sind, und daß Hamlet oder Wallenstein zaudern. Für den Abschluß der Handlung braucht der Dichter Othellos Steigerung zum rasenden Affekt der Eifersucht, oder diese sittliche Stärke der Emilia Galotti. Sie ist als Charakter unbeteiligt an dem Entstehen ihrer Situation wie auch an deren Ausentfaltung, tritt aber als entscheidender Faktor für den Abschluß auf. Sie muß hier der Charakter sein, als den der Dichter sie dem Publikum schon angekündigt hat: nicht nur die Furchtsamste, sondern zugleich auch die Entschlossenste ihres Geschlechts. Don Cesar (Braut von Messina) muß dieser herrisch Selbstherrliche sein, um in jäher Aufwallung seinen Bruder niederzustechen, und diese wieder herrisch unbedingte Kraft, um nach der Tat das Gericht an sich selbst zu vollziehen.

Rein dramaturgisch betrachtet konstruiert der Dichter seine Charaktere auf den Zusammenhang hin, der zu dem unglücklichen Ende führt. Doch soll dies und muß dies wirken wie ein Lebenszusammenhang, den der Dichter nur klärend heraushebt. Es wird hier nur das Gewebe des Lebens aufgedeckt. Dieselbe Einheit von Konstruktion und Leben muß für die Nebenfiguren gefunden werden. Sie sind auch maßgebliche Faktoren in diesem Ganzen, müssen ihm genau entsprechen und sollen doch wirken wie durch das Wesen des Menschen und durch seine Lebensverhältnisse gegeben. Insofern ist für Schiller der Bösewicht, dessen Bosheit den Helden ins Unglück stürzt, nicht statthaft; er ist zu sehr deus ex machina. Schiller tadelt sich selbst, den Gebrauch von Charakteren wie Franz Moor oder Wurm[22]. Er bedient sich solcher Figuren seit dem «Wallenstein» nicht mehr. Alle Personen, die in den dramatischen Vorgang verwickelt sind, handeln jetzt aus Antrieben, die natürlich im Menschen und im Leben gegeben sind. Goethe trennt sich hierdurch von den übrigen Stürmern und Drängern ab. In seinem «Götz» wird das Geschehen nur durch rein menschliche und sachliche Verstrickungen bewegt, dagegen etwa in Klingers «Ritter Otto» vorwiegend durch böse Anschläge. Daß man sich hier auch Freiheiten gestatten kann, zeigt Shakespeares Jago. Doch versteht Shakespeare – wie im übrigen auch Schiller – seine Figuren zu lebendigen Charakteren auszubilden, zu bösen Menschen und nicht bloß zu Theaterbösewichten. Dazu sehen wir mehr den getriebenen Othello als den treibenden Jago. Daß die Flamme der Eifersucht, einmal entzündet, nun wie selbst fortbrennt, lenkt noch mehr die Aufmerksamkeit auf das durch das Wesen des tragischen Helden selbst mögliche Unglück.

Daß jeder Charakter sich dem tragischen Ganzen einfügen muß, wußte und beachtete schon der antike Dichter. Freilich machte der kurze einfache Vorgang meistens eine Profilierung der Charaktere für ihre Funktion im Geschehenszusammenhang überflüssig. Im «König Ödipus» ist Teiresias der Seher, der zur Auskunft herbeigebeten wird. Kreon spielt eine passive Rolle; Ödipus mit seinem heftigen Mißtrauen greift ihn an. Daß Jokaste im Streit der Männer zu vermitteln sucht, ist selbstverständlich. Doch in der «Antigone» muß Kreon halsstarrig, verblendet sein, damit das Unglück zustande kommt. Im neueren mimischen Spiel ist mehr der Einsatz bestimmter Charakterweisen nötig. Hier mithin ist die betontere Charaktereigentümlichkeit nicht nur eine Forderung des Stoffes, sondern auch des tragischen Baus. Lady Macbeth muß die Ehrgeizige sein, damit Macbeth zum Mord getrieben wird. Ohne sie vollzöge Macbeth nicht diesen Schritt. Dieser so händelsüchtige Tybalt muß Romeo in den Streit verwickeln, der seine Verbannung aus Verona zur Folge hat, Laertes muß dieser jugendlich Heftige sein, um sich zum Spiel gegen Hamlet gewinnen zu lassen, nur diese so neidischen Tribunen werden Coriolan stürzen. Der Dichter bildet diese Besonderheiten stets nur in dem Maße aus, wie er sie für sein Drama braucht. Um gegen Hamlet zu agieren, braucht König Claudius keinen besonderen Charakter; dies erklärt sich aus seiner Lage von selbst. Charakterbedingt ist nur die Art seines Handelns, das Verschlagene, Hinterhältige, die Intrige. Othellos Unglück dagegen ist nur durch einen so besonderen Charakter wie Jago möglich.

Das Drama als Ganzes zeigt meistens eine kunstvolle Zuordnung der Charaktere zum Geschehensganzen. Auch in Goethes «Götz» hängt äußerst viel an diesem Weislingen. Wäre er nicht dem Höfischen, dem Glänzenden zugetan, nicht stets wieder neuen Eindrücken zugänglich, so bliebe er Götz treu. Und dieser Mann wieder muß dieser Adelheid von Walldorf begegnen, ein neuer Antonius

einer neuen Kleopatra. Doch bleibt für Götz so oder so seine verhängnisvolle politische Situation, die, wenn nicht gerade durch diesen sich doch durch einen anderen Zusammenhang auswirken wird. Entscheidend wird hier, daß der Kaiser Götz
nicht schützen kann. In der «Emilia Galotti» hingegen wird die Zuordnung der
Charaktere für den Gang des Geschehens entscheidend. Das Unglück kommt nur
zustande, indem dieser Prinz da ist, der Emilia begehrt, dieser Marinelli, der als
feile Kreatur sich zum Handlanger für die Lüste seines Herrn macht, dieser Graf
Appiani, der den Marinelli fast nötigt, sich seiner zu entledigen, diese Mutter, die
sich doch nicht gegen den Prinzen durchsetzen kann, und dieser Vater, der auch
den Intrigen des Hofes nicht gewachsen ist, und diese Orsina, die an entscheidender
Stelle eingreift. Und der Bediente bei den Galottis muß dieser Pirro sein, der ehe-
malige Bandit, der für den geplanten Überfall auf den Hochzeitswagen die Auskünfte gibt. Dies ist bloße Konstruktion nur dann, wenn so dem Leben Gewalt
angetan, anstatt daß nur des Menschen Gelegensein verdeutlicht wird. Gerhart
Hauptmann verfährt deswegen nicht anders. Sein «Vor Sonnenuntergang» ist
eine in die Gegenwart verlegte Leartragödie. Das Krasse, Brutale, Unpsycho-
logische der Tragödie Shakespeares kann Hauptmann nicht brauchen. Doch stellt
er, nur verfeinert, dieselbe Grundfatalität, durch ähnliche Charaktertendenzen getragen, vor. Der alte, kürzlich verwitwete Geheimrat Clausen will sich wieder verheiraten, mit seiner jungen Sekretärin Inke Petersen. Dies ruft den egoistischen
Widerstand der Familie hervor, der sich nur tarnt. Eine körperlich benachteiligte,
mit zweideutiger Liebe an dem Vater hängende Tochter erklärt, die sterbende
Mutter habe den Vater ihr anvertraut. Ein Sohn als Universitätsprofessor kann
von Standesrücksichten sprechen. Ein junger wohlmeinender Sohn ist zu schwach,
die den Vater bedrohenden Kräfte zu hemmen. Um diesem Widerstand eine äußerste und doch verständliche Energie zu geben, erfindet der Dichter noch eine dem
Willen ihres Mannes sich fügende Tochter, und erfindet diesen Mann als einen
rücksichtslosen Erfolgstyp, der während einer langen soeben erst überstandenen
seelischen Krankheit Clausens die Leitung des Werks schon an sich gerissen hat,
und der den Zeiger der Zeit nicht mehr zurückgedreht sehen will. Doch ist zur
durchgreifenden Wirkung auch ein subjektiver Faktor nötig; Clausen, der nach
außen doch nicht vernichtend angegriffen werden kann, muß innerlich angreifbar
sein. Der Tod seiner Frau hat ihn in einen krankhaften Gemütszustand getrieben;
er ist soeben geheilt, wieder im Begriff, sich der Welt zu erschließen, aber noch
äußerst verletzlich. Im «Friedensfest» hat Hauptmann diese Fügung noch geste-
gert. In «Vor Sonnenuntergang» herrscht doch, blickt man auf Clausen, die Fatalität der Lage: der Tod seiner Frau, die Gemütskrankheit, die Genesung, der
Wille zu einem neuen Leben – dieses Ganze, das schon das Ergebnis einer Fatalität
ist, trifft auf eine Konstellation, durch die Clausen zum Scheitern gebracht wird.
Im «Friedensfest» dagegen werden die Charaktere und ihre Stellung zueinander
selbst zum Grund der fatalen Verhältnisse. Dr. Scholz, seine Frau, seine Kinder
sind so veranlagt, daß der Hader herrschen muß, und der Versuch, diesen Zustand durch einen allgemeinen Friedensschluß zu beenden, führt, nach dem Vorbild der «Braut von Messina», die endgültige Katastrophe erst herbei.

# DRITTES KAPITEL

# DIE EXPOSITION

Vorerfindend hat der Dichter alle Tatsachen zu konzipieren, die schon da sind, bevor das Geschehen beginnt. Erfindend hat er, z. B. für die Fabel, an der Stelle zu beginnen, wo die Vorfabel aufhört. Ebenso hat er den Charakter zu zeigen, den er schon konzipiert hat. Doch muß dies nun mit Rücksicht auf den Zuschauer geschehen, der zunächst noch keine dieser Voraussetzungen kennt. Darum muß der Beginn des dramatischen Spiels in besonderem Maße unterrichtend sein. Der Zuschauer muß möglichst rasch Lage und Anlage der tragischen Figuren kennenlernen. Dies ist die Aufgabe der Exposition.

Nach Gustav Freytag soll die Exposition die Tatsachen vergegenwärtigen, die nun wirklich noch vor der Handlung liegen. Es sind also Bedingungen für eine Handlung da, doch hat diese Handlung noch nicht begonnen. Der Held befindet sich noch in Ruhelage. Es kommt dann zu dem erregenden Moment, durch das diese Ruhelage aufgehoben wird, der Held beginnt in Tätigkeit zu treten. Hier taucht im Helden zuerst die Möglichkeit einer dramatischen Tat auf. Dies entspricht dem tragischen Drama nicht. Hier zeigt der Dichter, daß sich durch Lage und Anlage ein drohender Zusammenhang gebildet hat. Er beginnt an dem Orte, wo das mit Gefahr Drohende zur Gefahr wird. Insofern ist diese Exposition der Beginn einer großen Exposition, die das ganze Drama umfaßt. Denn das Drama in seiner Entfaltung ist nur das Herausstellen dessen, was der Dichter schon anfänglich in sein Drama hineingestellt hat. Deswegen entfaltet sich das Drama nach Schiller wie eine Blüte aus der Knospe, oder: der Dichter zieht hier nur die Folgerungen aus seinen Prämissen. Das ganze Drama sei eine Exposition, sagt Gerhart Hauptmann.

Das Unterrichtende der Exposition bezieht sich also zunächst auf Lage und Anlage. Es wird soweit exponiert, daß der Zuschauer beides hinreichend überschaut. Zu dieser Lage und Anlage, die jetzt sofort ein ganz Gegenwärtiges sind – denn jetzt ist der tragische Held mit dieser Anlage in dieser Lage – gehört auch viel Vorangehendes, das nicht mehr gegenwärtig, aber ein wirksames Element im Gegenwärtigen ist. Dieses Vorangehende vergegenwärtigt der Dichter durch «rückgreifende Motive» (Goethe), also indem er in dem gegenwärtigen Geschehen auf ein Zurückliegendes zurückgreifen läßt. Auch so kann der Dichter in der Exposition verfahren, daß er das Zurückliegende zum Inhalt des Gegenwärtigen macht; doch ist dies nicht auf die Exposition beschränkt. Im ganzen Drama können zurückliegende Tatbestände aufgegriffen und wirksam gemacht werden. Mehr zum Inhalt des Expositionsgeschehens gehören Tatsachen äußerer Unterrichtung. Der Oberst Galotti sei sein Freund nicht, sagt der Prinz beiläufig, als von diesem die Rede ist.

## DIE EXPOSITION DER FABEL

Auch der Exposition kommt eine dreifache Funktion zu, daß sie vorstellt, daß sie wirkt, daß sie erhellt. Doch ist dieses Vorstellen ihre Hauptaufgabe. Sie kann nicht schon erschüttern, wodurch sie der Entfaltung des Dramas vorgriffe, sie soll nicht zuerst erhellen, was mehr dem Ende des Dramas zugehört.

Das Vorstellen dient hier dem Unterrichten, und der Dichter soll unterrichten, indem er vorstellt. Hierbei sind die Ansprüche zu verschiedenen Zeiten auf verschiedenen Bühnen verschieden. Dem antiken Dichter ist ein Exponieren durch eine Prologszene durchaus erlaubt. Durch Personen, die oft dem Spielzusammenhang nicht angehören, wird dem Zuschauer mitgeteilt, was dem jetzt angehenden Geschehen vorausliegt, oder sogar auch, was jetzt in dem Drama, ja was über das Drama hinaus geschehen wird. Dies wird durch Monolog oder Dialog eröffnet. Die so Umfassendes wissen und sagen, sind die Götter; hierdurch wird die Exposition auch unmittelbar erhellend. Man sieht, daß alles durch die Götter geschieht und nicht durch das Eigne und die Selbstmacht eines scheinbar bloß natürlichen Zusammenhangs. Athene sagt dem Odysseus: sie habe den Ajas verwirrt; so daß er, statt die Fürsten der Achaier, die Schafherden niedergemetzelt habe. Apollo berichtet: Alkestis habe in schwerer Krankheit ihres Gatten Admetos dessen Tod auf sich genommen, sie habe, durch ihn, noch Lebensfrist erhalten; doch jetzt sei diese Frist abgelaufen, er, Apollo, müsse jetzt dem Tod weichen. Aphrodite kündigt an, daß sie Hippolytos zu vernichten entschlossen ist, da er ihr den Dienst verweigert; mit gleicher Begründung kündigt Dionysos die Vernichtung des Pentheus an. Poseidon und Athene stellen fest, daß die Familie des Königs Priamus nach dem Falle Trojas und des Königs Tode dem Untergang geweiht ist, und zugleich, was Unglückliches über die Achaier bei ihrer Heimkehr beschlossen ist.

Shakespeare läßt in «Romeo und Julia» noch den Chorus auftreten, der kurz den Inhalt des Stückes angibt. Doch ist dies nur ein Vorspruch. Der Prolog wird als altertümlich, als Mangel an Kunst empfunden, wie Shakespeare ihn in den Rüpelszenen des «Sommernachtstraums» verspottet. Erst durch die Romantik wird er erneuert, in Spielen, die sichtlich zeigen sollen, daß das dramatische Gebilde nur ein freies Phantasieprodukt des Dichters ist. Für das ernste Drama wird der Beginn mit einem Lebensgeschehen gefordert, das in sich selbst ein Exponieren ist. Wachen stehen vor dem Schloß von Helsingör. Es ist kurz vor Mitternacht. Man rechnet mit dem Wiedererscheinen eines Geistes, der sich mehrfach hat sehen lassen. Er hat die Gestalt des verstorbenen Königs. Bald wird auch Hamlet ihn sehen, und Hamlet wird hören, daß sein Vater durch dessen Bruder ermordet worden ist. Der Prinz von Guastalla ist mit dem Täglichen beschäftigt, mit seinen Geschäftspapieren auf dem Schreibtisch, er plaudert mit dem Maler Conti, der ihm Bilder bringt und zeigt; er erfährt im Gespräch mit Marinelli, daß eine gewisse Emilia Galotti an diesem Tage heiraten wird. Der alte Miller wendet sich erregt gegen seine Frau, die ein nahes Verhältnis der Tochter mit einem vornehmen Manne begünstigt. Hier überall wird ein Lebensgeschehen gemalt, worin sich die das Drama begründende Situation zeigt.

Wie rasch und wie weit dies geschieht, hängt von den Bauformen des Dramas ab. Ist der Held schon in seinem Leiden, so ist die Darstellung eins mit dem Aufzeigen der Lage: man zeigt als Gefangene Karl I. (Gryphius), Catharina von Georgien (Gryphius), oder bei Schiller die Maria Stuart. Tut der Held rasch etwas Unglückliches, wie Macbeth oder Karl Moor, so ist auch dies der Inhalt der exponierenden Darstellung. Ebenso unmittelbar ist dem Zuschauer der Grund des Geschehens gegenwärtig, wenn der tragische Held von sich aus Motor der Handlung ist. Richard III. stellt sich vor als der, der sich entschlossen hat, Bösewicht zu werden; Fiesco läßt seine Aktion zwar vor der Umwelt verborgen, doch nicht dem Zuschauer. Geschieht das Unglück, indem durch das Geschehen ein schon Geschehenes aufgedeckt wird, so liegt dem Zuschauer das Bedrohliche rasch offen. Teiresias sagt dem dem Mörder des Laios nachforschenden Ödipus unverhüllt genug, er selbst möge der Gesuchte sein. In Ibsens «Nora» hat Nora unter einem Check die Unterschrift ihres Vaters gefälscht. Man sieht, wie ein sie bedrohender Mitwisser auftritt. Hier wird die Lage weitreichend sichtbar gemacht, und der Dichter kann dies, weil er so das Geschehen zwar begründet, doch den Ausgang noch offen läßt. Bei Ibsen möchte der Mitwisser durch Nora nur seine Stellung an der Bank zurückerhalten, an der Noras Gatte eine leitende Stelle innehat. Wo das Wissen das Ende offenbaren würde, enthüllt der Dichter weniger. Daß Oswald Alving dem Wahnsinn verfallen wird, darf man anfänglich nicht wissen. Ähnlich zeigt die Fabel, in der aus noch latenten Faktoren rasch etwas Unglückliches entsteht, auch nur die Stärke der Bedrohung, wie in «Othello», «Emilia Galotti», «Kabale und Liebe». Durch die Exposition kann und soll nur die mögliche Gefahr deutlich sein.

Nach Gustav Freytag beginnt das dramatische Geschehen da, wo der dramatische Held aus der Ruhelage in die Bewegung übergeht. Doch läßt der tragische Dichter sein Drama da beginnen, wo die tragische Lage anfängt, aktiv zu werden. Damit bildet er in der Exposition nicht nur ein die Lage verdeutlichendes Geschehen, sondern er zeigt diese Lage im ersten Stadium einer Entfaltung, die mit dem Untergange des tragischen Helden enden wird.

Zu dieser Aktivierung kann gehören, daß der tragische Held in Tätigkeit übergeht. Doch zeigt der Dichter dann nicht, wie der Held langsam aktiviert wird, sondern er beginnt mit dessen Aktiviertsein. Richard III. ist schon entschlossen, die Herrschaft sich zuzueignen, Fiesco ist entschlossen, zum wenigsten der Befreier Genuas zu werden. Hier ist der Held selbst das aktivierende Moment, und mit dieser Aktivierung beginnt das Drama. Der tragische Held beginnt hier, sich durch ein Hybrides sein Schicksal zu bereiten. Doch sind auch Aktionen möglich, die nur durchschnittliche Lebenshandlungen sind. Lear will sich als König zurückziehen; er gibt Herrschaft und Besitz ab. Das Handeln kann auch dem Ziele dienen, ein Unglückliches aufzulösen; hierdurch aber wird ein Unglückliches herbeigeführt. In Gerhart Hauptmanns «Friedenfest» hat der jüngere Sohn des Dr. Scholz nach einem Streit mit dem Vater das Haus verlassen. Er hat sich inzwischen verlobt. Die Mutter seiner Verlobten bewegt ihn, nach Hause zurückzukehren und sich zu versöhnen.

Hier können schon mehr oder minder Anlässe oder Nötigungen mitsprechen. Schon Richard III. wird zum Handeln bestimmt durch den bevorstehenden Tod des Königs. Lear zieht sich zurück mit Rücksicht auf sein Alter. Die Verlobung des jungen Scholz kann Anlaß sein, jetzt den Streit mit seinem Vater zu bereinigen. Sichtlicher veranlaßt ist die Fürstin Isabella in Schillers «Braut von Messina». Der alte Fürst ist gestorben; die Söhne werden zur Herrschaft gerufen. Sie sind entzweit. Die Mutter versöhnt sie. Zugleich will sie ein scheinbar Überholtes bereinigen. Die Mutter hat eine Tochter in Verborgenheit erziehen lassen, da nach einem Orakel sie den Brüdern Unglück bringen soll; die Tochter soll jetzt in die Familie zurückgeführt werden. Lockerer ist der Anlaß mit dem Geschehen in Ibsens «Gespenstern» verbunden. Der Kammerherr Alving ist schon längere Zeit tot. Jetzt entschließt sich die Witwe, diese Vergangenheit endgültig zu liquidieren, indem sie das Geld ihres Mannes zum Bau eines Asyls verwendet.

Geht nicht der tragische Held auf die Lage zu, so geht die Lage sichtlich auf den tragischen Helden zu. Dies kann so sein, daß die Lage an sich selbst schon aktiv ist, der tragische Held schon sichtlich von ihr umgriffen ist. Dies liegt überall da vor, wo der Held schon im Unglück ist, wo nur das Bestehende weiter zu wirken braucht. Das hier Bestehende kann Folge einer unmittelbar vorgegangenen Tat sein, wie für Ajas, oder, als Lustspielfügung, für den Dorfrichter Adam. Oder es wirken sich an ihm ältere Verhängnisse aus, wie an Ugolino, an Karl I., an Maria Stuart. Doch kann auch solche Lage eben jetzt aus einem latenten Zustand in Aktion übergehen, wie auch bei Maria Stuart. Schon lang Gefangene, wird sie gerade jetzt zum Tode verurteilt. Von einem Verhängnis umklammert ist Ödipus schon lange; doch aktiviert erst die Pest, durch die Ödipus genötigt ist, die Ursachen des Übels aufzudecken und zu beseitigen. Hier steht hinter der Pest sichtlich das Handeln der Götter. Für Robert Guiskard im Drama Kleists begegnet die Pest als Verhängnis schlechthin. Sie bricht aus, rafft Volk und Heer dahin, erzwingt entscheidende Entschlüsse. Zugleich zeichnet hier der Dichter das Ende in der Vernichtung schon vor. Auch können Veränderungen scheinbar harmloser Art geschehen. Der Fabrikant Stein, der Freund des Försters Ulrich, hat das Gut Düsterwald erworben, auf dem Ulrich Förster ist. Der Freund ist jetzt zugleich der Herr. Ein Sichstreiten der Freunde, eine ihnen gewohnte und nicht ernste Temperamentsäußerung, wird jetzt auf einmal bedrohlich. Stein setzt seinen Freund in einer Aufwallung des Unmuts ab (Otto Ludwig «Der Erbförster»).

Das Verhängnis aktiviert sich einmal durch das, was der tragische Held von sich aus tut. Es aktiviert sich ferner, indem es durch eine Veränderung der Umstände von außen gegen den tragischen Helden in Bewegung gesetzt wird. Diese Bewegung kann auch sichtlich ein menschliches Tun sein, so daß es Menschen sind, die gegen den tragischen Helden handeln. Im Drama des Sophokles wird die schon unglückliche Lage des Philoctet nochmals zum Unglücklichen hin aktiviert, indem Odysseus und Achills Sohn angekommen sind, um Philoctet mit seinem Bogen des Herakles zu entführen. Gegen Maria Stuart sind starke Kräfte angesetzt, die das Todesurteil bewirkt haben und es vollzogen sehen wollen. Jago beginnt gegen Othello zu handeln, die Marwood gegen Miss Sara Sampson, Wurm gegen Ferdinand, Franz Moor gegen Karl Moor, der Kaiser gegen Wallenstein. Hier überall begründet sich das dramatische Geschehen in dem Aktivwerden dieser Kräfte. Hierbei kann das Schema verfeinert werden, indem der Dichter wieder eine Aktivierung dieser Kräfte durch die Lage zeigt. Jago, auch Franz Moor, werden unmittelbar in Aktion gezeigt. Vom Kaiser hört man, daß er aktiv geworden ist durch seinen Befehl: Wallenstein solle seine sieben besten Regimenter abgeben Hierbei können die Anlässe dieser Aktion ganz bei dem Gegenspieler des tragischen Helden liegen, doch kann auch dieser Gegenspieler als veranlaßt geschildert werden. Jago handelt nur aus Bosheit, Franz Moor schon, wie Richard III. als der Benachteiligte, der jetzt seine Chance gekommen sieht; der Kaiser aber muß Wallenstein stürzen, wenn Wallenstein nicht ihn stürzen soll. Dieses Getriebenwerden der Gegenpartei kann der Dichter auch auf die Bühne bringen, so daß man hier zuerst die Gegenpartei durch Umstände aktiviert sieht. Der Prinz Conti muß rasch handeln, wenn er hört, daß Emilia nicht nur an diesem Tage heiraten, sondern auch außer Landes gehen wird; Wurm wird von Frau Miller hinreichend unterrichtet, daß der Major von Walter ihre Tochter Luise ernsthaft und mit ernsten Absichten liebt.

Am häufigsten wird die Veränderung der Lage, die zur Aktivierung führt, durch das Hinzukommen bisher abwesender Personen bewirkt, meistens solcher, die schon alten Geschehenszusammenhängen angehören, doch auch durch solche, die neu in einen Geschehenszusammenhang eintreten. Hierbei kann die hinzukommende Person sich selbst ihr Schicksal bereiten, wie Agamemnon, wenn er unter diesen Umständen nach Hause zurückkehrt. Durchschnittlich aber werden die Hinzukommenden für die Anwesenden gefährlich. Sie können hier als treibende Kraft auftreten, die einen Vorgang in Bewegung setzen wollen. Orest kommt nach Mykenä zurück, um den Tod seines Vaters an Klytaimnestra zu rächen, Beaumarchais sucht Clavigo auf, um ihn wegen seiner Untreue gegen seine Schwester zur Rechenschaft zu ziehen. Doch kann solches Zusammenkommen auch schlechthin fataler Art sein ohne jede Absicht eines Tuns. Antonio kommt nach Ferrara zurück, findet hier bei dem Fürsten und den Frauen einen jungen Dichter in hoher Gunst; so wird eine Verstimmung mit verhängnisvollen Folgen bewirkt. Durch solches Hinzukommen kann auch ein Aufdecken aktiviert werden, so, wenn in Halbes «Strom» der jüngere Bruder zurückkommt, nur wegen beruflicher Verrichtungen im Heimatraum, und hierbei das Vergangene sich aufdeckt. Umgekehrt kann auch eine Aufdeckung aktivieren: so wenn Hamlet durch den Geist seines Vaters das an ihm verübte Verbrechen vernimmt.

Einen besonderen Komplex machen die Liebesdramen aus. Es kann hier eine Liebe und eine gefährliche Lage bestehen; dieses Gefährliche wird aktiviert wie in «Kabale und Liebe». Oder es kann eine gefährliche Lage bestehen; sie wird zur Gefahr, indem in ihr eine Liebe aufblüht, wie in «Romeo und Julia». Oder es kann der eine Liebespartner auch der von außen Hinzukommende sein, wodurch in dieser Lage sich Unglückliches verwirklicht, wie in Halbes «Jugend». Die Lage Annchens, die als uneheliches Kind, in einem katholischen Pfarrhaus lebend, zur Buße bestimmt ist, ist schon bedenklich; durch das Hinzukommen des Vetters

und Studenten Hans verwirklicht sich die Liebe und ihr Unglück. Dieses Un-
glück kann schicksalhafter vorgezeichnet werden, indem Leander eben da auf
Hero trifft, als sie Priesterin geworden und also ihm verloren ist (Grillparzer).
Eine komplizierte Situation zeigt Gerhart Hauptmann in «Vor Sonnenaufgang».
Helene Krause ist schon in innerlich und äußerlich gefährlicher Lage, sie, die noch
Gesunde und moralisch Intakte im Hause eines Vaters, der vertierter Trinker ist
und sogar seine Töchter belästigt, bei einer Stiefmutter, die mit einem Bewerber
Helenens im Ehebruch lebt, mit einer gleichfalls trunksüchtigen Schwester, mit
einem Schwager, der in seinem seelischen Elend ihr nachstellt. Das Drama beginnt mit der Aktivierung dieser Lage durch die Ankunft des Alfred Loth, des
Studiengenossen des Schwagers. Er ist Sozialist, Lebensreformer, voll von fort-
schrittlicher Verbesserung; er gewinnt sofort Helenens Neigung und erwidert sie.
Doch ist mit dieser Art der Aktivierung auch schon der Untergang gesetzt; denn
dieser Mann zieht sich zurück, nachdem er die Verhältnisse in dem Haus Krause
kennengelernt hat.

### DIE EXPOSITION DER FIGUR

Im Vorerfinden konzipiert der Dichter die Charakterart seiner tragischen Figuren.
Erfindend macht er diese Charakterart poetisch vorstellig. Er übt hier die Kunst
der Charakteristik.
     Beachtet man nur die Vorerfindung, so scheint wichtig, wie der Dichter seinen
Charakter konzipiert hat. Die Leistung des Dichters scheint im Konzipieren zu liegen. Diese Auffassung täuscht. Große und bedeutende Charaktere zu konzipieren
ist mehr als leicht, nachdem solche Charaktere als Stoff im Leben und in der Literatur reichlich gegeben sind. Die ganze Leistung des Dichters ist das Vorstellig-
machen. Hierbei wird man durchschnittlichen Charakteren, die aber wirklich vorstellig geworden sind, den Vorzug geben vor den anspruchsvollen Konzeptionen,
die poetisch unverwirklicht geblieben sind.
     Zum Vorstelligmachen muß der Charakter als der sich Vorstellende erfahren
werden. Es kommt also hier nicht auf den inneren Charakter, sondern auf das
Ganze des als körperliche Gestalt erscheinenden Menschen an. Dies läßt sich durch
die Tatsache belegen, daß solcher Charakter erst durch den Schauspieler verkörpert ganz wirklich wird. Also muß der Mensch in seiner ganzen konkreten Bestimmtheit erscheinen. Als Mensch selbst ist er von einem bestimmten Geschlecht,
von einem bestimmten Alter, von bestimmter körperlicher Beschaffenheit, einer bestimmten Gesellschaftsschicht, einem bestimmten Beruf angehörend. Er gehört
einer Zeit zu, einem Raum, einer Nation, einem Stamm, einer Familie. Alle diese
Tatsachen, die äußerlich sind für den inneren menschlichen Charakter, sind doch
bedeutend für den poetischen Charakter, denn sie sind Elemente seines poetischen
Daseins.
     Wie weit sie dies sind, d. h. wie weit die Besonderheiten des konkret daseienden
Menschen bedeutend werden für die poetische Verkörperung, hängt von der Stilgesinnung des Dichters ab. Sieht man eine mögliche Mitte der dichterischen Dar-

stellung im Streben nach der Illusion der Wirklichkeit in ihrer faktischen Erscheinung, so wäre hierfür der Mensch am realsten, wenn man ihn mit seiner Besonderheit einfinge. Dies wäre der realistische Stil. Von hier kann man abweichen zum idealen, schönen Stil, damit dieses Besondere preisgeben. Oder man kann abweichen zum charakteristischen Stil, das Besondere steigern und betonen. Auch hier abstrahiert man von der Fülle der empirischen Erscheinung, um ebenso das Charakteristische herauszuarbeiten, wie man im idealen Stil das mögliche Schöne gestaltet.

Die volle Verkörperung der dramatischen Gestalt ist Aufgabe der Bühne. Der Dichter dichtet nicht die volle Bühnengestalt, sondern gibt hierfür nur die Vorschrift. Die Vorschrift des Naturalisten ist sehr umfänglich, sehr genau; hier ist der Mensch in der ganzen Konkretheit der Erscheinungswirklichkeit der eigentliche Mensch. Er ist ebenso ein Äußeres, das nach innen weist, wie ein Inneres, das ganz ein Äußeres geworden ist. Doch ist dies Vorschrift, nicht Dichtung. Der Dramatiker als Dichter muß durch die Mittel wirken, die im Bereich poetischer Vorstellung liegen.

Das erste Mittel dieser Vorstellung ist die Sprache. Die Funktionen der Sprache sind mehrfach: sie vermittelt Wirklichkeitsinhalte mehr in unmittelbarer Art oder in begrifflicher Formung, sie drückt den Menschen in inneren Zuständen aus, in ihr erscheinen Willensimpulse und solche Impulse können durch sie erregt werden. Für den Dichter ist die Sprache zuerst ein Mittel der Darstellung. Er bedient sich ihrer episch, indem er ein äußeres Geschehen für die innere Vorstellung suggestiv vergegenwärtigt. Der Dramatiker muß sich ihrer bedienen, um durch sie einmal den inneren Menschen darzustellen, ferner den Menschen in seinen Leidenschaften und Zuständen des Gemüts darzustellen.

Durch Sprechen äußert sich der Mensch in den drei Hauptweisen seines Bewußtseins, als Denkender, als Wollender, als Fühlender. Geht man auf die Sprache als bloßen Inhalt, so erscheint in ihr das Gedachte, das Gewollte, das Gefühlte. Auch dies kann des Dichters Darstellungsinhalt werden. Doch sofern er vorstellen will, wird er sich der Sprache bedienen, um statt des Gedachten den Denkenden zu zeigen, statt des Gewollten den Wollenden, statt des Gefühlten den Fühlenden. Das Sprechen muß von dem Gesprochenen zurückweisen auf den Sprechenden; es muß als Äußerung eines Sprechenden erfahren werden.

Der antike Dichter beschränkt sich darauf, das Allgemeine dieses so sprechenden Menschen vorstellig zu machen. Raum, Zeit, Geschlecht, Alter betont er nicht. Doch läßt er die Wirklichkeit eines Sprechenden erscheinen; so ist hier stets der Sprechende gegenwärtig, und nicht nur das Gesprochene. Auch im Gedachten spricht der denkende Mensch. Es erscheint stets mehr als der bloße Inhalt; es erscheint eine Weise menschlichen Seins. Dies wird um so deutlicher, je mehr die Rede seinsbezogen ist, in der Rede des Willens und des Gefühls. Es kommt hier nur darauf an, daß diese Antriebe sich nicht isolieren. Gefühl, verselbständigt, losgelöst von dem Fühlenden, würde lyrisch.

Weniger scheint es dem antiken Dichter nötig, in der Rede auch Besonderheit erscheinen zu lassen, der Zeit, des Raumes, von Alter und Geschlecht, schließlich die individuelle Besonderheit, den Unterschied von Individuum zu Individuum. Doch kann Ständisches angedeutet werden, wenn Aischylos einen Sklaven niedriger sprechen läßt als einen Menschen von Stand, ferner Nationales, wenn er in seinen «Persern» Xerxes durch die Maßlosigkeit seines Gefühlsausbruchs als Barbaren charakterisiert.

Nach diesem Grundsatz verfahren alle Klassizisten, in Frankreich sowohl wie in Deutschland. Die schöne Sprache erweist sich hier vielfältiger Ausbildung fähig. Was in der Antike noch archaische Sprachsubstanz ist, erscheint in dem späteren Dramatiker als eine Schönheit der sich verfeinernden Kultur. In Frankreich wird mehr die vollendete Urbanität des Ausdrucks gesucht, in Deutschland mehr ein Schönes über den gesellschaftlichen Raum hinaus, im Wetteifer mit dem übergesellschaftlichen Schönen der Antike. Der Spannungsbreite in der Antike zwischen dem erhabenen Aischylos, dem harmonischen Sophokles, dem pathetischen Euripides entsprechen in Frankreich die tieferen Differenzen zwischen Corneille und Racine, in Deutschland zwischen Goethe und Schiller. Wieder ist jedes Drama wie eine besondere Gestaltung, die «Iphigenie» ganz ein Drama antiker natürlicher und göttlicher Welt, im Götterhain bei Tempel und Altar; der «Tasso» ganz das Drama verfeinerter Geselligkeit, im wohlgeordneten Renaissancepark oder auf dem spiegelnden Parkett fürstlicher Lustschlösser.

Diesem Schönen stellen die Engländer der Renaissance ihre charakteristischen Dramen entgegen. In ganz anderer Dringlichkeit greifen sie die Geschichte, den konkreten Lebensstoff in seiner Erscheinungsfülle auf. Ein Grund der Bildung bleibt hier das Besondere, das jeder Stoff dem Dichter entgegenträgt. Der Stoff selbst schon stellt sich als antik oder als nordisch vor. Mit den antiken Quellen wird die Antike vergegenwärtigt. Sie stellt sich wieder vielfältig vor. Durch die Quellen schon sieht Shakespeare in seinem «Coriolan» ein noch enges, herbes, heroisches Rom, im «Cäsar» das große Rom in seinen Krisen zwischen Republik und Cäsarenherrschaft, in «Antonius und Cleopatra» dieses Rom in seiner Weite und Üppigkeit, das Rom auf dem Boden Afrikas. Nicht weniger besondert stellt sich die nordische Welt vor. Bei räumlicher und zeitlicher Nähe kann doch tiefgreifend Verschiedenes erfahren werden. «Macbeth» zeigt die Welt des rauhen schottischen Nordens, «Hamlet» die Welt höherer Bildung und moralischen Verfalls. Trotz der räumlichen Nähe, sagt Herder, ist jedes Drama so als eigentümliche besondere Ganzheit konzipiert, daß man kein Element aus dem einen Drama in das andere übertragen könne[1]. Doch bildet der Dichter nicht dieses Besondere im Sinne des empirisch Richtigen nach. Vielmehr stilisiert er den ganzen Ausdruck auf das Charakteristische hin. Hier herrscht eine dies heraustreibende mimische Bühne, eine betont mimische Spielart. Der Schauspieler agiert, und er deklamiert nicht nur. Das Sprechen selbst muß mimische Aktion ermöglichen. Der Dichter bildet eine Sprache aus, die im Munde des Schauspielers vielfältig charakteristischer Klang wird, für alle Strebungen und Bewegungen im Gemüt, die in ihrer syntaktischen Fügung die Sprache der Lebensunmittelbarkeit, Stoff für schauspielerische Aktion und Gebärde ist. Dies ist eine Stilisierung, die zwar die Räume wahrt, in denen das Spiel spielt, die aber nicht bemüht ist, jeweils in jedem Raum das Besondere jeder Individualität durch Sprechweise vorstellig zu machen. Vielmehr sind diese Besonderheiten der einzelnen Personen auch mehr mimisch festgelegt, durch einen Bestand mimischer Typen. Es gibt den Helden, den Intriganten, es gibt einen reichen Bestand typischer komischer Figuren. Durch Zuordnung zu solchen Typen, durch die Ausprägung verschiedener Typen werden die Personen voneinander in ihrer Sprachgestaltung geschieden, nicht durch den Versuch, sie in ihren individuellen Eigentümlichkeiten zu treffen.

Dieses besondere Sprechen jedes besonderen individuellen Menschen formt erst der neuere Realismus heraus. Jetzt soll in der Rede weder das menschlich ideal Allgemeine noch die charakteristische Zuspitzung des Ausdrucks erscheinen, sondern die besondere, die gleichsam private Eigenart, der Mensch mit seiner besonderen Individualität. Lessing bildet zuerst dieses Verfahren ganz aus. Er gibt jeder seiner Figuren ihre eigene Ebene, ihren eignen Tonfall. Minna und Tellheim sprechen auf der Höhe der gebildeten Gesellschaft, zugleich als jeweils besondere Charaktere. Minna spricht mit schwebender Leichtigkeit, Tellheim mit kurzem, gehaltenem, strengem Ernst. Schon durch ihre Sprachwelt stehen Just und der Wirt niedriger, sie sind enger, zugleich in sich selbst wieder äußerst verschieden. Just spricht mit biedrer Grobheit und einer ihm eignen Kürze, der Wirt mit katzbuckelnder Geschmeidigkeit. Der Prinz von Guastalla ist schon in seiner Redeweise der glänzende, aber haltlose, unverbindliche Plauderer, Odoardo Galotti ein knorriger Ehrenmann, Claudia Galotti die Frau von mittlerer, wohlmeinender, kurzsichtiger Klugheit.

Dieses Prinzip bleibt grundsätzlich herrschend bis zum Expressionismus. Goethe verfährt so und noch Gerhart Hauptmann. Es kann viele besondere Formen gewinnen.

In der Konzeption seiner Charaktere steht Lessing dem Typischen sehr nahe; er bildet individualisierte Typen. Sein Odoardo Galotti ist der polternde Vater, seine Claudia Galotti kommt noch von den kuppelnden Müttern her, der Prinz ist der gewissenlose Verführer, Marinelli der skrupellose Höfling. Tellheim ist der tapfere ehrenhafte Offizier, Just der grobe Bediente. Die Typen werden nur als Individuen geprägt. Dieser Zug setzt sich fort, doch mit einer Verstärkung des privat Individuellen. Im Gefolge des Odoardo Galotti steht der alte Miller in «Kabale und Liebe», Meister Anton (Hebbel: Maria Magdalena), der Förster Ulrich (Otto Ludwig: Der Erbförster), Oberstleutnant Schwarze (Sudermann: Heimat). Ferner bleibt Lessing sichtlich im Raum bewußter literarischer Formung. Seine Personen auf höherer Ebene, eine Minna, ein Tellheim, stehen über dem Bildungsniveau ihrer Gesellschaftsschicht, sie sind Vorbilder für höchste Bildung. In ihnen setzt Lessing den Erziehungsprozeß des deutschen Bürgertums fort, der im 17. Jahrhundert eingeleitet wurde, zu einer höchsten urbanen Bildung, deren Gipfel Goethe und Schiller erreichen. Doch in diesem Raum, und besonders in der «Emilia Galotti», ist Lessing der objektiv sichtende und charakterisierende Darsteller. Das Literarische wird ihm zu einem Mittel, nicht seine Figuren zu literarisieren, sondern sie durch einen Kunstgebrauch der Sprache als diese Menschen zu kennzeichnen. Sind also Minna und Tellheim auch Träger eines literarisch wert-

baren Ausdrucks, so reden sie doch nicht zuerst literarisch, sondern werden als
Menschen in literarischer Sprache gestaltet. Auch die Figuren der niedrigeren
Schichten werden durch einen literarischen Kunstausdruck auf ihre Weise gemalt, bis zu einem Riccaut de la Marlinière. Die Sprache wird hier zum Kunstmittel spezifischer Menschenvorstellung und ist nicht mehr auch als literarische Rede
fühlbar.

Goethe und Schiller setzen diesen Zug fort. Schiller ist, wenn er in « Kabale und
Liebe » die Menschen des Kleinbürgertums zeichnet, überzeugender Realist, erweckt die Illusion dieser bestimmten Menschenart. Dies bleibt auch im historischen Drama gewahrt. An Shakespeare gemessen sind Goethe und Schiller in
ihrem Ausdruck weit weniger charakteristisch dynamisch, dafür mehr individua-
lisierend. In Schillers Dramen sprechen die Personen auch «im Hochdeutschen
ihre besondere ‚Mundart’, wovon der Schauspieler weiß, der sich auf stilistische
Feinheiten versteht». Hauptfiguren können sogar durch verschiedene Sprechtöne
in ihren verschiedenen Lagen gekennzeichnet werden. Wallenstein spricht mit
Max anders, wenn er ihn bedroht als wo er um ihn wirbt, eine andere Sprache mit
seinen Vertrauten Illo und Terzky, vollends mit der Herzogin und Thekla oder
mit den Pappenheimern und mit Questenberg[2]. Zugleich leihen Goethe und Schiller in ihren bürgerlichen Dramen ihren zentralen Personen viel von ihrer subjektiven Innerlichkeit, lassen also die charakterisierende Sprachgestaltung zurücktreten hinter einem subjektiven Menschenausdruck. Das Dynamische des Inneren
zehrt gleichsam das privat Besondere des Individuums auf, der Gefühlsinhalt die
persönlichste Sprechweise.

Im 19. Jahrhundert bildet man einen begrenzteren Realismus aus, der mehr in
der Beobachtung und Erfassung des Menschen von außen begründet ist. Die
Dichtung wird sachlich und sozialkritisch bis in die zentralen Gestalten hinein.
Der Dichter speist den Menschen nicht mehr mit seiner Innerlichkeit und seiner
Sprache, sondern ermißt von dem beobachteten Menschen her, was hier vorstellig werden kann im Raum einer strenger gewahrten realistischen Illusion. Gemessen an Lessing und noch mehr an Goethe und Schiller machen Büchner, Hebbel,
Otto Ludwig in ihren bürgerlichen Dramen nur noch vorstellig, was den Personen dieses Raums selbst zugehört. Sie sollen an Umfang und Tiefe die ihnen zu-
kommenden Schranken nicht überschreiten, damit auch betont ihre Sprache besitzen und nicht die Sprache des Dichters.

Der Kunstgebrauch der Sprache bleibt hier gewahrt, wird teils sogar noch sichtbarer. Lessing ist wie das Organ, durch das Menschen besonderer Art sich selbst
zur Sprache bringen, Goethe und Schiller geben ihren Gestalten einen freieren
seelischen Elan. Der junge Schiller malt mit dem leichten Schwung eines Tiepolo.
Hieran gemessen malen Hebbel und Otto Ludwig biedermeierlich, mit einem
sorgsam getreuen, gegenständlichen, abbildenden Realismus. Dieser könnte nun
einer prosaischen Nüchternheit verfallen, so wird er stilisiert mit einem Rückgriff auf das Charakteristische. In der Abwendung von der klassischen Schönheit
und der romantischen Poesie bricht man nicht zu einem ganz freien Realismus
durch. Man blickt wieder mehr auf Shakespeare zurück, auf dessen konkret lebens-

reichere Kunst. Büchner schließt sich dieser Diktion unmittelbar an, Grabbe übersteigert sie, Hebbel und Otto Ludwig stilisieren hierdurch ihren Realismus zu
einer überrealistischen Ausdruckskraft. So sucht Hebbel zwar die Bindung an das
ihm durch seinen Stoff Gegebene. Er bildet seine realistische Illusion in der «Maria Magdalena», indem er, wie er sagt, ergreift, was jede Volksschicht als ein ihr
Eigenes und Kennzeichnendes besitzt, eine eigne Sprache, einen eignen Wirklich-
keitshorizont. Trifft man ihn, wahrt man ihn, so stellt sich die Illusion dieses Menschentums ein. Dies aber geschieht durch einen Kunstgebrauch der Sprache, durch
den Einsatz der gestaltenden Kraft mit dem Ziele der Vorstellung. «... man hat erkannt, daß das Drama nicht bloß in seiner Totalität, ... sondern daß es schon in
jedem seiner Elemente symbolisch ist und als symbolisch betrachtet werden muß,
ebenso wie der Maler die Farben, durch die er seinen Figuren rote Wangen und
blaue Augen gibt, nicht aus wirklichem Menschenblut herausdestilliert, sondern
sich ruhig und unangefochten des Zinnobers und des Indigos bedient[3].»

Dieses Prinzip wird erschüttert durch den Naturalismus. In allen Sprachen bisher, sagt Arno Holz, habe doch die Sprache der Literatur geherrscht. Sie solle
jetzt durch die Sprache des Lebens ersetzt werden. Dies scheint ihm eine epochale
Tat, einer der tiefsten Einschnitte und der entscheidendsten Fortschritte im Gange
der dramatischen Kunst. Hier wandeln sich nicht nur gegebene Formen, sondern
die Sprache wird von Grund auf erneuert, dem Drama wird ein neues Sprachblut
eingeflößt. Diese Einflößung soll wie ein volles Wirklichwerden des Dramas sein,
sowie der ganzen, dem Drama möglichen und der eigentlichen von ihm geforderten Wirklichkeit.

Der Versuch des Naturalismus hat sein begrenztes Recht als Gegenschlag gegen
die epigonal gewordene klassisch-romantische Literatur- und gegen die zu vor-
dergründliche gesellschaftliche Konversationssprache, als Versuch zum Gewinn
einer ursprünglicheren Sprache mit mehr Anschauungs- und Aufdeckungskraft.
Dies hatte auch Goethe gegenüber einem durchschnittlichen Klassizismus und
Rationalismus in seinem «Götz» und «Faust» erstrebt. Zugleich konnte so, im
Sinne der Zeit, eine vorrationale Schicht im Menschen, ein Leben unter der
Schicht der Ratio und der Bildung, zum Sprechen gebracht werden. Doch drohte
so auch der Zusammenbruch der eignen Kunstwirklichkeit vor dem bloß Faktischen des Lebens, die Auslieferung der Dichtung an die Kopie der äußerlichen
Wirklichkeit. Es stellt sich dann das zufällig Besondere des Sprechens vor das Gesprochene, das Allgemeine zeitlicher und räumlicher Sprachbesonderheit vor den
Menschen. Mithin kommt es einmal darauf an, daß solche Besonderheiten künstlerisch und nicht rein stofflich aufgefaßt werden. Ferner darf dieses Besondere nur
ein Allgemeines sein, durch dessen Herausbildung die Darstellung des Menschen
noch nicht gewonnen ist. Dies geschieht erst, wenn in diesem Besonderen einer
übergreifenden zeitlichen oder räumlichen Sprache der individuelle, der persönliche, der innere Mensch erscheint.

Wie hier das zeitlich Besondere künstlerisch behandelt werden kann, zeigt
Goethe in seinem «Götz». Shakespeare nimmt noch das Kolorit seiner Dramen
aus seinen Stoffen mit auf, ohne Versuch, sie mit dem Besonderen dieser Zeiten

zu erfüllen. Er modifiziert hierdurch nur den barocken Sprachstil seiner Zeit. Goethe hingegen sucht in diesem älteren Stoff, was seiner Zeit zu fehlen scheint, ungebrochenes Leben, Anschaulichkeit, Natur. Damit greift er die Sprache des 16. Jahrhunderts auf als Material zur Verwirklichung seines besonderen Kunstwillens, als eine Sprache des noch Voraufgeklärten, der noch unverkürzten Anschaulichkeit, des Freien und Gedrungenen einer noch nicht fertig durchrationalisierten Prosa. Doch ist dieser Kunstwille in dieser Weise nur an solchem Stoff angemessen zu erfüllen, und sein Ergebnis ist eine bestimmte Art der historischen Illusion. Goethe modifiziert das Neuhochdeutsch seiner Gegenwart auf die Sprache des 16. Jahrhunderts hin. Er sättigt seine Sprache mit der alten Bildlichkeit, bedient sich frühneuhochdeutscher Wörter und Formen, er lockert das Rationale moderner Syntax im Sinne des Frühneuhochdeutschen auf. Er schreibt mithin in der Schicht des gegenwärtigen Neuhochdeutschen; sein «Götz» ist eine neuhochdeutsche Dichtung. Er bedient sich der älteren Sprache nur, um im Neuhochdeutschen die Illusion zu erwecken, als sprächen hier Menschen des 16. Jahrhunderts. So läßt Goethe seine Menschen weder so sprechen, wie seine Zeitgenossen sprachen, noch so, wie der Mensch im 16. Jahrhundert sprach. Vielmehr gibt er einen Kunstgebrauch des modernen Neuhochdeutschen mit dem Zwecke, den Schein des frühen Neuhochdeutschen zu erzeugen.

Dieser Tendenz hat auch Gerhart Hauptmann sich im «Florian Geyer» angeschlossen. Auch er sucht oft volkhafte Sprache, zitiert Luther als Gewährsmann, wie man sich der lebendigen Sprache bemächtige: man müsse dem gemeinen Mann aufs Maul sehen, um zu wissen, was Sprache ist. Doch ist er weniger glücklich als Goethe. Das Historisierende, ein verstärkter naturalistischer Anspruch drängt sich mehr vor. Es bedarf der ganzen Gestaltungs- und Individualisierungskunst des Dichters, um in dieser Sprache die Plastik und die Besonderheit des jeweiligen Charakters zu wahren. Zudem hat sich die historische Distanz wieder etwas gemehrt. Sie ist bis zum 16. Jahrhundert noch nicht unüberbrückbar, besonders durch die Gegenwart von Luthers Bibelsprache im protestantischen Deutschland und deren literarische Bedeutung im Sturm und Drang. Hingegen kann im Neuhochdeutschen nicht die Illusion erweckt werden, als werde Mittelhochdeutsch oder Althochdeutsch gesprochen. Der Dichter verfährt hier besser wie mit den Stoffen im fremden Sprachraum: er läßt seine Personen ein stilisiertes Neuhochdeutsch sprechen. So muß Kolbenheyers Versuch mißlingen, in seinem «Gregor und Heinrich» die Sprache auf das Althochdeutsche zu stilisieren. Dies führt zu einer Kunstsprache ohne jeden Rückhalt im Neu- oder im Althochdeutschen.

Die räumlichen Besonderheiten der Sprache sind nach gleichen Grundsätzen zu behandeln. Daß hier die Kunstansprüche herrschen, zeigen die Dichtungen aus anderen Sprachräumen. Wollte der Dichter ganz wirklichkeitsgetreu sein, so hätte Lessing seine «Miß Sara Sampson» in Englisch und seine «Emilia Galotti» in Italienisch schreiben müssen. Kunstprobleme können erst im eignen Sprachraum hervortreten, durch die Sprachverschiedenheit in diesem Raum, durch die Tatsache, daß wir hier außer der literarischen hochdeutschen Schriftsprache die Sprache der Dialekte vorfinden.

Hier kann in Hochdeutsch oder im Dialekt geschrieben werden. Im ersten Falle ist die Dichtung im künstlerischen Gebrauch des Hochdeutschen, im zweiten Falle eines Dialekts begründet. Bildet der Dichter im Hochdeutschen, so muß er diese Sprachschicht wahren. Die Tatsache des Lebens, daß diese oder jene Personen faktisch im empirischen Dasein Dialekt gesprochen haben, kann ihn nicht veranlassen, diese Personen nun auch wegen der Richtigkeit der Darstellung im Dialekt sprechen zu lassen.

Der frühe Realismus bedient sich des Dialekts im ernsten Drama nicht, und im heiteren Drama nur, um durch ihn komische Wirkungen zu erzielen. Es zeigt sich, daß man des Dialekts nicht bedarf, um das Wesenhafte räumlicher oder ständischer Unterschiede herauszuheben. Minna in dem Drama Lessings ist Sächsin und Tellheim ist ein preußisch gesinnter Balte, auch ohne daß das Besondere des Sprachraums aufgegriffen wird. Die Räume werden hier mehr empfunden als repräsentativ für ein besonderes Menschliches: für heitere urbane Lebensleichtigkeit und für einen gesammelten strengen Ernst. Dieses Innere würde durch die Hervorkehrung der äußeren Sprachbesonderheiten mehr verdeckt als vorstellig gemacht. Auch Just kann hochdeutsch sprechen und doch als Mensch des Bedienstenstandes erscheinen. Hier wird mithin das Hochdeutsche als literarische Kunstsprache eingesetzt, damit es eben als Kunstsprache menschliche Besonderheiten vorstellig macht, also seine Überlegenheit als künstlerisches Gestaltungsmittel erweist. Goethe bildet so die Postmeisterin in seiner «Stella», oder Schiller bedient sich sogar des Knittelverses, um in «Wallensteins Lager» Soldateska des 17. Jahrhunderts zu kennzeichnen.

Der Gebrauch des Dialekts im naturalistischen Realismus kann nicht rein künstlerisch gerechtfertigt werden. Darum benutzt Ibsen ihn noch nicht. Ihm kommt es mehr darauf an, die durchschnittliche Sprache des Lebens mit den Zügen zu wahren, die für den eigentlichen Lebenszustand des Menschen kennzeichnend sind. So braucht für ihn als Menschen nicht kennzeichnend zu sein, ob er in Schriftsprache oder im Dialekt spricht, so wenig wie es den Menschen an sich selbst kennzeichnet, ob er deutsch oder französisch spricht; kennzeichnend ist nur die Prägung, die er von sich aus dieser Sprache gibt. So ist es für Ibsen nicht wichtig, daß seine Personen norwegisch sprechen, nicht wichtig, ob sie die Sprache der Literatur oder ein heimatliches Idiom benutzen; wichtig aber ist, wie sie sich solcher Sprache bedienen. In den «Gespenstern» spricht Pastor Manders durch seine Sprechhaltung selbst als weltunkundiges Kind, der Tischler Engstrand spricht als der Heuchler. Deutlicher noch verrät in der «Hedda Gabler» der Staatsstipendiat Tesman seine geistige Unbeweglichkeit durch seine stete naiv klingende Floskel «Nicht wahr?», oder der in allen Satteln gerechte Ballestedt in «Die Frau vom Meere» spricht betont geschwollen.

Nimmt der hochdeutsch schreibende Dichter den Dialekt in seine Gestaltung mit auf, so können ihn, wenn nicht naturalistische Mißverständnisse herrschen, Auffassungsweisen des Menschen leiten. Der Mensch, der das Produkt von Vererbung und Milieu ist, soll wie durch die Mächte des Umraums bestimmt sein. Ein tiefer Heimathaftes kann hinzutreten, als sei der Raum auch mit die Quelle des

Wesens, wie bei Max Halbe. Ferner kann so der Mensch in gleichsam außer- und vormenschlichen Schichten erfaßt werden; so wenn Gerhart Hauptmann den durch Trunksucht zum Tier herabgesunkenen Bauer Krause zeigt, oder einen Kretin wie den Hopsla Bär. In allen diesen Fällen aber schreibt der Dichter sein Drama in Hochdeutsch; also muß er den Dialekt künstlerisch in der Weise behandeln, daß er auch hier nur die Illusion erzeugt, als sprächen seine Personen einen Dialekt. Faktisch sprechen sie eine im Leben nicht vorfindliche Kunstsprache, nämlich ein auf diesen Dialekt hin modifiziertes Hochdeutsch. Die Spannung zwischen dem Hochdeutschen und dem Dialekt darf dann nie so groß werden, daß statt eines verständlichen Hochdeutschen ein vielleicht nicht verständlicher Dialekt vernommen wird. Hiergegen verstößt Hermann Stehr in seinem «Schindelmacher», wenn er in Hochdeutsch erzählt, seine Personen aber so im Dialekt sprechen läßt, daß der mit dieser Sprachweise Unvertraute das Gesprochene nicht unmittelbar versteht. Ebenso ist Gerhart Hauptmann in seinen «Webern» diesem Mißverständnis noch nahe. Indem er sie ursprünglich als «De Waber» betitelte, zeigt er, wie sehr ihm doch das Dialektstück vorschwebte. Hier hätten sich die Verhältnisse des hochdeutschen Dramas umgekehrt. Die Sprachschicht wäre der Dialekt der Weber gewesen, und in diesem Stück hätte man der naturalistischen Wahrscheinlichkeit halber die hochdeutsch Sprechenden hochdeutsch sprechen lassen. Doch ist Gerhart Hauptmann sich bald bewußt, daß er vor der Aufgabe steht, in einer hochdeutschen Dichtung dem hochdeutsch Sprechenden und Verstehenden die Illusion des schlesischen Idioms zu vermitteln. Er überschreitet jetzt den Raum dialektgebundener Heimatdichtung; er wird der überlegene Virtuose, Menschen verschiedener Räume in ihren Spracheigentümlichkeiten künstlerisch darzustellen, etwa Menschen aus dem Raum von Berlin oder der Ost- oder Nordseeküste. Der spätere Hauptmann ist um dieses genaue Malen und Treffen nicht mehr bemüht. Der Mensch läßt sich in einer weniger raumgebundenen, in einer mehr frei hochdeutschen Sprache wesenhafter darstellen. Ein sich vordrängender Dialekt gehört mehr der Heimatkunst an. Hebel hat nur das Heimatliche in Alemannisch geschrieben, dagegen die doch sehr volkhaften Erzählungen in Hochdeutsch. Auch Halbe möchte, daß das Westpreußische in der Sprache seiner Dramen nur wie eine allgemeine Färbung erscheinen, nicht aber mit seiner Besonderheit herausgetrieben werden solle. Damit kann auch der eigentliche Anspruch an eine charakterisierende Sprache erfüllt werden, daß nicht der Dialekt schon die Personen charakterisieren soll, sondern sie in diesem Dialekt in der Besonderheit ihres jeweiligen Charakters erscheinen. Hierzu darf für den Hörenden nicht ein fremdartiger Dialekt überwiegen, damit nicht dieser mit seiner gröberen Wirkung das Feinere der charakterisierenden Differenzierung übertönt.

Auf Kennzeichnung seiner Figuren durch Sprechweise beschränkt sich der Dichter nur bei den Episodenfiguren, und dies oft auch nur im figurenreichen Spiel. Wenige Sprachzeichen müssen hier eine Person vorstellig machen. Schiller rühmt dies als eine Kunst Goethes. «Ein Beiwort, ein Komma», sagt er von den Volksszenen im «Egmont», «zeichnet einen Charakter[4].» Die tragenden Figuren hingegen zeigt der Dichter umfänglicher im Geschehensgang, wie sie teils mehr tätig, teils mehr leidend sind, teils mehr aktiv, teils mehr reaktiv. Man sieht hier die Personen, wie sie sich in solchen Zusammenhängen verhalten. Was sie als Mensch sind, tritt dann in der Art ihres Sichverhaltens heraus.

Dies ist zunächst ein Sichverhalten mehr unwillkürlicher Art. Man sieht die Person, wie sie in einer bestimmten Situation reagiert. Schon der antike Dichter bedient sich dieser Weise des Charakterisierens. Wenn Ödipus sich zu Teiresias, oder zu Kreon verhält, zeigt er sich als der Mißtrauische, Eifernde, Heftige, sich Übereilende. Doch stehen in der Antike die Charaktere schon anfänglich fest, sind auf eine einfache Formel gebracht, bedürfen keiner besonderen Darstellung, durch die man sie im Sichverhalten zuerst als diese Charaktere sieht. Shakespeare muß umfänglicher charakterisieren; doch auch er läßt seine Charaktere nicht zuerst durch ihr Sichverhalten sehen. Was diese Charaktere sind, tritt unmittelbar durch Redeinhalt und Redeweise heraus: Coriolans Stolz oder die Triebverfallenheit des Antonius. Auch Hamlet spricht sich besonders in seinen Monologen offen genug aus; ein Problem bleibt nur die richtige Auffassung einer so vieltönig gezeichneten Gestalt. Das Charakterisieren durch ein Sichverhalten überwiegt erst da, wo ein Charakter durch Aktion und Reaktion faßlich wird, und nicht schon durch offenbarende, schon deutende Rede.

So zeichnet Lessing seinen Prinzen von Guastalla, bricht damit mit dem von der Antike her in jeder humanistisch geprägten Dramatik gewahrten Prinzip, doch zuerst durch die klaren Inhalte der Rede Klarheit zu schaffen. Lessing selbst schreibt in dieser älteren Weise noch seine «Miß Sara Sampson», mit dem entschiedenen Vorrang des sich bekennenden vor dem nur durch sein Sichverhalten sich zeigenden Menschen. Seinen Prinzen von Guastalla kennzeichnet er nur durch Verhaltensweisen, an denen sein Charakter, sein Zustand unmittelbar heraustreten. Der Prinz sitzt am Arbeitstisch, er überfliegt einige Schriftstücke. Er ergreift hierbei ein Bittgesuch einer Emilia Bruneschi. Sie fordert viel – er will gewähren – weil sie Emilia heißt. Ihn erfüllt eine äußerste Leidenschaft zu einer Emilia Galotti. Wegen des gleichen Vornamens gewährt er ein Bittgesuch: ein Zeichen seiner Leidenschaft und seiner Unsachlichkeit. Er wollte arbeiten, jetzt ist er erregt; Marinelli soll kommen, ihn zu zerstreuen: er ist schwach gegen sich selbst, folgt seinen Stimmungen, läßt sich unterhalten, statt sich zu überwinden und zu arbeiten. Der Kammerdiener bringt einen Brief der Gräfin Orsina. Der Prinz wiegt ihn in der Hand – er hat sie vielleicht geliebt, vielleicht auch nicht, jedenfalls – er hat. Er ist unstet in seinen Gefühlen und so im Banne einer neuen Leidenschaft, daß die vor kurzem ihn noch beherrschende Leidenschaft ihm versunken ist. Er legt den Brief ungeöffnet fort: er weicht dem vielleicht Unangenehmen aus. Der Maler Conti kommt, kündigt die Fertigstellung eines Porträts der Orsina an: der Prinz kann sich seines Auftrags kaum noch erinnern. Er kritisiert das Bild, nur aus Verdruß über die dargestellte Person. Dagegen versinkt er ganz in das ihm sodann gezeigte Bild der Emilia – auch ganz der dargestellten Person wegen. Conti darf sich hierfür vom Schatzmeister geben lassen, was er nur will. Marinelli kommt, plaudert, berichtet von der bevorstehenden Hochzeit einer gewissen Emilia Galotti. Der Prinz fährt auf, Marinelli, mit der Leidenschaft seines Herrn unbekannt, wagt zu fragen, ob der Prinz Emilia erkenne. Der Prinz herrscht ihn unsachlich an: der Herr habe zu fragen, nicht der Diener. Marinelli war bis zu diesem Augenblick ganz ahnungslos: doch sein Herr will ihm nicht verzeihen, daß er ihn nicht vorher gewarnt habe. Soeben noch der Herr, wirft der Prinz sich jetzt rettungflehend in die Arme seines Dieners: er ist ein haltloser Schwächling. Marinelli entwirft seinen Plan, die Hochzeit an diesem Tage zu verhindern, indem man dem Bräutigam eine dringende diplomatische Mission aufträgt. Der Prinz stimmt zu. Doch kaum ist Marinelli gegangen, wird der Prinz bedenklich, er folgt seinem eigenen plötzlichen Einfall, sein Glück bei Emilia selbst zu suchen, die jetzt in der Messe sein muß. Er bedenkt nicht, daß dieser Plan sich mit dem Plan Marinellis kreuzt. Da tritt der Rat Rota ein, mit Schriftstücken, die zu unterschreiben sind, darunter ein Todesurteil. Der Prinz ist mit einem «Recht gern» hierzu bedenkenlos bereit, nur um in seinem Zusammentreffen mit Emilia keinen Aufschub zu erleiden. Dagegen ist sein Enthusiasmus, das Bittgesuch der Emilia Bruneschi zu gewähren, schon verflogen; die Sache soll noch anstehen.

Lessing macht hier durch seine Kunst diesen Menschen in seinem Umfang vorstellig, seinen Charakter, sein Temperament, seinen Gemütszustand. Solche Darstellung ist eingeflochten in einen Lebensvorgang, der an sich selbst das Geschehen entfaltet, doch zugleich mehrere Funktionen erfüllt, also auch die, den Prinzen so umfänglich zu zeigen. Sollen besondere Seiten besonders herausgehoben werden, so kann der Dichter sie auch in einem besonderen, vorzüglich diesem Zweck dienenden Auftritt vorstellig machen. Zu Tellheim muß die Witwe seines Stabsrittmeisters kommen, eine alte Schuld ihres Mannes zu begleichen; Tellheim muß, selbst in äußerster geldlicher Bedrängnis, doch diese Schuld schon für getilgt erklären; er muß sich sogar erbieten, für die Söhne des Verstorbenen zu sorgen, sobald seine Verhältnisse sich gebessert haben.

Zu dem unwillkürlichen tritt das willkürliche Sichverhalten. Es ist meistens ein Sichverstellen, mithin, es wird hier die wahre Stellung der Person verborgen und hierdurch eben sichtbar gemacht. Hierbei braucht dieses Sichverstellen nicht erst die Person sehen zu lassen. Von Richard III. hören wir, daß er ein Bösewicht werden will; und wenn er sich verstellt, bewährt er nur, was er von sich schon gesagt hat. Auch für Elisabeth von England liegt offen, daß sie sich verstellt, wenn sie den Tod der Maria Stuart nicht zu wollen scheint. Dagegen stellt Schiller seinen Wallenstein zum Teil durch sein Verhalten vor. Er erklärt seinen Angehörigen, daß seine Tochter ihm nur gegen eine Königskrone feil sei, zugleich begrüßt er den Max Piccolomini, den er braucht, wie seinen künftigen Schwiegersohn. Er erklärt Wrangel, er sei immer schon gut schwedisch gewesen, dagegen den Pappenheimern, er sei gut deutsch und stets gegen die Schweden gewesen. So wird er als die politische Natur sichtbar, die sich nicht durch die Wahrheit, sondern durch die politische Zweckmäßigkeit in ihren Äußerungen leiten läßt.

Das Verfahren des Sichzeigens der Charaktere durch ihr Verhalten hat mehr Lessing ausgebildet als Goethe und Schiller. Diese bevorzugen doch das unmittelbare Sichaussprechen, in ihrer Frühzeit, indem sie ihren Gestalten einen Reichtum seelischer und geistiger Innerlichkeit leihen, in ihrer klassichen Zeit schon durch die Stilprägung, die diesen Zug künstlerisch legitimiert. Bei Goethe herrscht das Lyrische und Pathetische vor, bei Schiller das Ideelle, Philosophische, Philanthropische. Weit reicher an Menschenausdruck als Lessing, sind sie doch ärmer in der künstlerischen Darstellung des Menschen. «Der Reichtum an Einzelheiten», sagt Gustav Freytag, «die Wirkung schlagender Lebensäußerungen, welche sowohl durch Schönheit als Wahrheit überraschen, ist bei ihm in dem beschränkten Kreise seiner Figuren größer als bei Goethe, gehäufter als bei Schiller[5].» Erst der konsequentere Realismus im 19. Jahrhundert nimmt dieses Verfahren Lessings wieder auf. Grillparzer steht hierin Lessing nahe, durch seine Herkunft von der mimischen Bühne Wiens. Ibsen macht dieses Sichzeigen der Charaktere durch das Sichverhalten zum Grundverfahren seiner Charakteristik. Sein Tesman zeigt sich nicht nur durch seine Sprechweise, sondern auch durch seine Denk- und Erlebnisweise. Auf seiner Hochzeitsreise hat ihn am meisten deren wissenschaftliches Ergebnis befriedigt, denn er hatte sie mit einer Forschungsreise verbinden können. Wenn seine Tante Jule meint, für die zwei leeren Zimmer ihrer Villa werde das junge Paar auch mit der Zeit Verwendung finden, so denkt Tesman zuerst an seine sich mehrende Bibliothek, die könne er da unterbringen. Durch Sichverstellen kennzeichnet sich der Tischler Engstrand. Ibsen leitet sein Spiel mit einer Auseinandersetzung zwischen Engstrand und seiner Tochter Regine ein. Engstrand will ein Seemannsheim gründen, er möchte seine Tochter hier anwesend haben. Er gibt sich sehr ehrbar; doch Andeutungen, daß es hier an zahlungskräftigen Liebhabern nicht fehlen werde, verraten seine niedrigen Absichten. Ebenso heuchelt er gegenüber dem Pastor Manders den reuigen Sünder, der von seiner Trunksucht als von einer Schwäche spricht, die er beklagt und zu überwinden bestrebt ist. Der Naturalist führt Ibsens Verfahren fort. Besonders der junge Gerhart Hauptmann ist unerschöpflich in Erfindungen, die den Menschen durch Verhaltenszüge charakterisieren. In «Vor Sonnenaufgang» spricht zwar Loth seine lebensreformischen Gesinnungen auch aus, da sie ja zu dem von ihm überall vertretenen Gesinnungsbestand gehören, doch macht er sich unmittelbar auch durch seine Verhaltensweise kenntlich. Sein Studiengenosse Hoffmann, den er besucht, bietet ihm sofort zu rauchen und zu trinken an. Loth lehnt ab: er raucht nicht, trinkt nicht. Auch an der Abendtafel bleibt er abstinent.

Das Verhalten geht hier in ein Betonteres über, in die Haltung. Im Verhalten der dramatischen Figur zeigt sich eine bestimmte Haltung. Tellheim verhält sich nicht nur, sondern er besitzt auch Haltung, menschliche Höhe und Würde. Haltung zeigt auch Tell, wenn er, in fast aussichtsloser Lage, doch den Baumgarten über den See rettet. Doch kann es des Dichters Absicht nicht sein, am Beginn des Dramas diese Haltung zu betonen. Vielmehr zeigt er hier lieber dieses Unmittelbare, wie ein Mensch auf Grund seiner Haltung sich verhält. Der Prinz verhält sich auf bestimmte Weise, weil ihm die Haltung fehlt, Tellheim verhält sich so, weil er die Haltung besitzt. Der Rang einer Haltung bleibt hier auch noch unentschieden. Auch Loth besitzt eine Haltung, doch ist er durch Ideen auch borniert. Für die Charakteristik jedenfalls kommt es nicht auf die Haltung, sondern auf dieses Sichzeigen im Sichverhalten an. Darum bleibt auch die Haltung als solche unbetont. Sophokles ist für seine Antigone sogar bemüht, statt der Haltung einen eifernden Affekt zu zeigen: Antigone ist gleichsam beherrscht von ihrer Haltung, und ein Angriff hierauf bringt sie in eine eifernde Erregung. Ähnlich ist Loth von ihr beherrscht. Die Haltung als der eigentliche Gegenstand der Darstellung ist mehr das Thema für das Ende des tragischen Spiels. Hier kann die tragische Person sich in einer Haltung bewähren, die sie sich vielleicht durch die Vorgänge des Spiels errungen hat. Emilia Galotti steigt zur Überwindung ihrer sinnlichen Natur empor, ebenso Egmont oder Maria Stuart. Karl Moor oder Don Cesar gewinnen, nachdem sie Ungeheuerliches getan haben, die sittliche Freiheit, die Folgen frei auf sich zu nehmen, Karl Moor, indem er sich dem Richter stellt, Don Cesar, indem er sich selbst richtet.

Sprachgestik, Sichverhalten sind die zentralen Mittel, mit denen der Dichter seine Figur vorstellig macht. Hinzu tritt das Verfahren, die Person über sich oder andere Personen über sie sprechen zu lassen. Das Sprechen der Person über sich dient überwiegend nicht der Charakteristik, sondern der Klärung der moralischen Beschaffenheit dieser Person, der inneren und äußeren Lage, in der diese Person steht. So ist der Monolog, mit dem Richard III. sich einführt, ebenso Selbst- und Situationserhellung wie Selbstcharakteristik. Dasselbe trifft für die Monologe Hamlets zu. Ganz dem Erhellenden gehört der Monolog Wallensteins zu und die anschließende Auseinandersetzung mit der Gräfin Terzky. Es wird hier das Zwingende der Lage vorgestellt, ihr Schicksalhaftes, ihr möglicherweise Verhängnisvolles. Das Verfahren unmittelbarer und naiver Selbstcharakteristik gleicht dem Verfahren des mittelalterlichen Malers, der seine Personen durch Spruchbänder kennzeichnet, die er aus ihrem Mund hervorgehen läßt.

Dagegen ist das Verfahren, eine Person zu charakterisieren, indem eine andere Person sich über sie äußert, legitim und echt verdeutlichend. Oft kann der Dichter so eine interessierende Vielspältigkeit erreichen, indem er die Figur in verschiedenen Auffassungsmedien spiegelt. Solches Charakterisierendes kann im Ablauf des Geschehens immer wieder vermittelt werden. Doch wird der Dichter es vorwiegend für die Exposition seiner Figur benutzen. Er kann selbst aus mehreren Gründen hierauf angewiesen sein.

Es gibt Gestalten von besonderen Qualitäten, die aber durch diese Gestalt selbst nicht hinreichend vorgestellt werden können. Hierzu gehören besondere äußere Vorzüge. Emilia Galotti soll von außergewöhnlicher Schönheit sein. Da die Darstellerin diesen Anspruch durch ihre Erscheinung durchschnittlich nicht erfüllen kann, so muß dem Zuschauer vor ihrem Auftreten das Bild ihrer Schönheit suggeriert werden. Der Prinz von Gustalla, der Kenner und Liebhaber der Frauenschönheit, ist in Leidenschaft zu ihr entbrannt. Der Maler Conti, der dem alten Galotti ein Bild der Tochter hat malen müssen, hat sofort eine Kopie angefertigt und hierbei an den Prinzen gedacht, den das Bild einer solchen Schönheit entzücken müsse. Der Zuschauer ist jetzt von der Schönheit Emilias überzeugt, und er sieht ihre Verkörperin auf der Bühne mit den Augen des Dichters, wenn nur der Augenschein dem Angekündigten nicht entscheidend widerspricht. Hebbel in seiner «Agnes Bernauer» hätte dieses Kunstgriffs noch mehr bedurft, da seine Agnes die Erscheinung des Schönen schlechthin sein soll. Daß er ihn versäumt, beeinträchtigt die Wirkung dieser Rolle. Der Zuschauer sieht diese Agnes sofort, es wird ihm durch die Umgebung berichtet, daß sie ungewöhnlich schön sein solle; doch da der Dichter dem Zuschauer noch kein Bild suggeriert hat, steht der Zuschauer nüchtern neben den Personen auf der Bühne, vergleicht deren Urteil mit seinem Gegenstand, und er kann finden, daß diese Agnes überschätzt wird. Zu den schwer darstellbaren äußeren Vorzügen gehört auch die ungewöhnliche Kraft. Hebbel zeigt deswegen den Wettkampf zwischen Siegfried und den Burgunden nicht auf der Bühne, sondern läßt ihn Kriemhild vom Fenster des Saales aus beobachten und berichten. So kann der Zuschauer in seiner inneren Phantasie verwirklichen, was der Dichter auf der Bühne dem Auge nicht eingängig machen kann.

Ferner kann zu einem Problem der besondere innere Vorzug werden. Dies können geistige Vorzüge vielfacher Art sein: der große Philosoph, Forscher, Erfinder, Künstler. Das Eigentliche und Wesenhafte dieser Menschen entzieht sich der Darstellung; denn es liegt in dem Vermögen geistiger Produktion. Geringere Dichter bemühen hier das historische Wissen; dem Zuschauer ist die Person und ihre Bedeutung bekannt. Doch kann auf der Bühne nicht die Person wegen ihrer faktischen geistigen Bedeutung stehen, sondern wegen menschlicher Schicksale, die sie erlitten hat. Es können höchstens solche Schicksale im Zusammenhang stehen mit einer geistigen Berufung; hieraus können Schicksale erwachsen. Dann ist nicht eigentlich die Person wichtig in ihrer faktischen geistigen Bedeutung, sondern sie wird bedeutend durch eine mit dem Grundsätzlichen ihres Wesens mögliche schicksalhafte Verfassung. Der Philosoph etwa kann durch seine Lehre in Gegensatz zu dem religiösen Glauben seiner Zeit treten. Dies ist eine schicksalhafte Struktur schlechthin, ein tragischer Widerspruch, der weder die jeweilige inhaltliche Sache noch die sachliche Bedeutung des Philosophen berührt. Es ist hier also gleichgültig, ob die Vertreter der religiösen Ordnung im Recht sind oder das Recht bei dem Philosophen liegt, gleichgültig, ob wir es mit einem großen oder einem kleinen, einem bekannten oder einem unbekannten Philosophen zu tun haben. Kolbenheyer zeigt in seinem Drama «Heroische Leidenschaften» das Schicksal Giordano Brunos, wie er der Märtyrer seiner philosophischen Lehre wird. Gutzkow zeigt den jüdischen Philosophen Uriel Akosta, wie er zu einer eignen Lehre kommt, sich dann durch persönliche Rücksichten bestimmen läßt, doch dem Glauben sich wieder zu fügen, und wie er hieran zerbricht. Dies sind dem Philosophen mögliche Schicksale. Ebenso stellt Goethe in seinem «Tasso» einen möglichen Konflikt durch das Dichtertum dar, den Zwiespalt zwischen Dichten und Sein, daß der Dichter, wie Kierkegaard sagt, dichtet statt zu sein. Tasso möchte auch sein, statt nur zu dichten, auch ein Mensch der Tat und der Lebensbewältigung sein, statt nur ein Mensch der Phantasie, wirklich auch im Leben und nicht nur im Traum. Doch ist seine Situation so, daß er, um diese Weise zu leben bemüht, durch sein Dichtertum zugrunde geht, ehe er dieses Leben hat verwirklichen können.

Mehr kann auf der Bühne sich der große Mensch der Tat bewähren. Doch auch hier muß oft seine Größe schon vorausgesetzt werden; der Zuschauer muß sie

schon als fertiges Bild empfangen. Goethe zeigt seinen Egmont zuerst umfäng
lich durch seinen Reflex in seiner Umwelt, ehe er ihn selbst auftreten läßt: im Volke, am Hofe, im Raum seines privaten Liebeslebens. Schiller schickt seinem im
Drama handelnden Wallenstein den Reflex des Feldherrn in seinem Heer voraus.
Dieses Heer ist ganz Wallensteins Schöpfung und Geschöpf, man verspürt, daß
diese zuchtlose Masse durch einen großen Willen geprägt und gestaltet worden ist.

Da hier das Charakterisieren ein Redeinhalt solcher Szenen ist, so kommt es darauf an, daß diese Szenen in sich selbst als Lebensvorgänge vorstellig werden und
nicht nur geschrieben sind, damit über die zu exponierende Gestalt gesprochen
wird. Goethe zeigt das Volk von Brüssel beim Büchsenschießen; Schiller gibt ein
Bild vom Leben und Treiben im Lager des Wallensteinschen Heeres. Solches Charakterisieren ist auch in Anwesenheit der zu charakterisierenden Person möglich.
Dann wird der Charakterisierende das Geschehen, das auch unmittelbar vorgestellt werden könnte, durch einen mehr epischen Bericht vorstellig machen. So
sagt Pater Dominik nicht, daß Don Carlos im Innern nach Herrschaft glühe. Aber
er erinnert ihn an die Szene, wie ihm die Stände gehuldigt haben. Er malt hier ein
episches Bild, das den Zustand des jungen Prinzen eindringlich macht:

> *Ich stand und sah das junge stolze Blut*
> *In seine Wangen steigen, seinen Busen*
> *Von fürstlichen Entschlüssen wallen, sah*
> *Sein trunknes Aug' durch die Versammlung fliegen,*
> *In Wonne brechen – Prinz, und dieses Auge*
> *Gestand : ich bin gesättigt.*

Hier überall wird die dramatische Figur durch ihre Umgebung in ihrer positiven
Bedeutung gewürdigt. Doch kann auch diese Bedeutung gezeigt werden im Zerr-
spiegel des Mißgünstigen. So charakterisiert Franz Moor umfänglich seinen Bruder Karl. Der Zuschauer hört, was hier an Karl getadelt wird, Züge einer großen,
edlen Natur, er sieht, wer hier charakterisiert; und er gewinnt aus dem Zerrbild
das Bild, das der Dichter für seinen Helden im Zuschauer wünscht.

# VIERTES KAPITEL

# DIE DURCHFÜHRUNG DER TRAGÖDIE

## DIE DURCHFÜHRUNG DER FABEL

Die Exposition der Tragödie geht in die Durchführung über. Der Dichter hat hauptsächlich zweierlei durchzuführen, die Fabel und die Figur. Die Fabel durchzuführen, ist seine wichtigste Aufgabe. Denn wie Aristoteles sagt, durch die Fabel werde ein dramatisches Spiel zu einer Tragödie, nicht durch die Charaktere. Es wird dies, indem der Dichter sein Geschehen konsequent durchführt. Episodische Fabeln, die mehr die Einzelmomente wirken lassen ohne ganzheitlichen Zusammenhang, sind fehlerhaft, wenn auch sie tragisch wirken können. Ferner ist die Fabel durchzuführen die schwierigste Aufgabe. Unter zehn Dramen, sagt Lessing, finde man neun mit tauglicher Darstellung von Sitten, Gesinnungen, Ausdruck, aber nur eins mit einer tauglichen Fabel[1].

Der Dichter führt seine Fabel durch, indem er die Geschehensmomente zu einem Ganzen verknüpft. Dieses Verknüpfen nennt man das Motivieren. Die Durchführung der Fabel ist dann eins mit dem Motivieren.

Es scheint oft, als bezöge sich das Motivieren in der Weise auf den dramatischen Gegenstand, daß hier gegenständlich ein lückenloser Zusammenhang hergestellt werden soll. Dies wäre etwa die Aufgabe des Historikers. Er steht vor einem Sachergebnis; er soll zeigen, wie es zu diesem Ergebnis gekommen ist. Dieses Verfahren nennen wir das Erklären. Der Historiker geht von seinem Ergebnis in der Zeit soweit auf dessen Bedingungen zurück, wie es ihm nötig scheint, um das Ergebnis erklärt zu haben. Sein faktisches Verfahren ist, wie Dilthey aufzeigt, ein Zurückgehen in der Zeit. Seine Darstellung hingegen kann ein Vorangehen in der Zeit sein, indem er von ersten bedeutsamen Faktoren, bis zu denen er zurückgegriffen hat, ausgeht und nun deren Sichauswirken in der Zeit darstellt, bis zu dem zu erklärenden Ergebnis[2]. Die Darstellung gewinnt hierdurch etwas Künstlerisches, als stelle der Historiker hier episch einen Lebensvorgang dar. Doch kann hier nicht der Anspruch des Epischen herrschen, sondern nur der Anspruch des Historischen, d. h. es muß hier die reale Kausalität, wie sie in dem Geschehen wirksam gewesen ist, aufgedeckt werden.

Auch das Darstellen des Dramatikers scheint oft die Aufzeigung solcher Kausalität zu sein, nur mit dem Unterschied, daß diese Kausalität eine durch den Dichter konstruierte, und daß sie nicht die Vergegenwärtigung faktisch so vorgefallener Geschehnisse ist. Doch wird dieser Gesichtspunkt schon dadurch zweifelhaft gemacht, daß der Dichter überhaupt nicht einen sachlich bestehenden Zusammenhang konstruiert, sondern daß er sein Drama in einem Vorausgesetzten begründet, das erlaubt, die Tragödie als eine Folgerung aus den gesetzten Prämissen zu entwickeln, mit dem Ergebnis, daß diese Analyse durch den Leser oder Zuschauer als Synthese erfahren wird. Mithin besteht hier grundsätzlich keine Synthese in der

Sache selbst, sondern nur die Illusion einer Synthese im Zuschauer, also der Dichter hat seine Aufgabe erfüllt, wenn er im Zuschauer eine solche Illusion bewirkt hat.

Die gegenständlich reale Verknüpfung der Geschehnisse durch den Historiker und die Bewirkung der Illusion einer Synthese im Zuschauer sind dann nicht nur etwas Verschiedenes, sondern widersprechen sich auch in ihrer Tendenz und Wirkung; so daß der Dichter, je mehr er diesen gegenständlichen Zusammenhang für den analysierenden Verstand herstellen will, er desto weniger diese Synthese im Zuschauer bewirkt, und er, je mehr es ihm um diese künstlerische Synthese zu tun ist, er oft desto mehr den nachrechnenden Verstand unbefriedigt lassen muß, um die schauende Phantasie zu befriedigen. Herder bemerkt dies, indem er die Regel des Aristoteles nicht als einen an sich bestehenden Kanon nimmt, den befolgend man eine gute Tragödie gebildet habe, sondern sie als Wirkungsregeln für das Publikum faßt. Die Franzosen haben insofern für ihn Aristoteles falsch aufgefaßt, sie haben die Regeln an sich selbst absolut gesetzt, als mache die Regelbefolgung die richtige Tragödie aus, nicht aber die Benutzung der Regeln in dem Sinne, daß durch ihre Anwendung ein bestimmter Eindruck im Zuschauer erweckt werde. Aristoteles hat für ihn «offenbar in seinem vortrefflichen Kapitel vom Wesen der Fabel keine andere Regel gewußt und anerkannt, als den Blick des Zuschauers, Seele, Illusion[3]». Shakespeare muß darum in seinem Verfahren von dem der antiken Dichter abweichen, wenn er hierdurch auf seiner Bühne, für sein Publikum bewirkt, was der antike Dichter in seinem Raum erreicht hat. Ebenso berechnet Schiller seine Motivierung ganz auf die Fassungskraft und Eindrucksfähigkeit seiner Zuschauer. Er motiviert nur soweit, wie dies für die theatralische Darstellung nötig ist. Wenn in «Wallensteins Lager» Bauern mit falschen Würfeln spielen, muß für ihn die Herkunft der Würfel nicht mehr erklärt werden. Goethe fügte noch eine Motivierung hinzu, freilich mit Einsicht, daß dies die Wirkung auf den Zuschauer nicht fördere. Vielmehr mag für ihn die größere Theaterwirksamkeit der Schillerschen Dramen eben daher rühren, daß ein sorgfältiges Motivieren nicht seine Sache war[4]. Seine Stücke, bekennt Goethe, seien dadurch vom Theater entfernt worden, daß er zuviel motivierte[5]. Auch Hebbel meint, «daß den deutschen Dichtern, weil sie sich zu sehr bemühen, alle inneren Motive zu ergründen, eben deshalb der Effekt, welcher Konzentration und rasches Fortschreiten verlangt, nicht selten entgeht, und daß das, was sie durch schärfere psychologische Zeichnung bei ihren Lesern gewinnen, nicht jedesmal für das entschädigt, was sie durch das den Strom der Handlung aufhaltende immer neue Knotenknüpfen bei ihren Zuschauern verlieren[6]». Der Dichter motiviert also für den Zuschauer, und zwar dazu, daß er dem Zuschauer die Illusion eines konsequent sich entfaltenden Geschehens suggeriert. Fragt man, was der Dichter so motiviere, so muß man nach Gustav Freytag annehmen, der Dichter motiviere seinen tragischen Helden in seinem Gange zu einer tragischen Tat. Shakespeare motiviert, wie Othello dazu kommt, Desdemona zu töten, Schiller motiviert, wie Wallenstein dazu kommt, zu den Schweden überzugehen. Der Dichter motiviert, indem er das Werden der inneren Motive aufzeigt; das Motivieren ist zuerst eine Aufgabe verstehender und verständlich machender Psychologie. Freilich motiviert der Dichter das Tun und Lassen seines Helden. Doch motiviert er einmal nicht psychologisch, ferner motiviert er letztlich nicht eigentlich Tun und Nichttun dieses Helden. Vielmehr ist dieser Held das Element des Ganzen der tragischen Darstellung, und diese ganze Darstellung eilt einem endgültigen Ergebnis zu, ob nun einer Vernichtung des Helden oder einer guten Auflösung der Verwicklungen. Der Dichter motiviert also die Ganzheit des Geschehens, und er motiviert seinen Helden in dieser Ganzheit, durch sie, für sie.

Dann fragt sich, wieviel der Dichter grundsätzlich motivieren muß, um dem Zuschauer die Illusion solcher Synthese bis zum endgültigen Ende zu erzeugen. Es sind Dramen einfachster Art möglich, in denen durch die Exposition schon alles motiviert ist. Dies trifft besonders für die Antike zu. Ajas hat schon die Schafherden der Achaier niedergemetzelt; er braucht nur aus seinem Wahn zu erwachen, und hiermit ist das Ende schon gegeben, wenn es nicht durch einen glücklichen Zufall verhindert wird. Wallenstein hingegen sehen wir auf dem Gipfel seiner Macht, und der Dichter muß noch ein verwickeltes Geschehen entfalten, um dieses unglückliche Ende in dieser Raschheit eingängig zu machen.

Der Dichter benutzt den tragischen Helden mit Rücksicht auf die Handlung; man muß mithin sehen, wie dieser Mensch in diesem Zusammenhang zu diesem Geschehensergebnis gelangt. Hierbei verfährt er verschieden je nach der Bauform seines Dramas.

Im aufdeckenden Drama geschieht das Unglück, indem durch den Geschehensverlauf ein Unglückliches, das schon geschehen ist, aufgedeckt wird. Also motiviert der Dichter hier das Aufdecken. Hierbei kann der tragische Held, mit dem sich Aufdeckenden selbst unbekannt, selbst ein treibendes Moment sein, wie König Ödipus, oder er kann, das Unglückliche wissend, das Aufdecken zu verhindern suchen. Sophokles beginnt sein Drama mit sorgfältiger Motivierung, die auch kleinere Umstände nicht unberücksichtigt läßt. Der Mord an König Laios ist ungesühnt; es ist zu fragen, inwiefern man einen Königsmord bis jetzt hat auf sich beruhen lassen können. Hier hat die Not durch die mordende Sphinx damals Aufmerksamkeit und Kraft von diesem Unglück abgelenkt. Das eifernde Verhältnis des Ödipus zu Kreon ist tiefer in der Stellung der Männer zueinander begründet, indem doch Ödipus, als Gemahl der Jokaste, und als junger Mann Kreon aus der höchsten Stellung verdrängt hat, die er nach Laios' Tod innehatte. Auch der Geschehenszusammenhang ist auf eine geraume Strecke lückenlos durchmotiviert. Ödipus beruhigt das bittflehende Volk damit, daß Kreon nach Delphi gesandt worden und zurückzuerwarten sei; Kreon kommt mit seiner Botschaft, Teiresias, nach dem schon gerufen worden, tritt anschließend auf; sein Hinweis, Ödipus möchte der gesuchte Mörder sein, führt zum Streit zwischen den Männern, indem Ödipus Teiresias vorwirft, durch Kreon bestochen zu sein – führt dann zum Streit mit Kreon, dies führt zum Versuch Jokastes, den Streit zu schlichten; dies zum genaueren Bericht Jokastes über den Königsmord, durch den Ödipus ahnen muß, daß doch er der Täter ist. Jetzt aber tritt der Bote aus Korinth mit seiner Botschaft vom Tode des Königs Polybos als ein entscheidender neuer Faktor von außen auf.

Es muß jetzt gerade vor kurzem Polybos gestorben sein, der Bote muß eben jetzt in Theben eintreffen. Und dieser Bote muß sogar der Knecht sein, der den ausgesetzten Knaben vom Knechte des Königs Laios empfangen hat und der so erst die ganze Enthüllung herbeiführen kann.

Dies erklärt sich nicht allein aus dem unrationaleren, poetisch sinnbildlichen Stoff, durch ein Publikum, das dem Sinnbildlichen auch auf Kosten realistischer Wahrscheinlichkeit offen war, sondern auch durch die Bauart. Dem Zuschauer ist gegenwärtig, daß ein Geschehenes nur aufzudecken ist. Er sieht diese Aufdeckung im Gange. Er sieht sie so voraus, daß es ihn überraschte, wenn sie unterbliebe. Des Königs Ödipus Schicksal muß sich vollenden. Der Bote aus Korinth kommt wie durch einen höheren Zufall. Dagegen fordern die Dramen Lessings die strenge und lückenlose Verknüpfung. Hier steht eine extreme Tat am Ende, die Ermordung Saras durch die Marwood, die Tötung Emilias durch ihren Vater: zu diesem Ungeheuerlichen muß der Dichter sorgfältig hinführen. Da hier jeweils Menschen Ungewöhnliches tun, so muß der Dichter zeigen, wozu der Mensch getrieben werden kann. Dieses in der Antike schon ausgebildete Darstellungsmotiv muß im modernen Leben verfeinert und psychologisiert erscheinen. Der antike Dichter kann Sagenmotive verwenden, etwa daß Herakles durch eine Göttin mit Raserei geschlagen wird, oder er kann bei Medea eine ungewöhnliche Verfassung der tragischen Heldin voraussetzen; der neuere Dichter muß im Raume des realistisch Wahrscheinlichen bleiben. Deswegen kann auch die Marwood nicht einfach eine fest Entschlossene oder Rasende sein; sondern sie ist eine um ihr Leben kämpfende Frau geworden, die das Gift, das sie dann Sara beibringt, zuerst für sich selbst bei sich trägt. Hierbei aber ist die Medeaanlage da, und die Medeamotive kehren im Geschehen deutlich wieder. Denn die große Auseinandersetzung mit dem ungetreuen Geliebten, Mellefont, durch die sie ihn zu sich zurückführen will, und worin sie auch das Kind aus ihrer Verbindung mit Mellefont, die Arabella, einsetzt, führt am Ende dazu, daß sie unterliegt, daß sie, rasend, gegen Mellefont den Dolch zückt, und daß Mellefont hierdurch den Entschluß faßt, das Kind ihr zu entziehen. Sie ist mithin jetzt ganz die Medea, die nicht nur den Geliebten, sondern auch ihr Kind an die Nebenbuhlerin verlieren soll. Auch dies reicht im modernen Drama nicht hin, ein Verbrechen zu begründen. Vielmehr muß es zu einer Auseinandersetzung zwischen den Frauen kommen, hierbei muß Sara ihre Feindin erkennen und einer Ohnmacht verfallen, und jetzt, in diesem nicht vorherzusehenden, aber verführenden Augenblick reicht die Marwood der Sara das Gift, indem sie eine Medizin zu geben vortäuscht. Nicht weniger konsequent muß Lessing seine Personen in der «Emilia Galotti» zu dem Endziel führen. Er legt dies Letzte in den handelnden Personen an, indem Emilia die Schwächste und doch zugleich die Entschlossenste ihres Geschlechts ist, indem der alte Odoardo Galotti ein sittlicher Rigorist ist, dazu von leicht erregbarem Temperament, schließlich unfähig, verwickelte Situationen mit der geschickten Hand des Diplomaten aufzulösen. Das ganze Geschehen entwickelt sich konsequent so, daß Emilia droht, ein Raub des Prinzen zu werden. Die Mutter Galotti hat sich gegenüber dem Prinzen nicht durchsetzen können, und der alte Galotti schickt sie dann, mit wenig glücklichem

Entschlusse, heim. Der Prinz weiß die Auslieferung Emilias an den Vater zu verhindern, indem er, nach dem Rate Marinellis, vorgibt, Emilia könne doch mit dem Tode des Grafen Appiani etwas zu tun haben, und bis zur Klärung des Falles will er sie im Hause seines Kanzlers Grimaldi unterbringen. Dies aber ist die Stätte der Sittenlosigkeit, von der Emilia selbst zuvor schon gestanden hat, wie sie durch sie aus der Ruhe ihrer Seele gerissen worden ist. Es ist dem Vater und der Tochter nur ein kurzer Moment des unbeobachteten Zusammenseins gegönnt, und im Drucke dieser Situation, die auf diese Charaktere wirkt, geschieht das Ungeheuerliche. Solches Ende aber ist jeweils nur das letzte Glied eines Vorgangs, der aus den Prämissen der Exposition Schritt für Schritt herausentwickelt worden ist, ohne die Einbrüche des Zufalls und das Unwahrscheinliche, das Sophokles sich erlauben darf. In diesem Sinne kann Lessing besonders von seiner Kunst sagen, das Genie könnten «nur Begebenheiten beschäftigen, die ineinander begründet sind, nur Ketten von Ursachen und Wirkungen. Diese auf jene zurückzuführen, jene gegen diese abzuwägen, überall das Ungefähr auszuschließen, alles, was geschieht, so geschehen lassen, daß es nicht anders hat geschehen können: das ist seine Sache[7].»

Am wenigsten bedarf der strengen Verknüpfung das folgernde Drama. Der Dichter muß nur die Tatsachen genau zeigen, aus denen sich unglückliche Folgen zwangsläufig ergeben. Indem er Lage und Zustand des Ajas gezeigt hat, steht für den Zuschauer das Ende fest. Wenn der Dichter das Sichfügen der Tatsachen bis zu einem Unglücklichen noch in der Exposition zeigt, motiviert er bis zu diesem entscheidenden Moment fest verknüpfend, um dann die Konsequenzen sich ergeben zu lassen.

Mit dieser Sorgfalt verfährt Shakespeare im «Macbeth» bis zur Ermordung des Königs Duncan. Er zeigt zuerst die Hexen, als verführende Mächte. Sie künden, im Sinne der alten Göttererscheinungen, daß sie Macbeth nahen wollen. Er führt dann zum König Duncan, diesem wird vom großen Siege Macbeths berichtet, zugleich von dem Verrat des Than von Cawdor: daß er zum Verräter geworden sei, aber schon geschlagen und getötet. Der König beschließt, Macbeth mit dieser Würde zu belehnen. In der 3. Szene läßt Shakespeare wieder die Hexen auftreten, die sich jetzt offen als unglücksbringende Mächte zu erkennen geben. Sie begrüßen Macbeth als Than von Glanis, als Than von Cawdor, als kommenden König. Die erste Würde besitzt er schon. Die zweite erhält er, kaum nachdem die Hexe gesprochen hat. Dem Zuschauer hat Shakespeare gezeigt, daß dies auf die natürlichste Weise zugeht; für Macbeth muß dies ein Wunder sein. Also wird er auch König sein können. Er ist noch geschwellt von dem Gefühl seines Siegs, nicht ohne Ehrgeiz, kraftvoll, in diesem Augenblick, wie Otto Ludwig bemerkt, von höchster Brennbarkeit[8]. Doch schildert der Dichter nicht diesen inneren Prozeß; vielmehr motiviert er anschaulich, was nun auf den Helden wirkt. Macbeth schreibt diesen Vorfall seiner Gattin; sie ist nun die eigentlich aktiv Ehrgeizige, die Treibende. Da kommt auch der König in Macbeths Schloß. Es steht für Lady Macbeth fest, daß er es lebend nicht verlassen darf. Sie drängt Macbeth, den Unentschlossenen, Zaudernden zur Tat.

Bis zu diesem Moment der Handlung hat der Dichter eine feste Kette des Motivierens geknüpft. Er zeigt den Helden auf, seine äußeren und inneren Umstände, was auf ihn wirkt, wie er bis zum Mord getrieben wird. Nachdem die Tat geschehen ist, steht Macbeth unter ihren Folgen. Der Dichter hat die Bedingungen des Unglücks schon in die Exposition gelegt. König Duncan hat zwei Söhne, sie sind in der Mordnacht auch in Macbeths Schloß anwesend, auch sie sollen getötet werden; doch sie entweichen. So sind noch rechtmäßige Erben, Kronprätendenten da. Zudem haben die Hexen nicht nur dem Macbeth die Königswürde, sondern seinem hierbei anwesenden Mitfeldherrn Banquo verkündet, er solle der Vater von Königen sein. Um seinen Thron zu sichern, muß Macbeth auch Banquo töten. Dies gelingt ihm, doch Banquos Sohn entrinnt. So bleibt Macbeth in Unsicherheit, voll von Mißtrauen; er wird Tyrann. Im Kampf gegen drohende Gefahr führt er wirklich die Gefahr herauf und wird gestürzt. Dies alles kann in großen Bildern gezeigt werden ohne strenge Verknüpfung der einzelnen Geschehensmomente. Denn auch hier ist der Zuschauer überzeugt, daß der tragische Held aus solchem Verbrechen unter solchen Bedingungen die Frucht nicht ernten wird, die ihn zur Tat verlockte.

Ähnlich verfährt Schiller in seinen «Räubern». Wie Karl Moor zu seiner Tat getrieben wird, motiviert er sehr sorgfältig. Der Zuschauer sieht zuerst den Anschlag Franzens auf Karl, er lernt die schon bedenkliche Lage Karls kennen. Dann sieht er diesen Karl selbst und seinen Kreis, wie die jungen Leute aus Leipzig haben fliehen müssen, sich in einer Schenke bei den böhmischen Wäldern verborgen haben, wie Spiegelberg schon mit dem Gedanken spielt, eine Räuberbande zu gründen, deren Haupt er werden will. Karl ist verbittert über seine Gläubiger in Leipzig, die ihn ohne Rücksicht seiner Schulden wegen mit dem Schuldturm bedrohten und ihn aus Leipzig vertrieben haben; um so mehr hofft er auf die Verzeihung seines Vaters, dem er alle seine Verfehlungen offen und bereuend eingestanden hat. Die Nachricht kommt, daß die Polizei den jungen Leuten auf den Fersen ist, die Situation drängt zu Entschlüssen, Spiegelberg tritt mit seinem Räuberplan offen hervor, Karl Moor steht entrüstet dagegen. Da trifft der Brief aus der Heimat ein, der Verdammungsbrief des Bruders, wie Karl glauben muß, im Namen des Vaters. Karls schon erschütterter Glaube an das Gute und Gütige in der Welt bricht zusammen. Spiegelberg hat inzwischen die übrigen Kameraden für seinen Plan gewonnen; und jetzt, da er in einem Zustande völliger Zerfallenheit mit der Welt und der wildesten Raserei ist, tritt an Karl die Aufforderung seiner Kameraden heran, ihr Hauptmann zu werden. Blindlings, ja mit dem Gefühl einer höheren Fügung, stimmt er zu. Noch sichtlicher ist mit diesem Entschluß Karls Unglück schon vollendet. Aus dem Leben eines Räubers führt kein Weg in das bürgerliche Leben zurück. Auch hier kann der Dichter in großen Bildern ohne strenge Verknüpfung die Etappen von Karls Untergang zeigen.

Das Motivieren des Dichters, soweit es sich auf Tun und Lassen der tragischen Personen richtet, erwies sich hier gerade als das nicht, was es für Gustav Freytag sein sollte: es führte nicht in das innere Leben des tragischen Helden als einem seelischen Prozeß hinein, war nicht gleichsam eine Psychologisierung der metaphysischen tragischen Prozesse Hegels, zeigte also nicht eigentlich ein Wirken im Helden als vielmehr ein Wirken auf ihn. Der Dichter zeigt nur, wie der tragische Charakter beschaffen ist, er läßt auf diese Beschaffenheit ein Element aus dem Umraum wirken; und schon hat er motiviert, was sich jeweils aus solchem Zusammentreffen ergibt. Dieser Macbeth, als dieser Mensch, in diesem momentanen Zustand, unter dieser Einwirkung der Hexen, von dieser Gattin getrieben, durch diese Übernachtung des Königs angereizt, kommt zu dieser Tat. Lessing zeigt in der «Emilia Galotti» diesen so gearteten Prinzen, zeigt, wie seine Leidenschaft für Emilia neu erregt wird, zeigt, wie im Momente starker Erregung den Prinzen die Nachricht trifft: diese Emilia heiratet an diesem Tage, geht an diesem Tage auch außer Landes, ist ihm ganz verloren – und schon hat er motiviert, daß dieser Prinz sich rettungsflehend in die Arme Marinellis stürzt. Ist dies so, so ist für den vorstellenden Dichter nichts unmöglicher, als das Werden einer Tat als einen inneren Vorgang zu motivieren. Dies führt, wie etwa bei Hebbel im 2. Akt seiner «Judith», zu einer langen Erklärung des Inneren, zu einer verhüllten psychologischen Selbstanalyse. Darum läßt der Dichter nicht ein Tun werden, sondern, wo er echte Tat braucht, setzt er den gewordenen Tatentschluß voraus. Er motiviert künstlerisch nie eines Helden Tat, sondern nur des Helden Getriebenwerden zu seinem Tun; aber er kann künstlerisch motivieren durch eine Tat. Mithin motiviert Shakespeare in seinem «Richard III.» nicht vorstellend des Helden Tat, sondern motiviert durch des Helden schon fertigen Tatentschluß die tragische Handlung. Ebenso verfährt Schiller mit seinem Fiesco. Da aber auch hier der eigentliche Inhalt der Darstellung nicht das Tun des tragischen Helden ist, sondern die vernichtenden Bedingungen, unter denen es sofort steht oder die es hervorruft, so läßt der Dichter es sofort unter Bedingungen geschehen, die eine Vernichtung voraussehen lassen. So ordnet Schiller seinem Fiesco sofort den Verrina bei, den leidenschaftlichen Republikaner, der, ein neuer Brutus, Fiesco in dem Augenblick töten wird, da er ein neuer absoluter Herrscher werden will. Bei Richard III. wird mehr die Hybris des Entschlusses als verhängnisvoll empfunden, der nicht so sehr nur auf politische Macht, als auf die Verwirklichung des Bösen geht. Der Zuschauer ist überzeugt, daß diesem Widersittlichen und Widergöttlichen ein letzter Sieg nicht vergönnt ist, und der Dichter bestätigt ihm durch den Gang des Geschehens diese Voraussicht.

Das Motivieren von Tun und Lassen des tragischen Helden durch einen Zusammenhang von Anlage und Lage ist nur eine Seite der künstlerischen Durchführung der Tragödie. Wird hier die Handlung motiviert, so müssen für den Zuschauer besonders auch alle äußeren Tatsachen des Geschehens motiviert sein, die mit dem Inneren dramatischer und tragischer Vorgänge nichts zu tun haben, aber mit dem konkreten Lebensvorgang. So etwa müssen die tragischen Personen sich jeweils auf plausible Weise auf dem Schauplatz des Geschehens zusammenfinden, oder auf solche Weise auch hier abwesend sein. Der Anspruch an die motivierende Erfindung wird hier um so größer, je mehr der Dichter durch seine Bühne an einen festen Schauplatz gebunden ist und je mehr er sich hieran bindet. Für das antike Drama war nur ein einziger Schauplatz für die ganze Handlung üblich; er konnte auch durchschnittlich durch die Kürze und Einfachheit des Geschehens gewahrt werden. Der Schauplatz im «König Ödipus» ist vor dem königlichen Palast. Hier beruhigt Ödipus sein Volk, hierin kehrt Kreon zurück, hier findet Teiresias sich ein, dann auch Jokaste vom Palaste her. Das moderne realistische Spiel stellt größere Anforderungen. Es bedarf genauerer Motivierung, wieso die für die Handlung nötigen Figuren an bestimmten Orten sich einfinden. Der antike Dramatiker hatte, seinem idealen Spiel gemäß, sich auch die Freiheit des idealen Schauplatzes gestattet. So konnte im «Ajas» auch die Szene wechseln; diese Veränderung wurde stillschweigend vorausgesetzt bei gleichbleibener Szene. Später in den mehr realistischen Spielen ist diese Lizenz weniger üblich. Es gibt freilich Nebenformen und Ausnahmen bis in die neueste Zeit. Im Fastnachtsspiel mußte sich der Zuschauer den Schauplatz gemäß den Vorgängen im Spiel als sich wandelnd während des Spiels selbst vorstellen; so daß, wenn eine dramatische Person sagte, daß sie aus der Stube in den Stall gehe, jetzt das Spiel sich im Stall fortsetzte. Grabbe zeigt in seiner «Hermannsschlacht» die römischen Legionen auf dem Marsch durch den Teutoburger Wald, und Ibsen bedient sich in seinem «John Gabriel Borkman» solcher Freiheit, daß Borkman aus seinem Zimmer in den Wald entflieht. Doch ist die Regel, daß der Dichter entweder betont den Ort wechselt, so wie Shakespeare dies tut, oder betont den Ort wahrt, wie der strengere Realismus seit Lessing. Die französisch klassizistische Lösung des weiten und unbestimmten Ortes ist die am wenigsten eingängige. Sie ist nicht eins mit dem antiken Prinzip, nach dem der Ort fest bestimmt war, aber auch, nach einem Spieleinschnitt durch Tanz und Gesang des Chors, für den neuen Spielabschnitt ein neuer Ort angenommen werden konnte, doch mit gleicher fester Bestimmtheit; sie ist nicht die Illusion des Wandels des Ortes mit den sich bewegenden Figuren, sie ist nicht das Springen von Ort zu Ort, wie im elisabethanischen Drama; sondern, wie dieser Idealismus eine Abstraktion ist aus dem realistischeren mimischen Prinzip, ist auch der Ort nur abstrakt geworden, der Schauplatz für einen mehr literarischen Vorgang. Lessing forderte deswegen die Verfestigung des Orts zu einem der Wahrscheinlichkeit entsprechenden Lebensraum, und wahrte aus dem älteren Spiele nur das halb Öffentliche eines Ortes, der ein Zusammentreffen mehrerer Personen leichter erlaubte, wie Vorräume u. dgl. Doch wurde jetzt sorgfältiger motiviert, wodurch die Personen zusammentrafen. In der «Miß Sara Sampson» ist der Spielort ein Wirtshaus in einem englischen Ort am Kanal. Daß hier Sara und Mellefont weilen, erklärt sich dadurch, daß eine Fahrt nach Frankreich und dort die Eheschließung geplant ist. Die Marwood hält sich hier auf, da sie den Ort des Paares ausfindig gemacht hat und mit ihrem Kinde den Kampf um Mellefont aufnehmen will. Der alte Sampson trifft hier ein, da die Marwood ihn von dem Aufenthalt des Paares unterrichtet hat, in der Erwartung, daß der Vater seine Tochter zu sich zurückholt. In Ibsens «Gespenstern» ist Oswald in das Haus seiner Mutter zurückgekehrt, da er erkrankt ist; der alte Freund Frau Alvings, Pastor Manders, findet sich hier ein, um an der Einweihung eines von Frau Alving gestifteten Asyls teilzunehmen.

Zu diesem allgemeinen Motivieren, das erklärt, warum mehrere Personen sich jetzt auf einem engeren Raum zusammenfinden, tritt dieses genauere Motivieren, zunächst, warum jetzt in einem wichtigen Augenblick eine Person anwesend ist, oder warum sie fehlt. So muß in der «Emilia Galotti» in einem entscheidenden Augenblick die Gräfin Orsina auf dem Lustschloß des Prinzen, auf Dosalo, ankommen. Der Dichter bereitet dies im 1. Akte vor, indem hier dem Prinzen ein Brief von der Gräfin abgegeben wird, mit dem Bemerken, daß sie in die Stadt zurückgekehrt sei. In diesem Brief wird dem Prinzen angekündigt, daß die Gräfin ihn am Nachmittag des Tages in Dosalo sprechen möchte. Daß solche Motivierung nicht die Bedürfnisse eines klaren Wissens befriedigen soll, tritt hier besonders hervor. Der Prinz legt den Brief ungelesen fort. So bleibt also auch der Zuschauer ununterrichtet, daß die Orsina auf dem Schlosse erscheinen wird. Ihr Auftreten überrascht ihn zunächst nicht weniger als den Prinzen. Doch unterrichtet der Dichter den Zuschauer so über ihre Anwesenheit, über ihr Verhältnis zum Prinzen, und der anschließende Auftritt, daß der Maler Conti ein Bild der Orsina bringt, erlaubt eine umfängliche Explikation ihres Charakters. Es ist jetzt nicht nur motiviert, daß sie auftauchen kann, sondern auch schon vorbereitet, in welcher Weise, mit welchen Absichten sie auf dem Schlosse erscheint. Der Dichter hat ihr Bild dem Zuschauer schon eingeprägt. Nicht weniger entscheidend ist im 2. Akt die Abwesenheit des alten Galottis, als Emilia hereingestürzt kommt und von der Zudringlichkeit des Prinzen in der Messe berichtet. Oberst Galotti war soeben noch da, er wollte auch die Ankunft der Tochter erwarten. Doch bleibt sie aus; und Galotti beabsichtigt noch den Grafen Appiani aufzusuchen. Zudem hat das Gespräch zwischen ihm und seiner Frau soeben einen heiklen Punkt berührt: des Prinzen Interesse für Emilia, und Galotti, hierüber erregt, verabschiedet sich auch darum rasch, um nicht am Orte und unter dem Eindruck des Verstimmenden zu bleiben.

Zu dem Motivieren solcher bedeutungsvollen An- und Abwesenheiten tritt die Motivierung des Kommens und Gehens überhaupt, warum eine Person diesen Schauplatz betritt und ihn wieder verläßt. Im 2. Akt seiner «Emilia Galotti» wählt Lessing einen Vorsal im Hause der Galotti. Es wäre vielleicht angemessener, wenn die Familienmitglieder sich in einem privateren Raum träfen. Doch zeigt der 3. Auftritt, wie zu dem Bedienten Pirro der Bandit Angelo tritt, um ihn über die Wagenfahrt des jungen Paares auszuforschen. Dies kann nicht in den Familienräumen stattfinden. So läßt der Dichter die Mutter Claudia in den Saal hinaustreten, da sie einen Reiter hat ankommen hören. Es ist ihr Mann, der auch auftritt. Das Paar geht ins Innere des Hauses; so kann Angelo hier den Pirro sprechen. Odoardo und Claudia treten wieder heraus, da Emilia zulange ausbleibt und Odoardo noch Appiani aufsuchen will. Während Claudia noch im Vorsaal weilt, stürzt Emilia herein; hier halten sich die Frauen auch noch auf, als Appiani eintritt. Marinelli wird gemeldet: er möchte den Grafen sprechen. Der Vorsaal ist jetzt geeignet für das Gespräch der Männer, während die Frauen sich zurückziehen. Nach Marinellis Abgang kommt Claudia rasch in den Saal zurück; sie hat einen heftigen Wortwechsel gehört und ist besorgt. Diese Wahl des Schauplatzes ist dann nicht mehr eine halbkünstliche Auskunft, um An- und Abwesenheit der Personen zu bewirken, sondern auch ein künstlerisches Mittel eines raschen und bewegten dramatischen Vorgangs, für die Wahrung des mimischen Schauspiels in Abkehr von dem literarischen Rededrama des französischen Klassizismus.

Eine letzte Motivierung richtet sich auf die für das Spiel wesentlichen Requisiten. Hierher gehört in Schillers «Wallensteins Lager» Goethes Begründung, woher die falschen Würfel des Bauern stammen. Auch solche Motivierungen wollen nicht nur den Anspruch auf äußere Wahrscheinlichkeit befriedigen, sondern kennzeichnen auch die Charaktere und lassen das Gefühl des Zuschauers tragisch Bedeutsames erfahren. Dolch und Gift sollen sie rächen, schleudert die Marwood dem Mellefont entgegen. Mit dem Dolch will sie sich an ihm rächen, mit dem Gift ihr eignes Leben beenden. Der Zuschauer weiß jetzt, daß sie Dolch und Gift bei sich führt; auch zückt sie bald den Dolch gegen Mellefont. So stellt sie sich dem Zuschauer in ihrer Gefährlichkeit vor, mit ihren Hilfsmitteln und ihrer Entschlossenheit, sich ihrer auch zu bedienen. In der «Emilia Galotti» motiviert im 4. Akt Lessing zunächst die Abwesenheit eines Requisits, daß Odoardo, vor seinem Zusammentreffen mit dem Prinzen, sich ohne Waffe findet. Dies kennzeichnet ihn, seine innere Verfassung, die Kopflosigkeit, mit der er, nach der Nachricht von dem Überfall auf den Hochzeitswagen, hinausgeritten ist; zugleich muß ihm diese Waffe fehlen, damit er sie nun, einen Dolch, für den Zuschauer eindringlich aus der Hand der Orsina empfangen kann, die ihn mit sich geführt hat, um sich an dem Prinzen zu rächen.


## DIE DURCHFÜHRUNG DER FIGUR

Auch durchführend kann der Dichter nicht aufhören, seine Figuren zu charakterisieren. Nur ist dies jetzt nicht mehr seine erste Aufgabe. Er kann jetzt ein Bild seiner Personen im Zuschauer voraussetzen. Es kommt nur noch darauf an, daß diese Personen in dieser Wirklichkeit bestehen bleiben. Hierzu gehört, daß, wenn der Dichter seine Personen durch ein bestimmt geartetes Sprechen ausmalt, er sie in dieser Eigentümlichkeit auch zu Ende malt. Auch müssen sich die Personen stets ihrem einmal gezeigten Charakter gemäß verhalten.

Malt der Dichter auch jetzt noch ausführlicher den Charakter, so sind stets besondere Zwecke maßgebend. Er kann ein Charakterlustspiel schreiben, worin die Explikation eines Charakters das eigentliche Thema ist. Ferner kann es nötig sein, immer neues Interesse für den Charakter zu erregen. Hamlet, indem er nicht handelt, könnte doch als eine problematische Natur empfunden werden; um so mehr muß der Dichter diesen Charakter in seinen subjektiven Bewegungen und deren Bedeutung zeigen. Ebenso weiß man bei Wallenstein, warum er nicht handelt: durch seinen höheren Schicksalsglauben, seinen Glauben an seinen Stern, also durch hohe und den Charakter hebende Motive.

Sonst kehrt sich jetzt das Verhältnis von Geschehen und Charakter um. Beim Exponieren zeigt der Dichter mehr durch das Geschehen, wie der Charakter beschaffen ist; jetzt zeigt er mehr durch den Charakter, wie das Geschehen sich fügt. Die Tribunen können diesen so stolzen Coriolan aufreizen und zu Fall bringen.

Diese medeagleiche Marwood vergiftet die Sara, dieser Rigorist der Tugend, Odoardo Galotti, zieht eine tote einer entehrten Tochter vor.

Doch ist dies Ganze jetzt des Dichters zweite Aufgabe. Seine erste Aufgabe ist jetzt die Eröffnung des Menschen in seinem inneren Leben. Und zwar ist sie vorzüglich die Eröffnung des Menschen in seinem Gefühl. Sie ist die eigentliche und fruchtbare Aufgabe des Dichters. Der Mensch in seinem Denken ist auch sein Gegenstand, und noch mehr der Mensch als der Wollende. Doch ist dies nicht ein erster Gegenstand dichterischer Darstellung. Im Denken wie im Wollen überwiegt im Menschen der sachliche Inhalt, es überwiegt das Gedachte, das Gewollte. Der Dichter zeigt hier mehr die vom Menschen selbst ablösbaren Inhalte auf, er kann nur zeigen, daß dies Inhalte dieses besonderen Menschen sind. Das Gefühlsleben hingegen ist die eigentliche Innerlichkeit des Menschen selbst. Er ist nicht so sehr Träger von Gefühlen, wie er Träger von Gedanken ist und Bekenner von Willensimpulsen, sondern er ist hier die Ganzheit des fühlenden Menschen. Zudem, was das Gefühl ist, zeigt sich als eigentlicher Gehalt erst durch den Dichter. Das Denken ist durch den gedachten Inhalt da. Der Wille, zwar dem Menschen eigener, offenbart sich als Wirklichkeit doch nicht durch den Dichter, sondern auch der Dichter kann den Menschen in seinem Willen sich nur aussprechen lassen. Das Gefühl hingegen bleibt ohne Gestaltung durch den Dichter wie eine verborgene Innerlichkeit, die nur in unvollkommenen Zeichen sich entäußert. Erst der Dichter macht das Gefühl durch Ausgestaltung in Sprache und durch das bis ins Musikalische tönende Wort offenbar.

Die Alten, sagt Schiller, hätten den Menschen vorwiegend in seinen Leidenschaften und seinem Leiden dargestellt. Der Dichter stellt mithin ein Doppeltes des Gefühlhaften dar, Leidenschaft und Leiden.

Leidenschaft kann ontologisch bedeutsam werden, indem man erwägt, was sie für das Sein des Menschen bedeutet. Hierbei ist nach ältester Anschauung Leidenschaft im Menschen das Element, durch das er sich selbst oder auch einer ihn mit Leidenschaft schlagenden Macht erliegt; insofern ist die Leidenschaft Gegenmacht der Vernunft, in der der Mensch bei sich selbst und auch bei einem höheren Positiven des Weltseins ist. Leidenschaft in der Antike ist dann eine Verwirrung, eine Verdunkelung des Menschen, damit eine den Menschen zum Leiden und Scheitern führende Macht. So auch erscheint sie bei Shakespeare. Die Franzosen zeigen sie in ihrem Verhältnis zu ihrem Gegenspieler, der Vernunft, treten für das Recht der Vernunft ein, wenn sie auch für die Verhängnisse der Leidenschaft offen sind. Im Sturm und Drang, im Gegenschlag gegen eine Rationalisierung des Menschen in der Aufklärung und zugleich in einer Säkularisierung positiver Gefühlspositionen christlicher Religiosität kann es kurz scheinen, als sei Gefühl, Leidenschaft das eigentliche Sein des Menschen, und als müsse man, um den wahren Menschen darzustellen, ihn darstellen als den Fühlenden, den Menschen der Leidenschaft. Doch behält die Leidenschaft auch hier ihre tragische Funktion, und Goethe zeigt in seinen Leidenschaftsnaturen ihre Gefährdung auf und ihren Untergang.

Damit ist Leidenschaft nicht das eigentliche Thema des tragischen Dichters, doch ein Thema von mehrfacher Bedeutung für die tragische Darstellung. Leidenschaft ist tragische Macht, ein Element, das zum Untergang des Menschen führt. Sie ist ein für die Erhellung vorzügliches Moment, weil sie sich als ein für den Menschen Verhängnisvolles erweist. Sie ist zugleich ein für die Vorstellung fruchtbares Moment. Kann der Dichter den Menschen in seinem Wollen sich nur aussprechen lassen, kann er oft nur mehr das Gedachte geben als den Denkenden, so kann er den Fühlenden ganz vorstellend vergegenwärtigen. Hierbei braucht er sich nicht auf das Gefühl selbst zu beschränken – dies wäre lyrisch – sondern eben der fühlende Mensch bietet sich der Vorstellung dar. Durch das Gefühl wird die Sprache in ihrem Ausdruck gesteigert, und im mimischen Spiel entäußert das Fühlen sich in dem Sichtbaren der Gebärde. Das Denken ist wie ein Sichablösen von dem äußeren Menschen, Kontemplation, Versunkenheit; das Gefühl hingegen tritt als innere Kraft nach außen. Der Denkende verinnerlicht sich, der Fühlende äußert sich.

Hierauf, auf solche Entäußerung, kommt es dem Dichter in der Vorstellung der Leidenschaft an. Leidenschaft soll der für die Vorstellung fruchtbarste Zustand sein; so ist sie auch der fruchtbarste Zustand für das durchführende Darstellen. Der Dichter kann einen Leidenschaftszustand am suggestivsten vorstellig, damit die Aktion der Leidenschaft und ihre Reaktionen dem Zuschauer am eingängigsten machen. Nachdem Lessing seinen Prinzen von Guastalla in seinem Leidenschaftszustand zwingend gezeigt hat, macht er dem Zuschauer eingängig, daß dieser Prinz, in seiner Leidenschaft plötzlich vor ein Hindernis gestellt, dieses zu überspringen versucht. Hat der Zuschauer die Vorstellung von der Unbedingtheit der Liebe zwischen Romeo und Julia gewonnen, so sind alle Handlungen, durch die sie diese Liebe zu erfüllen versuchen, eingängig. Umgekehrt zeigt Hebbel an seiner Judith, daß aus dem Innern der Personen hervorgehende Willensimpulse bloß ausgesagt bleiben. Er läßt seine Judith sich fast einen ganzen Akt hindurch in dem Eigentümlichen ihres Innern explizieren. Nachdem sie dies getan hat, versteht man, was sie zur Rettung ihrer Vaterstadt tut. Doch reicht psychologisches Verstehen an zwingende und bezwingende Vergegenwärtigung nicht heran.

Damit dieses Zwingende erreicht wird, muß die Leidenschaft auch vorstellig gemacht werden. Judith kann sich nicht als dieser oder jener Mensch vorstellig machen, sondern sich durch eröffnendes Reden dem Hörenden nur klarlegen. Hierbei legt der Dichter einen Hauptwert auf den substantiellen Gehalt des menschlichen Inneren. Dies aber ist für die dramatische Darstellung nicht das Wesentliche. Die substantiellen Zustände des menschlichen Gemüts sind mehr für den Lyriker günstig, der hieran den Gehalt seines Aussprechens findet: das Gestimmtsein des Menschen durch die Macht der Liebe, oder durch die Natur, oder durch Gott. Sucht der dramatische Dichter die Leidenschaft, so sucht er schon statt solcher Erfülltheit durch Wirklichkeit die Selbstwirklichkeit des Menschen, er sucht den unbedingten Antrieb. In «Romeo und Julia» will Shakespeare nicht die Innerlichkeit der Liebe eröffnen. Er will sie nur als unbedingte Macht vorstellig machen. Dies leistet er nicht, indem er die Liebe eröffnet, sondern indem er Liebende zeigt. Romeo und Julia sprechen die gesellschaftliche Liebessprache ihrer Zeit mit einer fast geistreichen Tändelei. Doch wird dieses Sprechen, im Munde dieser Menschen, zum Ausdruck liebender Menschen. Nicht in der Sprache ist schon die ganze Liebe eröffnet, sondern sie wird Zeichen der Liebe zusammen mit den Spielenden, die sich hierdurch als Liebende zeigen. Darum sind auch echte Liebesszenen möglich, die das Sprechen zugunsten des Mimischen ganz zurücktreten lassen. So gestaltet Gerhart Hauptmann die Liebesszene zwischen Helene Krause und Alfred Loth. Die Liebe wird fast nur durch sprachliche und gestische Zeichen vorgestellt. Dies ist hier kein Mangel, da so, nur in anderer Stilprägung, doch ein Liebezustand suggestiv vorstellig gemacht wird. Hier anders zu verfahren, hätte für den Dichter auch zu einem Stilbruch und zu einer Minderung der poetischen Illusion geführt. Romeo und Julia können nur gesellschaftlich literarisch reden, Helene und Loth umgekehrt dürfen dies nicht. Ein Verstummen wird hier zum dramatischen Ausdruck.

Soll nicht der Zustand um seiner selbst willen, sondern nur der Antrieb durch ihn gezeigt werden, hat der Dichter seine Aufgabe erfüllt, wenn er diesen Antrieb zwingend vorstellig gemacht hat, so kommt es auch nicht auf den inneren Reichtum des Zustandes an, sondern auf dessen dynamische Kraft. Es können für den Dichter solche Gefühlszustände fruchtbar werden, die nicht sehr gehaltvoll aber sehr dynamisch sind. Fruchtbarer als die Liebe etwa sind Ehrgeiz, Herrschbegierde, Neid, Eifersucht, Zorn. Ihnen fehlt der innere Seelengehalt, in den sich die tragische Figur versenken könnte. Um so mehr sind sie Kräfte im menschlichen Gemüt, zur Tat und zum Widerstand.

Leidenschaft gewinnt hier die Bedeutung, daß sie nicht nur die Art eines Gemütszustandes anzeigt, sondern auch seinen Grad. Es kommt dem Dichter auf diesen Grad an. Auch so zeigen sich gehaltlosere Gemütszustände den gehaltvollen als dramatisch überlegen. Liebe gewinnt nicht, indem sie im Sinne des Grades zur Leidenschaft wird; es wird dies nicht als Mehrung der Liebe empfunden, sondern nur als Befangenheit des Liebenden in seiner Liebe. Eifersucht hingegen ist als Leidenschaft erst realisiert; aus einer möglichen Verfassung des Gemüts ist eine dies völlig beherrschende geworden. Damit wird Leidenschaft gesucht als diese mögliche Intensität, als dieses Beherrschtsein des Menschen durch ein Gefühl. Der Prinz von Guastalla braucht kein Liebender zu sein; um so mehr ist er ein Leidenschaftlicher; ebenso zeigt der junge Goethe im Weislingen, Clavigo, Fernando mehr Leidenschaft als Liebe. Das Eigentümliche dieser Gefühle ist dann ihr Grad. Der Dichter hat seine Figuren unmittelbar auf diesen Grad angelegt. Hier ist dies ein Grad möglicher Gefühlsbewegung, eine Fülle und Labilität des Gefühls, das sich zur äußersten Intensität steigert. Auch Gerhart Hauptmann gibt vielen seiner Figuren diese Steigerung. Doch kann diese Steigerung auch im Charakter angelegt sein als eine Anlage zur Erregtheit schlechthin; es liegt in diesen Charakteren etwas Cholerisches. Alle Gemütsbewegungen erreichen bei ihnen den Grad eines Affekts. Schon Ödipus ist der rasch Aufbrausende, der heftige Eiferer. Haß und Verzweiflung sind in Elektra und Medea zum äußersten Affekt gesteigert. Die Pietät der Antigone wird zu einem ganz subjektiven Affekt, mit dem sie zürnend ihrer weicheren und nachgebenden Schwester Ismene begegnet. Odoardo Galotti, der alte Miller, der Förster Ulrich in Otto Ludwigs «Erbförster» sind cholerische

Naturen. Doch auch die Regine in Ibsens «Gespenstern» sehen wir in einem äußersten Affektzustand, ebenso die Frau Krause gegen den ankommenden Loth. «Meist», sagt Petsch, «sind die Reden der dramatischen Personen in einem Erregungszustand gesprochen und erreichen leicht einen Höhengrad, den wir als ‚Affekt‘ oder ‚Leidenschaft‘ bezeichnen[9].»

Leidenschaft, Affekt sind grundsätzlich für die Vorstellung fruchtbar. Doch damit sie dies faktisch werden, muß der Dichter sie künstlerisch Vorstellung werden lassen. Sie müssen durch das Wort und durch die Pantomime sich vergegenwärtigen. Dies wieder muß geschehen mit Rücksicht auf die dramatische Darbietung, mithin darauf, daß sie durch die Rede des Schauspielers verwirklicht werden. Der Redeinhalt darf sich mithin nicht verselbständigen, es darf nicht nur die Leidenschaft selbst erscheinen statt der Leidenschaftliche, der Inhalt darf nicht selbständig lyrisch werden[10]. Hierzu neigt Goethe. Die Personen eröffnen sich genugsam im dichterischen Wort; der Schauspieler ist entweder mehr der Rezitierende oder nur ein Vergröbernder. Shakespeare hingegen malte das Innenleben des Menschen bewußt und kalt. Er gibt in der Sprache nur die Zeichen für die Rolle des Schauspielers. Dieser erst erfüllt des Dichters Wort mit Wärme und Gehalt. So befriedigt Goethe mehr den Lesenden, Shakespeare aber mehr den Zuschauer.

Im Sinne Shakespeares, wenn schon nicht mit den Mitteln des mimisch charakteristischen Stils, gestaltet schon der antike Dichter. Er gibt nicht den Affekt selbst, sondern von ihm ein Wortbild. Dieses Wortbild kann, rein als Inhalt betrachtet, ein klares, deutliches Aussagen des Affektzustands sein. In seiner Darbietung ist dieses Wort an den schönen idealen Stil gebunden; der Affekt kann mithin nicht zum Zerreißen des Sprechens, nicht zu Nachbildung oder gar zur Übersteigerung des bloßen Naturlauts führen. Wenn Teiresias dem Ödipus zu verstehen gibt, er sei von Sündenschuld befleckt, antwortet dieser:

*So kühn und schamlos schleuderst du das Wort hervor?*

Oder Antigone sagt zu Ismene:

*Nein, rede nur! Ich hasse mehr dich, wenn du schweigst*
*Und Allen nicht mit lautem Ruf es offenbarst.*

Hier gibt die Deklamation des Schauspielers, was der Rede für den Lesenden fehlt; er gibt der Rede die Dynamik des erregten Gefühls. Will der Dichter weiter steigern, so ist dies nicht durch eine weitere Dynamisierung der Rede möglich. Hierzu bedient er sich des musikalischen Ausdrucks. Ihn auch setzt er für die Verinnerlichung ein. Hierbei gibt er das gemessene tragische Versmaß preis, doch nicht, um die Stilganzheit seines Dramas zu zerbrechen, sondern um für ein gesanglich Schwingendes frei zu werden, für den musikalischen Ausdruck der Arie. Selbst ein Äußerstes an Raserei stellt sich so noch poetisch und musikalisch gebunden vor. In den «Troierinnen» des Euripides meldet man, die im Zelte Trauernden sollten heraustreten, die Griechenflotte werde bald abfahren. Darauf Hekuba:

> *Halt,*
> *Kassandra laßt nicht vor das Tor,*
> *Sie rast in Wahnsinn, Schande den Griechen.*

Doch Kassandra tritt heraus:

> *Zum Tanz, Zum Tanz.*
> *Heut schwing ich und spring ich*
> *wie einst zu des Vaters*
> *Triumphen ich sprang.*
> *Ho, holla ho.*
> *Der Tanz ist frommer Gottesdienst,*
> *Apollon, tanze vor.*

Für den erfüllteren Liebeszustand bedient sich der Dichter voller ausschwingender Verse: Phädra spricht ihren Liebeszustand so aus:

> *Ach, könnt' ich mir schöpfen aus rieselndem Quell*
> *hellströmenden Wassers erquickenden Trunk.*
> *Ach, könnt' ich mich lagern auf blumiger Au,*
> *im Schatten der Pappeln: da käm' ich zur Ruh.*

Auch hier ist die Ergänzung durch die Musik vorauszusetzen. Der Gebrauch des ‚Ach' ist nicht lyrisch, d. h. es ist nicht hineingeschmolzen in eine lyrische Rede, sondern dramatisch, ein in seiner Stoßkraft gewahrtes Sprachzeichen der Trauer.

Für Shakespeare wird entscheidend, daß seinem Drama diese Steigerung ins Musikalische fehlt, er aber auch nicht an den ideal schönen Stil der Antike gebunden ist. Er findet in seinem Raum den betont mimisch charakteristischen Stil vor, der wesentliche Teile des dramatischen Inhalts schon durch Aktion im Raum, durch Gestik vermitteln konnte. Die ersten nach Deutschland kommenden englischen Schauspielertruppen mußten und konnten ihr noch englisch gesprochenes Spiel dem deutschen Zuschauer durch ihr Agieren selbst verdeutlichen. Doch auch das Sprechen selbst wird jetzt mimisch charakteristisch gestaltet. Die Rede wird von der antiken Bindung frei; der kürzere Blankvers begünstigt diese freiere Rede. Er ist mimischer, nicht deklamatorischer Vers. Othello spricht auch seine Eifersucht unmittelbar aus, doch mit eigner dynamischer Stoßkraft,

> *Sie ist dahin! — Ich bin getäuscht! — Mein Trost*
> *Sei bittrer Haß.*

Da hier der Inhalt des Zustands nicht so rund ausgesprochen werden kann wie im antiken Drama, droht die Gefahr des kurzen, übersteigerten Ausrufs. Dies kann der Dichter vermeiden einmal durch Hineinnahme der Reflexion in die Affektrede. Da ihm der Chor für diese Besinnung fehlt, so liegt es nahe, in der Rede, die Geschehen und Zustand malt, die Besinnung mitzugeben. Ein Inhalt der Besinnung kann hier selbst zum Anlaß einer Affektäußerung werden. Othello etwa äußert dieses Gedankliche, daß in der Ehe der Gatte nicht Herr über das innere Trachten seiner Frau sei. Dies aber ist der Anlaß seiner Eifersucht; so wird diese Tatsache zum Inhalt der Affektsprache:

> *O ! Fluch des Ehestands,*
> *Daß unser diese zarten Wesen sind,*
> *Und nicht ihr Lüsten !*

Ferner umgeht der Dichter das direkte Aussprechen und die Reduktion auf den Affektschrei durch das Sprechen im Bilde, das zugleich den Zustand prägnant verdeutlicht. Othello fährt fort:

> *Lieber Kröte sein*
> *Und von den Dünsten eines Kerkers leben,*
> *Als daß ein Winkel im geliebten Wesen*
> *Für andre sei.*

Der Dichter des realistischen Dramas hat zu erwägen, wie er die Affektsprache poetisch ausbildet, ohne daß er gegen den Anspruch realistischer Wahrscheinlichkeit verstößt. Lessing verfährt in seiner «Emilia Galotti» so, daß er die alte Affektrede nur in den realistischen Stil überführt, eine Synthese gibt von dem unmittelbaren Sprechen der Antike und dem ungebundenen Sprechen des charakteristischen Stils. Es hat sich der Claudia Galotti aufgedeckt, daß Graf Appiani Opfer eines Mordanschlags des Marinelli geworden ist. Sie entlädt ihren Zustand gegenüber dem Schuldigen: *Ha, Mörder ! feiger, elender Mörder ! Nicht tapfer genug, mit eigner Hand zu morden ; aber nichtswürdig genug, zur Befriedigung eines fremden Kitzels zu morden ! – morden lassen ! – Abschaum aller Mörder ! – Was ehrliche Mörder sind, werden dich unter sich nicht dulden ! Dich ! Dich !* Dies ist die alte Scheltrede in kunstvollstem Aufbau. Ein Zornausruf leitet die Rede ein, dann wird der Gegenstand des Zornes bezeichnet: der Mörder. Er wird genauer bestimmt: er ist elend. Dies wird durch die Antithese begründet: nicht tapfer genug, selbst zu morden, doch hinreichend nichtswürdig, für fremden Kitzel zu morden, morden zu lassen. Dies ist ein Lump unter den Mördern, der Gesellschaft ehrlicher Mörder nicht würdig. Diesem Logischen gibt die Sprachfreiheit des charakteristischen Stils den Schein unmittelbarer Lebendigkeit; Gedanke und Ausdruck werden jetzt in diesem Augenblick, mit jäher Unmittelbarkeit geboren, darum auch unverknüpft jeweils in ihren zentralen Inhalten entäußert. Hierdurch ist auch das Impulsive des Affekts gemalt. Dem einleitenden «Ha» entspricht das beendende «Dich! Dich!». Die Affektbewegung, nachdem sie sich expliziert hat, steigert sich zu dem letzten Ausbruch einer reinen Aggression.

Dem naturalistisch werdenden Realismus scheint dieses Literarische nicht mehr tragbar. Zunächst verbreitert man gegenüber dem Aussprechen den Sektor des mimischen Zeigens. Schon bei Lessing ist die Leidenschaft des Prinzen von Guastalla weit mehr aus dem Gesamten seines Sichverhaltens zu ersehen als durch bekennendes Sprechen zu hören. Othello spricht sich noch in seiner Eifersucht aus; Hedda Gabler hingegen in Ibsens Drama verrät nur ihre Eifersucht durch die Art ihres Sichverhaltens. Sie gibt sich gegenüber der Frau, die nicht wissen kann, daß sie die Ursache heftigster Eifersucht ist, als Freundin, sie wühlt bewundernd in deren Haar, doch mit einer Heftigkeit, daß es diese schmerzt. Sie bringt das Manuskript des Werkes an sich, das dem von ihr geliebten und an diese Frau verlorenen Mann mit Hilfe dieser Frau gelungen ist; sie verbrennt es, indem sie es, Blatt für Blatt, in das Feuer des Kamins wirft. Was in ihr vorgeht, verrät sich nur in kurzen abgebrochenen Affektäußerungen. *Nun verbrenne ich dein Kind, Thea! Du Krauskopf, du!* ... *Dein Kind und Eylert Lövborgs* ... *Nun verbrenne, nun verbrenne ich das Kind.* Auch diese Rede ist bewußt aufgebaut: zuerst spricht Hedda Gabler die Tat aus, dann spricht sie ihre Nebenbuhlerin an mit dem körperlichen Vorzug, durch den Thea dem Lövborg gefallen hat, dann erweitert sie die Aussage auch auf Lövborg, dann tritt in den Mittelpunkt das Kind, durch dessen Vernichtung sie sich an der Frau wie an dem Manne rächt. Nur gestaltet hier Ibsen die durchschnittliche Lebenssprache durch literarischen Aufbau, er gebraucht nicht inhaltlich eine Sprache der Literatur.

Man hat Ibsens Kunst betont psychologisch gefunden[11]; doch wird so Ibsens Verfahren nur verkannt. Ibsen ist Psychologe in dem Sinne, wie jeder Dichter Psychologe sein muß, d. h. er muß mit dem Menschen und seinem Seelenleben ursprünglich vertraut sein. Im übrigen ist die Aufgabe des Psychologen von der des Dichters grundsätzlich verschieden. Der Psychologe erforscht des Menschen Seelenleben; der Dichter stellt des Menschen innere Wirklichkeit dar. Er kann darstellen, indem er den Menschen mehr unmittelbar sich eröffnen läßt; dies ist die Darstellung, die zuerst die antiken Dichter ausgebildet haben; oder er stellt dar, indem er durch den sichverhaltenden Menschen dessen Inneres sichtbar macht; dies ist das realistische Verfahren, das Verfahren Ibsens. Hier ist der Dichter nicht der Psychologe, sondern der Darsteller; er verfährt hier dem Psychologen entgegengesetzt. Der Psychologe erschließt an äußern Zeichen das innere Leben; der Dichter sucht für inneres Leben äußere Zeichen. Hierdurch mutet er auch weder dem Schauspieler noch dem Zuschauer eine mehr psychologische Aufgabe zu. Denn der Schauspieler hat nur das verdeutlichende Zeigen des Dichters zu verwirklichen, und der Zuschauer erfährt durch solches Zeigen unmittelbar das Gezeigte. Es fehlt mithin die Richtung der Psychologie, daß aus dem Gezeigten das Sichzeigende erst erschlossen werden muß. Denn das Zeigen ist so gewählt, daß es erschließt, daß hierdurch die vorgestellte Person unmittelbar als erschlossene da ist. Dies kann auch nicht anders sein, da diese Figur nur die Wirklichkeit hat, daß sie Wirklichkeit zeigt, und sie nicht an sich selbst Wirklichkeit ist, die erst erschlossen werden müßte.

Darstellung der Leidenschaften und der Affekte ist nur die eine Aufgabe des Dichters, und eine Aufgabe, die auf diese bestimmten Funktionen beschränkt bleibt: der Dichter zeigt hier Antriebe, zeigt sinnfälligste, vorstellbare Antriebe. Seine Hauptaufgabe aber ist hier nicht die Darstellung der Leidenschaften, sondern des Leidens. Er zeigt den dem Leiden verfallenden und den im Leiden sich entäußernden Menschen.

War es nicht die Aufgabe des dramatischen Dichters, den Menschen in dem Wesenhaften der Gefühlsbewegungen zu offenbaren, so trifft dies nicht für das Leiden zu. Denn die Leidenschaften erfüllen im Drama nur eine bestimmte Funktion, und der Dichter hat genug getan, wenn sie diese Funktion erfüllen: für die Vorstellung, daß dem Zuschauer der Geschehenszusammenhang vorstellig und zwingend wird, für die Erhellung, daß der Zuschauer Art und tragische Bedeutung der Leidenschaften sieht; das Leiden aber ist ein primäres Thema, kann im griechischen Drama das Thema schlechthin werden. Der Dichter erweist sich als tragischer Dichter, indem er den Menschen in diesem Zustand zeigt und offenbart. So verfährt er mit der Darstellung des Leidens auch nicht wie mit den Leidenschaften, daß er den äußersten Affekt, den Grad sucht, worin die Dynamik der Seelenbewegung alles gehaltliche Aussprechen überwiegt. Vielmehr ist hier eine Beruhigung, eine Mäßigung nötig. Das Leiden soll sich nicht zum Affekt steigern und hierin entleeren; es soll sich entfalten und sein Wesenhaftes offenbaren.

Dies vorausgesetzt verfährt der Dichter technisch nicht anders als in der Gestaltung der Affekte. Nur ist sein Ausdruck reicher, eröffnender. Die Griechen gelangten so zu dem Eignen der Pathosszenen, die weniger das Unglück selbst zu zeigen hatten, als den unglücklichen Menschen in seiner Entäußerung. Die Ausgestaltung ist wieder dem Stilganzen gemäß. Gerade in solchen Szenen mußte der musikalische Ausdruck dem Wort die volle sinnliche Wirklichkeit geben. Doch ist die Sprache hier seelisch reicher, lyrischer, innerlicher. Als Philoctet erfährt, daß Neoptolemos, dem er ganz vertraut hat, ihm nur den Bogen des Herakles abgelistet hat, ergeht er sich zuerst in der Affektrede des Zorns:

> *Du Höllenfackel! Scheusal du! O du Gespinst*
> *Aus List und Tücke! Welchen Frevel, welchen Trug*
> *Hast du an mir begangen!*

Dann aber quillt die Verzweiflung in ihm auf; er fühlt das Ganze seines Elends, er ergießt sich in lyrisch musikalischer Klage:

> *Du tiefhöhliges Felsengeklüft,*
> *Das mir Kühlung und Wärme bot!*
> *Also soll ich Gequälter nie*
> *Von dir scheiden, und treu verbleibst*
> *Du des Sterbenden Zuflucht?*
> *Weh mir! Weh mir!*

In gebundenerer Form, darum bildreicher und rhetorischer drückt Herakles bei Euripides seinen Zustand aus, als er entdecken muß, daß er im Wahn seine eignen Kinder getötet hat:

> *Weh mir! was karg' ich dann mit meinem Blut,*
> *Und schlug doch schon mein Liebstes, meine Söhne?*
> *Was sucht' ich nicht den Sturz vom jähen Fels,*
> *Was stoß ich nicht ein Schwert in meine Brust*
> *Als Richter und als Rächer meiner Kinder?*

Euripides gibt hier ein Muster tragischer Rede, die über Seneca zu einem Sprachgrund des humanistischen Dramas wird. Durch die Umsetzung in den mimischen

Stil wird teils das Sprechen auf Kraft- und Ausdrucksworte reduziert, teils wird die rhetorisch bildhafte Ausmalung barock gesteigert und dynamisiert. Dies erste entspricht mehr dem Primitiveren von Schauspieltruppen, die krasse und undifferenzierte Wirkung suchten. Shakespeare hat diese Sprechweise in den Rüpelszenen des «Sommernachtstraums» verspottet. In «Romeo und Julia» spricht vor der scheintoten Julia die Wärterin diese Sprache, hier als Zeichen ihrer Primitivität und zur Belustigung der Zuschauer:

> *O Weh! O Jammer – Jammer – Jammertag!*
> *Höchst unglücksel'ger Tag! Betrübter Tag!*
> *Wie ich noch nimmer, nimmer einen sah!*
> *O Tag, o Tag, o Tag, verhaßter Tag!*
> *Solch schwarzen Tag wie diesen gab es nie.*
> *O Jammertag! O Jammertag!*

Doch auch Graf Paris spricht nicht viel anders:

> *Berückt! geschieden! schwer gekränkt! erschlagen! –*
> *Fluchwürdiger, arger Tod, durch dich berückt!*
> *Durch dich so grausam, grausam hingestürzt!*
> *O Lieb', o Leben! Nein, nur Lieb' im Tode!*

Und der Vater Capulet selbst:

> *Verhöhnt! bedrängt! gehaßt! zermalmt! getötet! –*
> *Trostlose Zeit! Weswegen kamst du jetzt,*
> *Zu morden, morden unser Freudenfest? –*
> *O Kind, Kind! – Meine Seel' und nicht mein Kind! –*
> *Tot bist du! – Wehe mir, mein Kind ist tot,*
> *Und mit dem Kinde starben meine Freuden!*

Hier wird sichtbar, daß dem Dichter ein Schema des tragisch pathetischen Sprechens vorschwebt, wie es in den durchschnittlichen tragischen Stücken herrschte und durch dessen Anwendung die Rede sich als tragisch auswies. Es fordert hier ein leeres, affekthaftes Wiederholen bestimmter Grundwörter und -vorstellungen, die nur wie der Sprachstoff des sich zuerst mimisch vorstellenden Schauspielers sind. Shakespeare kann sich hier dieses Schemas so sichtlich bedienen, da die Personen selbst in bestimmter Äußerlichkeit bleiben sollen, einmal durch ihre Beschaffenheit an sich, dann aber auch in dieser Situation, in der der Zuschauer weiß, daß Julias Tod nur vorgetäuscht ist. So ist diesem Auftritt nicht ein Gewicht gegeben, durch das das Pathetische des Schlusses schon vorweggenommen würde. Auch der todbereite Romeo spricht stilistisch diese Sprache, doch ist nun der bloße Affekt zur Besinnung gemildert; so breitet sich das Innere in einem langen Monologe aus. Der Entschluß zum Tode wird voll ausgesprochen:

> *Komm, bittrer Führer! widriger Gefährt'!*
> *Verzweifelter Pilot! Nun treib auf einmal*
> *Dein sturmerkranktes Schiff in Felsenbrandung!*

*Dies auf dein Wohl, wo du auch stranden magst!*
*Dies meiner Lieben! – (er trinkt). O wackrer Apotheker!*
*Dein Trank wirkt schnell. – Und so im Kusse sterb' ich.*

Hier wird die leere Formelrede gefüllt durch die bildhafte Ausmalung. Der Tod, vorher als Wuchrer angesprochen, ist ein bittrer Führer. Romeo ist ein sturmerkranktes Schiff. Sein Tod ist ein Stranden. Hier wird nur Verdeutlichung gesucht; zugleich die Ausbreitung des Zustands in Sprache. Solche Bilder können rhetorisch pathetisch gesteigert werden; man sucht für die Bezeichnung des Inneren das Große, Mächtige, den gesteigerten Vergleich bis zur Hyperbel. Titus Andronikus spricht seinen und seiner Tochter Lavinia Schmerz so aus:

*Ersäuft das Feld nicht, wenn der Himmel weint?*
*Schäumt, wenn der Sturmwind rast, das Meer nicht auf*
*Und droht dem Firmament mit schwellendem Antlitz?*
*Und willst du Gründe noch für solche Wut?*
*Ich bin das Meer, hör' ihre Seufzer wehn!*
*Sie ist die Luft in Tränen, ich das Land:*
*So schwellen ihre Seufzer denn mein Meer,*
*Und ihrer Tränen Sintflut überschwemmt*
*In stetem Regen strömend mein Gefild.*

Solche Bilder des Ungeheuren, Dynamischen werden dynamisch gestaltet, als eine durchflutende Sprachbewegung.

Die Sprachgewalt der Dichtung Shakespeares ist begründet in dieser Pathossprache eines Euripides und Seneca, die er aus der humanistischen Übung aufgreift und mit barocker Dynamisierung meisterhaft ausbildet. Er besitzt hier nicht mehr Natur als ein Dichter neben ihm, sondern mehr Kunst, und besitzt Natur nur in dem Sinne, daß ihm für seine Kunst eine reiche und tiefe Erfahrung des Menschen verfügbar ist. Durch diesen Erfahrungsgrund bewahrt er sich vor dem technisch Artistischen, durch die Souveränität seiner Kunst vor dem Simplen des bloß Natürlichen, vor der Preisgabe künstlerischer Gestaltung vor der Natur und damit auch vor der Verkümmerung dieser Natur selbst, die nur durch die Mittel der Kunst wahrhaft erscheinen kann. Von hier aus gesehen ist Shakespeare nicht weniger kunstvoll als die Franzosen, und die Franzosen sind nicht weniger natürlich als Shakespeare. Es soll hier nur nicht der Mensch in einer letzten Entfesselung seines Innern, sondern stets noch humanisiert, ethisiert, oder, wie bei Racine, mehr als die fühlende Seele erscheinen; es soll im Ausdruck die Bildung herrschen und das Maß. Bildung und Kunst sollen hier ganz empfunden und als Vorzug genossen werden; Shakespeare entspricht nicht mehr dem verfeinerten Bildungsideal. Auch die deutsche Klassik kann Shakespeare nicht mehr erneuern, sondern schließt sich doch an das Geistige, Seelenhafte, Urbanisierte der Franzosen, nur mit stärkerem Rückgriff auf Sophokles an. Auch hier wird die Antike am gemäßesten erreicht, indem man sie als Kunstphänomen eigner Art erfährt. Man ringt jetzt mit der eigentümlichen Kunst der Griechen, man erneuert den Hexameter und den antiken sechstaktigen tragischen Vers. Man erreicht so wieder Sprachverwirklichungen jenseits der Barockisierung Shakespeares und der gesellschaftlichen Kunst der Franzosen.

Vor neuen Aufgaben steht auch hier der bürgerliche Realismus. Seine «Miß Sara Sampson» hatte Lessing noch auf pathetische Entladung abgestimmt. Es ist schon ein Unglückliches geschehen, alle in das Geschehen verwickelten Personen sind schon in einem Zustand des Leidens, und der Dichter läßt sie in ihrem Zustand sich entäußern, indem er das klassizistische Sichaussprechen der Personen im Vers nur in die Prosarede einer gebildeten Gesellschaft überführt. Die «Emilia Galotti» hingegen schreibt er als ein rasches Geschehensdrama, das für ein Sichentäußern im Gespräch und im Monolog keinen Raum läßt. Der Dichter bedient sich hier noch der alten literarischen Mittel, doch mit einer äußersten Komprimierung. Marinelli gibt der erregten Claudia Galotti zu bedenken, wo sie sich befände, im Palaste des Prinzen. Claudia antwortet: *Wo ich bin? Bedenken, wo ich bin? Was kümmert es die Löwin, der man die Jungen geraubt, in wessen Walde sie brüllet?* Das ist die alte Bildsprache, die den Zustand in einem prägnanten und dynamischen Bild verdeutlicht: die Mutter vergleicht sich mit einem Tier, zeigt damit das instinktiv Unwiderstehliche ihres Antriebs an, und mit einer Löwin, hiermit zeigt sie die Macht, mit der ihre Gegner zu rechnen haben. Die Rede ist wieder als unmittelbarer Affektausdruck gestaltet: zuerst greift Claudia den Hinweis auf den Ort auf, dann, daß sie diesen Ort bedenken soll, dann, in dem Bilde spricht sie aus, wie sinnlos dieser Hinweis für eine Mutter ist, die für ihr Kind kämpft.

Lessing sah seinen Fortschritt in der «Emilia Galotti» darin, daß es ihm gelang, von dem Drama der inneren Eröffnung des Menschen, von der nachwirkenden Form des klassizistischen Rededramas zum reinen Geschehensdrama zu gelangen. Sein größter Nachfolger hierin wurde später Ibsen. Der Sturm und Drang gibt zunächst diese Gewinne Lessings wieder preis. Ihm kommt es wieder auf den sichaussprechenden Menschen an. Besonders Goethe war durch sein mehr lyrisches Talent hierauf verwiesen. Es muß jetzt wieder Raum geschaffen werden für die breitere Entladung des inneren Menschen. Seinen «Clavigo», seine «Stella» schreibt Goethe als Dramen, in denen schon viel Unglückliches geschehen ist, worin die Personen schon anfänglich pathetisch gestimmt sind: Clavigo, der treulos geworden ist und das ganze von ihm verschuldete Unglück erfährt, Marie als Opfer dieser Untreue; Fernando, der Frau und Geliebte verlassen hat, und die Frauen in ihrem Verlassensein. Jede Besinnung einer Person auf ihren Zustand, jedes Zusammentreffen dieser Personen muß das Schmerzliche zum Aufklingen bringen. Ein neues, diesem Bedürfnis dienendes Element ist das Elegische. Man ergreift enthusiastisch Macphersons Ossian; man findet hier eine Dichtung, worin sich das Gemüt in seiner Trauer über ein Entschwundenes ausbreitet. Diese Gestimmtheit kann im Drama erscheinen in der Form des Monologs. Er dient nach ältestem Gebrauch teils der pathetischen Entladung, teils der Besinnung, teils der Formulierung von Absichten. So spricht Hamlet sich aus in diesem Ineinander von Leiden, Besinnen, Anklage über die ihm mangelnde Tat. Der Zustand überwiegt hier überall die Willensbewegung. Shakespeare etwa zeigt seinen Brutus in zwei Mono-

logen vor und nach der Ermordung Cäsars, doch jeweils zur Offenbarung des gemüthaften Zustands, nicht des Willens in seinem Werden und seiner Vollendung.
Das Elegische ist ein Pathetisches, das nicht durch die unmittelbar drängende Gegenwart, sondern dadurch bewirkt wird, daß diese Gegenwart ein Sichbesinnen
auf ein Verlorenes nahelegt. Götz kann sich vor Weislingen der gemeinsamen
glücklichen Jugend erinnern, Clavigo kann fühlen, um wieviel besser sein Zustand doch gewesen, als er noch der treue Liebhaber Mariens war, Marie kann sich
ihres Glücks mit Clavigo entsinnen, Cäcilia und Stella können in der Erinnerung
ihres Liebesglücks mit Fernando leben, und Fernando, im Anblick des Hauses
Stellas, die glücklichen Stunden mit ihr wieder aufleben lassen.

Schiller schließt sich an diesen Zug Goethes an. Er führt seinen Karl Moor in
die Heimat zurück, er kann ihn hier im Anblick der heimatlichen Fluren den Verlust von Jugend, Unschuld, Glück beklagen lassen. Auch sein Max Piccolomini
muß ein ihm nie beschiedenes Glück erfahren; er, der nur den Krieg, nur das
Lagerleben kennt, muß die Stätten des Friedens besucht und hierbei schmerzlich
das ihm Fehlende erfahren haben.

Solche erhöhte Besinnung schwächt das Unmittelbare des Pathetischen, fordert
mehr die Fülle der seelischen Innerlichkeit. Das Innenleben des Menschen wird
reicher und selbstwertiger entfaltet als zuvor; die Bindung an die dramatisch theatralische Funktion tritt zurück. In der Antike konnte diese Funktion der Rede nie
vergessen werden, schon indem sie der Sprachstoff für eine musikalische Steigerung ist; für Shakespeare ist unerläßlich, daß dieser Schauspieler dieser Rede zur
wirksamen Gestaltung seiner Rolle bedarf. Sein Romeo muß dramatisch theatralisch wirkungsvoll sterben, und nicht nur den Menschen in seinem seelischen Zustand vor dem Tode offenbaren. In ähnlichem Sinne pflegen die Franzosen die
Kunst des literarischen Worts. Sie erwarten nicht unmittelbares Sichoffenbaren des
Menschen, aber eine vollendete Kunst des urbanen Ausdrucks. Für Goethe wird
die Kunst des Ausdrucks nicht gleichgültig. Immer wieder wird von seinen Zeitgenossen die Harmonie und das Schöne, die Grazie und das Gefällige seines
Ausdrucks gerühmt. Die «Iphigenie» und der «Tasso» sind nicht hinreichend zu
verstehen ohne Beachtung des Musterhaften der schönen Poesie. Doch tritt dieses
Poetische mehr in den Dienst des seelischen Ausdrucks. Dringlicher als je zuvor
soll in der Poesie der Mensch sich schauen und fühlen. Der Mensch wird ebenso
stark akzentuiert wie die Kunst. Dies führt zu einem mehr lyrischen Ausdruck,
der am meisten wie ein Sichbekunden des Menschen ist. Der «Faust» ist in seiner
ursprünglichen vorweimarischen Konzeption reich an lyrischen Ergießungen und
wird um 1800 hierin vermehrt mit bewußterem Einsatz der Kunst. Schiller verfährt ähnlich in seiner «Maria Stuart», wenn hier die Heldin, aus ihrem Kerker
entlassen, sich im Park in lyrischem Enthusiasmus ergeht, oder in der «Jungfrau von Orleans», wenn hier die Heldin Abschied nimmt von ihrer Heimat.
Die Dramen nähern sich hier durch den Gebrauch von Reim und Strophe der
romantischen Poesie.

Auch da, wo das Pathos im Drange der Situation erzwungen wird, wird im
Ausdruck mehr die Entladung des Menschen betont. Hierbei wird die Ausruf-

technik des Renaissancedramas gewahrt. Stella hört von Cäcilie, daß diese die Gattin des Fernando ist. «Kommen Sie in Ihr Zimmer!», fügt Cäcilie, angesichts der tiefen Verwirrung Stellas hinzu. Stella: *Woran erinnerst du mich? Was ist mein? – Schrecklich! Schrecklich! – Sind meine die Bäume, die ich pflanzte, die ich erzog? Warum in dem Augenblick mir alles so fremd wird? – Verstoßen! – Verloren! – Verloren auf ewig! Fernando! Fernando!* In der besinnenden Rede, die die Mitte ausmacht zwischen dem bloß Affektiven, kehrt die Logik und der logische Aufbau Lessings wieder. Doch was bei Shakespeare oder Lessing Bühnensprache ist, soll hier doch zuerst Seelensprache sein; es soll mehr der Mensch in seiner Erschütterung vergegenwärtigt werden als der erschütterte Mensch in einer Sprechweise, die erschüttert. Das trifft auch für den Auftritt zu, der Stella vor dem Porträt des Verlorenen zeigt. Die Ausrufe sind als Seelenlaute gemeint: *Ich hasse dich! Weg! wende dich weg! – So dämmernd! so lieb! – Nein! Nein! – Verderber! – Mich? – Mich? – Du? – Mich? (sie zuckt mit dem Messer nach dem Gemälde) Fernando! (sie wendet sich ab, das Messer fällt, sie stürzt mit einem Ausbruch von Tränen vor dem Sessel nieder) Liebster! Liebster! – Vergebens! Vergebens! –* [12]

Im konsequenten Realismus wird der Dichter den Ausdruck gerne auf das in seinem Stoffe jeweils Mögliche einschränken. Hier herrscht die Milieustudie, und der Dichter hat seine Menschen mehr beobachtend oder doch so erfahren, daß er sich ganz in ein anderes Wesen hineinverwandelt hat. Wenn Hebbel und Otto Ludwig hier dem charakteristischen Ausdruck noch nahestehen, so sind sie auch von der Gefahr des Literarisierens bedroht. Ibsen wählt mit mehr Glück als Boden seiner Darstellung die durchschnittliche Sprache gesellschaftlicher Unterhaltung, die er hintergründlich macht, den durchschnittlichen Ausdruck zum Zeichen des Überdurchschnittlichen. Arno Holz und der Naturalismus suchen dieses Problem zu lösen zugunsten der Sprache des Lebens. Gerhart Hauptmann läßt sich in seinem pathetischen Ausdruck durch diesen Stil am wenigsten einfangen. Die Sprache des Lebens wird ihm zu einem Mittel, dem Menschen in seinem inneren Leben wieder freiere Entäußerung zu ermöglichen; so kann er im Pathetischen weit über Ibsen hinausgehen. Er überschreitet die Schranke des gebildet Gesellschaftlichen, das die Gestalten Ibsens fesselt. Durchschnittlich sucht er doch Stoffe und ein Milieu, in denen der Mensch als breitere Ausdrucksmöglichkeit gegenwärtig ist, nicht nur die Enge und Armut seiner Weber. Im «Friedensfest» erneuert er sogar das mehr durch innere Gegensätze sich bildende Geschehen und ein Spiel, worin der äußere Vorgang Anlaß zu seelischen Entladungen ist, in denen er mit dem jungen Goethe wetteifert. Er zitiert einen Satz Lessings, daß nicht nur dort Drama sei, wo der Dichter die äußere dramatische Aktion betone. Doch hat er in der pathetischen Entäußerung alles Literarische des Ausdrucks preisgegeben; er läßt seine Menschen ganz von sich aus sprechen. Das Lebensprinzip, daß die Menschen mehr vom Leben gelebt als durch ihre Vernunft reguliert werden, macht hier nun das Kunstprinzip der in der Affektäußerung zerrissenen Rede wieder möglich. Sie ist wieder in der alten Weise begründet, daß schließlich auch das Leben die Vernunft überwältigte; sie wirkt nur nicht mehr als sichtlich literarische Formung, sondern als Lebensausdruck. Doch auch das Grundsätzliche dieses Realistischen ist alt und letztlich doch nur ein Mittel der realistischen Illusion. Die Franzosen konnten ihre Personen im Vers literarisch sprechen lassen. Lessing schon konnte dies nicht in die Prosa des bürgerlichen Alltags übernehmen. Die Sprache sollte privat und oft lässig sein. Er gesteht die Mühe, die ihm diese Lässigkeiten bereitet haben, die Entliterarisierung der Sprache, ihre Verlebendigung durch unbewußte und floskelhafte Beiläufigkeiten.

Soweit im Realismus und Naturalismus einmal eine bestimmte Auffassung vom Wesen des Menschen und der Ausdrucksweise der dramatischen Kunst herrscht, kann der Expressionismus wenig später das Steuer herumwerfen. Er faßt den Menschen als das Vermögen betonter seelischer Expression auf und das Drama als eine Möglichkeit, dieses Seelische unabhängig von den Ansprüchen äußerer Realistik zugunsten eines Mehr an menschlicher Wirklichkeit und an künstlerischer Wahrheit zu entäußern. Hierdurch kann im Ganzen des Dramas eine dramatische Energie zurückgewonnen werden, die Möglichkeit der künstlerisch wirksamen Abbreviatur, die im Naturalismus vor der getreuen Ausmalung des Lebens verlorenzugehen droht. Dies trifft oft mehr für das Ganze der Gestaltung als für den Ausdruck des Leidens zu. Statt des Lebens im Menschen erscheint jetzt doch mehr die Seele, oft fast ein metaphysisch gestimmter Geist, mehr eine Seelen- und Geistesspannung statt eines vollen Menschen mit einem erfüllten Zustand.

# FÜNFTES KAPITEL

# DER ABSCHLUSS DER TRAGÖDIE

Die tragische Handlung ist nach Aristoteles ein Ganzes, mit festem Anfang, festem Ende. Dieses Ende ist dann erreicht, wenn eine Verwicklung, die der Inhalt des Geschehens war, sich ganz aufgelöst hat. Es darf nach diesem Ablauf nichts mehr zu erwarten sein, das noch wesentlich dem sich vorstellenden Vorgang angehörte.

Dieser Inhalt der Handlung führt zu einem Anspruch an die Fabel. Der Dichter hat sie auf diese Rundung hin zu gestalten. Es sei die Pflicht des Dichters, sagt Goethe, den Knoten bedeutend zu knüpfen und würdig aufzulösen[1].

Dies kann einmal geschehen durch eine gute Auflösung. Sophokles zeigt seinen Philoctet in einem schon großen Unglück. Er läßt ihn durch größeres Unglück bedroht sein, indem Odysseus und Achills Sohn Neoptolemos angekommen sind, sich Philoctets und seines Bogens zu bemächtigen. Der Knoten wird würdig aufgelöst, indem Herakles, vom Olymp niedersteigend, den höheren göttlichen Willen verkündet, der hier waltet: es soll dem Philoctet Heilung werden, ruhmvoller Anteil am Sieg über Troja, glückliche Rückkehr in das Vaterland. In Goethes «Iphigenie» löst sich der Knoten auf durch die Gesundung Orests und durch den Entschluß des Thoas, Iphigenie und die Ihren in ihre Heimat zu entlassen. Doch ist eine Auflösung auch das Scheitern des tragischen Helden. Hier wird das absolute Ende dadurch erreicht, daß der tragische Held vernichtet ist. Das sinnfälligste Zeichen für solches Ende ist der Tod, der keine Lösung im Dasein, keine Hoffnung auf einen späteren Ausgleich übrig läßt. Insofern ist es wie ein ideales Ziel des Dichters, dieses Ende zu erreichen. Dies muß einmal in der Logik der Geschehnisse liegen, damit der Held nicht, wie Lessing tadelt, am 5. Akt stirbt[2]. Ferner aber muß auch der Stoff, das Darstellungsmotiv solches Ende ermöglichen.

Wie weit der Dichter dies erstrebt und zwanglos erreicht, hängt noch mehr als von seiner Gesinnung von seinen Stoffen ab. In den antiken Stoffen wird einmal häufig ein günstiges Ende erreicht, für Orest, für Philoctet, für Alkestis und Admet, und es wird häufig ein festes Ende im Tode nicht erreicht. Doch ist hier zumeist der Held innerlich gescheitert. Das Schreckliche ist, daß er Schreckliches schon getan hat oder in diesem Geschehen tut und daß er dies ganz erleidet. So scheitert Ödipus, und dies symbolisiert sich durch seine Selbstblendung und daß er nun als blinder Bettler heimatlos herumirren wird. Doch auch Herakles ist gescheitert, der im Wahn seine Kinder getötet hat, auch eine Medea hat durch die Tötung ihrer Kinder tödlich sich selbst getroffen. Dejaneira, Herakles' Gattin, scheitert, indem sie dem Gatten im guten Glauben ein Gewand übersendet, das zaubermächtig seine Liebe erneuern soll, doch ihn auf qualvollste Weise tötet.

Der antike Dichter dramatisiert einen Stoff, durch den ihm die Art des Endes zumeist schon verbindlich vorgeschrieben ist. Zugleich korrespondiert dieser Stoff seinen Absichten. Es fehlt der Tragizismus, daß der Held immer scheitern müßte, auch das Bestreben, dem Ende mehr Entschiedenheit zu geben als der Stoff schon vorschreibt. Mehr auf dieses entschiedene Ende wird der Bearbeiter des geschichtlichen Stoffes geführt. Einmal wird dieses Ende oft schon mit dem Stoffe selbst gegeben, den der Dichter auch in dieser Rücksicht, mit Blick auf den scheiternden Helden wählt. Fehlt dieses Ende im Stoff, so liegt es in der Logik der Tragödie, daß der Dichter dieses Ende gleichwohl herbeiführt. Denn der geschichtliche Held scheitert mehr äußerlich als innerlich, mehr durch ein Verfehlen des von ihm angestrebten Ziels als durch eine Ungeheuerlichkeit, die ihn selbst vernichtet. Auch dies kann vorkommen, daß am Ende der tragische Held sich schon innerlich vernichtet fühlt: Richard III., wenn ihn sein Gewissen anpackt, Karl Moor, wenn er seine Laufbahn überblickt, doch wird hier nicht das Schreckliche eines König Ödipus oder Herakles erreicht. Ohne den Tod des Helden scheint doch ein Ausgleich oder ein Sichbehaupten noch möglich. Fiesco oder Wallenstein wären sogar glückliche Sieger. Auch ein Götz ist nicht sichtlich genug vernichtet, wenn er fortlebte. So läßt ihn der Dichter entgegen dem geschichtlich Richtigen eines vorzeitigen Todes als Folge des tragischen Geschehens sterben.

Vor ein Sonderproblem stellen die privaten Lebensgemälde. Hier ist nicht der Bereich, wo ein nicht natürliches Ende des tragischen Helden wahrscheinlich ist, zugleich ist bei der Art der Verwicklung ein festes Ende im Tod wünschenswert. Die Konflikte in diesem Raum sind oft mehr seelischer Natur. Ohne das Besondere des Endes fehlt hier leicht der befriedigende Abschluß sowohl dem Sinne wie der tragischen Wirkung nach. Ein nicht natürliches Ende aber führt leicht in den Bereich des Verbrechens, das an dem tragischen Helden verübt wird, damit ins Kriminelle statt ins Tragische.

Eine Möglichkeit ist, daß der Dichter dieses Ende durch Mächte herbeiführen läßt, die außerhalb des bürgerlichen Ordnungs- und Gesetzessystems stehen. Dies etwa ist die Natur. Sie kann nicht nur Lagen schaffen, sondern auch Katastrophen herbeiführen. Robert Guiskard ist schon anfänglich von der Pest ergriffen; es steht wohl fest, daß er ihr Opfer werden wird. Im «Friedensfest» kehrt Dr. Scholz als ein schwerkranker Mann heim. Er erleidet einen Schlaganfall, dem er erliegt. In Sudermanns Drama «Heimat» erleidet Oberstleutnant Schwartze einen Schlaganfall eben in dem Augenblick, da er die Pistole gegen seine Tochter erhebt. In «Es lebe das Leben» (Sudermann) muß die Heldin schwer herzkrank sein und durch Herzschlag enden. Des Dichters Aufgabe ist dann, dieses Natürliche mit der Lage, dem Charakter, dem Zustand, zu verknüpfen. Die Pest im Heere und Volke Guiskards und seine eigne Krankheit ist wie eine höhere Antwort auf seinen hybriden Vorsatz, um jeden Preis Konstantinopel zu erobern. In den Dramen Hauptmanns und Sudermanns führt die Situation zu besonderen Erregungen, die teils durch das Temperament dieser Personen gesteigert werden. Nicht nur Dr. Scholz, auch Oberstleutnant Schwartze setzt die Reihe cholerischer Väter fort, der letztere auch die Sittenstrenge, an die nun durch die Situation gerührt wird. Bei Hauptmann ist es das Herrische schlechthin, das auf Widerstand stößt und zu der tödlichen Erregung führt.

Dem körperlichen steht der geistige Tod nahe, der Wahnsinn. Im antiken Drama ist er der das Unglück Bereitende, er wird durch die Götter verhängt. Das Unglück vollendet sich hier durch das Erwachen, wie für Ajas oder Herakles. Der neuere Dichter gebraucht ihn als Folge des Unglücks, zur Begründung eines absoluten Endes. Bei Shakespeare wird Lady Macbeth wahnsinnig oder Ophelia. Schuld oder seelische Erschütterung sollen hier den Verstand zerbrochen haben. Hier trifft die geistige Zerrüttung nicht die Hauptperson, es wird nur das Ende einer Figur herbeigeführt, nicht des ganzen Spiels. Dieses Motiv dient hier mehreren Aufgaben. Es ermöglicht eine pathetisch ergreifende Szene, ferner kann es Lagen sichtbar machen, weitere Zusammenhänge motivieren. Ophelias Tod läßt das Unglück und das Verhängnisvolle um Hamlet wachsen, und motiviert auch die Haltung des Laertes, der nun an Hamlet den Tod des Vaters und der Schwester zu rächen hat. Seelische Not treibt auch Gretchen in den Wahnsinn; Otto Ludwig wiederholt dieses Motiv in der «Pfarr-Rose», Gerhart Hauptmann in der «Rose Bernd». Otto Ludwig zeigt, wie im Gefolge einer Intrige ein Mädchen seelisch zerbrochen wird, Goethe und Hauptmann benutzen das Motiv der unehelichen Mutterschaft. In allen diesen Fällen ist der Wahnsinn mehr ein poetisch symbolisches Zeichen für ein absolutes Ende. Ibsen gibt in den «Gespenstern» dieser poetischen Fiktion eine naturwissenschaftliche Begründung. Oswald Alving trägt durch die Ausschweifung seines Vaters den Keim des Wahnsinns in sich. Das Ende liegt hier schon durch diese unglückliche Erbschaft mit naturgesetzlicher Notwendigkeit fest, es ist nicht mehr die Folge der tragischen Handlung. Seinen tieferen tragischen Sinn erhält es, indem es doch mit dem Wesen des Menschen zusammenhängt und Schicksal des Menschen ausdrückt: die Schuld der Väter rächt sich an den Kindern. Mit der Handlung verknüpft der Dichter diese Verfassung Oswalds, indem er diesen Wahnsinn nur wie etwas Herandrohendes scheinen läßt, wie eine Disposition, auf die noch unglückliche Geschehnisse wirken müssen, damit sie sich aktiviert. Der Wahnsinn wird dann nicht durch das Geschehen verursacht, aber doch zum Ausbruch gebracht.

Die irdische Instanz kann auch ausgeschaltet werden durch Unglücksfälle. Sie müssen aus dem Geschehen hervorgehen, Ausdruck der Menschen und der Situation sein, die eben jetzt vorgestellt werden. Ibsen läßt seinen Baumeister Solneß enden, indem er beim Richtfest vom Turme seines Baues abstürzt. Dies ist Folge der ganzen Handlung, indem gezeigt wird, wie eine Frau, Hilde Wangel, auf ihn Einfluß gewinnt und ihn anreizt, selbst den Kranz an der Spitze des Turmes zu befestigen. Dies wird wieder für den alternden Solneß ein lebensbedeutender Schritt, durch den er sich als Baumeister wieder bestätigt sehen will. In Halbes «Strom» ringen beim Hochwasser feindliche Brüder auf dem Deich, sie stürzen in die hochgehenden Fluten und ertrinken. Auch hier ist das Unglück die Folge des Geschehens, des Zwists zwischen diesen Brüdern, der ein Thema der dramatischen Darstellung war.

Die Zahl der Fälle, in denen der Dichter sich solcher höheren Gewalten bedienen, in denen er sie mit dem Geschehen innig verknüpfen kann, bleibt doch beschränkt. Durchschnittlich wird ein als nicht natürlich empfundenes Ende durch eine Gewaltwirkung durch Menschen herbeigeführt. Soll dies nun kein Verbrechen sein, so liegt am nächsten eine vernichtende Tat des tragischen Helden gegen sich selbst. Er endet durch Freitod.

Die Fülle der Freitode im ernsten Spiel ist mit in dieser dramatischen Zweckmäßigkeit begründet, doch darf die tiefere und zwingende Motivierung nicht fehlen. Der Dichter kann hierbei mehr die Verhältnisse oder den Charakter betonen. Die Verhältnisse treiben den Menschen in den Tod. Dies wieder kann mehr ein Getriebenwerden oder eine bewußte Tat sein. Der getriebene Held sieht keinen anderen Ausweg mehr. Meister Anton hat seine Tochter Clara schwören lassen, daß sie ihm nie Schande machen werde, andernfalls er sich den Hals abschneiden will. Sie erwartet aber von ihrem Verlobten ein Kind, und die Umstände fügen sich so, daß sie von ihm verlassen wird. Das Eingreifen eines Freundes, der retten will, führt zu einem Duell, worin er und der Verlobte fallen. Der Tod scheint der einzige Ausweg. Hier soll der unlösliche Druck der Situation den Freitod motivieren. Es kann aber auch das jäh Erschütternde einer Situation sein, die plötzliche Aufdeckung von etwas Furchtbarem, die Einsicht in das Scheitern. So erhängt sich Jokaste. So flieht auch Helene Krause in den Tod (Hauptmann: Vor Sonnenaufgang). Eine Tat ist dieser Tod, wenn er als ein notwendiger Akt gesehen und ergriffen wird. Ajas will nicht entehrt leben. Othello sühnt eine Schuld, ebenso Mellefont, wenn er sich den Tod Saras zuschreiben muß, oder Don Cesar, wenn er seinen Bruder getötet hat. Doch kann nun auch die Lage etwas Auswegloses haben, etwas das Innere Zerrüttendes. Solche Lage klingt schon bei Mellefont an, wenn er letztlich doch zwischen zwei Frauen steht, und er vor einer Ehe mit Sara zurückschreckt. Noch härter stellt Goethe seinen Fernando vor die verlassene Gattin und die verlassene Geliebte zugleich (Stella), die Lage ist äußerlich lösungslos und innerlich zerrüttend. Ebenso wird Clavigo durch sein Verhältnis zu Marie Beaumarchais zerrüttet. Er hat sie verlassen; unter den Vorstellungen ihres Bruders bereut er, will zu ihr zurück, findet eine Todkranke, läßt sich unter dem Eindruck des Wiedersehens, seiner Schuld zu neuen Versprechungen hinreißen, wird bei kühlerer Besinnung wieder treulos, ja handelt verräterisch, ehrlos. Marie stirbt. Wenn Clavigo jetzt an ihrer Leiche dem Bruder begegnet, es zu einem Kampf kommt, so sucht hier ein schon Zerrütteter den Tod.

Schon bei Lessings Mellefont ist etwas Zerrüttendes verspürbar, das im Charakter selbst liegt. Er erlebt letzte Folgen des eignen Seins, einen Verfall an seine Lebensweise als Libertin. Noch mehr können Charaktere bei Goethe in sich selbst verletzlich sein, dieses Werthertum in sich tragen, das dem Anprall des Äußeren nicht gewachsen ist. Was bei Hamlet die Hellsicht, bewirkt bei ihnen eine Erregbarkeit und Labilität im Gefühlsleben, worin auch schon die Verirrung im Äußeren begründet ist. Clavigo mag als der ehrgeizige Schriftsteller Marie verlassen haben, die er jetzt nicht mehr als Hilfe, sondern mehr als Hemmnis auf seiner Laufbahn erfährt; Fernando aber ist von einer Gefühlsunruhe und einer Unklarheit getrieben, durch die er die Gattin verläßt, mit einer Geliebten lebt, auch diese verläßt, unklar wieder zur Gattin zurückstrebt. Er ist in sich, in seinem Weltverhältnis unauflöslich problematisch. Gerhart Hauptmann steigert das Gewicht dieses

Inneren; seine Helden sind sichtlich schwächer, sensibler, wehrloser, todesnäher. Sein Johannes Vockerath kann den Verlust der ihm wahlverwandten Frau nicht überwinden, weiß nicht, wie er aus dem Zwiespalt zwischen seiner Ehe und seiner Liebe sich befreien soll. Auch Gabriel Schilling steht zwischen zwei Frauen, ihn zerbricht das Furchtbare in diesen Verhältnissen selbst, das Schonungslose dieser Frauen, das Überspannte, Hysterische, das Niveau- und Würdelose, das ihn, den übersensiblen Künstler, doppelt tief treffen muß. An solchem Lebensekel geht auch Geheimrat Clausen zugrunde, angesichts der geheimen und offenen Unredlichkeit und Brutalität, mit der sich seine Familie seinem Verlangen nach einem späten neuen Glück entgegenstellt. Beim Fuhrmann Henschel ist es mehr die schlichte, ehrliche, die dem Egoistischen und Bösen dieser Welt nicht gewachsene Natur, die durch den skrupellosen Egoismus der Hanne Schäl in den Tod getrieben wird. Hier überall leben diese Personen schon in einer Nähe zum Tode, durch die nicht in ihnen das diesseitige Leben zu einem Nichts hin zerbricht, sondern sie sich in den Tod wie in etwas Bergendes, Rettendes sinken lassen.

Stirbt der Held durch einen anderen Menschen, so kann dies nur durch eine Bestrafung oder ein Verbrechen geschehen. Das eigentliche gerechte Bestrafen schließt sich als tragische Instanz aus; hier wäre der Held der Verbrecher, dessen Verbrechen Sühne fände. Wo dies vorliegen könnte, zeigt der Dichter das hier Geschehene als ein Verhängnis, und er stellt oft den so Handelnden über die Gerichtsbarkeit. Don Cesar als Mörder seines Bruders muß selbst zu seinem Richter werden. Wo Urteil und Hinrichtung stattfinden wie bei Egmont oder Maria Stuart, ist der Held mehr Opfer der angemaßten als das Objekt wahrer Justiz. Wo das Kriminelle sehr nahe rückt, wie in den «Räubern», übergibt Karl Moor sich selbst der Gerichtsbarkeit. Aus dem an ihm zu vollziehenden Rechtsakt wird eine freiwillige Sühne. Das möglicherweise kriminelle Problem, daß Ferdinand Luise vergiftet hat (Kabale und Liebe), wird durch den Tod Ferdinands aufgelöst. Es kann auch dem Zuschauer das Endergebnis vorenthalten werden. Man sieht nur, wie die Weber die Soldaten aus dem Dorfe verjagen, nicht mehr, womit sicher zu rechnen ist, daß doch am Ende das Militär die Oberhand behält (Hauptmann, Die Weber).

Wird der tragische Held Opfer eines Verbrechens, so lenkt teils der Dichter die Aufmerksamkeit von dem Täter ab. Sara wird durch die Marwood vergiftet; die Täterin flieht, und sie wird nicht angeklagt, nicht verfolgt. Wedekind läßt seine Lulu und die Gräfin Geschwitz unter den Händen eines Lustmörders enden. Er taucht auf, er verschwindet; das kriminelle Problem wird nicht berührt. Wenn Odoardo Galotti seine Tochter ersticht, so bleibt die kriminelle Seite dieses Falles offen; denn der eigentlich Schuldige ist der Prinz, der über diesen Fall zu Gericht sitzen muß. In Halbes «Jugend» ist Amandus, der beim Versuch, aus Eifersucht den Hans zu erschießen, Ännchen, seine Halbschwester, tödlich trifft, blöde und nicht zurechnungsfähig. In den «Gespenstern» muß man zwar annehmen, daß Frau Alving dem Wunsche ihres Sohns nachkommt, ihn zu vergiften, wenn er wahnsinnig wird, doch sieht man sie nur auf dem Wege hierzu, nicht mehr die Tat nicht die möglichen kriminellen Folgen.

Nun ist vielfach ein Ende auch ohne diesen Tod möglich; es kann der Symbol-
kraft dieses Ausgangs nur schaden, wenn der Dichter ihn gegen alle Wahrscheinlichkeit erzwingen will. Der Dichter kann sich mit dem Pathetischen begnügen,
das Ende kann auch eine Auflösung der Schwierigkeiten sein. Oder das Scheitern
ist auch sichtbar genug, ohne daß hiermit der Tod verbunden ist. Dies traf schon
für Ödipus zu, gilt aber auch für Frau Alving. Indem ihr Sohn untergeht, für den
sie alles Leiden auf sich genommen hat, um ihm das helle Bild des Vaters und des
Elternhauses zu erhalten, ist sie gescheitert. Ferner kann der Dichter seinen Helden
den Tod durchleben lassen, so daß er hier schon das Leben überwunden hat. Dies
zwingt Kleist seinen Prinzen von Homburg zu vollziehen. Er muß dieses Leben
überwinden, er lebt als ein Mensch fort, den der Tod verwandelt hat. Darum zählt
Hebbel dieses Drama unter die Tragödien.

# SECHSTES KAPITEL

# DAS DARSTELLEN

## GRUNDZÜGE DES DARSTELLENS

Erst mit dem Darstellen ist das Vorstellen vollendet, wenn das letzte Ziel das auf der Bühne als Spiel des Schauspielers sich verwirklichende Drama ist. Dieser allgemeine Grundsatz läßt noch Art und Grad seiner Erfüllung offen. Die antike sakrale, die neuere mimische, die moderne realistische Bühne stellen den Dichter vor verschiedene Darstellungsbedingungen. Auch bei gleichen Bühnenbedingungen ist ein verschiedener Gebrauch der Bühne möglich. Naturalismus und Expressionismus bilden für dieselbe Bühnenform. Doch benutzt der Naturalismus die Bühne zur Reproduktion einer möglichst dichten und getreuen Erscheinungswirklichkeit, während der Expressionismus von diesem Konkreten und Besonderen entschieden abstrahiert, diese Bühne entkörpert.

Die Gegenstände der dramatischen Schau sind der Mensch und seine Verhältnisse, ein Vorgang, der den Menschen als eine ihn bedingende Wirklichkeit umgreift. Diese Verhältnisse des Menschen können wieder Menschen sein, die den Menschen bedingen, aber auch Konstellationen, Situationen, die sich durch das Wirklichkeitsgefüge ergeben, in denen der Mensch steht, etwa durch die Pest, der Guiskards Heer und er selbst vor Byzanz erliegen. Auch können höhere Mächte Gegenstand der Darstellung sein, wenn der Vorgang den Bereich des bloß Irdischen überschreitet. Hier treten Probleme auf für die erhellende Darstellung, für das unmittelbare Aufzeigen von Mächten, die die eigentliche auch im irdischen Geschehen wirkende Wirklichkeit sind.

Der antike Dichter bildet bewußt und betont den schaubaren Vorgang aus. Schon Aischylos verfährt so, etwa in den «Persern». Auf der Bühne steht der Chor der Getreuen, Greise; sie sprechen ihre Befürchtung aus über den Zug des Xerxes nach Griechenland. Atossa, die Witwe des Dareios tritt hinzu. Sie berichtet einen Unglück kündenden Traum. Nun tritt auch ein Bote auf, der den Untergang der Perser bei Salamis berichtet. Atossa geht mit dem Boten ab, um Opfer vorzubereiten. Sie kehrt zurück, opfert am Grabe des Dareios, Dareios erscheint ihr. Nach dem Opfer geht sie ab. Am Ende tritt der geschlagene Xerxes auf. Dieser räumliche Vorgang ist räumlich gestaltet. Während des Opfers umgehen die Greise mit Beschwörungsgesängen das Grab. Der auftretende Bote wird vorher schon gesehen: ein Greis, in die Sonne blickend, erklärt, daß er einen Perser herannahen sehe. Ebenso bildet Sophokles seinen «König Ödipus» als räumliches Spiel mit festen räumlichen Bezügen aus: die Szene vor dem Königspalast, vor dem Palast ein Altar, an dem Altar Volk, das um Rettung fleht. Im «Ödipus auf Kolonos» können diese Züge durch des alten Ödipus Blindsein noch gesteigert werden. Die Art der Darstellung wird nicht durch die Blindheit bedingt, sondern die Blindheit ermöglicht diese Darstellung. Ödipus tritt von Antigone geführt auf:

*Sag an, des blinden Greises Kind, Antigone,*
*Welch Land und welcher Männer Stadt erreichten wir? ...*
*So laß mich, Tochter, wenn du einen Ruheplatz*
*An Götterhainen oder offnem Weg gewahrst,*
*Dort niedersitzen, daß wir spähen, wo wir sind ...*

Antigone gibt Auskunft:

*Noch fern dem Auge, armer Vater Ödipus,*
*Erscheinen Türme, wohl der Stadt zum Schirm gebaut.*
*Hier aber seh ich deutlich, steht ein heiliger Hain ...*
*So neige hier die Glieder auf den rauhen Stein ...*
*Ödipus :   Wohl, setze mich und nimm den blinden Mann in Hut.*

Es wird erörtert, welches der genauere Ort der Rast sei. Man will sich erkundigen. Ödipus erwägt, er könne unbewohnt sein. Antigone bemerkt, er sei bewohnt:

*Denn eben zeigt in unsrer Nähe sich ein Mann.*
*Ödipus :   Sprich, einer, der hieher zu uns die Schritte lenkt?*
*Antigone : Und der bereits zugegen.*

Der Ankömmling, ein Koloner, fordert Ödipus auf, sich von seinem Sitz zu erheben, bevor er weiter fragt, denn er dürfe diesen heiligen Bereich nicht betreten.

Solche Rede exponiert die äußere und innere Situation des Ödipus, doch ist sie an sich selbst ohne poetischen Gehalt. Ein Hauptwert wird auf die rein faktische Ausmalung des räumlichen Vorgangs gelegt, auf ein Erblicken, ein Berichten des Erblickten, auf ein Niedersitzen, ein Aufstehn. Diese Bindung an den Raum bei offener Szene machte auch die Einheit des Orts zu einem zwingenden Bedürfnis. Denn wie im späteren Realismus ist das Spiel an diesen Ort gebunden, und der Ort ist nicht bloß die Spielfläche des Schauspielers. Man wechselte den Ort nur, wenn sich dies nicht vermeiden ließ.

Der nachantike Klassizismus erstrebt diese ideale Realität, doch ohne den Besitz der antiken Bühne, die allein sie so selbstverständlich ermöglichte. Darum sind klassizistische Dramen stets bedroht durch den Mangel an Bühnenschau. Es fehlt die sakrale Schaubühne, ihre repräsentative Darstellung, Chor, Gesang, Tanz. Auf die mimische Bühne, als Bühne des freien mimischen Spiels, sind diese Spiele nicht zu bringen. Der sinnenhaften Seite dieser Tragödie dient jetzt die Opernbühne, die Kasten- und Illusionsbühne, die dem Musikalischen das Optische hinzufügt. Der barocke Klassizismus, – besonders wie Gryphius ihn erstrebt oder auch Lohenstein, – rechnet auch mit dieser Bühne, mit ihren Sinnenwirkungen. Die Franzosen übernehmen mehr das Geistige und Literarische, auf einer grundsätzlich neutralen Bühne, auf der die Spannung der dramatischen Handlung herrscht und das literarische Wort. Das Spiel auch der antiken Stücke im Gegenwartskostüm, mit Perücke und im Reifrock, macht diese Dramen doch zu einer gegenwärtig gesellschaftlichen Repräsentation. Mit der echten Antike ist es kaum Ernst, dieser Kunstgesinnung entsprechend, daß man die Schülerschaft des früheren Humanismus überwunden und nun Eignes zu bieten habe. Zum Problem

wird dieses Drama ganz erst im deutschen Klassizismus, durch den Willen zur
reinen und echten Antike, zur reinen idealen Form. Goethe gelangt so in der
«Iphigenie» zum Seelendrama, das zwar alle tragischen Strukturen wahrt, aber
sie nicht mehr verkörpert. Schiller sucht in der «Braut von Messina» wieder das
an antiker Schau zu geben, was diese Gegenwart zuließ. Bei Goethe verschwindet
der räumliche Vorgang in der Seelenbewegung. Wenn Goethe seine Iphigenie so
sprechen läßt:

> *Heraus in eure Schatten rege Wipfel*
> *Des alten, heil'gen, dichtbelaubten Haines,*
> *Wie in der Göttin stilles Heiligtum*
> *Tret' ich noch jetzt mit schauderndem Gefühl ...,*

so malt er den seelischen Vorgang bei einer räumlichen Bewegung, gestaltet aber
nicht den bühnenhaften räumlichen Vorgang. Schiller dagegen zeigt eine Säulen-
halle; hier steht Donna Isabella inmitten der Ältesten von Messina. Sie beginnt:

> *Der Not gehorchend, nicht dem eignen Trieb,*
> *Tret' ich, ihr greisen Häupter dieser Stadt,*
> *Heraus zu euch ...*

Hiermit malt Schiller den räumlichen Vorgang. Nachdem Isabella zu den Greisen
gesprochen, diese sich entfernt haben, ruft sie den vertrauten Diego zu sich.

> *Diego : Was gebietet meine Fürstin?*
> *Isabella : Bewährter Diener! Redlich Herz! Tritt näher!*

Damit ist die antike repräsentative, die räumlich plastische Vorstellung des Vorgangs da. Hierzu gehören auch die Chöre, die durch ihr Dasein, ihr Auf- und Abtreten dem Spiel den Charakter einer repräsentativen Schau geben.

Nur bleibt fraglich, ob das richtige Prinzip zu einem ganz befriedigenden Ergebnis führt. Hierzu gehört doch eine andere Bühne, wie denn solches Spiel
auch nur auf einer Freilichtbühne im großen Raum sich ganz entfalten kann. Hier
wird zum Stil, was auf der durchschnittlichen Bühne Stilisierung bleibt. Schillers
Drama ist auf eine größere Dimension, auf einen anderen Schallraum berechnet,
als diese Bühne und dieser Zuschauerraum ihn bietet. Man versuchte in Weimar
die Bühne auf solche Idealität hin zu stilisieren. Grillparzer wehrte sich dagegen
und gestaltete seine klassizistischen Dramen nach dem mimischen Prinzip. Sie
sind Spieldramen, nicht repräsentative Schaudramen. Der Bühne von Weimar
warf er zuviel Philosophie vor, also zuviel Abstrahieren zugunsten der Idealität.
Immerhin blieb man in Weimar auf einer bestehenden Bühne. Goethes Verdruß
über Kleist entspringt auch der Ablehnung neuer Experimente, nachdem man nicht
eine beste, aber doch eine bestmögliche Lösung gefunden.

Goethe weist Kleist mit Recht auf Calderon, auf die mimische Bühne, hin, als
den einzigen Rückhalt jeder nachantiken Dramenproduktion, die ernstlich auf
eine Bühne will. Shakespeare besitzt diese Bühne in voller Ungebrochenheit, er
wahrt sie auch. Durch die Aufnahme der tragischen Form und der höheren oder

tieferen Redeinhalte spätantiker Überlieferung schränkt er sich nicht in der Freiheit dieses Mimischen ein. Hier herrscht ganz der Schauspieler mit seinem mimischen Spiel. Auch feste szenische Bauten sind hierfür nur Hilfsmittel. Romeo übersteigt die Mauer von Capulets Garten, oder ihm erscheint Julia oben am Fenster, oder er verläßt Julias Zimmer durch das Fenster.

Diese Freiheit des Mimischen geht bis um 1700 verloren. Die Kastenbühne wird nun der Schauplatz auch für diese mimischen Spiele. Sie entspricht dem neu aufkommenden Stoffgebiet, daß man das Leben der Gegenwart darstellt. Der Anspruch an realistische Illusion steigt. Seitdem ist die Bühne fortschreitend auf dem Wege, durch technischen Ausbau dieses Bedürfnis zu befriedigen, bis zu dem Gipfel im Naturalismus.

Damit sind auch antike Züge wieder da, die Bindung des Spiels an einen festen Raum. Die Regel von der Einheit von Ort und Zeit gewinnt ihren Sinn wieder durch diesen Darstellungsstoff und seine Darstellungsart. Shakespeares Stoffe selbst zwangen zu weitem Ausgreifen in Raum und Zeit. Das mimische Spiel, für das die Wirklichkeit des dramatischen Vorgangs eins war mit der Gegenwart der spielenden Mimen, konnte pausenlos ablaufen. Es war zu diesem Spiel stets ein neuer Ort hinzuzudenken. Dies war auch zwanglos möglich, da der Schauspieler um sich seinen Raum bildete, und er nicht eingefügtes Element in diesem festen Raum war. Dies nun wurde er zwangsläufig durch den realistischen Stoff, die realistische Illusion. Aufgabe ist es nun, die mimische Energie und die Schaubarkeit des Mimischen zu bewahren. Dies leistet Lessing seit seiner «Minna von Barnhelm». Er bildet das rasche dramatische realistische Prosaspiel aus. Die äußeren Bewegungsvorgänge sind so rasch und wechselnd, daß sie eine ruhige Konversation kaum zulassen. Es wird so ein dramatischer Stil begünstigt, zu dem auch die Franzosen schon gelangt waren, eine rasche Spielhandlung. Der Verzicht auf den ausladenden Vers, der Gebrauch der Prosa erzwingt dies noch mehr. Die Rede besitzt noch weniger Eigenentfaltung, sie muß noch mehr Element eines Spielvorgangs sein. Alle Voraussetzungen für die breite Entfaltung der antiken Rede sind verloren, doch fehlt nun auch die Freiheit eines sich an sich selbst vergnügenden mimischen Spiels. Der Vorgang ist wieder räumlich gebunden. Der Dichter muß versuchen, in diesen Schranken schaubares Spiel zu gewinnen.

Es besteht im ernsten Drama die Neigung, den Vorgang, nach dem Vorbild der Franzosen, in einem mehr innerlich Dramatischen zu belassen, das überwiegend auf Gestik und Bewegung des Schauspielers angewiesen ist. Lessing schreibt noch seine «Miß Sara Sampson» so. Auch Goethe bildet so im «Clavigo». Die äußeren Bewegungsmomente sind mehr die optische Stütze für einen Vorgang, der sich wesentlich als redende Auseinandersetzung vollzieht, und der, indem er in das Innere der Personen wirkt, Entäußerung ganz in der Rede bewirkt. So besucht Beaumarchais mit einem Freunde Clavigo, um ihm sein Betragen gegen seine Schwester und verlassene Verlobte Marie vorzuhalten. Er berichtet das hier Vorgefallene, als handle es sich um einen fremden Fall. Clavigo, dies hörend, gerät in größte Unruhe, Bewegung, Verwirrung. Schiller verfährt grundsätzlich in seinen «Räubern» nicht anders, obschon er mehr die Bühne im Auge hält. Doch ist dies die Bühne, auf der der durch den Mimen getragene dramatische Vorgang herrscht. Franz Moor dringt mit seiner Intrige auf den alten Moor ein, dieser wehrt ab. Dies alles breitet sich als Rede aus. Nun kann auch Franz Moor den Auftritt mit einem breitesten Monolog beenden, der fast schon eine Abhandlung ist. Auch Karl Moor und Spiegelberg eröffnen sich in ausgedehnten Gesprächen.

Der Dichter erschaut auch das Spiel als eine solche Bewegung miteinander oder gegeneinander agierender Personen. Schiller schreibt in «Kabale und Liebe» für seinen Ferdinand in seiner Auseinandersetzung mit seinem Vater dies vor: er tritt mit Schrecken zurück, er streckt die rechte Hand zum Himmel, er steht versteinert, er fährt auf, er will fortrennen. Von dem Präsidenten hören wir: er verbeißt seinen Zorn, er schlägt ein Gelächter auf, er klopft dem Sohne freundlich auf die Schulter, er tritt einen Schritt zurück, er richtet einen fürchterlichen Blick auf den Sohn.

Hier ist ein Bühnenspiel geschaut. Doch es ist überwiegend als diese Aktion erlebt, es ist darin wenig echte Regieanmerkung. Vieles ist selbstverständlich, ergibt sich aus der Rolle. Zudem ergibt sich dies aus der Rolle nur und man wird so nur spielen, wenn man im Stile der damaligen Bühne spielt. Im späteren Realismus wird man diese Gestik dämpfen. Man kann sie aber auch expressionistisch steigern. Manches ist nicht darstellbar, ein versteinertes Stehen, ein fürchterlicher Blick. Echte zusätzliche Geste ist nur, daß der Vater dem Sohn auf die Schulter klopft. Doch verliert das Spiel auch nichts, wenn er dies unterläßt. Denn der Vorgang wird durch die Rede schon völlig deutlich.

Wie der Bühnenvorgang hier verkörpert werden kann, zeigt Lessing. Maler Conti kündigt dem Prinzen an, ihm ein Portrait zu bringen, das Bild einer Schönheit. Der Prinz schwankt, ob er es sehen will oder nicht. Denn dem Ideal hier – er deutet auf die Stirn – oder vielmehr hier – er deutet auf das Herz – komme es doch nicht gleich. Hier ist die Gebärde nicht die körperliche Begleitung des schon im Wort vollkommen Vorhandenen, sondern die zu vermittelnde Wirklichkeit. Der Prinz ist kein Romeo. Erotische Leidenschaft ist ohne Seelenfülle, die sich gestalten ließe. Auch daß der Prinz zuerst auf die Stirn zeigt, dann aufs Herz, ist bedeutungsvoll. Emilia steht als Bild vor ihm, als dieser ihn anreizende Körper. Sie lebt nicht als Mensch in seinem Herzen. Das Zeigen auf die Stirn ist wie eine ungewollte, peinliche Entschleierung, die der Prinz durch das Deuten auf das Herz korrigiert.

Das Mimische, ganz auf sich selbst gestellt, führt leicht zur Übersteigerung, wenn es diesem Menschenausdruck dienen soll. Shakespeare kannte noch die Freude an der realen Schau. Hier konnte die Bühne noch unmittelbar der Raum des bloß Schaubaren sein. Kämpfe, Gefechte auf der Bühne wurden als wirklich empfunden. Der Schauspieler mußte fechten können, man freute sich an dem schaubaren Getümmel. Die Bühne befriedigte noch Bedürfnisse, die heute der Film übernommen hat. Das bedeutendere Menschliche aber konnte sich aussprechen in dem durch den Vers gestalteten Wort. Hierdurch wurde Ruhe, Repräsentation gewonnen und übertriebene Gestik vermieden. Das Prosaspiel besitzt diese Spannweite des Redens nicht. Das Drama verliert sich in Gesprächen, in

Konversation, in Seelenentladungen, oder es kehrt zum alten Mimischen zurück, so daß das drastische Spiel herrscht.

Hier kann man das Requisit einschalten. Es erlöst den Schauspieler von der Schwierigkeit, immer nur Innenbewegung zu entäußern. Es gibt ihm Stoff zu sachlicher räumlicher Bewegung, zu einem echt anschaulichen Spiel. Auch die Antike kennt es; schon Aischylos läßt Elektra am Grabe Agamemnos eine Locke des Orest finden. Doch soll dies hier weniger veranschaulichen, als die Erkennung vorbereiten. Das Requisit wird grundlegend wichtig erst für das höhere mimische Spiel, und zunächst um so mehr, je mehr noch die Freiheit dieses Spiels herrscht. Es ist das Hauptmittel zur Konkretion des Vorgangs, der sich, auf der Bühne Shakespeares, nicht in diesem festen Raum bewegt wie die antike Vorstellung. So entlarvt Hamlet den König, indem er diesem seine eigne Tat vorspielen läßt. Dieses Spiel im Spiel ist hier Requisit; es übersetzt ein möglicherweise bloß Inneres in das Schaubare. Shakespeare scheint sich der Gunst zu bedienen, daß die Schauspieler auftreten. Doch treten die Schauspieler auf, weil Shakespeare sie dramaturgisch braucht. Dieses Spiel im Spiel ist das gegebene Mittel, dem König zu entlocken, was er sonst nie preisgeben wird. Es bereichert auch das Bild Hamlets, der nicht nur Philosoph, sondern auch Kenner, Liebhaber der Künste ist. Dies fügt sich seinem Charakterbild zwanglos ein. Auch ist für ihn bedeutungsvoll die umständliche Sicherung vor der Tat, anstatt sie zu vollziehen. Der Auftritt aber ist von ungeheurer Spannung – das Spiel, das zugleich ein rückgreifendes Motiv ist, Vorgeschichte aufdeckt, der König, seine Reaktion, der lauernde Hamlet. Danach ist der Vorgang entscheidend fortgeschritten. Hamlet glaubt zu wissen, was er zu tun hat. Der König weiß, daß er sich wehren muß.

Lessing macht diesen Gebrauch des Requisits zu einem beherrschenden Zug seines ausgebildeten Realismus. In der «Minna von Barnhelm» versucht der Wirt, Just durch einen Danziger Lachs sich günstig zu stimmen. In diesen Schauvorgang, der schon die Handlung ist, kann als Rede eingeflochten werden, was der Zuschauer über die Voraussetzungen des Spiels wissen muß. So wird jede Rede über etwas vermieden. Die aufklärende Rede ist Inhalt des schaubaren Spiels. Wenn Tellheim den Just verabschieden will, so schreibt ihm dieser eine Rechnung, auf deren einer Seite das Wenige steht, was Tellheim ihm schuldig, auf den anderen das Viele, das Just Tellheim schuldet. Der Zuschauer wird über die Verhältnisse Minnas und Franziskas orientiert, indem der Wirt mit Schreibzeug und Formularen auftritt, sich an den Tisch setzt und umständlich die Personalien der soeben Eingetroffenen aufnimmt. Die ganze Handlung ist durchzogen von dem Requisit des Rings, der auch symbolische Bedeutung gewinnt.

In der «Emilia Galotti» führt Lessing dies beispielhaft durch. Der Prinz greift das Bittgesuch der Emilia Bruneschi auf. Der Maler Conti bringt das Bild zuerst der Orsina, dann der Emilia. Alle Gespräche geschehen anläßlich dieser schaubaren Aktion, als ihre Begleitung. Der Prinz kann in das Bild der Emilia versinken, er kann nicht mehr hören, was Conti sagt, Conti kann dies bemerken. Nachdem Marinelli berichtet hat: eine gewisse Emilia heirate heute – ergreift der Prinz dieses Bild, das zur Wand gekehrt ist, gibt es Marinelli, entreißt es ihm wieder, schleudert es in eine Ecke, wirft sich in seinen Sessel, springt wieder auf, stürzt sich in die Arme Marinellis. Das Requisit verhindert, daß das Spiel bloße Geste bleibt. Die Heftigkeit der Bewegung ist an diesem Gegenstand geknüpft und auch durch ihn hervorgerufen.

Der Gebrauch der Requisiten bleibt nun ein beherrschendes Darstellungsmittel für jedes realistischere Drama. Man lernt hier von Lessing. Goethe im «Clavigo» benutzt es noch wenig; hierdurch unterscheidet sich sein Drama von Lessings Emilia Galotti, deren Theaterschau er noch nicht erfaßt. Schiller verfährt in den «Räubern» kaum anders. Der Vorgang wird überwiegend durch die dramatische und seelisch bewegte Rede getragen. In der Intrige Franzens gegen Karl spielt dessen Brief eine Rolle, doch wird dieser nur vorgelesen. In der Szene zwischen Karl Moor und Spiegelberg hat Karl im Plutarch gelesen. Spiegelberg stellt ihm ein Glas Wein hin und trinkt selbst. Hier wird der Vorgang durch die Requisiten nur belebt, nicht getragen. Echtes Requisit ist der Brief Franzens an Karl. Karl liest ihn, erblaßt, schleudert ihn fort, stürzt ab. Die Zurückbleibenden nehmen den Brief auf, lesen ihn. Hier ist durch das Requisit der Vorgang getragen, Rede in Darstellung verwandelt. Ähnlich gewinnt die Eingangsszene in «Kabale und Liebe» ihre Körperlichkeit, indem Schiller dem sich erregenden und nur agierenden alten Miller dessen Frau entgegensetzt, die am Tische sitzt und ihren Kaffee schlürft. Wenn dann Wurm Luise nötigt, den verhängnisvollen Brief zu schreiben, wenn sie sich immer wieder sträubt, er ihren Widerstand bricht mit dem Bemerken, hierdurch rette sie ihren Vater – so gewinnt der Dichter sogar eine ergreifende Spielszene.

Die Abstraktheit des Klassizismus rührt oft auch daher, daß er auf Requisiten glaubt verzichten zu können, er die Rede dem schaubaren Spiel verordnet. Deswegen hält Grillparzer das Requisit auch hier fest. Kreusa hat auf der Laute gespielt, und dies hat Jasons Wohlgefallen erregt. Da ergreift auch Medea die Laute, sie versucht sich an ihr, doch vergeblich. Sie zerbricht sie. In diesem Bilde ist die ganze Medea da: ihr bester Wille, dessen Vergeblichkeit, ihre Verzweiflung. Die Laute ist nur das erste, das sie in diesem Zustand zerbricht. Die Lebensdarstellung des Naturalismus ist dramaturgisch betrachtet nur ein Spiel mit den schaubaren Requisiten, denn dies ist die Funktion seines Schaubaren. Im I. Akt der «Weber» wird Garn abgegeben und empfangen. In den «Einsamen Menschen» ist soeben eine Taufe vorbei, der Säugling wird herausgetragen. In «Vor Sonnenaufgang» will Frau Krause den Loth verjagen, den sie für einen Bettler hält. Im «Biberpelz» ist die dramatische Schau durch die Requisiten getragen, von denen der Pelz nur das hervorstechendste ist.

Zugleich besteht hier die Gefahr der dramatisch bedeutungslosen Schau. Requisiten ohne dramatische Funktion finden sich schon bei Goethe. Er läßt Götzens Buben Georg mit dem Küraß eines Erwachsenen auftreten. Dies ist eine mehr epische als dramatische Erfindung. Sie verdeutlicht das Wesen des Jungen nicht dramatisch, da sie kein Inneres aus ihm herauslockt, sie ist ohne Funktion in einem dramatischen Zusammenhang. Wenn Hamlet den Schädel des Yorick aufgreift, so kommt dies aus dem tiefsten Innern Hamlets und läßt ihn sein Inneres aussprechen. Goethes Erfindung als Handlung ist für den Epiker fruchtbar, Shakespeares Erfindung für den Dramatiker. Der Epiker vermiede den Hamletauftritt, da er nur Anlaß ist zur Entäußerung des Innern, während der verkleidete Georg sich uns episch vorstellt. Im «Clavigo» bildet Goethe den Zug Lessings nach: daß Clavigo, wie der Prinz, ein Blatt von dem Schreibtisch aufgreift. Doch geht von dem Blatt bei Lessing eine ungeheure Wirkung aus; hiermit aktiviert sich für den Prinzen seine Lage. Das Ende dieses Aufgreifens ist Emilias Tod. Clavigo nimmt nur seine eigne Zeitschrift auf. Ihm begegnet nichts aus dem Raum. Er könnte dieses Blatt seiner Tasche entnehmen. Er könnte auch nur davon sprechen.

Otto Ludwig will zuviel äußerlichen Realismus schon bei Schiller finden. Tell ist mit der Zimmeraxt tätig, Frau Hedwig mit häuslichen Arbeiten beschäftigt. Doch zeigt uns Schiller so den Gatten und Vater, der dann auch alles tun wird, um seine Familie zu retten. Mehr richtet sich dieser Vorwurf gegen Otto Ludwig selbst. Zu Beginn seines «Erbförsters» zeigt er, wie Tische in ein Zimmer getragen werden. Es soll die Verlobung gefeiert werden von der Tochter des Försters Ulrich mit dem Sohne seines Freundes, des Fabrikanten Stein. Insofern zeigt das Schaubare an, was geschehen soll. Doch ist es nicht in das dramatische Geschehen hineingezogen. Es fehlt das daran sich entzündende mimische Spiel, die Verdeutlichung des dramatischen Vorgangs selbst. Der Holzhüter Weiler muß dabeistehen und die Tatsachen der Exposition fast monologisch erzählen. Der Fabrikant Stein habe das Gut gekauft, auf dem die Ulrichs schon seit Generationen das Försteramt innehaben; der Freund sei jetzt als Herr dem Bett entstiegen. Bei Hauptmann in den «Webern» ist die Abgabe des Gewebten und die Ausgabe des Garns der dramatische Vorgang selbst. In diesem Geschehen selbst kommt die ganze Situation der Weber zur Anschauung. Hier wird dramatisch agiert und reagiert. Ebenso ist in den «Einsamen Menschen» die Taufe, ist damit Familie, Christentum die für Vockerath entscheidend werdende Situation; am Widerspruch zu ihr und im Zwiespalt zwischen diesem Milieu und seiner freien naturwissenschaftlichen Weltanschauung zerbricht er.

Sonst neigt der Realismus und Naturalismus zu selbstwertigen Darstellungen. Man bildet einfach das Leben ab, man sucht auf der Bühne einen Lebensvorgang, der für das Schaubare sorgt; hierbei wird denn gesprochen. Von Halbe sagt man, er habe durch sein Drama «Jugend» das Kaffeetrinken auf der Bühne zur Mode gemacht. Aber Annchen empfängt den Vetter und Studenten Hans als Gast. Kaffeetrinken und Kuchenessen gehören zum dramatischen Geschehen, zeigen auch konkret das innere Verhältnis der jungen Menschen und entwickeln es. Der behagliche Abend dann, an dem man ein Glas Wein trinkt, etwas aufspielt, dann ein Tänzchen macht, gewinnt sogar tragisches Gewicht. Es ist eine äußerste Fatalität der Situation, daß Pfarrer Hoppe, der Onkel, sich hier der eignen Jugend entsinnt, in Erinnerungen schwärmt, trinkt, selbst aufspielt, daß sogar der gestrenge Kaplan sich zu einem Tänzchen herbeiläßt. So bereitet sich die Stimmung vor, die den beiden jungen Leuten zum Verhängnis wird. – Vortrefflich ist auch im «Strom» die Erfindung, daß der älteste Bruder, von einer Schlittenfahrt heimkehrend, seinen Pelz dem jüngsten Bruder zuwirft, dieser ausweicht, mit dem Bemerken: er sei kein Hund – den Pelz zu Boden fallen läßt, sofort aber hinstürzt ihn aufzuheben, als des Bruders Frau dies tun will. Diese kleine Schauszene beleuchtet die ganze Situation – des Ältesten Herrentum, des Jüngsten, des Enterbten Haß, das Ausgleichende der Frau, die Liebe des Jüngsten zu dieser Frau. – Den dramatisch beziehungslosen Realismus bildet mehr der Dogmatiker Arno Holz aus. Beliebter noch als das Kaffeetrinken, das nicht überall stattfinden kann, ist das Rauchen. Arno Holz bildet diesen Realismus aus, der das Drama mit einem Drehbuch verwechselt. Er schreibt detailliert vor, wie eine Person während eines Gesprächs mit ihrer Zigarre hantiert, auch registriert er alle Geräusche, die vom Garten oder von der Straße her dieses Gespräch begleiten (Ignorabismus). – Kolbenheyer, der bemerkt: das Drama habe sich im 19. Jahrhundert von einem extremen Idealen zu extrem stofflicher Darstellung entwickelt, – sucht nun die Mitte, indem er einem bloßen Redevorgang eine optische Kulisse gibt. In «Das Gesetz in dir» muß es wieder ein etwas umständliches Anzünden von Zigarren und ein Rauchen sein, das die bloße Rede verbirgt; in «Jagt ihn, ein Mensch» hantiert man im Laboratorium mit Reagenzgläsern und unterhält sich hierbei über andere Dinge. Bei Gerhart Hauptmann hingegen verdeutlichen alle Schaubarkeiten den dramatischen Vorgang oder die Personen, und Beiläufiges und Überflüssiges wird nur zum Zwecke der absichtslosen Lebensvorstellung hinzugefügt, um das technische Gerüst zu verbergen.

Hier wird ein weiteres Problem fühlbar. Die Kastenbühne, der Anspruch auf realistische Illusion bindet den dramatischen Vorgang wieder an den festen Raum. Dies entspricht mehr der antiken Darstellung mit ihrer getragenen Breite als dem raschen mimischen Spiel. Es droht die Gefahr, daß der Vorgang realistisch festgebunden wird, das Spiel an den optischen Vorgang verloren geht. Sogar für den Film ist dieses konsequent durchgeführte Optische eines Bildes untragbar, er muß nun die Schau selbst dynamisch steigern, durch die Raschheit und Vielfalt der Bilder. Diese Bindung ist nicht zufällig genau mit diesem Realismus da. Die Regieanmerkungen in den realistischen Dramen eines Diderot wirken schon wie Angaben zu einem Drehbuch. Der optisch realistische Vorgang wird ganz ausgemalt. Die Rede ist wie ein Element dieses Vorgangs. Lessing weicht dieser Gefahr sofort aus, trotz seiner Nähe und Liebe zu Diderot, den er übersetzt. Sein Verfahren ist, den äußeren optischen Vorgang in raschester Bewegung zu halten. In der «Emilia Galotti» ist der Prinz sofort damit beschäftigt, die Papiere auf seinem Tisch zu sichten. Er liest das Bittgesuch der Emilia Bruneschi, gewährt es. Er klingelt nach dem Kammerdiener. Dieser tritt ein. Der Prinz befiehlt, Marinelli zu rufen. Der Kammerdiener geht, er kehrt sehr rasch zurück. Nach Marinelli sei geschickt; zugleich hat er einen Brief der Gräfin Orsina abzugeben. Nach kurzem Gespräch geht der Diener ab, tritt aber bald wieder auf: der Maler Conti bäte um die Gnade, den Prinzen aufsuchen zu dürfen. Der Diener tritt ab, Conti tritt auf. Er meldet, daß er das Bild der Orsina vollendet habe, ferner kündigt er ein zweites Bild an, das der Prinz betrachten möge. Da die Bilder noch im Vorzimmer stehen, muß Conti das Bild der Gräfin holen.

Dieses Geschehen nimmt im Text kaum zwei Druckseiten ein. Das Drama entfaltet sich als der rascheste schaubare Vorgang. Die Monologe, die des Prinzen
Inneres zeigen, bleiben damit kurz, wie natürliche Selbstgespräche, ein laut gewordenes inneres Sprechen in dieser Situation. Goethe übernimmt solche Fügung erst
in der «Stella». Der 1. Akt spielt in einem Posthaus. Soeben ist die Post angekommen, man hört den Postillon blasen. Die Postmeisterin tritt auf, nach dem Jungen
zu rufen. Dieser kommt, die Postmeisterin befiehlt, die Passagiere hereinzuführen.
Der Junge geht ab, Madame Sommer, ihre Tochter Lucie treten mit dem Jungen
wieder auf. Der Junge bemüht sich um Lucies Gepäck, sie weist ihn ab, verweist ihn auf die Mutter, dieser zu helfen. Die Wirtin begrüßt die Ankömmlinge,
sie entschuldigt sich, daß das Essen noch nicht fertig sei. Madame Sommer bittet
nur um ein wenig Suppe. Die Wirtin geht ab, hierfür zu sorgen. Der Postillon tritt
auf, er empfängt sein Trinkgeld. Später, nachdem die Damen den Raum verlassen
haben, tritt Fernando auf. Dem Posthaus gegenüber liegt die Villa Stellas. So
sind rasche Verbindungen zwischen Posthaus und Villa möglich. Fernando kann
an das Fenster treten, die Villa betrachten. Das Haus der verlassenen Geliebten
erregt ihn nun, wie den Prinzen Emilias Bild. Freilich gönnt sich Goethe hier die
innere Aussprache, das ihm naheliegende lyrisch Elegische. Doch ist dies nicht
bloße seelische Entäußerung. Eine Berührung aus dem Raum hat es angeregt. In
diesem räumlichen Spiel wird es ausgesprochen. Schiller gestaltet ähnlich seine
große Elegie Karl Moors.

Die Franzosen bilden nicht nur dieses räumlich gebundene Spiel, sondern auch
sofort einen eigentümlichen Bühnenrealismus aus. Sie besetzen die Bühne mit Requisiten, zwischen denen die Personen sich bewegen. In Diderots «Natürlichem
Sohn» ist die Bühne im 1. Akt «ein Saal, in welchem ein Klavier, Stühle, Spiel-
tische, auf einem von diesem ein Dame-Brett, auf einigen anderen geheftete Bü-
cher, auf der einen Seite ein Nährahmen und zuhinterst ein Kanapee zu sehen
sind.» Lessing dagegen begnügt sich mit einfacher Ortsangabe. Er betont und
wahrt so die Freiheit des Spiels. Später dann wird dieser französische Realismus
auch bei uns herrschend, besonders durch Gutzkow und Laube, die neu von den
Franzosen lernen. Bei viel Technik und Theaterroutine und wenig ursprünglicher
Lebensschau kommen verwickelte Theaterspiele heraus, sichtliche Bühnenkon-
struktionen.

Die Einordnung des Spiels in diesen realistischen Raum ist nicht nur eine Frage
der Technik, sondern der ganzen Wirklichkeitsdarstellung. Shakespeare läßt den
Menschen mehr frei den Mächten außer ihm begegnen. Diese realistischen bürgerlichen Spiele zeigen des Menschen Gelegensein in seinem natürlichen Raum, wie
ihm nun Schicksalhaftes auch hier begegnet, durch Fügungen, in denen die räumlichen Beziehungen von entscheidender Wichtigkeit sind. In der Darstellung tritt
das noch Symbolische Shakespeares zugunsten dieses Zusammenhangs zurück.
Bei Shakespeare können noch Hexen das Wirkende aus dem Umraum sein, oder
es kann Hamlet vor dem Geist seines Vaters stehen. Dies sind Zeichen für fatales
Gelegensein. In der «Emilia Galotti» ist dieses Schicksalhafte in eine Konstellation
im natürlichen Raum verlegt, daß etwa dem Prinzen gerade jetzt dieses Bittge-

such begegnen muß, oder daß Odoardo Galotti sich gerade entfernt hat, bevor Emilia auftritt und von ihrem Zusammentreffen mit dem Prinzen berichtet.

Fehlt dieser Sinn oder diese Kraft zum Lebenszusammenhang, so dringt die Theaterapparatur vor. Schon Lessing kritisiert die Anlage der französischen Stücke, die Neigung zur künstlerischen Verwicklung und Zuspitzung. Durch die Bindung an den Raum wird dies vermehrt. Nicht das Schicksalhafte menschlichen Gelegenseins zeigt sich dann, sondern die zufällige Fatalität dieses Räumlichen. Auch Otto Ludwig steht diesem Bühnenrealismus nahe. Förster Ulrichs Sohn muß in einer Schenke einschlafen, ihm muß hierbei eine Büchse mit einem gelben Riemen gestohlen werden. Mit dieser Büchse wird später ein Mensch erschossen. Der Schuß ist beobachtet worden, doch hat der Beobachter nur die Büchse mit dem Riemen erkannt, nicht aber den Schützen (Der Erbförster).

Wie der Naturalismus dramaturgisch betrachtet nur die alten Requisiten übernimmt und weiter ausbaut, so baut er auch diese Bühnenschau aus. Er will diesem Theaterrealismus, diesem bloßen optischen Theaterapparat, das Theatralische nehmen, er will statt dessen das Leben selbst auf die Bühne stellen. Hier kann die Schau, wie die Requisiten, mißverstanden werden, als handle es sich nicht darum, dem Theater den tragischen Sinn zurückzugeben, sondern nur um möglichst genau abgebildetes Leben. Die «Familie Selické» von Holz-Schlaf ist schon ein solches Gemälde. Holz baut dies später konsequent aus, in den Dramen «Sonnenfinsternis» und «Ignorabimus». Er bezeichnet das Eigentümliche jedes jeweiligen Sprechens, fixiert alles Optische und Akustische, das sich mit diesem Spiel verbindet. Die Folge ist eine Verlangsamung des Spiels, die zu dem sogenannten Sekundenstil führt. Das Sprechen zerfällt in sprachliche Lebensäußerungen, der Kommentar über das Sprechen überwuchert es selbst. Gerhart Hauptmann steht zu Holz, wie Lessing zu Diderot. Die naturalistische Sprechweise und der Wille zur realistischen Schau werden bei ihm nur Mittel zu neuer sinnenhafter Vergegenwärtigung des dramatischen oder tragischen Vorgangs.

Realismus, Naturalismus führen zum Film hinüber, zur Vorherrschaft des Optischen über das Akustische, der äußeren Darstellung über die Aufdeckung des inneren Menschen. Wie zuerst das Theater den Film leitete, so kann nun umgekehrt die filmische Vorstellung den Dramatiker leiten. Der äußere Vorgang herrscht; Umfang und Gewicht der Rede müssen sich ihm anpassen. Laube baut für seinen «Struensee» einen großen Theaterapparat auf, die Bühne stellt einen vielgegliederten und reich ausgestatteten Saal im Schloß zu Kopenhagen dar. Ein neuerer Dramatiker läßt das Spiel auf einer Landstraße vor Kopenhagen im Morgennebel beginnen (E. W. Möller). Dies ist filmisch gesehen. Entsprechend wird in diesem Raum auch mehr äußerlich Geschehendes optisch vorgestellt, eine Gruppe von Menschen, die den Wagen des Königs erwarten. Hierbei ist an Gespräch nur das Beiläufige möglich, das bei solchen Anlässen gesprochen wird. Dies ist nicht die Nacht, wie im «Hamlet», und nicht die Erscheinung eines Geistes wird schaurend erwartet. Es bleibt bei der optisch gesehenen Szene, bei dem hierbei Geäußerten, ohne Vertiefung und Hintergrund.

## DIE SCHAUBARKEIT DER EXPOSITION,
## DER DURCHFÜHRUNG, DES ABSCHLUSSES

Der Dichter hat das Geschehen zu exponieren und die dramatischen Figuren. Dort wie hier können Ansprüche an die Darstellung gestellt werden. Dort wie hier kann der Dichter mehr oder weniger anschaulich vorstellen.

Darstellende Exposition des Geschehens wird für den antiken Dichter nicht zu einem eigenen Darstellungsproblem, denn das Drama ist ursprünglich sich darstellende Schau. Wenn hier zu Beginn Götter auftreten, wenn sie Grundtatsachen des Geschehens aussagen, so sind sie nicht nur Vermittler des gesprochenen Inhalts, sondern stehen plastisch, körperhaft, als eine schaubare Wirklichkeit auf der Bühne. Dies trifft für die mimische Darstellung nicht im gleichen Maße zu. Der Mime suggeriert Wirklichkeit, indem er agiert, und der Dichter muß ihm möglichst viel Stoff für schaubares Spiel geben. Im realistischen Spiel tritt der Anspruch auf realistische Illusion hinzu. Es handelt sich um eine weitere Konkretion des Mimischen. Die realistische Wirklichkeit des Schauspielers soll hier nicht dazu führen, daß er nur Träger exponierender Konversation ist. Vielmehr soll die realistische Spielszene exponieren.

Doch ist Exposition nur durch Rede auch im Realismus sinnvoll möglich. Wenn Goethe im «Clavigo» Lessings Technik des Spiels nicht aufnimmt, läßt sich dies auch künstlerisch begründen. Lessing zeigt die sich entfaltende Lage, die aus etwas Keimhaftem, etwas noch nicht Daseiendem rasch Ungeheurliches bewirkt. Clavigo erliegt nicht so einem äußeren Verhängnis. Vielmehr gerät er in eine innerlich zerrüttende Situation, freilich durch das Äußerliche. Er hat Marie Beaumarchais verlassen. Er ist als Schriftsteller erfolgreich, aber nicht mehr einig mit sich selbst. Der ankommende, mahnende, drängende Bruder Mariens weckt sein Gewissen. Clavigo will zu Marie zurück, findet aber eine durch Krankheit Zerstörte. Er kann seine Absichten nicht erfüllen, er wird wieder untreu. Marie stirbt. So hat Goethe den Vorgang überwiegend in das Seelische hineinverlegt, in Clavigos zwiespältige Stimmung schon zu Beginn, in seine Erschütterung, Reue, in alle Gefühle des Wiedersehens, in sein neues Schwanken, seine Flucht. Das Verhängnis entsteht nicht in dieser Exposition, und es entfaltet sich nicht durch den harten Druck der Tatsachen. Ein Gespräch zwischen Clavigo und seinem Freund Carlos ist die kürzeste Form, den Zuschauer mit den Voraussetzungen bekanntzumachen. Ähnlich souverän lässig leitet Gerhart Hauptmann sein Drama «Vor Sonnenuntergang» ein. Man erfährt die Voraussetzungen des Stückes durch Gespräche anläßlich einer Gesellschaft. Auch hier wäre mehr technische Kunst dem Drama nicht förderlich.

Hier herrscht die bloße Rede ohne einen sie erfüllenden dramatischen Vorgang. Man kann solchen Vorgang zeigen, ihn aber nun in der Rede belassen. Der späte Ibsen leitet so seinen «John Gabriel Borkman» ein. Frau Borkman empfängt den Besuch ihrer Schwester. Es findet zwischen den beiden Frauen nur ein Gespräch statt, doch wird hier bei einem ruhigen Äußern im Innern leidenschaftlich gerungen. Die Schwester möchte den Neffen zu sich zurückführen, der durch das Unglück im Hause Borkman bei ihr aufgewachsen ist; die Mutter will den Sohn für sich behalten. Schon einmal haben die Frauen um einen Mann gerungen – um John Gabriel Borkman. Hier faßt das Gespräch einen Urkampf der Menschen in sich im Bereich der Urtriebe.

Ibsen gibt hier eine neue Fassung alter dramatischer und tragischer Szenen und Expositionsszenen. Hier liegen Gegensätze im Willen und Wollenmüssen vor, die spannungsreiche Darstellung ermöglichen. Dies klingt schon in Sophokles' «Antigone» an, im Gegensatz zwischen Antigone und Ismene. Zweck solcher Szenen ist die Ausdruckssteigerung durch geheimen oder offenen Affekt. Solches Dramatische des Gegeneinander bilden besonders die Franzosen aus. Lessing bedient sich dieser Fügung in der «Minna von Barnhelm», in dem Entgegenstehen von Just und dem Wirt. Schiller schließt sich mit den «Räubern», «Kabale und Liebe» an. Ibsen leitet so auch seine «Gespenster» ein, durch die Auseinandersetzung zwischen Engstrand und seiner Tochter Regine.

Solche Szenen können zu konkreten Schau-Spiel-Szenen ausgebildet werden. Hier herrscht nicht zunächst das dramatische oder tragische Gegeneinander, sondern der schaubare Lebensvorgang. Auch der antike Dichter kennt ihn. Im «Agamemnon» des Aischylos späht der Wächter vom Dache des Palastes nach den Feuerzeichen aus, die den Fall Trojas melden sollen. Knaben als Bittflehende umlagern den Altar vor Ödipus' Palast. Diese Szenen können wie selbstwertige Lebensbilder sein. Hierzu neigt Goethe, mit seiner mehr epischen Phantasie. Seinen «Götz» leitet er mit einer Szene im Wirtshaus ein; hier geraten Anhänger des Götz mit Anhängern des Bischofs von Bamberg in Streit. In der Eingangsszene des «Egmont» sieht man, wie die Bürger von Brüssel sich mit Scheibenschießen unterhalten. Doch soll Darstellung verbunden sein mit einem tragischen Sinn.

Auch die scheinbar dramatischen Auseinandersetzungen enthalten ihn. Im «John Gabriel Borkman» ringen die beiden Schwestern miteinander so, daß sie sich wechselseitig ihre Lage bereiten. Der Sieg der einen ist das Scheitern der anderen. In den «Räubern» bringt Franz den Vater in eine pathetische Situation und seinen Bruder in eine tragische Lage hinein. Deutlich ist dies in der Exposition der «Maria Stuart». Man dringt in die Gemächer Marias ein, erbricht hier die Schränke. So wird die Situation Marias unmittelbar veranschaulicht, zugleich deren Pathetisches vermehrt. Goethe hingegen im «Götz» gibt nur ein episch dramatisches Bild. Man erfährt Wichtiges zum Verständnis des Geschehens, daß Götz in eine Fehde mit dem Bischof von Bamberg verwickelt ist, daß dieser ihm einen Buben niedergeworfen hat, daß Götz hierfür im Begriff ist, des Bischofs mächtigsten Ritter, den Weislingen, gefangenzunehmen. Durch dies alles verdeutlicht sich ein im Gange befindliches Geschehen, aber keine tragische Situation. Goethe hat diese Streitszene der Eingangsszene von «Romeo und Julia» nachgebildet. Hier geraten Angehörige der feindlichen Häuser in Streit. Der Prinz tritt hinzu, er befiehlt bei Strafe der Verbannung, daß künftig jeder Streit unterbleibe. Damit demonstriert Shakespeare die gefährliche Lage, in der die Liebe zwischen Romeo und Julia aufblüht. Zugleich zeigt er die Verschärfung der Lage und schon den Keim des späteren Unglücks. Romeo wird getrieben, diesen Frieden zu brechen; er wird nun verbannt. – Im «Egmont» exponiert Goethe tragischer. Er verzichtet hier auf das dramatisch Epische, auf Gegeneinander und Getümmel. Hier herrscht nur ein Lebensvorgang. Doch erfährt man in ihm, und es vollzieht sich in ihm Entscheidendes. Die Statthalterin Margarete hat vierzehn neue Bischöfe eingesetzt, um die Niederländer besser zum alten Glauben zurückzuführen. Jetzt bereitet sich offener Aufstand vor. Margarete dankt ab, Alba kommt. Ihm wird Egmont erliegen. Schiller baut in diesem Sinne «Wallensteins Lager» zu einem großen tragischen Expositionsgemälde aus. Das Heer hat vernommen, daß sieben Regimenter abkommandiert werden sollen. Der Wachtmeister demonstriert das Entscheidende: wenn man einer Hand den Daumen nähme, so verstümmle man die ganze Hand. Er erhellt so schlagend Wallensteins Lage. Das Heer beschließt eine Resolution, daß es sich von seinem Feldherrn nicht trennen lassen will. Wallenstein empfängt sie später in einem entscheidendsten Augenblick, worin sie ein wesentlicher Antrieb wird, den Widerstand gegen den Kaiser zu wagen.

Wie weit der Dichter sich der suggestiven Darstellung bedient, wird auch von der Bauart des Dramas bestimmt. Lessing in seiner «Emilia Galotti» muß sehr sorgfältig verfahren, sehr einsichtig machen, denn von der Fügung im 1. Akt hängt alles weitere ab. Ebenso ist dies nötig, wenn am Anfang durch eine nicht so selbstverständliche Tat das geschieht, unter dessen Folgen der Held dann steht. Darum motiviert Shakespeare seinen Macbeth so genau – auch mit Einsatz der optischen Schau. Noch dringlicher setzt Schiller in den «Räubern» die Schau ein. Zwischen Karl und Spiegelberg läßt er noch das Gespräch überwiegen, macht so mit dem ganzen Zustand der jungen Leute bekannt. Dann kommt die Meldung: die Polizei sei den Geflohenen auf der Spur, zugleich trifft der Brief des Bruders ein. Karl, durch die Härte der Gläubiger in Leipzig verbittert, erwartet den Verzeihungsbrief des Vaters. Er nimmt den Brief, erbricht ihn, schleudert ihn von sich, stürzt ab. Roller hebt ihn auf, liest ihn vor. Inzwischen eröffnet Spiegelberg den Bedrängten seinen Plan, findet Zustimmung, doch fordert man Karl als Hauptmann. Karl kehrt zurück. Man sieht seinen Zustand pathologischer Raserei, man versteht ihn, man versteht, daß ihn die Aufforderung, Hauptmann einer Räuberbande zu werden, wie ein Ruf aus höherem Bereich ergreift, daß er ohne Besinnung folgt.

Noch genauer bereitet Kleist bei seinem Prinzen von Homburg vor, daß er in der Schlacht von Fehrbellin erneut und trotz ausdrücklicher Warnung des Großen Kurfürsten gegen dessen Befehl verstößt. Der Prinz hat, in somnambulen Traum versunken, sich in den Park des Schlosses verloren. Er sitzt hier auf einer Bank, einen Kranz windend. Graf Hohenzollern hat ihn, den Vermißten, den Gesuchten, gefunden, er hat die Hofgesellschaft, an ihrer Spitze den Kurfürsten, herbeigeholt. Der Kurfürst nimmt dem Prinzen den Kranz, flicht eine goldene Kette hinein, beauftragt die Prinzessin Natalie, dem Prinzen den Kranz zurückzugeben. Der Prinz steht im Traum auf, spricht Natalie als seine Braut, den Kurfürsten als Vater, die Kurfürstin als Mutter an. Der Kurfürst macht dieser Szene ein Ende, indem er sich mit der Hofgesellschaft rasch zurückzieht. Doch bleibt in des Prinzen Hand Nataliens Handschuh zurück. Hohenzollern weckt ihn auf. Der aus einem Traum zurückgebliebene Handschuh muß den Prinzen verwirren. Dann sieht man, wie Marschall Derflinger die Befehle für die Schlacht am nächsten Tage verliest. Auch die Damen sind anwesend, im Begriff abzureisen; die Prinzessin vermißt ihren Handschuh. Der Prinz bemerkt dies, er läßt den ihm zurückgebliebenen Handschuh fallen; der Handschuh wird entdeckt, und Natalie erkennt ihn als den ihren. Während dieser Vorgang abläuft, gibt Derflinger die Schlachtparole für den Prinzen aus. Man sieht und versteht, wie dieser so wichtige Befehl an dem Ohr des Prinzen vorbeigleitet.

Hier überall wird die Rede zugunsten der verdeutlichenden Schau vermindert. Georg Kaiser geht in «Von Morgens bis Mitternacht» so weit, daß er die Verführung des Kassierers nur als dessen stummes Reagieren zeigt, er also ganz durch das Schaubare motiviert. Die vornehme Dame betritt den Kassenraum, sie will auf eine Anweisung 3000 Mark. Ein Gehilfe geht mit dem Papier zum Direktor; dieser stellt fest: es liegt eine Anweisung auf 12 000 Mark vor, doch ist sie noch nicht bestätigt. Ein Laufjunge hat Geld abgegeben; er starrt so die Dame an, daß er die Barriere verfehlt und gegen einen Herrn rennt, der im Sofa sitzt. Dieser nimmt dem Jungen den Beutel ab, mit dem Bemerken: er wäre der Erste nicht, dem die Augen durchgehen, und der ganze Mensch rolle hinterdrein. Der abgegangene Direktor kommt nochmals zurück, erklärt dem stumm hantierenden Kassierer, die Dame sei wohl eine der modernen Sirenen, in ihr erscheine die ganze Verführung südlichen urbanen Lebens. Nachdem er gegangen, kehrt die Dame zurück, in gesteigerter Verlegenheit; sie legt ihr Brillantarmband ab, es als Sicherheit zu geben, verspürt dann wohl den Zustand des Kassierers, sie bemerkt, sie wolle die Bank nicht zu Leistungen veranlassen, die sie nicht verantworten könne, und bittet den Kassierer, ihr beim Wiederanlegen des Armbands behilflich zu sein. Der Kassierer ist hierzu unfähig, so bittet sie ein anwesendes Dienstmädchen um Hilfe. Nachdem sie gegangen ist, hebt das Dienstmädchen Geld ab; es bemerkt: es sei ihr zuviel ausgezahlt worden. Der Kassierer streicht auf Mahnung des Gehilfen von dem Geld wieder ein; das Mädchen bemerkt: es sei immer noch zu viel, und geht kopfschüttelnd ab. Der Kassierer schickt den Gehilfen und den Portier zum Wasserholen fort, steckt rasch eine größere Summe ein, die der Herr im Sofa soeben eingezahlt hat, und verläßt den Raum.

Trotz dieser Stummheit, vielleicht eben durch sie, motiviert Kaiser sehr sorgfältig, bedient sich statt der nur das Mögliche wahrscheinlich machenden Rede der weit stärkeren Überzeugungskraft durch die Schau. Dagegen bedarf der Dichter dieser Suggestion nicht, wenn alle tragischen Folgen schon bereit liegen und sich nur zeigen muß, daß und wie sie eintreten. Dies läge im «Clavigo» vor.

Die Schaubarkeit der Figur ist zum Teil schon begründet in dem körperlichen Dasein. In der Antike war dies mehr die repräsentative plastische Gegenwart, im mimischen Spiel ist dies mehr der Schauspieler in der ein Wesen kennzeichnenden Maske. Auch der Realismus, der Naturalismus hält diesen Zug fest, nur differenziert er ihn. Der auftretende Schauspieler kann einmal wie zur Summe aller dem Menschen möglichen Erscheinungsweisen werden, also auch seiner räumlichen, zeitlichen, ständischen Besonderheit. In diesem Allgemeinen ist er nochmals eine besondere Prägung, dieses jeweils bestimmte Individuum. Schiller, wenn er seine Personen vorschreibt, begnügt sich noch mit einem mehr inneren Wesen, das sich auch nach außen zeigt; er gibt Anweisungen für das bühnenhaft Mimische. Andreas Doria ist ein ehrwürdiger Greis von 80 Jahren, mit Spuren von Feuer. Ein Hauptzug ist: Gewicht und befehlende Kürze. Die Personen im Naturalismus sind genau beschrieben, im Typus, in ihrem Anzug, ihrer Art der Gebärdung. Sie sollen von außen nach innen gesehen werden, so daß dieses Äußere gleichsam sofort ihr Inneres ist und hier nicht ein Inneres nur in wenigen vereinfachten Zügen nach außen tritt. Doch soll auch der erfüllte innere Mensch nach außen treten, in seiner inneren lebendigen Wesenheit, der Mensch schlechthin und nicht nur sein Erscheinungsbild. Es ist dies nur durch ein dynamisches Sichzeigen möglich, nicht nur durch dieses statische Dasein.

Dieses Sichzeigen bildet erst der konsequente Realismus heraus. Lessings Charakteristik des Prinzen ist hierfür ein erstes kennzeichnendes Beispiel. Charakter, Zustand, jeweiliger Affektgrad werden nicht mehr ausgesprochen, sondern im Lebensbild gezeigt. Goethe im vielfigurigen Götz muß sich oft mit einer charakteristischen Gebärde oder Wortwendung begnügen. Lessing in seinem begrenzten Drama malt auch die kleinere Rolle sorgfältig aus. Am Ende des 1. Aktes in der «Emilia Galotti» tritt der Rat Rota auf. Er bringt Papiere zur Unterschrift, darunter ein Todesurteil. Der Prinz ist mit einem «Recht gern» zur Unterschrift bereit. Rota wiederholt: Es sei ein Todesurteil. – Der Prinz: es könne schon unterschrieben sein. – Der Rat mustert seine Papiere: er habe es doch wohl vergessen. – Sprechweise, Verhalten, Haltung, dies alles hörbar und schaubar gemacht, schaffen hier eine künstlerisch ausgebildete Rolle. Goethe nimmt dies in seine «Stella» auf. Die Charaktere verdeutlichen sich in ihren schaubaren Lebenszügen. Lucie, indem sie, selbst mit Gepäck beladen, den Jungen auf die Mutter verweist, die eine Schachtel trägt, ist fürsorglich. Der Junge, indem er dem jungen Mädchen eher hilft als der älteren Dame, besitzt nicht die feinste Erziehung. Die Tochter, die recht gute Brühe haben möchte, ist verwöhnter als die Mutter. Sie ist auch mit dem Geld sorgloser, indem sie dem Postillon ein größeres Trinkgeld gibt. Die Mutter, die dies rügt, trägt mehr Sorgenlast. Sie wünscht auch nur eine Suppe. Die Verhältnisse der Damen müssen beschränkt sein, denn Lucie soll ja in den Dienst der Stella treten. Die Postmeisterin, früh verwitwet, genötigt, einen Männerberuf auszufüllen, hat das leicht Übersteigerte einer Frau im zu männlichen Beruf. Ähnlich malt im Realistischen Schiller, nur mehr al fresco. Wie die alte Millerin ihren Kaffee schlürft, ist indolent, ja leicht stupid, während der alte Miller sich um so mehr und aus ernstestem Grunde erregt. Bei weniger Ernst wäre das Spiel lustspielhaft drastisch. Auch Wurms Inneres wird völlig schaubar gemacht. Man lädt ihn zu einem Täßchen Kaffee ein. Während er sitzt und den Kaffee trinkt, kann Frau Miller nicht unterlassen, ihm ihrer Tochter höhere Aussichten zu eröffnen durch die Neigung des vornehmen Kavaliers. Der alte Miller, von cholerischer Natur, schon erregt, fährt heftig gegen seine unkluge Frau los, um dann die Herrschaft über sich zu verlieren und Wurm gleichfalls als Schwiegersohn abzulehnen, wenn auch aus anderen Gründen. Wurm rückt, wie der Dichter angibt, unruhig hin und her, macht falsche Augen. Endlich überwältigt ihn die innere Erregung, die ihn bisher festhaltende Höflichkeit, er springt auf, greift nach Hut und Stock und eilt hinaus.

Im konsequenten Realismus wird selbstverständlich, daß die menschliche Beschaffenheit schaubar sein muß. Hedda Gabler klagt zu ihrem Mann: die alte Berte, das Mädchen, werde unordentlich, sie habe einen alten Hut auf dem Stuhl im Salon liegen lassen. Tesmans Tante nimmt den Hut auf: es sei der ihre, er sei im übrigen neu, eigens für den Empfang des jungen Paars gekauft. Sie ergreift ihren Schirm, damit er nicht auch Anstoß erregt. Hedda hat gewußt, daß dies der Tante Hut ist. Doch in ihr treibt etwas Negatives. Zudem hat das kleinbürgerliche Gehabe der Tante sie gereizt und ihres Mannes gemüthaftes Verhältnis hierzu. – Will Ibsen Katjas Neigung zum Baumeister Solneß zeigen, so läßt er sie, als Solneß im Büro zu ihr tritt, den Augenschirm abnehmen, den sie als Lichtschutz trägt. Gerhart Hauptmann zeichnet seine Mutter Wolff mit lauter schaubaren Zügen, die aus einer gemeinsamen, aber nie eindeutig formulierbaren Mitte hervorgehen.

Beim Durchführen läßt der Dichter die Rücksicht auf das Schaubare durchschnittlich mehr zurücktreten. Die Prämissen sind einsichtig gemacht, die Folgerungen werden als eingängig empfunden. Die Personen wollen jetzt weniger immer wieder geschaut, als vielmehr in ihrem Inneren eröffnet werden. Hier ist der Ort zur Besinnung, zur Auseinandersetzung. Dies alles gibt mehr dem Ohr als dem Auge. Hierbei kann für das ursprünglich mimische Spiel festgehalten werden, daß ein bestimmt gebärdeter und in bestimmter Weise sprechender Schauspieler vorstellig bleibt. Das Tragische ist ein poetischer Begriff, und dieser Schauspieler hat ebenso in bestimmter Weise zu tragieren, wie der Schauspieler im Lustspiel das Komische zu beherrschen hat. So bleiben Ansprüche an die Schaubarkeit des Geschehens gewahrt.

Dies ist schon für den antiken Tragiker selbstverständlich. Die mimische Schau schließt sich hier mit weniger hoher Absicht an mit ihren Gemälden geschichtlichen Lebens. Auch wo der Raum verschwindet, bleibt hier das mimische Spiel. Diesen Raum gibt nun die Kastenbühne zurück. Das historische Drama kann betonter das geschaute Spiel werden. Schiller besonders drängt darauf, mit Neigung zum üppigen Geschichtsgemälde. Sein «Wallenstein» wird so ausladend nicht nur durch den Umfang der Reden, sondern weil er auch so sehr das volle schaubare Lebensgemälde sein soll. In solcher Vollendung erhält hier das Drama etwas Episches, ohne die Abbreviatur, die für Shakespeare selbstverständlich ist. Die Beschränkung in der «Maria Stuart» ist für Schiller nicht leicht. Eigner Drang zum voll dargestellten Leben, Goethes Tendenz zum Epischen, die romantischen Totalgemälde – dies alles führte auf die volle Veranschaulichkeit des Lebens hin.

Mit dem realistischen Lebensgemälde entsteht ein Problem eigner Art. Hier geht es darum, dem psychologischen Drama und dem Seelendrama auszuweichen. Zunächst liegt nahe, daß man sich dem mimisch Dramatischen der Überlieferung anschließt. Es ist hier etwas von dem anschaulichen Lebensgeschehen der Geschichte erhalten. Es geschieht Ungewöhnliches, nun Außergesetzliches im bürgerlichen Raum. Ein Fürst sucht sich mit List und Gewalt einer Untertanin zu bemächtigen (Emilia Galotti). Ein Graf wird Hauptmann einer Räuberbande (Die Räuber). Ein mächtiger Präsident dringt in die Wohnung eines kleinen Bürgers ein, um dessen Tochter zu verhaften (Kabale und Liebe). Ein Förster macht sich selbständig und verteidigt seine Stellung und sein Revier mit der Waffe (Der Erbförster). Eine Menschengruppe erhebt sich zum Aufstand (Die Weber).

Doch sind dies im bürgerlichen Leben Grenzfälle. Es droht die Gefahr künstlicher Dramatisierung und der Theatralisierung. Näher diesem Bereich liegt das Lebensgemälde. Es führt wieder an die antike Verfassung heran. Die Geschichte ist mehr der Bereich des Handelns, der sichtlichen Taten, die ihre Folgen haben. In der Antike ergibt sich das Ende oft einfach aus einer Situation. Auch die Lebensgemälde sind dann Zusammenhänge, aus denen sich etwas ergibt. Das Ende ist das Ergebnis einer ungünstigen Konstellation.

Holz-Schlaf blieben in ihrer «Familie Selicke» beim bloßen möglichst konkret ausgemalten Gemälde stehen. Neben der Nachbildung der Sprache des Lebens wird ein größter Wert darauf gelegt, daß der Vorgang auch optisch anschaulich ist. Hier wird viel Anschaulichkeit um ihrer selbst willen geboten. Der kleine Sohn Walter muß eine Stulle essen, er schleckt den Zucker aus den Kaffeetassen aus. Da kein Hunger herrscht, der so gezeigt werden sollte, der Junge aber auch nicht als naschhaft gekennzeichnet werden soll, so bleibt solche Darstellung anekdotisch. Für das tragische Lebensgemälde handelt es sich darum, einen an sich sehr knappen und einfachen tragischen Fabelinhalt zu einem vollen anschaulichen Lebensgemälde auszubauen.

Die Fabel in Gerhart Hauptmanns «Vor Sonnenaufgang» ist auf solche einfache Formel zu bringen. Ein Mädchen lebt in ihrem Elternhaus unter sehr unglücklichen Verhältnissen. Ein jüngerer Mann kommt zu Besuch, es keimt rasch eine Neigung auf, die dem Mädchen ihren unglücklichen Zustand ganz enthüllt und sie eine verzweifelte Hoffnung auf Rettung durch ihre Liebe setzen läßt. Doch der Mann ist von Charakter so, daß er in den häuslichen Verhältnissen des Mädchens ein unüberwindliches Hindernis sehen muß. Er verläßt das Mädchen, es geht in den Tod.

Hier ergibt sich, ohne das äußerlich Dramatische, ohne Aktionen eines guten oder bösen Willens allein aus der Konstellation das Ende. Doch fehlte dem Drama die Breite der lebendigen Anschauung, sollte es auf diesen Vorgang beschränkt werden. Shakespeare reicherte sein rasches Spiel durch Neben- und Parallelhandlungen an. Lessing führte ein begrenztes Spiel subtil mit vielen kleineren Schritten durch. Goethe wahrt oft die einfache Anlage, füllt aber sein Drama mit der subjektiven pathetischen Entladung. Gerhart Hauptmann bettet diesen schmalen tragischen Vorgang in ein umfassendes soziales Gemälde ein. In Witzdorf, dem Ort der Handlung, herrschen Verhältnisse besonderer Art. Auf dem Besitz der Bauern hier ist Kohle gefunden worden. Die Bauern sind jetzt reich, entwurzelt, oft entartet, Trinker. Der Vater des Mädchens, der Bauer Krause, ist durch Trunksucht vertiert. Auch eine Tochter ist trunksüchtig, ja deren kleiner Sohn ist Opfer eines Unglücksfalls geworden, als er Schnaps trinken wollte. In dieses Haus ist ein Ingenieur Hoffmann gekommen, als Mann der älteren Tochter,

ein skrupelloser Geldmacher. Er hat hier eine Bahn bauen lassen, hat den Kohlen-
vertrieb an sich gebracht, ist der eigentliche Nutznießer der neuen wirtschaft-
lichen Möglichkeiten. Der hinzukommende Besuch, Loth, ist sein Studienkame-
rad; er ist Sozialist, will die Verhältnisse hier studieren. Ferner ist die Frau des
Bauern Krause da, eine zweite Frau, ein ordinäres Weib, dazu ein junger Mann na-
mens Kahl, der sich um das Mädchen, um Helene, bewirbt, und der mit Frau Krause
im Ehebruch lebt. Diese Personen aus Witzdorf kennzeichnen das Milieu, die fatale Lage Helenens: der vertierte Vater, die ehebrecherische Stiefmutter, eine trunk-
süchtige Schwester, ein unwürdiger Bewerber, dazu ein Schwager, der, von seiner
Frau enttäuscht, bei seiner Schwägerin zweideutigen Trost sucht. Doch treten
noch Figuren hinzu, die mehr das Lebensgemälde ausfüllen, freilich außerdem
noch Raum und Verhältnisse charakterisieren: die Spillern, eine liebedienerische
Schmarotzerin, der Arbeitsmann Beibst, an dem Loth sein soziales Ethos versucht und der den papierenen Theoretiker abgleiten läßt, die Magd, der Hopsla-
bär. Die Situation kann weiter konkretisiert werden durch einen aktuellen Lebensvorgang: Hoffmanns Frau erwartet ein zweites Kind. Eine Geburt mit zu be-
fürchtenden Komplikationen steht bevor. Es ist auch ein Arzt anwesend, ein Dr.
Schimmelpfennig, der dann Loth über die Verhältnisse im Hause Krause aufklären kann.

So wird ein bewegtes farbenreiches Spiel ermöglicht, dessen geheime Span-
nungs- und Erregungsfeder das unausweichliche Unglück Helenens ist. Es sind
auch dramatische Spannungen möglich, wenn Loth, ohne dies zu wissen, in den
Interessenbereich Hoffmanns einbricht, wenn Frau Krause die Magd wegen Lie-
besbeziehungen angreift und Helene sie durch Hinweis auf den eignen Ehebruch
bändigt. Doch soll hier vorwiegend das Leben an sich selbst gegenwärtig sein.
Darum werden die einzelnen Auftritte nicht als geschlossene Themen durchgeführt, sondern die Vorgänge werden ineinandergeschoben. Während einer dispu-
tierenden Auseinandersetzung muß durch die Post eine Babyausstattung ankommen; so wird auch ein schaubarer Vorgang gewonnen. Die Räume müssen wechseln, zum Interieur muß der Naturraum treten, Tageszeiten wie die Morgenfrühe
müssen Stimmung geben; eine Liebesszene wird in einer Laube gespielt. Das naturalistische Lebensbild erweist sich als eine neue Weise der mimischen Veranschaulichung. Es ist ein fester Grundsatz, keinen Vorgang in der bloßen Rede zu
belassen, den man auch optisch eindringlich machen kann. Es wird nicht nur ge-
redet über die Lebensweise im Hause Krause, sondern Hoffmann bietet dem Loth
Bier, Wein, Kognak, Kaffee, Zigarren an: das alles sei da. Für Loth ist kennzeichnend die Ablehnung: er trinkt nicht, raucht nicht. Abends wird an einer mit Deli-
katessen überladenen Tafel gegessen; es wird Sekt getrunken. Hier ist kennzeichnend, daß Helene jetzt den Sekt ablehnt. Helene berichtet nicht unmittelbar, sie
sei in einem Pensionat erzogen, sondern sie läßt im Gespräch mit Loth einen Brief
fallen, Loth hebt ihn auf: es ist der Brief einer Pensionsfreundin.

Ibsen schon hat so das Geschehen in den «Gespenstern» zum reichen Lebensgemälde ausgebildet. Die Grundfabel ist wieder einfach. Eine Frau hat aus einer
unglücklichen Ehe ihren Sohn heraushalten und für sich retten wollen, indem sie

ihn außerhalb des Hauses erziehen ließ. Sie will jetzt diese ganze unglückliche Vergangenheit liquidieren, das Geld des Mannes für ein Asyl, eine Stiftung verwenden. Doch der Sohn trägt durch die Ausschweifung des Vaters den Keim des Wahnsinns in sich. Er verfällt ihm am Ende des Spiels.

Die Grundstruktur der Fabel findet sich schon in Schillers «Braut von Messina». Auch hier soll eine unglückliche Vergangenheit liquidiert werden; doch wird so das Verhängnis herbeigeführt. Nur stellt Schiller dieses Grundthema hell heraus, macht es zum sichtlichen Inhalt der Handlung, erfüllt das Geschehen mit dramatisch tragischen Impulsen. Die Söhne Isabellas müssen feindlich entzweit sein; sie haben sich versöhnt. Im Streit um eine Frau, dazu noch um ihre ihnen unbekannt gebliebene Schwester, tötet der ältere Bruder den jüngeren. All dies muß bei Ibsen fehlen; statt dessen wird das bürgerliche Lebensgemälde ausgebildet. Es ist zwar mit dem Kern der tragischen Situation verbunden, doch so vermittelt, daß dies nicht unmittelbar verspürt wird. Bei Schiller haben Vorhersagen vorgelegen: eine Schwester werde der Brüder Unglück sein. Dies hat die Mutter bewogen, die Tochter in Verborgenheit zu erziehen; hierdurch wird das Unglück erst möglich. Es soll jetzt, mit dem Beginn der Handlung, alles Vergangene sich auflösen. Die Brüder sind schon versöhnt, die Schwester soll ihnen zugeführt werden. Bei Ibsen hat Frau Alving das Asyl bauen lassen. Es ist fertig und soll eingeweiht werden. Dies ist wie eine praktische Lebensrealität, ein durchschnittlicher Lebensvorgang. Mit dem tragischen Thema ist dieser Vorgang nur so verbunden, daß er Zeichen ist für die Liquidierung.

Aus diesem Anlaß findet sich Besuch ein, Pastor Manders, ein alter Jugendfreund, auch Oswald, der Sohn, ist aus Paris zurückgekehrt. In diesen Lebensvorgang lagert Ibsen einen dramatisch tragischen Vorgang ein, indem er den Motiv- und Darstellungskreis des Geschehens erweitert. Aus einer Verbindung des Kammerherrn Alving mit einem Dienstmädchen ist eine Tochter da, für sie ist ein Vater gekauft worden in Gestalt des hinkenden und trinkenden Tischlers Engstrand; diese Tochter, Regine, lebt bei Frau Alving, halb als Dienstbote, halb wie eine Tochter im Hause. Oswald, der von seiner herandrohenden Krankheit weiß, klammert sich an Regine, an ihr Leben, ihre Gesundheit, auch an ihren vitalen Egoismus. Regine ihrerseits sieht ihre große Lebenschance in der Beziehung zu dem reichen jungen Herrn, der sie mit nach Paris nehmen will. So kehrt hier auch dieses Motiv aus der «Braut von Messina» wieder: der drohende Inzest. Dies ist ein Hebel für das dramatisch tragische Geschehen: Frau Alving muß ein Unheil verhüten, muß hierzu Oswald aufklären, und sie fördert durch die seelische Erschütterung den Ausbruch der Krankheit.

Dieses Geschehen wird zu einem optisch schaubaren Lebensvorgang ausgemalt. Man sieht zuerst Regine und Engstrand, der gekommen ist, um seine Tochter für ein nicht sauberes Schifferlokal zu gewinnen, das er gegründet hat. Man sieht draußen Pastor Manders vom Schiff kommen; Engstrand muß über die Kohlentreppe sich entfernen. Manders kommt, mit Mantel und Schirm, regennaß. Er legt umständlich seine Sachen ab, Regine hilft ihm. Sie schiebt ihm einen Lehnstuhl heran, er setzt sich, sie schiebt ihm einen Schemel unter die Füße. Sie geht ab, Frau Alving zu holen; Manders, inzwischen auf- und niedergehend, bemerkt ein freigeistiges Buch, nimmt es in die Hand. Hieran knüpft das Gespräch mit Frau Alving an. Oswald tritt ein, zieht sich aber seiner Müdigkeit wegen bald zurück. Frau Alving eröffnet Manders, wie es wirklich in ihrer Ehe gewesen ist. Wieder tritt Oswald auf, dann Regine mit einem Paket. Sie fragt Oswald, welchen Wein er wünsche, sie geht ins Nebenzimmer, ihn zu besorgen. Oswald folgt ihr. Frau Alving hört, wie Regine Oswald abwehren muß.

Der 2. Aufzug beginnt nach dem Mittagessen. Manders und Frau Alving treten aus dem Speisezimmer. Frau Alving wünscht dem Pastor gesegnete Mahlzeit; sie fragt ins Speisezimmer zurück, ob Oswald nicht mitkomme. Er will spazierengehen. Frau Alving ruft ins Vorzimmer nach Regine, diese kommt; sie solle ins Bügelzimmer gehen und an den Kränzen helfen. Frau Alving vergewissert sich, daß Regine dies tut. Sie klärt jetzt Manders über Regine auf, und daß Engstrand sich als Vater hat kaufen lassen. Engstrand kommt, wird von Manders gescholten, weiß aber den Menschen- und Weltunkundigen von seinen edlen Motiven zu überzeugen. Engstrand geht ab, auch Manders. Frau Alving will ins Speisezimmer treten, sieht hier Oswald, der daheimgeblieben ist. Oswald enthüllt der Mutter seinen Gesundheitszustand, der ihm ein Rätsel ist. Er selbst hat nicht ausschweifend gelebt; vom Vater aber, den er durch der Mutter Schilderungen nur im besten Lichte sieht, kann er diese Krankheit nicht geerbt haben. Er lebt in maßloser Angst. Frau Alving klingelt nach Regine, sie solle Champagner holen. Inzwischen bekennt Oswald der Mutter, Regine bedeute für ihn die Lebensfreudigkeit, die er hier immer vermißt habe. Frau Alving erkennt, daß Oswald der Sohn seines Vaters ist. Regine kommt mit dem Champagner; sie soll mittrinken. Frau Alving muß sich zur vollen Eröffnung der Wahrheit entschließen. Bevor sie ihren Entschluß hat ausführen können, hört man draußen Geschrei: das Asyl brennt.

So schreitet der schaubare Lebensvorgang fort, in ihm der dramatisch tragische Vorgang, die fortschreitende Enthüllung, die letzte Auswirkung, daß in Oswald der Wahnsinn ausbricht. Mensch und Willensakte haben auch hier nichts mehr getan; aus der Konstellation, nur indem ihre Faktoren wirksam werden, im Rahmen des durchschnittlichen Lebens selbst und ohne ihn zu sprengen, wirkt sich das tragische Verhängnis aus.

Das verknüpfende Drama zeigt mehr die jeweilige unglückliche Synthese der wirkenden Faktoren; hier muß eine besondere Dringlichkeit durch das Schaubare für die entscheidenden Momente erreicht werden. Darum zeigt Lessing schon in der «Emilia Galotti» so deutlich, wie es zu der letzten verhängnisvollen Tat kommt. Das hier Schaubare soll nicht zuerst die logische Kette des immanenten tragischen Vorgangs schmieden, sondern dem Zuschauer das Unglück suggerieren. So muß die Gräfin Orsina ihren medeagleichen Charakter schon früh vorstellig machen, so muß Odoardo ohne Waffe sein, damit sichtbar die Orsina ihm die Waffe in die Hand drücken kann. Die Situation muß sich für Emilia und Odoardo zu äußerster Ausweglosigkeit zuspitzen. Daß der Dichter trotzdem seine Personen noch reflektieren läßt, ist eine poetische Lizenz zugunsten des Chorischen, der erhellenden Rede, deren auch Shakespeare sich bedient.

Schiller gestaltet ähnlich den entscheidenden Vorgang im «Tell» zu solcher Schauszene. Es ist ein Hut Geßlers aufgepflanzt, der gegrüßt werden soll. Tell kommt, er versäumt den Gruß. Er wird festgenommen. Geßler tritt hinzu. Tell soll frei sein, wenn er seine Geschicklichkeit als Schütze beweist, indem er einen Apfel vom Haupte seines Sohnes schießt. Dies geschieht, doch hat Tell zwei Pfeile seinem Köcher entnommen. Geßlers Frage nach dem Grund, Tells aufrichtige Antwort: hiermit hätte er Geßler erschossen, wenn er seinen Sohn getroffen hätte – bringt neue Aktion. Tell wird wieder gefangengenommen. Durch diese Schauszene motiviert Schiller Geßlers Tod. Nur indem er Geßler erschießt, kann Tell sich und seine Familie retten.

Zu dieser direkten optischen Vorstellung auf der Bühne nimmt der Dichter noch die vermittelte Vorstellung hinzu, die den Bühnenraum für die Phantasie erweitert oder für die Phantasie Geschehnisse außerhalb des Bühnenraums vorstellt. Für die antike Bühne war der Botenbericht, die indirekte Vorstellung, eine stehende Einrichtung, bedingt durch die Wahrung des Schauplatzes, durch die Unmöglichkeit, die körperlichen Handlungen unmittelbar mimisch auf der Bühne vorzustellen, durch den statuarischen Gesamtstil, der breitere Deklamation auf der Bühne erlaubte, durch die Vorliebe des Publikums für Deklamation und Disput. Der Klassizismus schließt sich dieser Übung an, bis zu der Übersteigerung Kleists in der «Penthesilea», in der die Bühne weitreichend zum Ort des Berichtens wird. Wird der Bericht im antiken Drama getragen durch das körperliche Dasein des Berichtenden, so bei Shakespeare durch die mimische Demonstration. Der Sachinhalt des Berichteten kann zum Spiel des Berichtenden werden, der einen Erlebnisbericht gibt, als stünde das zu Berichtende noch unmittelbar vor ihm. Der zusammenhängende Vortrag wird zerrissen; der Erzählende scheint jetzt auf diesen, jetzt auf jenen Moment aufmerksam, persönliche Eindrücke schieben sich dazwischen; so wird eine höchste Vergegenwärtigung durch das Spiel erreicht. Eine andere Weise der Vergegenwärtigung ist das Zerreißen des Berichts durch die Einwürfe dessen, der ihn hört. Kleist besonders läßt den Hörenden dem Berichtenden stets durch äußerste Spannung in die Rede fallen; so sieht man das Berichten und das Hören, und hört nicht nur Berichtetes.

Schon in der Antike ist das Geschehensfeld weiter als der Bühnenraum. Wieder wirkt sich hier der einheitliche feste Ort aus, der einmal das Spiel auf diesen Ort beschränkt, zugleich aber die Suggestion des umfassenderen Schauplatzes erlaubt. Schon bei Aischylos bemerkt der auf dem Dache des Palastes ausspähende Wächter die Feuer, die den Fall Trojas ankündigen. Das freie mimische Spiel ist auf diese Erweiterung weniger angewiesen, da der Dichter jeden Spielort selbst betreten kann. Um so mehr lädt zu dieser Darstellung die Kastenbühne ein.

In seiner «Miß Sara Sampson» läßt Lessing noch in Anlehnung an das klassizistische Drama auf der Bühne den Redevorgang und die reine mimische Aktion des Schauspielers überwiegen, beschränkt damit das Geschehen auf diesen Schauplatz, auf dem gesprochen und agiert wird. In der «Emilia Galotti» hingegen ist das Geschehen auf der Bühne wie ein Ausschnitt aus einem Geschehen in einem umfassenderen Raum. Schon im 1. Akt wird das räumliche Geschehen akzentuiert, das Auf-

und Abtreten des Kammerdieners, das Bringen und Holen der Bilder und dergleichen. Im 2. Akt muß der Vorsaal dazu dienen, nur der Schauplatz der umfänglicheren Vorgänge zu sein. «Wer sprengte in den Hof?» fragt Claudia, in den Vorsaal hinaustretend. «Unser Herr», antwortet der eintretende Diener, «er folgt mir auf dem Fuß.» «Geh und führe mein Pferd vor das Haus des Grafen», befiehlt Odoardo dem Diener Pirro. «Ich komme nach und will mich da wieder aufsetzen.» Im 3. Aufzug gestattet der Ort, ein Vorsaal im Schlosse zu Dosalo, einen Ausblick auf den Eingang des Schlosses und die Straße. Während sich hier der Prinz und Marinelli unterhalten, fällt ein Schuß. Marinelli tritt ans Fenster. «Dahinaus muß es sein!», sagt er. «Recht! – und eine Maske kommt bereits um die Planke gesprengt.» Nachdem der Prinz sich zurückgezogen hat, beobachtet und berichtet er das draußen Vorgehende, wie der Wagen langsam zur Stadt zurückfährt. Hier erweitert der Dichter die gegenwärtige Schau schon durch Teichoskopie, durch den Bericht eines jetzt außerhalb des Bühnenraumes ablaufenden, von einer auf der Bühne anwesenden Person beobachteten Vorgangs. So kann das auf der Bühne nicht Darstellbare oft lebhafter als durch den Botenbericht vorgestellt werden. Das draußen Vorgehende spiegelt sich unmittelbar im Berichtenden, der dies erlebt. Es ist für den Berichtenden oder für den ganzen Vorgang von Wichtigkeit. Hier überprüft Marinelli den Erfolg seines Anschlags. Die Langsamkeit des Wagens läßt ihn vermuten, daß Graf Appiani nur verwundet, nicht, wie Marinelli dies gewünscht hat, getötet worden ist. Im «Götz» wird der Kampf vor der Burg, der Leute des Götz mit den kaiserlichen Truppen, von der Burg aus mit begreiflicher Erregung verfolgt. Der Zuschauer erlebt diesen Kampf und besonders das Kämpfen des Götz durch das Erleben des Berichtenden mit.

Der Abschluß der Tragödie stellt vor keine eignen Darstellungsaufgaben. Vielmehr ist er durch das Ganze der dramatischen Darstellung sinnfällig genug da. Der Dichter hat sogar oft zu erwägen, was er besser nicht zeigt. Vor solche Fragen stellt der gewaltsame Tod, sowohl, wenn eine Person getötet wird, wie auch, wenn sie sich selbst tötet. Für die Griechen war dieser Akt schwer darstellbar; es fehlte dem Schauspieler die Möglichkeit freien mimischen Spiels, zudem widersprach solcher Akt dem Darstellungsstil. Doch auch der neuere Dramatiker kann hier vor Schranken der Bühnendarstellung stehen. Hebbel stellt nicht dar, wie Clara sich in den Brunnen stürzt, Gerhart Hauptmann nicht, wie Gabriel Schilling ins Meer geht. Auch scheint es nicht angemessen, daß man Egmonts oder Maria Stuarts Hinrichtung sieht. Hier soll nur die Würde vor dem Tod, nicht der unwürdige Tod selbst gezeigt werden. Im bürgerlichen Drama könnte der Freitod leicht etwas zu Krasses in die Darstellung bringen, auf Kosten der Wahrscheinlichkeit. Hier ist eingängiger, wenn man von dem Tode hört, als daß man ihn sieht. Förster Ulrich (Der Erbförster) erschießt sich hinter der Szene, ebenso Hedda Gabler.

Zu der Rücksicht auf das Darstellen schlechthin tritt hier die Rücksicht auf Wirkung und Erhellung. Wenn Klytaimnestra hinter der Szene von Orest getötet wird, Elektra ihm zuruft: Triff noch einmal! – so ist dies wirksamer als der gezeigte Tod. Auch wenn Wallenstein in düsterer Nacht hinter der Szene getötet wird, erregt dies, der nur gehörte Kampfeslärm, die Phantasie des Zuschauers mehr als das optische Bild dies vermöchte. Auf der Bühne zeigt der Dichter mehr das Sterben als den Tod, und hier wegen der rührenden Wirkung. Schon Euripides zeigt so seine sterbende Alkestis. Auch das langsame Sterben der Sara Sampson soll rühren und erheben, rühren soll auch der sterbende Götz. Steht der tragische Held noch ungebrochen vor dem Tod, wie Egmont oder Maria Stuart, so dient die Darstellung der Erhellung. Auch seinem Don Cesar gibt Schiller diesen Raum des erhellenden Redens, ebenso spricht auch Götz erhellend. Gerhart Hauptmann bindet in der Darstellung seines sterbenden Hannele das Rührende und das Erhellende zusammen, das sterbende Kind, das durch seine Träume und durch Wundererscheinungen über diese Welt hinausweist.

DRITTER TEIL

# DAS WIRKEN

# ERSTES KAPITEL

# DIE WIRKSAMKEIT DES STOFFES

Ein Werkzeug des Wirkens ist die Tragödie schon, indem sie Vorstellung, poetische Suggestion bewirkt. Doch wird sie als eigentlich wirksam erst empfunden, indem sie durchgreift in das Gemüt, dieses bewegt. Für Goethe ist dieser Faktor des subjektiven Wirkens gewichtiger als das objektive Zeigen. Die Deutschen, sagt er, machten sich durch ihre tiefen Gedanken und Ideen, die sie überall hineinlegen, das Leben schwerer als billig. «Ei, so habt doch endlich mal die Courage, euch den Eindrücken hinzugeben, euch ergötzen zu lassen, euch rühren zu lassen, euch erheben zu lassen, ja euch belehren und zu etwas Großem entflammen und ermutigen zu lassen; aber denkt nur nicht immer, es wäre alles eitel, wenn es nicht irgend abstrakter Gedanke und Idee wäre[1]!» Hieran nimmt auch die Tragödie teil, auch sie will ergötzen, rühren, erheben, belehren, anfeuern. Doch sind dies Züge, die sie mit aller vorstellenden Dichtung teilt. Die ihr selbst spezifisch zukommende Wirkung ist die Erregung von Furcht und Mitleid. Dies ist wie ein Zentrum der Wirkung, das in sich wieder viele genauere Weisen zuläßt. Die «Räuber» werden mehr erschüttern bis zum Erschrecken durch das Ungeheuerliche, die Geschehnisse in «Kabale und Liebe» werden mehr rühren, die «Jungfrau von Orleans» wird mehr einen höheren Enthusiasmus erzeugen. Hiernach lassen die Tragödien sich wieder in bestimmte Gruppen ordnen, in diesen Gruppen wird wieder jede einzelne Tragödie eine besonders gefärbte und nur ihr zukommende Wirkung zeigen. Dies genau zu bestimmen ist Aufgabe der angewandten Dramaturgie. Die reine Dramaturgie kann sich auf die beiden umgreifenden und sinnhaltigen Grundzustände einschränken.

Tragische Wirkung ist nur durch Bearbeitung eines Stoffes zu erreichen. Doch ist darum der bearbeitete Stoff nicht gleichgültig. Schon ein Äußerlichstes ist wichtig, die Bereitschaft des Zuschauers für einen Stoff oder eine Stoffgruppe. Stoffe wie «Gyges und sein Ring» oder auch die «Nibelungen» hätte Schiller schon darum nie behandelt, da für sie kaum auf Resonanz beim Publikum zu rechnen ist. Auch hätte er keine Judith im Sinne Hebbels dramatisiert, ein sexualpsychologisches, ja -pathologisches Problem. Dagegen nahm er die Geschichte der Jungfrau von Orleans auf, eine Geschichte des religiösen Enthusiasmus, die hierdurch wirkte. Zu dem Stoff selbst treten die Stoffstrukturen. Es gibt Stoffe, in denen Situationen und Charaktere von besonderer Wirksamkeit gegeben sind. Der antike Dichter konnte mit solchen Stoffen rechnen, da sie, als poetische Stoffe, schon in solcher Rücksicht erfunden waren. Die Stoffstrukturen sind wie ein eigner Bestand, der als etwas poetisch Mögliches und Fruchtbares besteht, und den der Dichter in seinem Stoff schon vorfinden kann. Genügt dem der gegebene Rohstoff nicht, so läßt er sich vielleicht auf diese Struktur hin umformen. Hier wäre der Dichter schon erfindend am Stoff tätig. Dies geschieht durchschnittlich so, daß, in der produktiven Anschauung, dem Dichter der Stoff schon im Lichte einer fruchtbaren Struktur sich vorstellt. Doch ist diese Struktur noch ganz stofflicher Art, sie ist eine stoffliche Wirkungsstruktur. Durch sie können auch mittelmäßige Tragödien ihre Wirkung tun, soweit dies durch den Stoff möglich ist. Es kommt hier nur darauf an, daß der Dichter seinen Stoff nicht verdirbt. Die eigentliche poetische Tätigkeit des Dichters aber setzt mit dem Erfinden ein. Hier werden die Stoffe und werden Stoffstrukturen so ausgearbeitet, daß die Fabel wie die Charaktervorstellung und Menschenentäußerung zur höchsten Wirkung auf das Gemüt gebracht werden. Furcht und Mitleid bis zur Erschütterung sind darum nur durch die Bearbeitung des Stoffes zu erregen.

## DIE WIRKSAMKEIT DER STOFFGRUPPEN

Mythus und Sage waren als Stoff der Tragödie nur dem Griechen ganz selbstverständlich, und hier nur schlossen sie jeden anderen Stoff aus. Sie waren auch der griechischen Form und theatralischen Darstellung ganz angemessen. Wir stehen zu keinem Stoff in einer so festen und fraglosen Beziehung. Eine lange literarische Entwicklung hat weitere Stoffkreise geltend gemacht. Wir besonders heute stehen zu den Stoffen in einem Verhältnis der Freiheit, die alles möglich macht, und die zu nichts nötigt.

Der Stoff der Antike ist für uns noch ein wesentlicher Inhalt unserer Bildung. Doch kann dieser Stoff schon inhaltlich nicht mehr so konkret und erfüllend werden, wie er es für die Griechen war. Uns fehlt der antike religiöse Glaube, die Fülle der Assoziationen, die diese Stoffe im antiken Menschen erregten. Der junge Herder glaubte noch, das Ganze der antiken Vorstellungswelt als Schlaube hinter sich lassen und den Dichter der Gegenwart besonders auf seine nationale Geschichte verweisen zu können. Doch zeigt der Klassizismus bis zur Gegenwart, daß diese Stoffe nicht überwunden sind. Nur sind sie nicht mehr als Wirkungsstoffe gegenwärtig, sondern nur für die Dramen der Bildung, der Erhellung.

Die eigene Mythen- und Sagenüberlieferung bleibt für uns auch bedingt durch ihren Mangel an lebendiger, ungebrochener Gegenwart. Zwar gehört das Germanische auch unserer Geschichte an, sagt Hegel, aber es reicht «der bloße Zusammenhang des gleichen Bodens und Volkes ... letztlich nicht aus, sondern die Vergangenheit selbst des eignen Volkes muß in näherer Beziehung zu unsrem Zustand und Dasein stehn». Im Nibelungenlied z. B. seien wir zwar auf einheimischem Boden, aber doch von allen Verhältnissen unsrer gegenwärtigen Bildung und der vaterländischen Interessen so abgeschnitten, daß wir selbst ohne Gelehrsamkeit in den Gedichten Homers uns weit heimatlicher empfinden könnten. Ebenso seien Wodan, Walhalla, Freya bloße Namen geblieben, «welche weniger als Jupiter und der Olymp unsrer Vorstellung angehören und zu unsrem Gemüt sprechen[2]». Auch für Goethe ist in der altdeutschen Zeit wenig für uns zu holen. Der Mensch werde überhaupt genug durch seine Leidenschaften und Schicksale verdüstert, «als daß er nötig hätte, dieses noch durch die Dunkelheiten einer barbarischen Vorzeit zu tun[3]». Unsere Welt hat sich durch die neue Religion grundsätzlich gewandelt. Die Germanen gehören, nach Jaspers, nicht zu den Nationen, die die Urbestände gegenwärtiger Kultur selbst hervorgebracht haben, weder eine heute noch geltende Religion noch eine Bildung der Gegenwart[4]. Das wahre Germanentum ist heute im Christentum und in der Antike begründet.

Bis weit ins 18. Jahrhundert war dem Publikum der Tragödie die Geschichte, was dem antiken Menschen Mythus und Sage waren. Diese Bedeutung hat sie bis heute noch nicht ganz eingebüßt. Sie entspricht dem modernen Gefühl nach empirischer Realität in der Dichtung. Friedrich Schlegel kann sogar ein Kennzeichen der nachantiken Dichtung darin sehen, daß sie sich in solcher Realität gründet[5]. So befriedigt die Geschichte auch des Zuschauers Bedürfnis nach Wirklichkeit. Es gibt hier die eigne psychologisch wirkende Stoffqualität eines historischen Spiels, das dem Zuschauer diesen Eindruck suggeriert, an einem wirklich Geschehenen teilzunehmen. Dies ist meistens ein rein psychologischer Faktor, da der Zuschauer durchschnittlich nicht das Drama durch die Geschichte, sondern die Geschichte durch das Drama kennt, mithin, wie Lessing feststellt, zwischen einem dem Zuschauer unbekannten oder einem frei erfundenen, aber als Geschichte ausgegebenen Vorgang faktisch kein Unterschied ist[6]. Nur kann, wie schon bemerkt, der Bezug auf die Geschichte sich auswirken durch eine Konkretheit der Darstellung, die der Dichter durch reine Erfindung nicht erreicht.

Diesen Vorrang als tragischen Stoff hat die Geschichte seit dem 18. Jahrhundert durch zwei miteinander verknüpfte Tatsachen eingebüßt. Die eine ist der neuere Realismus, der stofflich auf das private Lebensgemälde der Gegenwart führt. Der zweite ist die durch solchen Realismus heraufgeführte Historisierung der Wirklichkeitssicht. Für Shakespeare war die Geschichte noch der universale Raum möglicher tragischer Themen, ohne Beschränkung in Raum und Zeit, ohne scharfe Grenze zwischen Geschichte und Sage. Das Ganze des so Gegebenen ging in die freie poetische Form seines Dramas ein, das, dem Stil nach im Charakteristischen begründet, das räumlich und zeitlich Besondere jeden Stoffes mit diesem Stoff ergriff. Realismus aber ist die Auswirkung der philosophisch rationalen und wissenschaftlichen Ansicht der Welt im Bereiche der Kunst; insofern wurde jetzt auch die Geschichte Gegenstand der exakten historischen Wissenschaft. Sie hob den universalen geschichtlichen Lebensraum auf, und wie sie ein entschiedeneres Gefühl schuf für den Charakter dieser Gegenwart, so schuf sie auch dieses Gefühl für das Besondere und Andere der geschichtlichen Vergangenheit. Dies wurde um so wirksamer, als zwischen den Geschichtsbildern Shakespeares und dem neuen Realismus der französische Klassizismus lag, diese Neigung, auch die geschichtlichen Stoffe mit antiker Idealität zu behandeln. Die Neuentdeckung der Geschichte als eigengewichtige Realität war dann historischer Art; es wurde die Geschichte in ähnlicher wissenschaftlicher Konkretheit gesehen wie die Gegenwart. Dies war zugleich eine Distanzierung; dem Realismus der Gegenwart trat der Realismus der Historie zur Seite. Die Geschichte wird als das Andere, als das zeitlich Vergangene erfaßt. Ihr Gebrauch für das poetisch Sinnbildliche wird fragwürdiger, da der Dichter stets die Distanz des Historischen zu überwinden hat. Statt eines menschlichen Schicksalsbilds aus der Geschichte ist der Zuschauer stets in Gefahr, dramatisierte Historie zu sehen. Dieser Zug stärkt sich im Zuschauer selbst durch die fortschreitende historische Schulung, durch die er das historisch Richtige erwartet. Lichtenberg beklagt deshalb den wachsenden historischen Sinn im Drama und in dessen Aufführung, den immer stärkeren Anspruch auf historische Richtigkeit auf Kosten des poetisch Sinnbildlichen[7]. Hier scheint fast noch ein Vorzug, daß man im französischen Klassizismus die antiken Stücke in Zeittracht spielte, noch ein Zeichen naiv unbekümmerten künstlerischen Sinns. Auch der Dichter kommt jetzt als Historiker zur Geschichte, wie Schiller, während Shakespeare noch Bearbeiter der Chronikstoffe war. Es ergibt sich jetzt, nicht nur aus Gründen der Stilgesinnung, das Problem, einmal die historische Wirklichkeit aufzugreifen, ihre Realität wirksam zu machen, sodann sie zu idealisieren, sie zum poetisch Sinnbildlichen zu distanzieren. Ganz offen tritt dies Problem im strengen Realismus, im Naturalismus heraus. Im Bestreben, sich die Zeitwirklichkeit naturalistisch realistisch zuzueignen, gerät bei Gerhart Hauptmann der «Florian Geyer» so historisch, daß dem Drama das Fremde einer anderen Welt anhaftet, die meisterlich beschworen und eben dadurch distanziert ist. Die Folge ist dann, daß dem Publikum seit der Historisierung der Geschichte das Gegenwartsgemälde am eingängigsten ist. Ihre Theatersiege haben auch die Realisten und Naturalisten in diesem Stoffbereich errungen.

Ein eigner Faktor neben den Stoffgruppen ist der mögliche Reiz des Stoffes. Hier wirkt der Stoff als eine neue Welt in ihrer Eigenart. Sehr fremde Welten können so wirken, wie das China in Klabunds «Kreidekreis», oder das alte Mexiko in dem «Weißen Heiland» Gerhart Hauptmanns. Es ist auch Neues zu entdecken im engeren Raum: der Mensch in Tirol, in Schlesien, in Mecklenburg. Es ist eigne Vergangenheit zu entdecken, wie in Goethes «Götz». Neue Stände können im Drama gezeigt werden, das Bürgertum seit dem Realismus des 18. Jahrhunderts, die kleinbürgerliche Welt wie in Hebbels «Maria Magdalena», der Mensch des vierten Standes, wie seit Büchners «Woyzeck». Hierzu tritt der Reiz der Problemkomplexe, besonders die hintergründliche Psychologie, der Mensch auch als physiologisch bestimmtes Wesen, die Begründung der Liebesphänomene in Tatsachen der Sexualität. Hier geht ein Zug von Hebbels Dramen zu Wedekind und von hier zu den späten Dramen Georg Kaisers. Ähnlich kann der Reiz des rätselhaft Hintergründigen gesucht werden, wie schon im Schicksals- und Schauerdrama seit 1800 und noch in den späten Dramen von Arno Holz, der die ganze Apparatur und Erregungskraft des Okkulten ausnutzt.

Dieses Wirksame kann das Drama nur stützen, nicht es tragen. Bestimmte Zeitsituationen können hier Wirkungen fördern, wie für Goethes «Götz» oder Schillers «Räuber», doch sind letztlich diese Dramen in den tragischen Stoffstrukturen und in der künstlerischen Bearbeitung des Stoffs begründet.

## DIE WIRKSAMEN STOFFSTRUKTUREN

Der Dichter kann durch seine Fabel mehr zu Furcht oder mehr zu Mitleid erschüttern. Das erste geschieht vorwiegend durch die Art der Fabel, das zweite mehr durch die Art der Menschen. Die Furcht ist hier mehr ein Zustand allgemeiner Art, daß durch Situationen oder einen Geschehensgang Furcht empfunden wird. Das Mitleid hingegen muß stets das Mitleiden mit einem leidenden Menschen sein.

Diese Furcht kann jeweils nur wirklich werden durch die tragische Fügung des Geschehens. Doch bleibt auch hier der Mensch ein Bezugsort, denn auch in der Furcht geht es um das Sein des Menschen. Dies ist in diesem allgemeinen Zustand das Sein des Zuschauers selbst, der die Wirklichkeit eines zu Fürchtenden erfährt. Doch damit er sie erfahren kann, muß er sehen, wie dem Menschen etwas zu Fürchtendes wird.

Hierbei kann der Mensch selbst wie das zu Fürchtende sein. Dies liegt am meisten vor, wenn ein Mensch Schreckliches tut, das sich am Mitmenschen auswirkt. Dies wäre Klytaimnestras Gattenmord. Es wäre auch Richards des Dritten Entschluß, ein Bösewicht zu werden. Hier ist im Menschen selbst ein zu Fürchtendes als ein den Menschen fürchterlich machender Antrieb. Doch stellt dies der Dichter am wenigsten dar. Solche Antriebe leiht er mehr dem Gegenspiel, einem Jago, Marinelli, Franz Moor, Wurm. So ist ihr aktiv Fürchterliches nur Mittel, dem Helden Schreckliches zu bereiten. Doch kann der tragische Held furchterregend auch aktiv sein, indem er mehr sich selbst das Schreckliche bereitet. Er tut etwas ihn selbst Vernichtendes. Ihm muß dann die Einsicht in Art und Reichweite seiner Tat fehlen. Der Zuschauer aber besitzt diese Einsicht und muß fürchten.

Hier sind viele Konstellationen möglich. Menschen tun einander Unglückliches an. Dies kann, wie Aristoteles bemerkt, Furcht in sehr verschiedenen Graden erregen. Ein Unglück erschüttert nicht, das Feinde sich bereiten, auch nicht das Tun einander gleichgültiger Personen. Dagegen wenn Menschen sich Unglückliches bereiten, die durch Liebe verbunden sein sollen, wenn ein Bruder einen Bruder, ein Sohn den Vater, eine Mutter den Sohn, ein Sohn die Mutter tötet oder zu töten beabsichtigt, so bewegt dies den Zuschauer, und solche Stoffe solle der Dichter suchen[8]. Hierbei kann das zu Fürchtende wissend oder nicht wissend getan werden. Wird dies wissend getan, so wäre der tragische Held selbst der die Furcht Erregende, indem man sieht, welcher Ungeheuerlichkeit der Mensch fähig und was durch den Menschen selbst möglich ist. Handelt der tragische Held unwissend, so kann das Schreckliche entweder geschehen oder noch vermieden werden. Die beste Situation ist für Aristoteles die, in der ein solches Unglück ohne Wissen droht, doch noch verhindert wird. Iphigenie im Drama des Euripides ist in Gefahr, den Bruder zu töten, Merope ihren Sohn in Euripides' «Kresphontes». Beidemal wird das Unglück verhindert. Dieses Herandrohen erregt die tiefste Furcht, die gute Auflösung bewegt hier mit stärkster Wirkung.

Es zeigt sich hier der Mensch in seiner Schranke, und zwar in der Schranke seines Wissens, durch die er sich selbst Vernichtendes tun kann. Das Furchterregende ist, daß durch solche Situation das Schreckliche geschieht. Dem antiken Dichter waren diese Stoffe reichhaltig gegeben, die Berichte der Sagen, daß Menschen getrennt wurden und spät erst wieder zusammenkamen, sie damit oft das Verhältnis nicht kannten, worin sie zueinander standen. Die Geschichte bietet solche Fälle weniger. Erst die Katastrophen des modernen Lebens machen dies wieder zu einer dringlichen Erfahrung. Doch sind dies wirksame Grundstrukturen, die als literarische Schemata immer wieder in die Dramen eingelassen werden. In Zacharias Werners «Der Vierundzwanzigste Februar» töten die Eltern, in äußerster geldlicher Bedrängnis, einen bei ihnen einkehrenden reichen Fremdling. Es ist ihr Sohn, der als reicher Mann zurückgekommen ist und seine Eltern hat überraschen wollen, indem er sich nicht sofort zu erkennen gab. Beliebt ist auch der drohende und verwirklichte Inzest durch ein Unbekanntsein mit der Herkunft eines Menschen. Ödipus weiß nicht, daß er seine Mutter heiratet. Doch auch der Tempelherr und Recha in Lessings «Nathan» wissen nicht, daß sie Geschwister sind. Hier könnte auch ein Trauerspiel des Inzests durch Nichtwissen geschrieben werden. Schiller läßt diesen Inzest, gleich von zwei Brüdern, drohen in seiner «Braut von Messina», Grillparzer in seiner «Ahnfrau», aber auch noch Ibsen in den «Gespenstern»: Oswald und Regine wissen nicht, daß sie Halbgeschwister sind. Außer dem grundsätzlichen Nichtwissen ist ein momentanes Verkennen möglich. Fiesco tötet seine Gattin Leonore, die ihm auf dem Schlachtfeld im Mantel seines Feindes begegnet, in Kleists «Schroffensteinern» tötet, ähnlich durch Kleidung und Verkleidung getäuscht, ein Vater seinen Sohn, ein anderer Vater seine Tochter. In ähnlicher Täuschung tötet Förster Ulrich seine Tochter. Hier wird das Nichterkennen gefördert durch die momentane Verfassung des Försters, der getrunken hat. Es fehlt die wache Besinnung. Die Antike kannte schon das Motiv des Wahns, des Wahnsinns. In solchem Zustand metzelte Ajas die Herden der Achaier nieder oder tötete Herakles seine Kinder.

Hier wird das Ganze des Mitmenschen verkannt, daß man den Menschen grundsätzlich oder in diesem Augenblick nicht kennt. Man kennt entweder bei wachem Wissen die Verwandtschaft nicht oder man erkennt diesen Menschen in diesem Augenblick nicht. Fiesco, die Grafen Schroffenstein, Förster Ulrich glauben Feinde zu vernichten. Nun kann der Mensch bekannt sein, aber seine wahre Beschaffenheit verkannt werden. Man wird zu Taten gegenüber nächsten Menschen getrieben, die hierzu den vermeinten Anlaß nicht gegeben haben. So vernichtet Theseus seinen Sohn Hippolyt, im Glauben, er habe seine Gattenehre verletzt, Othello tötet Desdemona, Ferdinand von Walter Luise Miller. Auch kann durch Verkennung furchterregend eine Tat unterbleiben. Wallenstein glaubt, daß Octavio Piccolomini sein bester Freund sei. Es können auch die Beziehungen der Personen untereinander verkannt werden. Dejaneira, Herakles' Gattin, weiß nicht, daß Nessus ihr das mit seinem Blute getränkte Gewand gibt, um hierdurch Herakles zu vernichten.

In allen diesen Fällen wirkt sich die Situation so aus, daß sie dem Menschen ein ihm nötigstes Wissen vorenthält, oder ihn im entscheidenden Augenblick des echten Wissens beraubt, der Wirklichkeit und Wahrheit eine Täuschung unterschiebt.

Doch kann die Situation den Menschen auch schlechthin zu Furchterregendem treiben, ohne daß hierbei Menschen verkannt werden. Es liegt in der Situation entweder schlechthin eine Nötigung oder doch eine Verführung. Was Klytaimnestra, Elektra, Orest, Medea im Drucke ihrer Lage tun oder tun müssen, wirkt furchterregend. Furcht muß auch Antigones Entschluß erregen, gegen Kreons Befehl ihren Bruder zu bestatten. Furchterregendes beschließt auch Hippolyt, wenn er Phädras Leidenschaft seinem Vater Theseus verraten will. Bei Shakespeare ist furchterregend Macbeths Weg zum Königsmord, der Schritt Lears, sich der Macht, des Besitzes zu entledigen, Othellos wachsende Eifersucht, Coriolans Übergang zu den Volskern. Überall wird etwas getan, was den tragischen Helden selbst verderben muß. Hamlet und Antonius umgekehrt unterlassen, was sie zu ihrer Rettung tun müßten: dies erregt die Furcht. Furcht erregt bei Schiller der Entschluß Karl Moors, Räuber zu werden, die Bereitschaft Luise Millers, unter den Vorspiegelungen Wurms einen Brief zu schreiben, worin sie sich als Untreue bloßstellt, Maria Stuarts Wunsch, sich zu ihrer Rettung unbedingt dem Grafen Leicester anzuvertrauen, dessen Unzuverlässigkeit der Zuschauer schon kennengelernt hat.

In diesen Situationen sind die Nötigungen mitenthalten, daß es nahe Menschen sind, die sich Böses antun oder hierzu gezwungen sind. Soweit dies mehr ein freies Böses ist, herrscht die Furcht, je mehr der Zwang wirkt, herrscht das Mitleid. Die Stellung der beiden älteren Töchter gegen Lear wirkt furchterregend, ebenso in Gerhart Hauptmanns «Vor Sonnenuntergang» die unglückliche Konstellation in der Familie des Geheimrat Clausen oder im «Friedensfest» die unglückliche Stellung aller Familienmitglieder zueinander, die sich wechselseitig ihr Unglück bereiten. Hierbei können Sachzwänge bestehen oder zu bestehen scheinen: wenn Philipp II. seinen Sohn aufopfert; oder persönliche Gegensätze und Feindschaften können herrschen, im Motiv des Bruderhasses bei Schiller (Die Räuber, Braut von Messina) und noch in Max Halbes «Strom».

Das Unglück, das der Mensch sich selbst bereitet, ist einmal ein bedeutsames wesenhaftes tragisches Motiv, da sich der Mensch hier in seiner Schranke zeigt, ferner bedeutend zur Erregung der Furcht, da nichts mehr spannt und erregt, als wenn der Mensch selbst durch seine Beschaffenheit zur Quelle seines Unglücks wird. Doch ist dies nur die eine Seite der hier möglichen Fügungen. Besonders der tragische Held ist doch zugleich der Mensch, dem dieses Unglück bereitet wird. Im Nichtkennen, im Nichterkennen steht doch der Mensch stets in der Tücke der Situation, die ihm das richtige Wissen oder den richtigen Gebrauch des wachen Verstandes vorenthält. Soll die tragische Person selbst nicht das eigentlich Furchterregende sein, so geht die Nötigung um so mehr von der Situation aus. Ödipus muß den Mörder seines Vorgängers entdecken, Hamlet muß den Mord an seinem Vater rächen, Wallenstein muß Rebell werden, wenn er nicht stürzen will. Hier überall liegt Furchterregendes in dem, was der tragische Held in diesem Falle tut und nicht tut, doch eine innerste Furcht wird erweckt durch des Helden Situation, die mit so fataler Macht ihn bedrängt. Dieses Element, Furcht durch das Bewirkende von der Situation her, kehrt auch im Bereich des Handelns wieder, indem hier nicht die Aktion des Helden erregt, sondern die Aktion gegen den Helden.

Im «König Ödipus» ist die Situation so, daß sie den tragischen Helden zu einer Tat nötigt. Im «Philoctet» hingegen wird Furchterregendes in bezug auf den Helden getan, ebenso im «Hippolytos». Manche tragischen Helden sind nur noch das Opfer dessen, was ihnen angetan wird, ein Carolus Stuardus (Gryphius), eine Maria Stuart. Die freiesten Handlungen sind stets gegen den Helden gerichtet, sie schaffen ihm eine Situation, in dem Anschlag Jagos gegen Othello, Franz Moors gegen Karl Moor, Wurms gegen Ferdinand. Die Furcht wird hier erregt durch ein Voraussehen des Unglücks, das dem Helden hierdurch bereitet werden wird.

In allen diesen Fällen wird die Furcht durch ein Tun erregt: durch ein dämonisches Tun, worin der Mensch selbst wie eine Macht des Verhängnisses ist, oder durch ein sachlich verfehltes Tun, oder durch ein von der Situation erzwungenes Tun, oder durch ein gegen den tragischen Helden gerichtetes Tun. Alle diese Fälle sind fruchtbar zur Erregung der tragischen Furcht. Doch soll hier der Mensch nicht in seinem freien Handeln, sondern in seinem Bedingtsein vorgestellt werden; hierzu gehört die Bedingtheit des Menschen durch sich selbst. Handlungen sind menschliche Verhaltensweisen, an denen gleichfalls seine Bedingtheit sichtbar wird. Der Dichter bedient sich ihrer also nur in dem Maße, wie sie durch sein Thema und durch seine Zwecke nötig sind. Sie liegen teils in der Logik des Stoffs, etwa der geschichtlichen Stoffe: die Geschichte ist der Raum des betonten Handelns und betonter Zwänge, starker persönlicher Antriebe zum Tun, sowohl des Helden wie ihm entgegenstehender Kräfte, starker sachlicher Nötigung zum Tun, zugleich starker Hemmungen. Teils locken sie den Dichter durch ihre dramatischen Vorzüge, durch ihr stark Motorisches, die hier wirkenden Kräfte vom Helden her oder auf den Helden hin. Teils schließlich sind sie günstig zu Erregung von Furcht, weil der Zuschauer deutlich sieht, daß der Held Unglückliches tut oder etwas für ihn Unglückliches gegen ihn getan wird. Doch kann auch alles dieses Tun fehlen, es können alle bedingenden Kräfte in der Situation liegen, und die Furcht kann erregt werden allein durch die sich auswirkende Fatalität der Situation. So verfuhr Ibsen in seinen «Gespenstern», Gerhart Hauptmann in «Vor Sonnenaufgang». Diese Fügung entspricht mehr dem bürgerlichen Realismus und einer Erfahrung mehr des Drangs der Verhältnisse als der Verhängnisse durch die Willensimpulse des Menschen. Lessing und Schiller bedienen sich auch im bürgerlichen Drama noch sehr der dramatischen Handlungen durch menschliches Tun: der dämonischen Triebkraft einer Marwood oder Gräfin Orsina, der Leidenschaft des Prinzen von Guastalla, des Bruderhasses in Franz Moor, der Intrige durch Marinelli oder Wurm. Goethe hingegen läßt die Lebenszusammenhänge dominieren, und das hier vom Menschen her Bewirkte liegt in menschlichen Beschaffenheiten schlechthin. Sie werden im Drama nicht mehr wirksam, sondern nur Folgen von ihnen werden noch erlitten. Clavigo hat Marie verlassen; er geht jetzt an der ihm hierdurch geschaffenen inneren wie äußeren Situation zugrunde. Fernando hat seine Frau, dann seine Geliebte verlassen; jetzt steht er plötzlich vor zwei Frauen zugleich und in einer lösungslosen Situation. Solche Erfindungen sind menschlich lebenswahr dargestellt, sie vermeiden die dramatische Handlungsapparatur, sind aber zur Erregung tragischer Furcht weniger geeignet. In dieser Rücksicht fügt

Gerhart Hauptmann solche Dramen wirkungsvoller, indem er entweder die Verhängnisse oder die fatalen Triebkräfte steigert. Die Verhängnisse liegen zum Teil
sofort eindeutig in der Situation, wie für Helene Krause, oder sie liegen in einer
Schwäche des Menschen in dieser Situation, wie bei Johannes Vockerath, oder sie
liegen in entscheidenden Kräften, die auf einen schwachen Helden wirken, wie bei
Gabriel Schilling, schließlich können sie auch in einer fatalen Charakterart und
-konstellation liegen, wie in dem «Friedensfest». Hier überall ist von dramatischer
Tat wenig verspürbar, mehr das Sichauswirken von Situationen und Lebenskräf-
ten, doch ist dieses Geschehensgewebe zu starker tragischer Wirkung gebracht.
Es ist ein wirksamster Zug in «Vor Sonnenaufgang», daß Helene Krause das sie
bedrohende Verhängnis in ihrer Liebe selbst am deutlichsten sehen muß, daß sie
mit verzweifelter Angst hiergegen ankämpft, und dieser Zustand teilt sich ganz
dem Zuschauer mit.

Dieses Furchterregende kann dadurch gesteigert werden, daß der Dichter seine
Personen schon in einem Zustand großen Unglücks zeigt, der keine Steigerung
mehr verträgt und der doch durch die Situation gesteigert zu werden droht. So
verfährt Sophokles in seinem «Philoctet», Euripides in den «Troierinnen», Schiller in der «Maria Stuart», Gerhart Hauptmann in den «Webern». Ferner wird die
Furcht gesteigert durch den Beginn des Spiels im noch besessenen Glück, und
durch den im Spiel sich vollziehenden raschen Wechsel von Glück zu Unglück.
Dies ist einmal ein Glückswechsel in den äußeren Verhältnissen. Ödipus ist jetzt
noch der hohe König; bald wird er der Gescheiterte, der blinde landesflüchtige
Bettler sein. Der jetzt noch strahlende Herakles ist bald der gebrochene Mörder seiner
Kinder. Shakespeare zeigt diesen Kontrast an seinem Lear, Schiller an Wallenstein,
Kleist am Prinzen von Homburg, Grillparzer an König Ottokar. Weltanschauli-
ches spielt hier mit, der Blick auf die Wandelbarkeit des menschlichen Glücks, in
der Antike der Blick auf das menschliche Maß, das der zu hoch Gestellte oder zu
hoch Strebende überschritten hat. Mit diesem äußeren Glückswechsel ist ein innerer Glückswechsel verbunden. Er für sich allein dominiert oft in den privaten Lebensgemälden. Ein Hochzeitstag endet mit dem Tod des Paares (Emilia Galotti).
Bei einer Verlobungsfeier bricht ein tödlicher Streit aus (Der Erbförster). Eine
Familienversöhnung soll bewirkt werden, scheint zu gelingen, doch der Streit erneut sich, jetzt mit schrecklichen Folgen («Die Braut von Messina», «Das Friedensfest»).

Zu den furchterregenden Verfassungen, die der Stoff anbieten oder ermöglichen
soll, die zu finden oder zu erfinden sind, treten die Verfassungen, die das Mitleid
erregen.

Sie liegen da vor, wo die Situation schon ein entschiedenes Leiden bewirkt hat.
Die Situation der Klytaimnestra erregt Furcht, die Folge des Gattenmordes ist für
Elektra, die ihren Vater geliebt hat, das Leiden. Oft bietet der Stoff sofort die Lei-
densvorstellung an: die Lage des Prometheus, eines Philoctet, einer Alkestis. Ferner kann die Lage zu einem Handeln nötigen, das seelisch ein Leiden ist. So leidet
Orest, wenn er seine Mutter töten muß. Ihn leitet nicht Haß und Rachegefühl, die
in Elektra wirksam sind, sondern er gehorcht dem Gebot des Gottes. Iphigenie

muß leiden, indem sie ihren Bruder töten soll. Ferner erregt Mitleid, wenn durch die Situation etwas getan wird, was für den Handelnden ein großes Unglück erwarten läßt. So kann der Entschluß Antigones, gegen Kreons Befehl ihren Bruder zu bestatten, nicht nur Furcht erregen, sondern auch Mitleid mit dem sie erwartenden Geschick.

Solche Situationen werden auch im nachantiken Drama immer wieder gestaltet. Zu den unmittelbar pathetischen Situationen treten die Konfliktsituationen, die den Menschen in einen Leiden erregenden Zwiespalt hineinstellen. Luise Miller glaubt, sie müsse, um ihren Vater zu retten, ihre Liebe aufopfern. Brutus glaubt, er müsse Cäsar, den er als Freund liebt und bewundert, töten. Das Leidenerregende äußert sich als Konflikt, bei Luise Miller im Widerstreit zwischen Kindes- und Frauenliebe, bei Brutus zwischen Freundschaft und vaterländischer Pflicht. Das Mitleid kann verstärkt werden durch eine hier mitwirkende Täuschung, daß Luise nur Opfer wird des Anschlags Wurms, daß Brutus durch seine Tat den Fall der Freiheit Roms nur besiegelt. In ähnlich leidenerregenden Konflikt stellt Schiller seinen Max Piccolomini, zwischen die Freundschaft zu Wallenstein, Liebe zu Thekla und seine Pflicht gegenüber dem Kaiser. Schiller führt den Fall an, daß ein Festungskommandant, um die Festung zu retten, seinen Sohn aufopfern muß. Hier mischt sich in das Mitleid über das Bedrängende der Situation die Bewunderung für die moralische Kraft dieses Mannes. Auch auf die zugespitzte Situation in Corneilles «Cid» weist Schiller hin. Rodrigos Vater ist durch den Vater seiner Geliebten tödlich beleidigt worden. Da der alte Mann die Schmach nicht mehr selbst rächen kann, muß der Sohn für ihn antreten, er muß mit dem Vater der Geliebten sich schlagen. Er tötet ihn. Jetzt muß die Geliebte ihren Vater an den Geliebten rächen. Auch hier erregt die Situation ein äußerstes Mitleid. Die moralische Stärke der Personen in ihr erregt Bewunderung.

Vorstellend war der Dichter bemüht, seine Charaktere als konstituierende Elemente des Geschehenszusammenhangs anschaulich zu machen. Wirkend ist er um gemüthaften Anteil an seinen Charakteren bemüht. Eine Bedingung dieses Anteils ist das traurige Schicksal einer Person. Eine weitere Bedingung ist eine solche Beschaffenheit dieser Person, daß ihr trauriges Schicksal auch Anteil erregt.

Damit Anteil überhaupt möglich wird, muß der Charakter dem Zuschauer verständlich sein, und zwar im Sinne des unmittelbaren inneren Mitlebens. Er muß also im Bereich des sogenannt allgemein und damit jedem Zuschauer unmittelbar gegenwärtigen und reibungslos eingängigen Menschlichen liegen. Dieses Menschliche ist ein sehr Vielschichtiges und Komplexes. Hierzu gehört eine Grundbeschaffenheit des Menschen als Lebe- und als Seinswesen schlechthin, etwa der Selbsterhaltungstrieb und alle Triebe, die hierin begründet sind, die Ausdehnung von Dasein und Mehrung von Sein, durch den Willen zur Gestaltung, Macht, Herrschaft, damit auch das Widerstreben gegen alle Kräfte, die den Menschen in diesem Grundtrieb einengen. Ferner gehört hierzu jeder Grundantrieb im Gefühlsleben, worin auf Daseins- und Seinserfüllung gedrungen wird, wie besonders in der erotischen Liebe. Ferner gehören zum Menschen bestimmte Wirklichkeits- und Wertbezüge, im religiösen, sittlichen, kulturellen Bereich. Zu diesen Grundtrieben und Grundwirklichkeitsverhalten tritt die mehr formale Artung des Charakters, teils des Menschen Temperament, das sich auf bestimmte Grundformen bringen läßt, teils seine Willensbeschaffenheit, die vielfältig fördern oder hemmen kann. Im Gefühlsleben sind viele Grade möglich, von einer ruhigen Erfülltheit bis zum heftigsten Affekt.

Alle diese Züge sind das für den Menschen schlechthin Charakteristische, sie sind das in jedem Menschen mehr oder weniger Wirkende oder doch Angelegte, damit sind sie das, was, an einem anderen Menschen auftretend und durch den Dichter suggestiv dargestellt, auch sofort von seiner Wirklichkeit und Wahrheit überzeugt. Der dies herausstellende Dichter gestaltet das Typische. Sein Vorzug ist nun das von selbst Verständliche, das sich durch sich selbst Erklärende, das mithin einer klärenden Erschließung nicht mehr bedarf. Diese Verständlichkeit ist nicht räumlich beschränkt und schwindet nicht mit dem Wandel der Zeit. «Nimmt man die Charaktere typisch, sagt Otto Ludwig, wovon die Kopien ... in der ganzen Welt herumlaufen, so braucht man nicht in Sorgen zu sein, das Werk werde rasch veralten.» Dies haben die Griechen sichtlichst getan, doch auch Shakespeare gestaltet in seinen Charakteren das Typische. Hamlet, sagt Otto Ludwig, könnte «der Unentschlossene heißen, Macbeth: der Ehrgeizige, Lear: der törichte Vater, Shylock: der Wucherer, Othello: der Eifersüchtige». Heinrich IV. oder König Johann seien die Typen des Usurpators, Heinrich V. der Held, Heinrich VI. der fromme Schwächling auf dem Throne». Auch bei Polonius sei seine Liebedienerei, die sich ihn drängen läßt, den Hamlet auszuforschen, typisch[9].

Dieses Typische braucht nicht typisch gestaltet zu sein. Shakespeare fand in seinen Stoffen Charaktere, der spätere Realismus suchte und fand sogar die Individuen. Doch muß hier im Besonderen das Allgemeine den Kern ausmachen. Ferner braucht dieses Typische nicht stets in durchschnittlicher Weise typisch sein. Hierdurch wird eben der Wirklichkeitscharakter dieses Typischen im Menschen schärfer herausgehoben. Urtriebe können gesteigert erscheinen, wie die Selbsterhaltung in Klytaimnestra, die Rachsucht in Elektra, das Muttergefühl in Medea. Unnatürliches kann die Folge sein, wie ein Gattenmord, ein Muttermord, die Tötung der eignen Kinder. Doch werden diese Steigerungen auf dem Grund des eigentlich Menschlichen nachvollzogen. Es muß nur der Dichter das Besondere und Extreme dieses Falles suggestiv darstellen. So verfährt auch Shakespeare mit seinem Othello, Kleist mit seiner Penthesilea. Das Religiöse, Sittliche kann über die Norm gesteigert sein, wie bei Antigone oder Emilia Galotti. Auch hier folgt der Zuschauer, der die echte Unbedingtheit solcher Ansprüche erfährt. Auch die Temperamente können gemehrt sein, ebenso die Willensverhältnisse stilisiert, durch ein Mehr oder Weniger gegenüber dem durchschnittlichen Willen.

Fehlerhaft wird erst die Preisgabe dieses eigentlich Menschlichen, damit der selbstverständlichen Verständlichkeit. Faust ist der Mensch selbst in seiner äußersten Steigerung; überall in seinem Bedürfnis nach Sein über die Schranken des Menschen hinausgreifend, demonstriert er eben hierdurch den Menschen. Denn dieses Mehrseinmüssen als nur dieses Lebe- und Weltwesen in seinen beschränkten Lebensbezügen macht das Eigentliche des Menschen aus. Holofernes hingegen bei

Hebbel will absolut sein um der Absolutheit selbst willen; er ist nicht mehr ein zu erlebender Mensch, sondern die Demonstration eines philosophischen Ticks. Der alte Galotti ist ein Rigorist der Ehre mit seinem leicht erregbaren Temperament. Meister Anton bei Hebbel ist Extremist der Ehre, auch diese Ehre ist bei ihm ein Tick. Herodes ist ein Extremist des erotischen Besitzwillens, der die geliebte Frau lieber nach seinem Tode töten läßt, als daß er sie möglicherweise einem anderen Manne überläßt. Einem Kandaules muß es unerträglich sein, allein von der Schönheit seiner Gattin zu wissen, und er muß einen Freund diese Schönheit insgeheim schauen lassen, damit einer wenigstens das Beneidenswürdige seiner Ehe kennt. Hebbel bemerkt, daß dies alles äußerst tragisch sei, da so die Charakterweise des Menschen zur Tragödie führe. Doch wirkt, wie Paul Ernst richtig bemerkt, alles nur aus dem Charakter kommende Tragische zufällig; daher habe Ibsen dieses Charakterartige in der Exposition vorausgesetzt. Noch mehr wirkt dies zufällig, wenn das tragische Geschehen in solchen Charakterseiten begründet ist, die nur als private Absonderlichkeiten oder nur als künstliche Übersteigerung empfunden werden können. Hebbel wird nach Gundolf zum Meister erhabener Ausgedacht- heiten, «die keinen Anhalt mehr in wirklichen Weltgesetzen und Lebensfällen ha- ben[10]». Eine philosophische Charakterkonstruktion geht hier der Lebenserfahrung voraus, anstatt daß in den Lebensfällen das möglicherweise grundsätzliche Mensch- liche erfahren wird. Die Kunst hat hier den Schaden davon, sagt Hermann Nohl, «wenn sie sich einseitig vom ‚Geist' her orientiert, der den Gehalt, den die Kunst doch erst offenbaren soll, schon vorher weiß[11]».

Vor ein Sonderproblem stellt das Moralische. Hier kann einmal der Mensch außerhalb des Menschlichen, damit des Verständlichen bleiben. Lessing tadelt den Richard III., den Christian Felix Weiße im Gefolge von Shakespeare gestaltet hat: er habe den bei Shakespeare gewahrten Menschen in ein extremes Ungeheuer ver- wandelt. Hier wird das mitgehende Verständnis aufgehoben. Doch kann im mo- ralischen Bereich der Mensch auch verstanden, gleichwohl die Darstellung nicht als tragisch empfunden werden. Aristoteles fordert den mittleren Charakter als Be- dingung echter tragischer Teilnahme. Das Unglück ganz tugendhafter Personen werde weder Furcht noch Mitleid erregen, sondern nur Verdruß. Hier wird die Person verstanden, aber ihr Schicksal befremdet. Das Unglück des ganz Schlech- ten aber befriedigt unser Gerechtigkeitsgefühl. Hier kann die Person verstanden werden, ebenso ihr Schicksal; doch fehlt durch die moralische Billigung des Aus- gangs der tragische Anteil. Das Ende des tragischen Helden muß als ein Schicksal- volles erfahren werden, als ein Scheitern des Menschen und nicht als eine Bestra- fung des Bösen. Das Leiden muß begründet, aber es darf nicht die Strafe für eine quasi kriminelle Verfehlung sein. Es muß in dieser Rücksicht unverdient sein. «Denn Mitleid zollt man dem unverdient Leidenden, die Furcht aber gilt dem, der uns selbst ähnlich ist ... Folglich bleibt nur eine Person, welche in der Mitte liegt zwischen beiden, übrig[12].

Das Typische ist nur die Voraussetzung für die unmittelbare Aufnahme des Charakters. Dieser Charakter selbst kann auch durch seine besondere Beschaffen- heit den Zuschauer ansprechen.

Dem Griechen war dieses Ansprechende schon durch seinen Stoff unmittelbar gegeben. Nicht nur, daß seine Personen dem Zuschauer vertraut waren, sie waren auch die Repräsentanten der Menschheit. Sie waren dies schon äußerlich, indem sie auf der Höhe des äußeren Lebens standen, als Könige, Helden, Heerführer. Sie waren dies zugleich innerlich, in ihrem Charakter, in ihrem Schicksal. Sie waren die Menschen der Würde, die Menschen des äußersten Gehalts, sie waren aller Erfahrungen fähig und fähig, alle Erfahrungen genugtuend auszusprechen.

Ähnliches wird auch in den geschichtlichen Stoffen erstrebt. Sie lösen die antiken Stoffe ab und sollen die durch sie erfüllten Ansprüche befriedigen. Doch ist in der Geschichte mehr der Geschehensraum repräsentativ als der geschichtliche Charakter. Der Dichter muß hier taugliche Fälle suchen oder in die Geschichte frei konzipierte Charaktere hineinsetzen.

Shakespeare bleibt der geschichtlichen Wirklichkeit möglichst nahe. Er erfaßt hier die Schicksalsfälle und die Menschen, wie sie sich zeigen. Er stellt klärend heraus, was in dem Fall gegeben sein kann. Er wirkt hierbei schon durch den Reichtum des Lebensgemäldes, worin das Sinnbildliche wie ein vertiefender Hintergrund aufgenommen worden ist. Eine andere Lage und eine andere Möglichkeit des Anteils wird im christlichen Drama und im anschließenden mehr moralischen Drama gewonnen.

In der griechischen Fügung schienen alle inhaltlichen Wirklichkeitsbezüge des Menschen mit Rücksicht auf ihre tragische Auswirkung erfaßt zu werden. An seiner Antigone demonstriert Sophokles nicht das Geltende des Gebotes der Pietät, und Euripides stellt seinen Hippolytos nicht dar, um die Teilnahme des Zuschauers auf das hier verkörperte Ideal der Keuschheit zu lenken. Im christlichen Drama der Spanier aber oder bei Gryphius herrscht weniger das tragisch Schicksalhafte als die Wirklichkeits- und Wertwelt vor, die der tragische Held vertritt, und man nimmt Anteil an dem Helden, wird auf die Wirklichkeit gerichtet, die er vertritt. Der Held ist ein Streiter und Dulder für das Christentum. Die Franzosen übernehmen diesen Zug im Bereich des weltlich Moralischen. Bei Shakespeare steht der ganze Mensch unzerspalten in seiner Situation, sich selbst, seiner Seinsweise überantwortet. Im christlichen Drama taucht die mögliche Spannung im Menschen selbst auf, zwischen dem vielleicht Übermenschlichen des religiösen Anspruchs und dem Menschen in seinem nurmenschlichen Trieb. Bei Corneille wird solche mögliche Spaltung zu einem ausdrücklichen tragischen Thema. Der tragische Held weiß sich unter den Anspruch der moralischen Vernunft gestellt. Sinne und Leidenschaften wirken in ihm diesem Anspruch entgegen. Es gehört zur Fatalität der tragischen Situation, daß sie den Menschen in den härtesten Widerspruch zwischen Pflicht und Neigung stellt. Dies ist einmal schlechthin eine fatale Situation. Zugleich wird so der Anteil an dem Helden gemehrt, nicht nur an dem Menschen und seinem Menschlichen schlechthin, sondern an der Stärke seiner moralischen Person. Der Held an sich selbst als moralische Person erregt Bewunderung; um so mehr erregt Mitleid, daß er durch seine Moralität leidet und daß er dies in solchem Grade muß.

Im 18. Jahrhundert verstärkt man diesen Zug. In England besonders bildete man eine moralisch religiöse Literatur aus, die dem Publikum das Vorbildliche, den Menschen in seinen moralischen Möglichkeiten vorstellen sollte. Statt des bloß in dieser oder jener Weise seienden Menschen der Antike oder Shakespeares erschien jetzt der seinsollende Mensch, statt des bloßen Menschenbildes das Menschenvorbild. Richardson begründete hierin die Wirkung seiner Romane. Doch auch im Drama erscheint der idealtypische Mensch, der den Menschen in höheren und auch in äußersten Möglichkeiten zeigt. Tellheim, Götz, Nathan, Posa, Iphigenie gehören hierher. Der Mensch besitzt hier an sich selbst durch seine moralische Beschaffenheit eine besondere Bedeutung und erwirbt sich eine besondere Teilnahme.

Der Mensch mit seiner möglichen Kraft und Bedeutung tritt hier immer mehr heraus. Es kann nun auch der Mensch schlechthin als Mensch betont werden, in seinem Selbstsein, seiner Selbstkraft, seiner Größe. Der Mensch erregt Teilnahme, weil er der Große ist. Die Antike kennt diesen Zug, betont Größe darzustellen, nicht. Der Mensch kann nur in festbegrenztem Maß da sein; alle Überschreitung ist Hybris. Dieser Zug bleibt in der Tragödie unverloren, da der große Mensch doch scheitert. Auch Shakespeare nimmt und gestaltet den Menschen, wie er ihn in seinen Stoffen findet und wie er ihn für seinen dramatischen Zusammenhang braucht. Antonius ist groß, doch nur, weil er die große Naturpotenz sein muß, die der kühlen Klugheit eines Oktavian erliegt. Cäsar ist der müde große Mann, zum Falle reif. Das Große gehört hier zum Stoff. Und nicht diesen Cäsar stellt Shakespeare zuerst dar, sondern die Not, die Tat, das Scheitern des Brutus. Cäsar ist nur der geheime Mittelpunkt, eine Macht, die in ihrem Sturze eine Welt mit in ihren Abgrund reißt. Die Franzosen hingegen machen betont den Menschen in seiner möglichen moralischen Größe sichtbar. In diesem Sinne ist auch Lessings Philotas groß. Er gibt sich als Gefangener den Tod, als er hört, daß der Sohn seines Besiegers Gefangener seines Vaters ist. So macht er einen Austausch der Gefangenen hinfällig und sichert seinem Vater das Übergewicht. Größe wird zu einem Grundzug vieler Gestalten Schillers. Sie sind groß in ihrer Gesinnung und in der Kraft, sie zu bewähren. Fiesco, Andrea Doria, Posa – sie sind in dieser Weise groß und ziehen die Aufmerksamkeit auf sich. Goethe zeigt mehr eine Dimension des Lebens, mehr der inneren Lebensfülle oder der schöpferischen Kraft. In dieser Weise sind Götz, Egmont, Faust groß. Grabbe übernimmt diese Tendenz, steigert und übersteigert sie. Auch bei Büchner begegnet sie in seinem Danton. Er ist Nachfahre eines Antonius und Egmont zugleich, wie ein Egmont, den sein Leben ermüdet und erschöpft hat. Er fällt durch Robespierre, wie Antonius durch Octavian und Egmont durch Alba.

Dies kann dahin führen, daß man nun im Menschen den Menschen zeigt, nicht mehr erstlinig dieses Menschen Schicksal. Man sieht, was der Mensch ist, was dem Menschen möglich ist. Bei Shakespeare dominierte doch stets das Schicksal des Menschen, bei den Franzosen die überpersönliche, schlechthin geltende Ordnung. Goethe besonders in seinem Egmont gibt zuerst das Menschenbild. Schiller wendet hiergegen ein, daß der Zweck einer Tragödie nicht die Schilderung eines Charakters sein könne. Goethes Drama ist ihm nicht durch die Menschendarstellung gerechtfertigt, sondern durch seine gleichwohl tragische Wirkung. Dieser Zug ist im deutschen bürgerlichen Raum des 18. Jahrhunderts sehr stark. Er entstammt, wie in England, der Säkularisation des religiösen Menschen, der nun zuerst auch in der literarischen Darstellung um den Menschen bekümmert ist, um seine Moralität, nicht um die Kunst. Goethe und Schiller drängen diesen Zug in ihrer klassischen Zeit zurück. Goethe bildet jetzt seinen Egmont nicht mehr um seiner selbst willen aus, auch seinen Faust nicht. Er teilt diesen Menschen ein Schicksal zu, das wie die Antwort auf einen übersteigerten Selbstdrang ist. Was bleiben kann, ist eine Betonung des Privaten, die den Anteil an diesen Charakteren steigert, indem sie nicht nur die Träger des großen öffentlichen Lebens sind. Besonders Schiller liebt es, das im engeren Sinne Menschliche, im politischen Raum den Menschen in seinem privat menschlichsten Lebens- und Gefühlsbereich festzuhalten. Bei Frauenschicksalen ist dies selbstverständlich gegeben, nicht nur bei Maria Stuart, sondern auch bei einer Jeanne d'Arc. Ihre Berufung ist zugleich ein Persönlichstes. Wo die Aufgabe mehr wie die un- oder überpersönliche Hingabe an die Sache ist, wie bei Philipp II., muß auch der Gatte gezeigt werden, der Vater. Tell rettet zuerst seine Familie, die Befreiung der Schweiz ist hiervon nur eine Folge. Wallenstein ist auch Gatte und Vater. Goethe läßt sogar diesen privaten Menschen vorherrschen in seinem Egmont. So wird überall der menschliche Mensch, für den Deutschen auch der privat bürgerliche Mensch, und nicht nur der Sachwalter des Allgemeinen empfunden. Dies wird um so wichtiger, je weniger noch der Staat der Raum persönlich aktiver Leidenschaften sein kann. Zugleich werden so wirksame tragische Situationen gewonnen. Philipp II. muß als König seinen Sohn vernichten. Egmont geht unter an dem Privaten seines Lebens, an dem Willen zu einem eigensten Selbstsein.

Bis zum Ende der Romantik, bis zur Mitte des 19. Jahrhunderts hin, ist der Dichter das Talent, das sich durch die innere Erfahrung des Menschen ausweist. Durch diese innere Erfahrung geht stets auch von des Dichters Erfahrungsweite und -tiefe mit in den tragischen Charakter ein. Besonders das deutsche Drama, von Goethe, Schiller, Kleist lebte mit von der substantiellen Bewegtheit und der menschlichen Bedeutung des schöpferischen Subjekts. Die Romantik setzt diesen Zug gesteigert fort. Zugleich hat sie diese Art zu schreiben diskreditiert, indem sie, statt die dramatische Produktion vom Dichter her nur zu speisen, den Dichter in seiner zufälligen Subjektivität vorherrschen ließ. Der fortschreitende Realismus wirft hier das Steuer herum. Das Interesse wird nicht mehr durch Gestaltung und Entäußerung dieses inneren Menschen gesucht. Es soll jetzt dem von außen beobachteten und erforschten Menschen gelten. Es scheint, als sei der eigentliche Mensch noch unentdeckt, als sei er bisher mehr an metaphysischen Normen gemessen als in sich selbst erschlossen worden. Psychologie, Soziologie, Historie sollen jetzt diese Entdeckungsarbeit leisten. Auch der Dichter soll der Beobachtende, Forschende, Aufdeckende sein. Hebbel zeigt die Liebe als ein mehr sexuelles Faktum auf. Nietzsche betreibt Psychologie als Anspruch, hinter das vordergründlich seelisch Erfahrene, Gewußte, Vertretene zurückzugreifen auf ein ganz anders geartetes Dahinterliegendes, das das eigentlich Wirkliche sein soll. Aufdeckende Psychologie verdrängt hier die Philosophie und Metaphysik. Religion, Moral, Sitte, Liebe sind die Hauptbereiche für eine desillusionierende Entschleierung. Ist schon bei Hebbel die Liebe ein mehr sexuelles Phänomen, so wird bei Wedekind der Sexus die eigentliche Triebkraft des Menschen, Grund und Quelle alles wahren Glücks. Für Strindberg herrscht zwischen den Geschlechtern ein urhafter Kampf. Doch herrscht hier nicht nur der Anspruch auf neue Wahrheit, sondern auch der Reiz neuer Sichten, Thesen, besonderer psychologischer Probleme. So zeigt Georg Kaiser einen Milliardär, der um das Glück seiner Jugend betrogen worden ist. Ihm untersteht ein Sekretär, der ihm an Gestalt völlig gleicht, und dem eine glückliche Jugend geworden ist. Der Milliardär tötet den Sekretär, er gibt vor, der Sekretär zu sein; er läßt sich als seinen eignen Mörder verurteilen. So eignet er sich das Leben des innerlich glücklicheren Sekretärs zu. Menschenerschließung entartet hier in die Konstruktion, in Effektsuche durch den ausgefallenen Fall. Tiefer begründete Dichter bleiben beim überliefert Menschlichen. So stand schon Goethe im Kreise seiner Sturm- und Dranggenossen, und Gerhart Hauptmann wieder im Kreise der Naturalisten.

Zu dem allgemein Werbenden und Interessanten des Charakters treten die besonderen, genauer tragisch wirkenden Züge. Sie sind in besonderem Maße furcht- und mitleiderregend.

Furchterregend sind die Charaktere stets dann, wenn sie durch ihre Beschaffenheit furchterregende Taten erwarten lassen, eine Klytaimnestra, Elektra, Medea, auch eine Antigone. Doch auch Schwächen, Mängel sind furchterregend, wenn ein Anspruch der Situation Art und Zustand eines Menschen übersteigt. Seelische Belastung kann der körperlichen Schwäche zugemutet werden, eine sehr starke Erregung dem kranken Dr. Scholz, so daß er einen Schlaganfall erleidet (G. Hauptmann: Das Friedensfest), oder der kranken Beate von Kellinghaus, die einem Herzschlag erliegt (Sudermann: Es lebe das Leben). Oder der Mensch ist rein seelisch dem Anspruch nicht gewachsen, wie Gabriel Schilling, Rose Bernd, Geheimrat Clausen. Oder es fehlt die Handlungskraft, wie bei Hamlet, die Weite und Beweglichkeit, wie bei Odoardo Galotti, oder die Freiheit des Gemüts und des Geistes, wie bei Othello.

Mitleiderregend ist eine Person dann, wenn sie dem Unglück wenig gewachsen und zugleich von solcher Art ist, daß sie am wenigsten dem Unglück ausgesetzt sein soll. Kampf und Untergang eines kräftigen Mannes wird wenig Mitleid erregen, wohl aber der vernichtende Druck auf einen Greis. Sophokles hat darum, wie Goethe für den Ödipus auf Kolonos bemerkt, seinen Helden als schwachen Greis vorgestellt[13]. Goethe wiederholt dies für seinen Götz, ohne Rücksicht auf die äußere Wahrscheinlichkeit, daß dieser Götz soeben noch als der Mann auf der Höhe seines Lebens auftrat. Bei Euripides leidet der alte Amphitryon, bei Shakespeare Titus Andronicus und Lear, bei Schiller der alte Moor, bei Byron Marino Falieri und der alte Foscari, bei Gerhart Hauptmann der alte Clausen. Ähnlich wie das Leiden des Alters rührt das Leiden der Jugend, die zum Tode geführten Prinzen in Shakespeares «Richard III.», die verhungernden Söhne Ugolinos, das kranke Hannele im Drama Gerhart Hauptmanns.

Mitleid kann auch erregen das Leiden der Frau, wenn sie von der Seite der physischen Schwäche und bürgerlichen Unfreiheit gezeigt wird. Hier ist auch die andere Darstellung möglich, der männlich starken, ja dem Manne an Kraft und Entschluß überlegenen Frau, der Klytaimnestra, Elektra, Medea, der Lady Macbeth und Cleopatra, der Marwood und Gräfin Orsina, der Lady Milford und Gräfin Terzky. Doch zeigt auch Euripides seine Alkestis, Shakespeare seine Ophelia, Desdemona und Cordelia, Lessing seine Sara Sampson und Emilia Galotti, Schiller seine Amalia und Luise Miller. Noch Gerhart Hauptmann setzt diese Linie fort mit seiner Helene Krause, Rose Bernd, Dorothea Angermann.

Im Lebensgemälde der Gegenwart scheint vorzüglich die Frau die Leidende zu sein; weniger billigt man hier dem Manne Leiden und Tragik zu. Den durch eine Verwicklung in diesem Lebensbereich leidenden Mann stellt Lessing lieber in einem Lustspiel, als Vertiefung des Heiteren, nicht als ein tragisches Schicksal vor. Doch versucht Goethe auch Anteil zu gewinnen für die Leiden des bürgerlichen Mannes. Er vertieft sich in das Seelische des Mannes und bildet ein mehr innerliches Tragisches heraus durch eine innere Zerrüttung. Hierzu wirken ein Inneres und Äußeres fatal zusammen. Faust verschuldet den Tod Gretchens, der von Mephisto gewollt ist. Clavigo verschuldet den Tod der Marie Beaumarchais. Fernando steht ohne Möglichkeit einer Auflösung zwischen zwei Frauen, die er beide gleich unglücklich gemacht hat. Auch hier setzt Gerhart Hauptmann diesen Zug fort. Nur erliegt bei ihm der Mann weniger seiner Schuld, als einer Fatalität schlechthin und auch einer Beschaffenheit der Frau. Johannes Vockerarth steht lösungslos zwischen seiner Frau und der ihm innerlich zugehörenden Anna Mahr. Um Gabriel Schilling streiten sich zwei Frauen, und in einer Weise, an der der kranke sensible Künstler zerbricht. Starchenski wird durch das Dämonische in Elga zugrunde gerichtet, und Fuhrmann Henschel durch die verborgenere Dämonie der Hanne Schäl.

Zu den mitleidsteigernden Zügen gehört auch die Schwäche im körperlichen Zustand. Sie steigert die Wirkung des Unglücks, das den alten und den jungen Menschen trifft. So wird Philoctet gequält durch seine Wunde. Auch soziale Bedingtheit steigert das Mitleid, die Ohnmacht der Familie Miller gegen die Willkür des Präsidenten, die Hilflosigkeit eines Woyzeck, oder die der Weber im Drama Gerhart Hauptmanns. Auch Freiheitsberaubung wirkt so, die Gefangenschaft Karl I. oder Ugolinos und seiner Söhne.

Sehr häufig läßt der Dichter mehrere Momente zusammenwirken. Hekuba ist die leidende alte Frau, der alte Moor der gefangene und kranke Greis. Der Diener Daniel in den «Räuber» ist alt, sozial schwach, zudem wird ihm Untragbares zugemutet. Gerhart Hauptmann zeigt sein Hannele als das leidende Kind, als das Kind im sozialen Elend, als das kranke und sterbende Kind.

# ZWEITES KAPITEL

# DIE WIRKSAMKEIT DES TRAGÖDIENGANZEN

Es waren Grundstrukturen aufzudecken, die an sich selbst wirksam sind. Deswegen war unrätlich, zwischen Finden und Erfinden hier so streng zu unterscheiden. Der Dichter findet nur, was er sonst erfinden müßte. Er findet im literarischen Stoff das schon als wirksam Erfundene. Immerhin bleiben dies Strukturen des Stoffes. Sie gehören dem Stoff, gehören als Erfindung der Stofferfindung zu, nicht der Stoffbearbeitung. Mit ihr tritt nun der bildende Dichter hervor. Seine Aufgabe ist, den Stoff auch tragisch wirksam zu gestalten, eine Fabel zu fügen, die tragische Furcht oder tragisches Mitleid erregt, Menschen suggestiv vorzustellen, durch die solche Zustände erregt werden können. Doch auch wenn der Dichter dies leistet, kann noch die volle Wirksamkeit fehlen. Es tritt nochmals eine Stofffrage heran. Die Tragödie ist nicht nur ein Gefäß, das das tragische Schicksal des Helden zum Inhalt hat, sondern eine tragische Symphonie, die in jedem Augenblick hinreichende tragische Energie entfalten muß. Hierzu kann das durch den tragischen Helden selbst gegebene Geschehen noch nicht hinreichend sein. Der Dichter muß seine Symphonie mit weiteren Menschen- und Geschehensvorstellungen anreichern, um hier die ganze Fülle wirksamer Vorstellung zu erreichen. Ferner muß er nicht nur die innerlich konsequente Durchführung, sondern auch die äußerlich wirksamste Darbietung suchen. Äußerliches wirkt hier entscheidend mit, die Einrichtung der Fabel für die Bühne, ihre Länge, ihre Einteilung, die Kontinuität oder die Zerteilung der Schau. Dies alles gehört wesentlich dem ästhetischen Dasein einer Tragödie zu, die ja nicht zuerst als Lesetext wirklich ist.

## DIE WIRKSAMKEIT DER FABELGESTALTUNG

Die tragische Fabel kann mehr Furcht oder mehr Mitleid erregen. Furcht kann mehr durch einzelne Geschehensmomente erregt werden, in denen etwas zu Fürchtendes zu geschehen droht, meistens auch geschieht, oder mehr durch einen sich steigernden Zusammenhang, der bis zu einer letzten Furchterschütterung führt.

Setzt man das zu Fürchtende in einer Lage voraus, die den Menschen entweder durch bloßes Einwirken vernichtet, oder dadurch, daß sie ihn anreizt, etwas ihn Vernichtendes zu tun, und setzt auch zu Fürchtendes im Menschen voraus, Willensantriebe, Leidenschaften, Affektzustände, so scheint das Wirksammachen der Fabel nur von der Ausbildung des hier Gegebenen abzuhängen. Dasselbe scheint für Leiden und Mitleid zu gelten. Doch kann solche Verfassung vielleicht den Dichter noch nicht befriedigen. Das so Gegebene oder Entworfene erregt noch nicht genug Furcht oder nicht genug Mitleid, oder zu einseitig Furcht und zu einseitig Mitleid. Dann sind Ausweitungen des Gegebenen oder der Grundkonzeption nötig. Der Dichter erwägt, was er noch in seine Darstellung an Gegebenem hineinziehen muß oder was er noch hinzuzuerfinden hat.

Der antike Dichter fand Art und Umfang seines Themas im Grundsätzlichen vorgeschrieben. Von ihm forderte man nur das Sinn- und Kunstvolle der Bearbeitung. Der Dichter des historischen Stoffes hingegen steht stets vor einem nur möglichen Drama. Er findet teils zuviel, teils zuwenig. Sein Drama ist oft wie ein eignes Gebilde, das ihm im Blick auf dieses Stoffliche geworden ist.

Shakespeare bleibt hier am stoffnächsten, am meisten Stoffbearbeiter. Zum Teil hat ihm auch schon die literarische Überlieferung vorgearbeitet, in den mehr sagenhaften Stoffen. Doch leitet ihn überall die Rücksicht auf das ganze poetisch und tragisch befriedigende Spiel. Daß er größere Lebensbereiche aufgreift, in einem Drama an mehr als einem Menschen sich das Verhängnisvolle auswirken läßt, er viele Fäden zu einem Gewebe zusammenflicht, ist nicht nur in seinem Stoff begründet, nicht nur im raschen, stoffverbrauchenden mimischen Spiel, nicht nur in seiner persönlichen oder in des Publikums Neigung zur Fülle und Vielfalt der Vorstellung. Vielmehr sprechen auch die tragischen Wirkungsabsichten mit. Shakespeare mehrt und steigert so das tragisch Wirksame.

Im «Lear» fügt er aus einer anderen Sage das Schicksal des Grafen Gloster hinzu. Er bereichert das Geschehen um eine Parallelhandlung, die das gleichartige Grundmotiv steigert und zugleich eine Überlastung des Gemüts verhindert, die durch ein Sichbeschränken auf das furchtbare Zentralmotiv kaum vermeidbar wäre. Zudem sagt Lessing: die tragische Furcht steigere sich in dem Maße, wie der Mensch dessen Schicksal Furcht erregen soll, Mitleid erregt[1]. Nun ist das Schicksal Lears mitleiderregend genug, doch ist Lear selbst nicht der mitleiderregendste Mensch. Er führt sein Unglück mit großer Unbesonnenheit, ja mit einem blinden Eifer herbei, mit dem er sich seinen heuchlerischen Töchtern anvertraut und eine treue zuverlässige Tochter verstößt. Dies ist, wie Schiller feststellt, dem Mitleid schädlich. Hier tritt die Glosterhandlung hinzu, die dieses Mitleid steigert. Solche Steigerung gibt Shakespeare häufig, wenn ihm der Zentralcharakter nicht mitleiderregend genug ist. Er zeigt in «Richard III.» auch Richards leidende Opfer: seinen Bruder Clarence, die jungen, zum Tode bestimmten Prinzen. Er zeigt im «Macbeth» auch die Ermordung Banquos und von Macduffs Gattin und Sohn. Othello tötet Desdemona, durch Hamlet geht Ophelia zugrunde, in der Leartragödie stirbt auch Cordelia.

Der neuere Dramatiker verfährt mit dem geschichtlichen Stoff noch freier. Die wirksamen Verfassungen werden sichtlich in den Stoff hineingelegt. Goethes Götz wirkt nicht nur menschlich bewegender, rührender als der geschichtliche Götz, er stirbt nicht nur rührend als gebrochener Greis, sondern er ist auch nur die Zentralgestalt in einem Geschehen, worin mehrere Schicksale sich bewegen und vollenden. Einige sind nahe auf Götz bezogen und dienen nur dazu, Götzens Leiden zu steigern, wie Sickingens Untergang und der Tod des tapferen Jungen Georg. Sie erscheinen nur im Bericht und in ihrer Wirkung auf Götz. Doch führt Goethe auch genug eignes Geschehen vor, wie besonders zwischen Weislingen, Adelheid, dem Knappen Franz. Götzens Schicksal wirkt mehr rührend, das Schicksal Weis-

lingens mehr furchterregend. Dem wenig rührenden Egmontschicksal fügt Goethe
das rührendere Schicksal Clärchens hinzu, freilich unter Wahrung des Egmont-
schen Wesens, das auch auf Clärchen, auf sein Geschöpf, überstrahlt mit seinem
hohen Lebens- und Schicksalsenthusiasmus. Das Faustgeschehen wird rührend
und erschütternd durch das Schicksal Gretchens. Schiller fügt seinem Fiesco die
leidende Leonore hinzu, dem Wallensteinschicksal die Gestalten und das hellere,
rührendere Schicksal von Thekla und Max Piccolomini.

Im realistischen Lebensgemälde gehört das Mitleiderregende fast stets zum Stoff
selbst. Die Dynamik des Helden tritt zurück. Damit tritt überhaupt mehr die Ein-
zelpersönlichkeit zurück und ihr Einzelschicksal. Es fesselt oft wieder mehr das
Geschehnis und die Fülle der Schicksale. Lessing warnt, durch den Titel sich ver-
führen zu lassen, in der «Emilia Galotti» nur das Spiel um die Titelheldin zu
sehen[3]. Hier ist schon Graf Appiani zum wenigsten ein schwermütig Ahnender,
Gräfin Orsina ist verzweifelt leidend, und die Eltern Galotti werden in ein tiefes
Leiden hineingeführt. Noch unmittelbarer als der zerrissene Clavigo leidet die verlassene, kranke, sterbende Maria; und durch Fernando leiden Stella und seine
Gattin Cäcilie. Auch der gesellschaftskritische Realist bedient sich dieser Züge,
Ibsen am meisten in den «Gespenstern». Hebbel glaubte noch, man könne die
Freiheitskämpfe der Dithmarscher nicht tragisch wirksam behandeln, weil hier
eine große zentrale Persönlichkeit fehle[4]. Die Naturalisten bestehen darauf, daß sie
fehlen muß; sie bilden die breiten Gemälde aus, in denen die Menschen leiden und
nicht nur ein tragischer Held.

Ein Hinzuerfinden eigner Art ist das Liebesgeschehen. In der Antike ist es im
Stoff nicht gegeben, und es wird in der Bearbeitung nicht erstrebt. Für Shakespeare
wird Liebe zum tragischen Thema, soweit der Stoff sie als tragische Macht zeigt:
die Unbedingtheit Romeos und Julias, Antonios vernunftlose Leidenschaft für
Kleopatra, Othellos fessellos werdende Eifersucht. Zum wirksamen Thema machte
sie erst die Galanterie im französischen Klassizismus, mit der Fiktion, als seien
Liebe und Leidenschaft, Wunsch und Begehren einer geliebten Frau, der Kampf
um eine geliebte Frau auch wesentliche Triebkräfte des Mannes im politischen
Leben. Das politische Geschehen scheint seitdem mit dem Privaten der Liebe verquickt werden zu müssen. Weislingen wendet sich gegen Götz aus Leidenschaft
zu Adelheid von Walldorf, Egmont ist auch Liebhaber, Don Carlos ist in Leidenschaft zu seiner Stiefmutter entbrannt, die Wallensteinhandlung wird um ein Liebespaar in tragischem Konflikt angereichert.

Diese Elemente werden in einer möglichst wirksamen Fügung dargeboten.
Hierzu gehört einmal, daß ein Geschehen sichtlich anhebt und mit sichtlicher Konsequenz durchgreift. Wie dieser Zentralzug herausgearbeitet wird, hängt wieder
von Stoff und Bühne ab. Der griechische Dramatiker kannte nur diesen einen und
diesen einfachen Vorgang. Der mehr akademische Klassizismus, wie er im 17.
Jahrhundert in Holland gepflegt wird und in Deutschland, kann diesem Zuge folgen, indem er den Umfang des Dramas durch die Breite der Rede und auch durch
Chöre gewährleistet. Die Franzosen, indem sie mehr zum Theater drängen, werden auf ihre verwickelte, spannende, dramatische Behandlung geführt. Sie errei-

chen ein Äußerstes an kunstvoll geschürzter Verwicklung, schaden aber der eigentlich tragischen Wirkung durch das oft Künstliche und Forcierte. Sie haben das Vorteilhafte, sagt August Wilhelm Schlegel, ohne Umschweife zur Hauptsache zu kommen, klar zu sein, zusammenzudrängen, jeden Augenblick so sehr als möglich geltend zu machen. Aber sie tun dies zu sehr. «Es ist wie eine Musik, wovon das Piano gänzlich ausgeschlossen wäre, und worin auch der Unterschied zwischen forte und fortissimo durch den mißverstandenen Wetteifer der Spieler meistens aufgehoben würde.» Es fehlen in diesen Trauerspielen die Ruhepunkte, «dergleichen ja in den alten Tragödien überall sind, wo das Lyrische eintritt ... Es wird immer nur darnach gefragt, *was* geschieht und nicht genug nach dem Wie ... Man ist zufrieden, wenn nur das Weben der Intrige seinen raschen Takt ununterbrochen fortgeht[5].» Auch Shakespeare braucht das Verwickeltere, um bei raschem mimischem Spiel seinem Drama die Spiellänge zu sichern, doch gibt er seinen Spielen die Vielfalt und die Verwicklung des Lebens selbst. Dies liegt zum Teil daran, daß ihm in seinen historischen und halbhistorischen Stoffen schon eine Fülle des Lebens und der Lebensverwicklung gegeben ist, er also sich dieses Lebens bedienen kann und nicht von sich aus die Intrigen zu erfinden braucht. Wo er aber erfindet, tut er dies im Sinne dieses Lebens. Er vermehrt den Lebensstoff selbst, wie im «Hamlet» durch den Polonius und seine Familie, er sorgt so für Umfang, Abwechslung, Verwechslung, er webt diese Elemente vieltönig in das Gesamtgeschehen ein. Polonius kann auch komische Töne hinzufügen, Ophelia das Lyrische und Rührende, Laertes wirkt als ein dramatisch energischer Faktor. Überall scheint nur das Leben zu sprechen, und doch kommt jedem Element eine wichtige Funktion zu im Fortgang des tragischen Geschehens. Polonius wird erstochen, Ophelia geht ins Wasser. Diese Geschehnisse führen auf das Ende hin.

Goethe schließt am meisten an diese Darbietung an, besonders im «Götz». Man sieht, daß hier die literarischen Schemata wirksam sind, wie hier dem Helden ein Gegenspieler zugeteilt wird in Weislingen, und doch wird dies wie eine Fügung des Lebens empfunden, indem Goethe die Verhältnisse des Lebens selbst sich auswirken läßt. Weislingen ist kein Intrigant, sondern ein schwankender Charakter; es bedarf auch keines Anschlags, keiner Intrige, sondern Götz selbst fordert den Widerspruch des Kaisers heraus. Schiller dagegen baut seine frühen geschichtlichen Dramen, seinen «Fiesco» und seinen «Don Carlos» auf dem französischen Theaterapparat auf, schon sichtlich dadurch, daß soviel die Menschen mit ihren Gesinnungen und so wenig die Verhältnisse tun. Daß dies überwöge, tadelt Schiller dann bei seinen ersten Plänen zum «Wallenstein», und er war hier um ein Drama bemüht, in welchem die Logik der Verhältnisse wirkte und das so auch durch die Entfaltung dieser Verhältnisse wirkte[6].

Vor ein eignes Problem stellen die realistischen Gegenwartsgemälde, denen nun meistens an sich selbst dieser äußerlich erregende Geschehensstoff fehlt und die doch zu einem dramatisch und tragisch erregenden Ganzen gestaltet werden sollen. Lessing steht in seiner «Emilia Galotti» doch der französischen Fügung nahe, nicht in der Künstlichkeit der Verwicklung, aber in der rastlosen Energie der

Durchführung. Hier verwickelt und drängt das Leben selbst; es sind nun die Verhältnisse, durch die die Menschen hier in der zweiten Hälfte des Geschehens unerbittlich getrieben werden. Schiller sucht auch hier das großräumigere Geschehen, mit reichlicher Bemühung des Intrigenapparats. Ibsen gibt dann die Muster, wie diese Stoffe realistisch bewältigt werden können, indem er eine starke dramatische und tragische Energie einläßt in ein realistisch entfaltetes Lebensgemälde und es mit ihr erfüllt und spannt. Jedes Moment dieses realistischen Lebensgeschehens gewinnt tragische Bedeutsamkeit und Kraft. Hieran schließt sich der Naturalismus mit noch stärkerer Betonung des Lebensbildes an.

Dieses Ganze des Geschehens hat der Dichter in einem Spiel von einem bestimmten Umfang darzubieten. Aristoteles spricht der dramatischen Handlung eine bestimmte Länge zu und unterscheidet sie hierdurch von der epischen Handlung, der dieser bestimmte Umfang fehlt. Dies ist im Inhalt, der Vermittlungsweise, der Wirkung dieser Künste begründet. Der Epiker führte seine Zuhörer unter Helden und Götter; dies geschah mit dem Beginn des epischen Vortrags und endete mit dessen Ende. Der Zuhörer besaß schon alles, ohne das Ganze zu besitzen; dieses Ganze war auch nur ein haltender Rahmen, nicht erst die Erfüllung. So bot sich hier die Einteilung eines ganzen Werks in Gesänge an, die ermöglichten, den Einzelvortrag zu runden. Der Gesamtvortrag konnte sich auf lange Zeit erstrecken; ein Ende des epischen Zaubers konnte kaum gewünscht werden. Hatte der Zuhörer alle Geschehnisse aus dem Leben des Odysseus gehört, so hätte nichts gehindert, nun diese Reihe durch Schilderung des Lebens des Sohnes, des Telemachus, fortzusetzen. Das Drama hingegen ist das geschlossene Ganze dieser einen Vorstellung. Es verzaubert auch nicht sofort den Zuschauer in eine dramatische Welt, sondern hebt mit einer Spannung an, die wächst und wieder aufgelöst sein will. Der Zuschauer soll hier, nach Goethe, leidenschaftlich folgen. Friedrich Schlegel rühmt von Sophokles, daß er keine Erwartung errege, die er am Ende nicht vollkommen befriedigend auflöse[7].

Diese Wirkung ist von der Länge des Dramas abhängig. Ist es kurz, vielleicht ein Einakter, so kann sich tragische Furcht nicht hinreichend entfalten, vertiefen, auflösen; ist es sehr lang, so erlahmt des Zuschauers Anspannungskraft. Was hier möglich und zuträglich ist, variiert nach den Bedingungen der Aufführung. Der antike Zuschauer begab sich zu einem Feierspiel, ganz hierauf gerichtet. Das Spielen dauerte sehr lang, doch die Spiele selbst waren von mäßigem Umfang; zudem folgte auf die drei Tragödien das Satyrspiel. Der moderne Zuschauer besucht durchschnittlich eine Abendvorstellung nach einem schon erfüllten Tag. Drei Stunden Spiel scheinen schon ein Äußerstes, das er sich zumuten kann. Anders liegt es auch hier bei Festspielen, wie in Bayreuth.

Solange das Drama nur Bühnenspiel war, wurde es auch nur als Bühnentext geschrieben, mithin der Spieldauer angemessen. Im mimischen Spiel konnte dieser Text diese Dauer unterschreiten, weil man mit Extemporieren rechnen konnte. Später wird dann das Drama ein selbständiges literarisches Werk, zuerst als Buch- und Lesetext geschrieben, der auch für die Bühne bestimmt ist. Jetzt ist eine Diskrepanz möglich zwischen Textumfang und Anspruch des Theaterabends.

Auch bühnengerechte Texte können vor Probleme stellen durch den Wandel der Aufführungsbedingungen. Das antike Drama, als nur *ein* Drama in der umfänglichen Gesamtaufführung, war an sich schon von mäßigem Umfang; zudem war die Vorstellung gedehnt durch die ausladende Deklamation, den Gesang, den Tanz des Chors. Heute als Rededrama ist es sehr kurz. Shakespeares Dramen umgekehrt können heute für die Aufführung länger sein als zur Zeit des Dichters. Man spielt nicht mehr so rasch, so mimisch, so pausenlos. Man kann mehr im klassischen Sinne spielen, mehr deklamierend, oder mehr realistisch, mit dem gehalteneren Tempo des Lebensgemäldes.

Lessing schreibt seinen Text noch ganz der Bühne gemäß, nicht nur in der Ausgestaltung der Rede als Rolle, sondern auch in der Länge. Seine «Emilia Galotti» ist der vollendete Bühnentext, in der der Dichter in der Weise die Herrschaft an sich gerissen hat, daß er dem Schauspieler das zu Spielende genau vorschreibt, ihm jedes Extemporieren verbietet. Er läßt nur die Art der Darbietung frei, die aber doch durch den Text und seine höheren Ansprüche geregelt wurde. Auch Ibsen schreibt seine Stücke so, mit so genauer Berechnung auf den Entwicklungszusammenhang des Dialogs und auf den Bühnenvorgang, daß ein Eingriff des Spielleiters kaum möglich und auch nicht sachgemäß ist. Dagegen nimmt der deutsche Dichter seit dem Sturm und Drang diese Rücksicht nicht. Episches kann sich einmischen, das Bedürfnis nach Menschendarstellung und -entladung sich vordrängen, das Drama auch Gefäß für diese Inhalte werden. Ein unvollkommen verstandener Shakespeare, als habe dieser zuerst Menschen- und Weltbilder statt Theaterstücke gegeben, legitimiert dies. Der klassische Goethe ist mehr und mehr auf das Theater bedacht, auch im Umfang seiner Dramen. Es wolle ihm nie gefallen, sagt er noch spät, wenn er sähe, «daß die dramatischen Schriftsteller Stücke machen, die durchaus zu lang sind, um so gegeben werden zu können». Auch Schiller neige hierzu. Er hatte «zuviel auf dem Herzen und zuviel zu sagen, als daß er es hätte beherrschen können». Freilich, seinen Gegenstand so zu beherrschen, «sich nur auf das durchaus Notwendige zu konzentrieren, erfordert die Kräfte eines poetischen Riesen»[8].

Ein mäßiger Überschuß an Text braucht dem Bühnenstück nicht hinderlich zu sein, kann sogar seine lebendige Fortdauer fördern. Nur auf der Bühne künstlerisch ganz wirklich, ist das Drama am wenigsten durch seinen Text als eine fixierte Größe schon da. Es entsteht zu jeder Zeit, in jeder Aufführung neu. Viele Dramen lassen mehrere Akzentuierungen zu. Man kann mehr Don Carlos oder mehr den Marquis Posa in den Vordergrund spielen. Man kann im «Wallenstein» das Max-Thekla-Spiel sehr zurücktreten lassen, man kann ganz Wallenstein herausheben, oder aber die Verflechtung mehrerer Schicksale sichtbar machen.

Grundlegend problematisch wird der zu lange Text, den auch Kürzungen nicht mehr angemessen bewältigen können. Handelt es sich nur um das Wuchern einer für das Theater überflüssigen Rede, so kann diese freilich weitgehend eingeschränkt werden. Der Redetext wird hier nur in einen Spieltext umgewandelt. Dies ist schon bei Schillers «Räubern» möglich und noch bei Zuckmayers «Des Teufels General». Entspringt die Breite aber auch einer verwickelten Handlung, wie in Schillers

«Don Carlos», so droht die Streichung nur ein kahles Handlungsgerüst übrig zu lassen, oder sie muß, das Geschehen selbst vereinfachend, tief in den Bau des Stückes eingreifen. Dies verbietet sich meistens bei dem Dramatiker von Rang durch die Verwebung auch des Episodischen mit dem Ganzen, das sich nun nicht von außen beschneiden läßt, sondern von innen her neu konzipiert werden müßte.

Oft bildet der Dichter einen zu reichen Stoff selbst zu mehreren Dramen, einem Zyklus aus. Hierbei kann die Teilung ein nur äußerer Notbehelf sein, ein Anerkennen, daß das eine Drama jede Grenze eines Theaterabends überschritten hat. Schillers «Wallenstein» ist ein einziges Drama von zehn Akten mit einem Vorspiel. Es legt sich nicht in selbständige Dramen auseinander. Auch O'Neill in seinem erneuerten Atridendrama «Trauer muß Elektra tragen» gibt ein einheitlich fortgehendes Geschehen, eine einheitliche Spannungslinie, die nicht in zwei Theaterabende zu zerteilen ist. Dagegen gibt Gerhart Hauptmann in seinen Atridendramen eine echte Tetralogie, der zudem, durch ihren mehr erhellenden Charakter, die Zerteilung in mehrere Aufführungen nichts schadet. Auch Goethe schreibt mit seinem «Faust» doch ein echtes Doppeldrama. Zwischen dem ersten und zweiten Teil liegt eine tiefe Cäsur sowohl durch das Geschehen wie durch die Behandlungsart. Eine Folge selbständig gerundeter Dramen ist auch Grillparzers «Goldenes Vließ» oder Hebbels Tragödie von den Nibelungen.

Vor eigne Probleme stellen Dramen, die nicht für die Bühne geschrieben sind. Sie können zum Teil rein literarische Gebilde bleiben, wie die lyrisch epischen Gemälde der Romantiker. Doch können sie auch zur Bühnendarstellung anreizen. Goethe hat seinen «Götz» mehr für die innere epische Vorstellung geschrieben. Doch sind Menschen und Situationen so plastisch gestaltet, den Menschen ist ein so voller und reicher Ausdruck verliehen, daß dieses Drama auch für die Bühne fruchtbar ist. Eine Hauptaufgabe ist dann, die Szenenfolge zu vereinfachen, das Stück auf die bühnengemäßen Spielszenen zu reduzieren. Goethe selbst hat sich dieser Arbeit mehrfach unterzogen, stets freilich mit einem nur halben Erfolg. Schon Shakespeare erwies sich als den Ansprüchen der Kastenbühne sehr ungemäß, und Schillers Bearbeitung übersetzt ihn nicht nur in den klassischen Stil, sondern muß auch das Geschehen umorganisieren, um den Ortswechsel zu vermindern. Hierbei rechnete Shakespeare auch auf der mimischen Bühne mit Spielszenen, eine Rücksicht, die Goethe nicht nahm. Bei ihm finden sich genug Szenenfetzen, die auf der Bühne nicht wirklich werden können.

Vor eigne und tiefere Probleme stellt Goethes «Faust». Der erste Teil enthält die für die Bühne tauglichen Lebensvorgänge, ist aber nicht für die Bühne geschrieben, der zweite Teil ist für die Bühne geschrieben, zeigt aber statt des Lebensvorgangs nur den Bedeutungsvorgang. Beide Dramen wollen auf ihre eigne Weise gegeben werden. Hier spricht alles für die Zerteilung des Dramas auf zwei Theaterabende. Der eine Abend kann dem Lebensvorgang gehören, der zweite Abend dem Bedeutungsvorgang. So kann vermieden werden, daß man eine reiche totale Dichtung, die ganz durch das Wort, durch dessen menschlichen und welthaften Gehalt lebt, wie ein Theaterstück behandelt, d. h. sie mindert statt mehrt. Schillers «Don Carlos» ist ein Theaterstück, das, weil es dies ist, auf der Bühne durch eine

Kürzung gewinnt. Goethes «Faust» ist zuerst eine Dichtung, die man auf der Bühne als Dichtung wahren soll. Wird er als Theaterstück eingerichtet, so büßt er viel von seiner dichterischen Qualität ein, ohne daß er als Theaterstück gewänne. Man sieht eigentlich nicht Goethes «Faust», sondern ein aus dem «Faust» hergestelltes Theaterstück[9].

Das Drama als Ganzes ist ein in einer bestimmten Zeiterstreckung sich wölbender Spannungsbogen. Hierzu muß das Geschehen zu einer relativ einheitlichen Vorstellung gesammelt werden. Der Dramatiker ist an das Hier und Jetzt des Bühnenvorgangs gebunden, er kann nicht, im Gegensatz zum Epiker, den Aufnehmenden frei durch die Räume und Zeiten führen. Dies ist zunächst ein der Darstellungsweise entspringender Zwang, daß der Dramatiker sich an das Auge wendet, nicht nur an das Ohr. Wenn er sein Drama nur für die innere Vorstellung schreibt, unterliegt er diesem Zwang nicht. Zugleich wird dieser Zwang genauer bestimmt durch die Rücksicht auf die künstlerische Illusion. Die Grundregel ist, daß dem Zuschauer das Ganze eines Vorgangs suggestiv vorstellig wird. Die optische Schau ist die Bedingung, unter der dies geschieht. Die jeweilige Bühne ist die genauere Art dieser Bedingung. Der Dichter muß diese Ganzheit unter den Bedingungen jeweils seiner Bühne erreichen. Nun aber soll der Vorgang nicht stets nur ein Äußerstes an Geschlossenheit sein. Es soll auch das Einförmige, Eintönige vermieden werden. Es wird auch die Veränderung, der Wechsel gesucht, in den Darstellungsinhalten, -weisen, in den Stimmungen.

Der antiken Bühne war der einfache, an einen Ort gesammelte, in kurzer Zeit ablaufende Vorgang gemäß. Der Vorgang war an den einen Ort gebunden, ferner mußte er wie ein einheitlicher Ablauf ohne Zeitsprünge sein. Dies konnte vom Stoffe her erreicht werden durch dessen Einfachheit, die Beschränkung auf einen tragisch repräsentativen Vorgang, dramaturgisch wurde dies erreicht durch den Beginn kurz vor der Katastrophe, indem im Spiel aus dem schon Bestehenden nur eine letzte Folgerung gezogen wurde. Der Einheit des Ortes war auch die Öffentlichkeit des Lebens günstig, das Spiel auf einem Schauplatz, an dem mehrere Personen sich zwanglos treffen konnten. Für die Abwechslung wurde durch die Vielfalt der Auftritte gesorgt, durch ihre jeweils besonderen Inhalte, daß sie mehr dem Fortgang des Geschehens, oder mehr der pathetischen Entäußerung oder mehr dem klärenden Disput dienten. Der Hauptanteil an diesem Wechsel aber kam den Chören zu, die das Spiel in mehrere Abschnitte unterteilten und ihren Gesang und Tanz an dessen Stelle setzten. In dieser idealen Darstellung konnten auch Zeit und Ort ideal behandelt werden. Manchmal fiel die Spielzeit mit der Realzeit des Ablaufs in eins. Doch konnte auch im «Agamemnon» des Aischylos der Wächter auf dem Dache des Palastes jetzt die Feuerzeichen bemerken, die den Fall Trojas in Griechenland verkünden sollten, und es konnte anschließend schon Agamemnon selbst auftreten. Auch wurde bei Personen, die einer Verrichtung wegen abtreten und nach deren Erledigung wieder auftreten, nicht gefragt, ob die Zeit ihrer Abwesenheit für ihre Verrichtung hinreichend gewesen sein konnte. Die Cäsur des Spiels durch Auftreten des Chors machte auch in seltenen Fällen die Annahme eines Ortswechsels möglich.

Shakespeare gewinnt durch seine mimische Bühne für die Vorstellung des tragischen Geschehens eine äußerste Freiheit für den Wechsel des Orts und für Sprünge in der Zeit. Die Vielfalt des Geschehens, die Zerteilung des Spiels auf mehrere Orte, die Dehnung des Vorgangs in der Zeit entspricht seinem Stoff und der durch ihn geforderten Illusion. Zugleich gewinnt der Dichter die nötige Abwechslung nun durch diese Art der Darstellung. Indem der Ort immer derjenige ist, den die Schauspieler für ihr Spiel voraussetzen, indem das Spiel auch über größere Zeitabstände pausenlos weiterspringt, wird eine Zerteilung des einheitlichen Vorgangs vermieden. Die Ganzheit des Geschehens ist schon in der Exposition festgelegt, und es ist nun die Kunst des Dichters, hierdurch eine solche synthetische Anschauung der Handlung zu erzeugen, daß der Zuschauer die einheitliche Ausentfaltung des tragischen Themas erfährt. In «Antonius und Kleopatra» erstreckt sich das reale Geschehen über zehn Jahre; auch im Drama wird eine Komprimierung auf eine kürzere Zeit nicht angestrebt. Antonius ist in den Fängen der Kleopatra, und man erfährt hiervon die Folgen, die, auf der Bühne, eben durch das Überspringen unbedeutsamer Zeitmomente sich als ein tragisches Ganzes vorstellen. Man kann Richard III. und Macbeth in ihrem Aufstieg und ihrem Fall sehen, Lear in allen Stadien seines Elends.

Die Kastenbühne mit ihrer festen, realistisch gedachten Szene hebt alle entschiedenen poetischen Freiheiten auf. Der Schauspieler bildet nicht mehr den Raum um sich, er ist wieder an den Raum gebunden. Zugleich ist der Anspruch auf realistische Illusion der Antike gegenüber gesteigert. Nicht eine schon poetisch symbolische Vorstellung wird empfangen, sondern ein Lebensvorgang, der poetisch symbolisch bedeutsam ist. Der Raum, der Umraum ist hier der dramatischen Person schon wesenhaft zugeordnet, er gehört mit zu der tragischen Situation. Doch auch durch die Bühne und den Anspruch an realistische Illusion ist das Spiel jetzt jeweils an einen festen Raum gebunden. Das Spiel kann nicht mehr pausenlos an stets neuen Orten stattfinden, und der Ort kann auch nicht mehr ideal als Ermöglichung des pausenlosen Spiels angenommen werden. Entweder muß das Spiel an diesem Ort verharren, oder es muß ihm jeweils durch einen Wandel des Bühnenbildes dieser neue Ort geschaffen werden. Im ersten Falle droht die Künstlichkeit der Fügung, die Lessing an den Franzosen tadelte, eine, vom realistischen Anspruch her gesehen, gewaltsame Einheit des Ortes und der Zeit, im anderen Falle eine Zerteilung des Spiels in kleine Abschnitte, die sich durch die Neugestaltung des Raums verselbständigen. Es läuft nicht mehr ein mehr mimisches Spiel lückenlos fort, wie letztlich dies auch noch die Franzosen in einer idealisiert mimischen Vorstellung erstrebten. Der Zuschauer muß immer wieder einen Abschnitt des Spiels verlassen, um nach einer tiefen Cäsur schon durch die Pause zu einem neuen Abschnitt überzugehen. Diese Cäsur vertieft sich durch den im 19. Jahrhundert herrschend werdenden Gebrauch, nach Beendigung eines Spielabschnitts den Vorhang fallen zu lassen. Hierdurch kommt es zu der betonten Pause. In ihr kann die Bühne mit einer neuen Dekoration besetzt werden.

So entsteht die Forderung, das Ganze des dramatischen Vorgangs in wenige Abschnitte einzuteilen, in denen der Ort derselbe und das Spiel auf ihm durch keinen Zeitsprung unterbrochen ist. Damit gewinnt die Einteilung eines Dramas in Akte greifbarere Bedeutung. In der Antike waren Cäsuren nur gegeben durch den Chor. Hieraus ergab sich die spätere Konvention einer Einteilung der Tragödie in drei oder fünf Akte. Bis zur Ausbildung der Kastenbühne, ja bis zur Gewohnheit, zwischen den Akten den Vorhang fallen zu lassen, ist diese Einteilung mehr als Gliederung für den Lesenden da.

Gustav Freytag will in diesen Akten eine innere Gliederung des dramatischen Vorgangs finden. Hierfür sollen die fünf Akte am günstigsten sein. Der 1. Akt enthält nach ihm die Exposition und das erregende Moment, der 2. Akt die steigende Handlung, der 3. Akt den Gipfel der Handlung und die Umkehr, zum Günstigen im Schauspiel, zum Ungünstigen im Trauerspiel, der 4. Akt die fallende Handlung, der 5. Akt die Katastrophe[10]. Durch dieses Schema, das Freytag in dem überlieferten Tragödienbestand finden will, werden diese Tragödien nur mißverstanden. Sie entfalten sich nach Schiller wie die Blüte aus der Knospe der Exposition, werden mithin gekennzeichnet durch ein andauerndes Anwachsen des Gefährlichen und Verhängnisvollen in der Lage des tragischen Helden. Wallensteins Entschluß, mit den Schweden zu paktieren, ist nicht ein später Gipfel dieses Dramas, dessen Handlung jetzt fällt, sondern ein entscheidender Schritt zur Katastrophe hin. Bald wird Buttler, dem Wallenstein ganz trauen muß, sein entschiedenster Gegner sein und so neben ihm stehen, wie Verrina neben Fiesco. Das tragische Geschehen ist mithin durch Akte nicht innerlich zu gliedern, da es eine gleichmäßige Entfaltung von Anbeginn ist. Es kann vor die Katastrophe ein Moment der Hoffnung eingeschaltet werden, doch ist dies mehr für die subjektive Stimmungskurve bedeutsam, es gliedert sich so nicht das Geschehen. Weit wichtiger ist die äußerliche praktische Bedeutung der Akte. Durch sie wird das neuere Drama in räumlich und zeitlich einheitliche Geschehensabschnitte unterteilt. Sie helfen, das Problem des Ortes zu lösen, vor dem der Dramatiker durch eine Bühne mit fester Kulisse, mit realistischer Illusion, steht.

Der ideale Anspruch ist, daß Akt und Szene zusammenfallen. Teilt der Dramatiker seinen Text in Akte ein, zerteilt aber den Akt wieder in mehrere Szenen, so hebt er die künstlerische Wirklichkeit des Aktes auf. Der Dramatiker untersteht damit dem Anspruch, sein Geschehen auf wenige Räume zu konzentrieren. Hierbei erweist sich die klassische Überlieferung der fünf Akte als die für eine ausgebildete Tragödie günstigste. Diese Akte können jetzt wie relativ selbständige Abschnitte eines dramatischen Ganzen sein. Sie erlauben, dieses Ganze in seiner vollen Wirklichkeit, Vielfalt, mit belebenden Veränderungen vorzustellen. Gerhart Hauptmann führt so in seinen «Webern» den Zuschauer im 1. Akt in die Ausgabe- und Annahmestelle des Fabrikanten Dreißiger, im 2. Akt in das Häuschen des Webers Ansorge, im 3. Akt in die Schenke, im 4. Akt in den Salon Dreißigers, im 5. Akt zu dem alten Hilse. Er gibt jedesmal ein eignes Lebensgemälde in voller Lebendigkeit und relativer Rundung. Zugleich schreitet in jedem Gemälde der ganze Vorgang fort. Im 1. Akt sieht man die Unterdrückung der Weber durch die Fabrikanten, im 2. Akt ihre häusliche Not, im 3. Akt den Aufruhr, im 4. Akt die eine Folge des Aufruhrs, den Sturm auf die Villa Dreißigers, im 5. Akt die weitere Folge, daß Militär zur Niederschlagung des Aufstandes aufgeboten worden ist. So wird die ganze Welt dieses Dramas ohne Einengung und ohne Zerstreuung anschaulich gemacht. Verschiedene Welten können hier erscheinen, die ohne Zwang nicht auf einem Schauplatz auftreten können.

Zugleich wird jetzt der ganze Spannungsbogen des Dramas in fünf kleinere Spannungsbögen unterteilt, das eine und fortschreitende Spannen in ein mehrfaches An- und Abspannen. Mit jedem Aktschluß rundet sich eine kleine künstlerische Ganzheit.

Fünf solcher Bögen sind durchschnittlich drei Bögen vorzuziehen. Der Stoff ist nicht leicht, zwanglos in drei Abschnitten zu bewältigen. Der Inhalt jedes einzelnen Aktes droht auch weniger einheitlich zu sein, ferner wird der zu weit gespannte Bogen nicht mehr so als eine feste Bewegung empfunden wie ein etwas kürzerer Bogen. Doch bleibt die Wahl der fünf Akte mehr oder minder eine Konvention. Der Dichter kann auch ein vieraktiges Drama schreiben, wenn dies dem Stoff entspricht. Er tut dies auch. Er kann auch sechs bis sieben Akte wählen. Hans Sachs schreibt noch Spiele bis zu zehn Akten. Doch zieht man heute ein Vorspiel vor oder die Zerteilung in mehrere Spiele, wie Schiller im «Wallenstein».

Wie der Dichter genauer verfährt, hängt auch von seinen Stoffen und seinen Gestaltungsabsichten ab. Der einfache Vorgang in der Antike mußte auch durch die gesammelte Darstellung wirken. Goethe schließt sich in seiner «Iphigenie» dieser Übung an, indem er über das ganze Spiel einen Schauplatz wahrt und den ganzen Vorgang fast pausenlos, jedenfalls an einem Tage abrollen läßt. Für die Franzosen, für ihre doch zumeist historischen Stoffe, für ihre verwickelten Fabeln wird diese Einheit oft künstlich. Es kann das ganze Geschehen an einem Orte ablaufen, es kann in der Erstreckung eines Tages ablaufen, doch liegt dies häufig nicht in der Natur dieses Geschehens.

Bearbeitet der Dichter geschichtliche Stoffe mit dem Bestreben einer historischen Illusion, so wird er die Vielfalt der Schauplätze und auch eine größere Erstreckung in der Zeit suchen, weil es der Logik dieses Stoffes entspricht und dieser nur so ganz in seiner Wirklichkeit vorzustellen ist. Er wird auch jetzt sich daran gebunden fühlen, Akt und Szene stets in eins fallen zu lassen. Die Freiheit Shakespeares ist heute ohne Zerstreuung nicht mehr zu wahren; eine Sammlung des Geschehens in wenige einheitliche Massen ist nicht zu umgehen. Auch seinen «Wallenstein» konzentriert Schiller zeitlich und räumlich. Das ganze Spiel nimmt nicht mehr als vier Tage in Anspruch. Das eigentliche Spiel in die einheitlichen Spannungsbögen von fünf Akten zu bringen, war hier nicht möglich. Doch auch die zehn Akte des Doppelspiels reichen noch nicht hin, um ohne Gewaltsamkeit und Verengung das ganze Geschehen zu entwickeln. Nur im ersten Teil des Dramas wechselt Schiller während eines Aktes die Szene nicht. Im zweiten Teil spielt bei gleicher Szene nur der 1. Akt, in den übrigen Akten wechselt je einmal der Schauplatz. So bewältigt der Dichter zwanglos seinen Stoff, zugleich mit einem vermehrten Reichtum an Farbe und Stimmung. Das Lager in Pilsen zeigt den Helden auf der Höhe seiner Macht, seines Glanzes; das düstere Eger stimmt auf das Ende hin. Die Banquettszene sorgt für äußere Schau und Bewegung. Auch ist es wichtig, diesen Wallenstein im Kabinett seines Astrologen Seni zu zeigen, umgeben von den Sternbildern und den Zeichen der Astrologie. Eine noch entschiedenere Konzentration, ein noch späteres Einsetzen des Spiels, ein Versuch, mehr nur noch letzte Folgerungen zu ziehen, schadet hier der vollen poetischen Illusion. Byron belegt dies mit seinem «Marino Falieri». Er tut sich etwas darauf zugute, daß er diesen historischen Stoff unter Wahrung der klassischen Einheiten bewältigt habe. Dies wird durch den Stoff nicht nahegelegt. Falieri, der Doge von Venedig, als Doge weniger frei als je zuvor, des bloß Repräsentativen seiner Würde schon lange müde, wird jetzt auch durch einen übermütigen Adligen in seiner Gattin tief gekränkt und erlangt nicht die befriedigende Genugtuung. Er versucht einen Staatsstreich, bei dem er unterliegt. Dies alles könnte nicht an einem Tage geschehen. Der Dichter führt nun eine schon fertige Verschwörung durch andere Unzufriedene ein; Falieri wird eben jetzt in diese Verschwörung eingeweiht, er braucht sich ihrer nur in diesem Moment zu bedienen. So kann der Anschlag auch jetzt scheitern, und es kann mit äußerster Raschheit über den Dogen das Todesurteil gefällt und an ihm vollzogen werden.

Solche Erfindungen wirken gepreßt, künstlich; sie berauben das historische Spiel der hier zu wünschenden episch gefärbten Auslandung. Dagegen drängt das realistische Gegenwartsgemälde auf eine starke Konzentration. Der Geschehensstoff ist bedürftiger; das Spiel ist hier oft mehr eine große tragische Episode. Lessing gibt hierfür mit seiner «Emilia Galotti» ein Muster: fünf Akte, drei Schauplätze, da seit dem 3. Akt die Szene nicht mehr wechselt; die letzten drei Akte auch zeitlich zu einer großen Einheit zusammengefaßt. Auch Goethe schließt sich im bürgerlichen Drama grundsätzlich diesem Schema an. Noch entschiedener ist Ibsens Realismus an diesen theatralischen Bedürfnissen geschult. Von den Franzosen lernt er die Kunst einer ein Geschehen rasch und sicher entfaltenden Fabel, mehrfach unter Wahrung des einen Schauplatzes, wie etwa in der «Hedda Gabler», den «Gespenstern». Gerhart Hauptmann geht hiervon aus, aber sofort mit dem Streben nach reicherer Vorstellung. Ganz streng formt er nur das «Familienfest», als ein Spiel mehr der Charaktere, Leidenschaften, Zustände, mehr der inneren als der äußeren Bewegung. Später macht er es sich sogar zur Aufgabe, auch das bürgerliche Drama über Zeit und Raum weiter auszudehnen. Schiller hatte dies schon unter Anlehnung an das historische Drama versucht. Hauptmann bedient sich mehr der Freiheiten des folgernden Dramas. Es dauert eine Zeit, bis die Ehe Henschels mit der Hanne Schäl oder der Entschluß des Gefängnispfarrers Angermann, seine Tochter an ihren Verführer zu verheiraten, sich bis zu Ende ausgewirkt hat. Solchen Dramen fehlt gleichwohl nicht die Stimmung der Furcht, da sie von dem Vorausgesetzten her ein unglückliches Ende fürchten lassen; zugleich sind sie pathetisch, indem sich an den tragischen Personen Unglückliches vollzieht.

## DIE WIRKSAMKEIT DER FIGUR

Die Wirksamkeit der tragischen Figur hängt ab von der wirksamen Konzeption und der wirksamen Ausführung. Diese Figur wird teils gegenwärtig als dieser bestimmt geartete Mensch, teils als der Mensch in seinen inneren Zuständen und in deren Ausdruck. In jedem Bereich erstehen dem Dichter beim Ausführen seiner Figur besondere Aufgaben.

Soweit sie die Figur als Charakter angehen, stehen sie oft an der Grenze zwischen Konzeption und Ausführung. In der Ausführung kann nur erscheinen, was der Dichter konzipiert hat. Doch gewinnt hier die Ausführung das Übergewicht. Die Konzeption kann bedeutend sein, die Ausführung mangelhaft. Dilettanten und Epigonen gefallen sich in größten Entwürfen, denen die Ausführung nicht entspricht. Die Konzeption kann durchschnittlich sein, doch die Ausführung von einer Kunst und einem Reiz, durch die diese Figur wirksamer wird als der große, aber abstrakt gebliebene Entwurf.

Der Charakterentwurf des Dichters konnte wirksam werden durch seine Begründung im Typischen. Dieses Typische kann gesteigert, es kann über das durchschnittlich Verwirklichte ausgedehnt werden. Es bleibt auch dann wirksam, durch die latente Bereitschaft des Zuschauers hierfür. Eine solche ansprechende Steigerung betrifft die Dimension; der Mensch ist über das Normalmaß hinaus gesteigert. Im Epos entstammt dieser Neigung der über seine Umgebung hinaus erhöhte Held. Homer erhöht stets auf diese Weise, und jeden Helden, dessen Taten er schildert. Im Drama ist diese Dimension weniger gut darzustellen; die innere Gesinnung überwiegt das äußere Tun. Auch Goethe und Schiller stehen in ihren frühen Dramen vor dieser Schwierigkeit. Diese Größe kann mehr Wesens- und mehr Tatgröße sein; hier liegt dem Dichter die Wesensgröße am nächsten. Er erhebt hier sich selbst, als Mensch wie als Künstler, über die niedrige Durchschnittlichkeit seiner Zeit; entzündet sich an den großen Bildern der Überlieferung, stellt einen größeren Menschen in seine Gegenwart hinein. Hier ist ein mehr metaphysischer Drang wirksam; der titanische Impuls, den kosmischen Mächten gewachsen zu sein, wie in Goethes Prometheus und Faust; und dies stellt der Dichter, als sich selbst schöpfend, auch suggestiv und wirksam dar. Auch Götz und Egmont sind mehr wesensgroß; dies soll sich nun im politischen Raum zeigen, worin mehr die Tatgröße herrscht. Ein Hauptdarstellungsmittel, solchen Menschen vorstellig zu machen, war sein indirektes Erscheinen durch seinen Reflex in seiner Umgebung; doch soll jetzt auch dieser Mensch in seinem Auftreten in solcher Größe da sein. Hieran fehlt es bei Goethe sowohl dem Götz wie noch mehr dem Egmont. Daher tadelt Schiller, daß Egmont selbst von der Bedeutung, die ihm seine Umgebung zuspricht, zu wenig zeige[11]. Freilich hat Goethe auch seine Stellung zu Egmont geändert, wie auch zum Faust: er ist der überhöhende, seinen Charakter einschränkende Darsteller geworden. Schiller hat mehr Möglichkeiten durch das Überwiegen der Charakter- und Tatgröße. Karl Moor handelt auch bedeutend, ebenso Fiesco, ebenso Marquis Posa. Der Mensch spannt sich hier auf ein höchstes ihm Mögliches hin. Größe kann sich hier auch als sich wagende Gesinnung äußern. Der alte Doria gibt sich in die Hand Fiescos: ein Charakter appelliert hier an die Gesinnung des andern. Die ruhige, in sich gesammelte Tatgröße weiß am besten Kleist vorzustellen. Sein Kurfürst Friedrich Wilhelm ist von einer selbstverständlichen Souveränität, die, ohne sichtliche Expansion der Persönlichkeit, die Umgebung beherrscht. Sein Robert Guiskard beherrscht die Situation noch sichtlicher in einem stärksten äußeren und inneren Drang. Schon ist er von der tödlichen Pest befallen, und sein Neffe hat seinen Zustand dem Volke ausgeplaudert, um sich als Nachfolger vor Guiskards Sohn schon geltend zu machen. Vor Guiskards Zelt hat sich das Volk versammelt, ihn zu beschwören, angesichts der im Lager wütenden Pest die Belagerung von Byzanz aufzugeben. Guiskard, aus dem Zelt tretend, wendet sich zuerst an den Neffen; mit knappem Wort nötigt er ihn, hinter ihn zu treten. So hat er die geheime Rebellion gebändigt. Ruhig fragt er jetzt den Sprecher des Volkes nach seinem Begehr. So wird er auch das Begehren in Volk und Heer meistern.

Ferner kann das Typische verschoben werden zu Extremen hin. Hier werden grundsätzlich typische Züge sehr im Sinne der Einseitigkeit gesteigert. Elektra in Sophokles' Drama ist extrem von Rachgier erfüllt, extrem ist Richard III. in seinem Bösesein, Coriolan in seinem Stolz, Othello in seiner Eifersucht. Doch haben alle diese Konzeptionen noch Anhalt in den Lebensfällen. Zudem ist Shakespeare der Dichter, durch seine Darstellung Glauben zu erzwingen. Das Gegenteilige zeigt Hebbel, nicht nur durch die Übersteigerung des Extremen, mit der er den Raum glaubhaften Lebens verläßt, sondern auch durch den Mangel an suggestiver Gestaltung, durch die der Dichter auch von dieser Seite her das Glaubwürdige nicht stützt. Er suche, sagt Paul Ernst, wie Shakespeare von den Charakteren auszugehen; «aber da er nicht der große Dichter ist wie Shakespeare, nicht diese Fülle des Lebens beherrscht, seinen Figuren nicht den Schein eignen Lebens verleihen kann, weil er nie die Notwendigkeit ihrer Bewegungen vergißt, so hat er nur geringes Glück. Seine Helden müssen über sich nachdenken, müssen dem Zuschauer sagen: so sind wir, deshalb müssen wir so handeln, und das erzeugt Übertreibung und Überhitzung und entfernt von der Einfachheit und Selbstverständlichkeit, welche jedes Kunstwerk haben muß[12]».

Das Typische kann auch erscheinen in einer es auf den ersten Blick verbergenden Besonderheit. Die Neigung zu solcher Darstellung tritt nicht zufällig mit dem werdenden Realismus hervor. Der Charakter verliert die Bedeutung, die er durch Größe oder durch die Gewalt seiner Antriebe gewinnen könnte; hierfür ist das bürgerliche Leben nicht der Raum. Hier liegt die Gefahr reizloser Normalität nahe, daß der bürgerliche Mensch nur sich selbst in seiner Durchschnittlichkeit erblickt. So wird der Reiz gesucht in der besondern Form, in der das Typische erscheint, in einem individuell Besonderen des Charakters.

So verfährt schon gerne Grillparzer in seinen geschichtlichen Dramen. Er ist schon umgeben von den Epigonen der Klassik, von historisierenden und aktualisierenden Dramatikern, für die nicht mehr, wie noch bei Goethe und Schiller, die Geschichte durch die Dichtung, sondern die Dichtung durch die Geschichte lebt. Bekannteste Persönlichkeiten und Vorgänge, historisches oder literarisches Wissen, Popularität dieses oder jenes geschichtlichen Charakters sollen jetzt die Dramen tragen. Man dramatisiert das Schicksal Hannibals, oder der Hohenstauffen, oder Napoleons. Man bringt Molière auf die Bühne (Gutzkow, Das Urbild des Tartuffe), oder Gottsched und Gellert (Laube), oder den jungen Goethe (Gutzkow, Der Königsleutnant), oder den jungen Schiller (Laube, Die Karlsschüler). Die Schillerianer, sagt deshalb Robert F. Arnold, stellen ihre historischen Gestalten auf diesen oder jenen Charakterzug und lassen das Pathos der Geschichte für das Übrige sorgen. Auch Grillparzer begründet seine Charaktere zwar im Typischen. Sein Bancbanus ist ein treuer Diener seines Herrn, sein Rudolf II. der tatschwache Philosoph auf dem Thron, Sappho die alternde Frau im Kampf um eine letzte Liebe und mit einer jungen Nebenbuhlerin. Doch individualisiert Grillparzer diese Charaktere, kompliziert sie, stellt sie als die besondersten Individuen dar, und so, daß sie durch ihre bloße Existenz Glauben erzwingen. Unerschöpflich ist er besonders in der suggestiven Schilderung des Innenlebens der Frau: «da strömen ihm für Medea, Erny, Hero, Libussa, Rahel Gedanken und Reden, Akustisches und Visuelles, Nuancen und Halbtöne in verschwenderischer Fülle zu[13]». Ähnlich bildet Ibsen seine dramatischen Charaktere aus. Er schafft letztlich einfachste, in der Literatur schon längst bewährte Urtypen. Hedda Gabler ist eine moderne Brunhild, die mit ihrem Tesman den Gunther geheiratet und mit Lövborg ihren Siegfried an eine andere Frau verloren hat. Baumeister Solneß ist der alternde Mann, neben dem schon der jüngere Nachfolger steht und der in der Hilde Wangel einer Kleopatra begegnet, die ihm auch sein Schicksal bereitet. John Gabriel Borgman ist der entmachtete Tatmensch, der von der Hoffnung auf Rückkehr in das große Leben lebt. Doch werden diese alten Schemata nicht nur dünn mit einer Schicht neuen Lebens bekleidet, sondern sie werden erschaut in ganz konkreten, individualisierten modernen Menschen, so daß sie oft wie Charakterstudien des Menschen der Zeit zu sein scheinen. Gerhart Hauptmann verfährt nicht anders, nur mit weniger Raffinement als Ibsen. Der Kern seiner Situationen, seiner Menschen, ist oft sehr einfach. Seine Helene Krause, Rose Bernd, Dorothea Angermann sind Frauen ohne besondere Kennzeichen, Opfer eines tückischen Geschicks; und doch sind sie mit überzeugendster Lebendigkeit als diese Menschen da. Der Dichter umreißt sie genau und stattet sie mit einer Fülle individueller Züge aus.

Das Mittel der Verwirklichung ist stets die Sprache. Sie gewinnt ihre Bedeutung besonders bei allen Zügen der Charakteristik, die die Figuren durch die Art des Sprechens vorstellen. In welcher Weise die Sprache dies leistet, ist nicht nur von der Kunst des Dichters sondern auch von der Stilgebung abhängig. Der Stil bleibt hier nicht nur eine rein ästhetische Qualität, die der Stillogik einer Stoffgruppe entspricht und ein bestimmtes Stilbedürfnis befriedigt. Er wird, in dem Drama, zu einem Darstellungs- und Ausdrucksstil. Er ist eine spezifische Art wirksamer dramatischer Vorstellung. Dies trifft für die Charakterisierung der Figuren wie für die Gestaltung ihrer inneren Zustände zu.

Hinsichtlich der Charakterisierung wirkt der ideale Stil als Sprachgebung mehr negativ; er verhindert, daß die Figuren mit ihrer individuellen Besonderheit gemalt werden. Doch auch Shakespeares charakteristischer Stil wirkt sich nicht so aus, daß durch ihn die Figuren als Individuen charakterisiert werden. Zum wenigsten behält der Dichter dies den komischen Figuren vor, denen er eine Schranke im Sprechen zuerteilen kann, durch die mehr das Äußere des Sprechens gehört wird als das Gesprochene. Stottern kann auf diese Weise wirken, oder auch ein nicht urbaner Dialekt. Im übrigen aber ist der charakteristische Stil ein Übergreifendes, so daß jede Figur in dieser Stilart spricht. Erst der realistische Stil ändert dies, indem er nicht mehr die Stilisierung betonen kann, sondern die Illusion des gegenwärtigen Lebens bewirken muß. Der Stoff ist gegenwärtiges Leben selbst; im Sprechen sollen die Menschen dieses Lebens getroffen werden. Die Kunst der Sprache realisiert hier erst ganz, was durch die Konzeption des Charakters konzipiert war: sie gibt dem besonderen Individuum sein besonderes Dasein in der Sprache.

Lessing macht mit seinen Dramen einen überzeugenden Beginn. Das Suggestive der Kunst Goethes, soweit er Menschen vorstellig macht, ist nicht zum wenigsten in seiner Fähigkeit begründet, dem Menschen ganz die ihm wesenhaft zugehörige Sprache zuzuerteilen. Er entwickelt die besondere Kunst, weibliches Wesen oder das Kindliche vorzustellen, die Frau in ihrem besonderen Seelenleben zu erfassen und nicht bloß in den Zügen ihres Charakters. Grillparzer schließt hier an ihn an, dann Gerhart Hauptmann, der über sich selbst hinaus vertiefte Realismus. Hauptmann beherrscht virtuos auch besonders die Charakterisierung durch das Verhalten, bildet aber, besonders in seiner Frühzeit, nicht weniger den Menschen in der Besonderheit seines individuellen Sprechens aus. Er gibt hierdurch dem Schauspieler die auch sprachlich ganz gebärdete Rolle, seinen Personen die bezwingende Gegenwart.

Der äußerliche Realismus versäumt dies. Das Sprechen als naturalistischer Stil verdeckt den Menschen, wie etwa bei Carl Hauptmann. Ferner gibt es den Realismus des Jargons, der statt des inneren Menschen nur die äußere, mehr soziologisch bedeutsame Sprachschicht erfaßt. Wedekind neigt hierzu, doch mit starker Tendenz zum echten charakteristischen Sprechen, zu einer übernaturalistischen Ausdruckssprache. Mehr tritt der Jargon bei dem Expressionisten hervor, wenn sie realistisch werden. Ihre expressive Art des Sprechens verbirgt dann nur den Mangel an konkreter Menschenschau und -gestaltung. H. Johst schreibt seinen «Schlageter» in einem Studenten- und Soldatenjargon, mit Durchbrüchen zum Lyrischen und Expressiven. Auch Zuckmayr läßt dies in «Des Teufels General» überwiegen, doch nachdem er im «Fröhlichen Weinberg» und noch im «Hauptmann von Köpenick» sich als der bedeutendste Erbe der Hauptmannschen Kunst des Individualisierens erwiesen hatte, freilich ohne die dramatische Bau- und Schlagkraft seines Meisters.

Die Sprache war einmal zu betrachten in ihrer Bedeutung für die wirksame Charakterisierung. Ihr Einsatz hierfür war im Realismus äußerst gesteigert, nun auch im Zusammenhang mit Stoff und Publikum. Der antike Held war für den griechischen Zuschauer in jeder Weise schon da. Der tragische Held des Realisten mußte nicht nur als ein interessierender erst konzipiert, sondern auch auf eine zwingende

Weise dargestellt werden. Dies wird dem Dichter noch durch eine andere Tatsache nahegelegt. Ihre eigentliche Wirklichkeit als tragische gewann diese Figur erst durch ihr Leiden und ihren pathetischen Ausdruck. Hierauf aber konnte der antike Dichter das ganze Gewicht seiner Darstellung legen, hierfür auch war seine Weise der Sprachgebung günstig. Der antike Vers ist eine Sprache der pathetischen Gewalt. Der realistische Charakter kann nicht in dieser Weise pathetisch sein, und der Realismus schränkt die Kunstmittel dieses Pathetischen ein. Damit muß der Dichter versuchen, an Suggestion der Erscheinung zu gewinnen, was er an Gewalt des Ausdrucks verliert.

Die Stile sind mithin auch dramatische Wirkungssprachen mit Rücksicht auf das Innere des Menschen. Der schöne ideale Stil der Antike gibt den Grund ab für die breite ausladende Deklamation, für die Steigerung in das Melodramatische und den Gesang. Erst im Klassizismus schränkt sich diese Darstellung zum Teil auf das Schöne schlechthin ein, doch wird jetzt auch das Wirkende durch Modifikationen gesucht. Wir kennen die rhetorische Steigerung bei Gryphius, die Prunksprache bei Lohenstein, Schillers lyrisches Prachtgewebe in der «Braut von Messina», Kleists entfesselte Dynamik in der «Penthesilea». Die reinen schönen Dramen bildet nur Goethe aus in der «Iphigenie» und im «Tasso».

Shakespeare vertritt mit seinem charakteristischen zugleich einen mimisch-dynamischen Stil. Shylock sagt etwa: *Aber Schiffe sind nur Bretter, Matrosen sind nur Menschen; es gibt Landratten und Wasserratten, Wasserdiebe und Landdiebe — ich will sagen, Korsaren, und dann haben wir die Gefahr von Wind, Wellen und Klippen.* Er spricht hier inhaltlich die Bedenken aus, die ein Geldverleiher hegen kann, wenn die Sicherheiten, die ihm für die Schuld angeboten werden, Güter der noch auf dem Meere befindlichen Schiffe sind. Ferner spricht er als dieser Mensch, mit der Rabulistik des am Talmud erzogenen Ghettojuden. Sodann ist dieses Sprechen geprägt durch eine literarische Stilgebung, durch die Freude am witzigen Räsonnement, an den Reizen des logischen Folgerns bestimmter Art, an Antithesen usf. Schließlich aber ist diese Sprachgebung mimisch fruchtbar, Stoff für eine Rolle, für aktive Gebärdung, für einen dynamischen Ausdruck. In solcher, für einen bestimmten Menschen charakteristischen Art des Sprechens zeigt Shakespeare mehr menschliches Wesen auf dynamische Weise. Im Ausdruck von Leidenschaften und Leiden zeigt er hiermit auch dynamisch bewegtes Wesen. Darum steigert er hier die Bilder, spannt das syntaktische Satzgefüge zum Zerreißen.

Der Vorzug der Antike und dieses charakteristischen Stils ist, daß die der Sprache möglichen künstlerischen Wirkungsmittel hier uneingeschränkt sind, daß die Sprache ganz auf ihren künstlerischen Zweck hin geformt werden kann. Das Wirkende war in dem umgreifenden Stil selbst angelegt und brauchte nur tragisch fruchtbar gemacht zu werden. Für den Realismus und die Kastenbühne werden diese Ausdruckskraft und Dynamik des Sprechens zum Problem. Sie können an den Realismus verloren gehen, wie bei Diderot. Es kann statt dieses Ausdrucks der Reiz der gebildeten und witzigen Konversation gesucht werden, wie besonders in Frankreich. Doch kann nun auch versucht werden, die Wirkungskräfte der Sprache in diesen neuen Bereich überzuführen, damit einen dramatisch und tragisch wirksamen realistischen Stil auszubilden. Lessing versucht dies in seiner «Miß Sara Sampson» noch im Anschluß an die klassizistische Redebreite, als Entladung des Menschen; in der «Emilia Galotti» hat er dies zugunsten eines knappen und explosiven Ausdrucks preisgegeben. Die tragenden Charaktere sind überwiegend in sich verschlossen, wortkarg. Der Lebensvorgang überwiegt ganz; das Geschehen ist nicht, wie beim jungen Goethe, Anlaß zu breiter Entladung. In diesem Geschehen aber gibt es immer wieder die Situationen, in denen ein äußerster Druck den Ausdruck erzwingt. Es ist dann auch eine charakteristisch literarische Sprache im Raum des Realismus möglich.

Ibsen sieht hiervon ab, beläßt die Rede mehr im durchschnittlichen Konversationston, auch in der Schranke durchschnittlicher Ausdruckskraft, um nur an wenigen Momenten ein indirekt Pathetisches aufklingen zu lassen. Hiervon weichen die Naturalisten wieder ab, unter dem Vorgeben, Gesellschaft und Konversation zugunsten der unmittelbaren Sprache des Lebens zu überwinden; doch wird ihnen dies zu einem neuen Wirkungsmittel. Es wird hier ein sehr charakteristisches Charakterisieren erreicht, eine äußerste Verlagerung des charakterisierenden Sprechens in das Mimische. Wenn Shakespeare seine Amme, in «Romeo und Julia» malt, so läßt er sie in seinem charakteristischen Stil sprechen, den er jetzt nur zum Ausdruck eines beschränkten Menschen macht; Gerhart Hauptmann hingegen kennzeichnet die Amme in den «Einsamen Menschen» durch ein kindelndes Spielen mit dem Kind. Es bleibt fast nur noch eine Abfolge von Naturlauten übrig, die kein eignes Dasein mehr als literarisches Wort besitzen, sondern nur Sprachstoff sind für eine mimisch-dynamische Rollengestaltung. Dieses Leben äußert sich in Leidenschaft und Leiden, mit einer nun breiteren, einer neu entfesselten Dynamik, da die Rede von der Herrschaft des Geistes und der Reflexion weitgehend befreit ist. Während Shakespeare auch in die pathetischste Rede das Chorische und Erhellende einflicht, auch in der deutschen Klassik stets die Besonnenheit gewahrt wird, die Rede gleichsam unter der Herrschaft der Vernunft steht, scheint hier das Leben selbst seine unmittelbare Dynamik zu entfalten. Natürlich ist auch dies keine unmittelbare Entäußerung, sondern eine andere Weise des dynamischen Sprechens. Es herrscht die Kunsttendenz, das Leben nicht mehr im Bereich der Literatur auszudrücken, wie dies bis jetzt geschah, sondern die Literatur zu einem Ausdruck des Lebens zu machen. Diese neue Dynamisierung rechtfertigt sich vom Drama her gesehen sowohl durch die zuvor herrschende Bildungsdramatik der Epigonen der Klassik und Romantik, durch die bloße Konversation in den französischen Dramen, als auch durch die Subtilisierung Ibsens, der oft so fein zuspitzte, daß die Spitze abbrach.

Diese Dynamisierung setzt sich im Gegenschlag gegen einen durchschnittlich gewordenen Naturalismus weit fort bis zum Expressionismus. Seitdem der Realismus eine herrschende Macht im Drama geworden ist, versucht man immer wieder, besonders im Rückgang auf Shakespeare, die Schranke des naturalistischen Realismus zu sprengen und die äußere Lebensrichtigkeit zu überhöhen zugunsten der Wirklichkeit und Kraft des inneren Ausdrucks. Dies findet schon im Sturm und Drang statt, und nicht so sehr als die Erscheinung eines neuen Menschentums, sondern aus künstlerischen Rücksichten und Bedürfnissen, durch den Willen zu neuer Dynamik, nach einem ausdruckskräftigeren Stil. Dem Sturm und Drang schließen sich wieder Büchner und Grabbe an, auf sie und den Sturm und Drang und auch Shakespeare geht der Expressionismus zurück. Wedekind geht schon zur Zeit des Naturalismus bei dem Sturm und Drang in die Schule, schreibt im sturm- und dranghaft charakteristischen Stil und auch im Stil Shakespeares, der doch der künstlerische Kern seiner Kraft- und Jargonsprache ist. Das Programm des Expressionismus scheint zunächst, wie das des Naturalismus, weltanschaulich, eine Lehre vom wahren Wesen des Menschen, ein Einsatz für das Innere, das Seelische, für dessen Wirklichkeit und Recht gegenüber allem den Menschen von außen Umgreifenden, Bedingenden, ihn ganz Prägenden oder Unterwerfenden. Doch wird er sofort auch ein künstlerisches Programm. Hier nimmt man der Darstellung des Menschen auf der Bühne alles dies wieder, was der Naturalist als seinen eigentlichen künstlerischen Gewinn gebucht hatte, die Darstellung des Lebens selbst bis zu dessen Kopie. Die Tendenz der Kunst ist die radikalste Abstraktion, die Reduktion der Individuen auf Typen, die nun auch nur als Typen bezeichnet werden und nicht mehr als typische Züge enthalten. So wird hier, im Namen der Menschenwirklichkeit und im Einsatz für den wieder wesenhaft menschlichen Menschen, doch künstlerisch abstrahiert, weit hinaus über das, was die Griechen als Typik besaßen und auch über ähnliche Ansätze hinaus, wie sie bei Goethe zu finden sind in seiner «Natürlichen Tochter». Es bahnt sich hier stofflich eine abstraktere Kunst an. Doch treibt hierin auch der Wille zu einer wieder dynamischen Kunst, die nun fast statt Wirkung durch die Schau die wirkungskräftigste Schau will. Wie in der Malerei die Komposition herausgetrieben wird bis zur Selbstwertigkeit, die Linie wieder Eigenkraft gewinnt und ebenso die Farbe oft bis zur Knalligkeit, so entsteht hier auch eine Kunst einfacherer und auch brutalerer Wirkungen, des Plakathaften und oft Knallenden, und sie scheint einem Publikum angemessen, dessen Sinne und Nerven durch den modernen Zivilisations-, Propaganda- und Reklameapparat abgestumpft sind und das nur noch auf das Schlagkräftigste reagiert. In der Überlieferung greift man so auf die dynamische Kunst zurück, auf den Barock gegenüber der Renaissance, auf die Dichter des Sturm und Drangs, mehr auf Lenz als auf den jungen Goethe, auf Kleist, Grabbe, und auf den Urvater dieser charakteristisch dynamischen Kunst, auf Shakespeare.

# DRITTES KAPITEL

# DIE EXPOSITION

Eine gute Exposition soll nicht nur deutlich, sondern auch wirkungsvoll sein, soll den Zuschauer berühren, erregen. Freytag fordert darum, daß der Dichter seine tragische Symphonie schon mit einem kräftigen Akkord beginne. Doch war für ihn die Exposition Vorbau; sie verdeutlichte die Voraussetzungen der dramatischen Handlung vor deren Beginn. Für den tragischen Dichter ist die Exposition der Beginn des tragischen Geschehens. Mit ihr aktiviert sich eine bisher latente Kraft, ob dies nun der Wille des tragischen Helden selbst ist oder, wie ganz überwiegend, eine den Helden bedingende Lage. Insofern erregt sie schon Furcht und Mitleid, oder dies ist doch ihre Aufgabe.

Dieses Kriterium ist verwischt worden durch die Betonung des Dramatischen, wonach die Exposition mehr dramatisch erregen als tragisch stimmen soll. Man kann von ihr nur eine dramatische Szene fordern, entweder mehr einen Kampf entgegengesetzter Willensbewegung oder eine deutlich anhebende Willensbewegung auf einen dramatisch bedeutsamen Entschluß hin. Ein streitendes Gegeneinander ist eine beliebte Form besonders im mimischen Drama, aber nicht als eine bloß dramatische Einleitung. Doch sind auch viele andere Formen möglich.

Soll die Exposition schon zu Furcht und Mitleid stimmen, so muß sie schon zu Fürchtendes, und sie muß schon Leiden zeigen. Hierbei kann mehr das eine oder das andere ihr Zweck sein. Die Exposition des «König Ödipus» erregt mehr Furcht, die des «Philoctet» mehr Mitleid. Dort droht etwas Vernichtendes heran, hier wird der Mensch schon in seinem Leiden gezeigt. Dies soll sichtbar und fühlbar gemacht werden.

Man kann Momente aufzeigen, die den Dichter in diesem Ziele fördern oder hemmen. Sie werden durch verschiedene Faktoren modifiziert: durch die Darstellungsweise, den Stoff, die Handlungsfügung. So sind sie im Zusammenhang hiermit zu betrachten.

*Ein* solches förderndes Element ist die Klarheit der Exposition, die dem Zuschauer einen hinreichenden Einblick in das zu erwartende Geschehen gibt. Hiernach strebte zuerst der antike Dichter. Ihn begünstigte sein Stoff, der einfach und rasch explizierbar war, ferner die Darstellungsart, das Übergewicht der Rede. Blickt man auf die Vorstellung, so ist die Exposition um so besser, je mehr sie einen räumlich fixierten Geschehensvorgang malt; blickt man auf die Erregung der tragischen Furcht, so kann der antike Dichter den Vorgang dem deutlichen Bericht aufopfern. Für ihn wirken schon die auftretenden Gestalten anschaulich, besonders die Götter, die nun häufig den Gang des Geschehens vorauskünden. Sie stimmen damit den Zuschauer schon zur fürchtenden Erwartung, ohne doch die tragische Furcht der Fabelschau selbst vorwegzunehmen. Vielmehr verdeutlicht sich so, wie Lessing bemerkt, das Eigentümliche dieses poetischen Wirkens des Dichters. Es ist nicht abhängig von dem Nichtwissen, daß Furcht nur da möglich sei, wo man den Ausgang noch nicht kenne; die Offenheit der Furcht wird durch ein Wissen vom Ende nicht aufgehoben. Vielmehr bringt der Dichter den Zuschauer unter die Gewalt des ablaufenden Geschehens, und der Zuschauer fürchtet für Alkestis, obschon er weiß, daß sie gerettet wird, hofft für Ödipus, obschon er weiß, daß er vernichtet wird. Die Exposition kann so, wie häufig bei Euripides, prologartig sein. Sie lenkt den Zuschauer auf das zu Befürchtende hin, macht ihm dies ganz gegenwärtig, verstärkt in ihm die konkrete Furcht, ohne daß er, im Banne der Darstellung, zu hoffen aufhören kann.

Zu der äußeren tritt die innere Klarheit, die eins ist mit der Eingängigkeit des Geschehens, mit der Selbstverständlichkeit. Daß der Dichter sein Spiel da beginnen läßt, wo ein latentes Verhängnisvolles beginnt wirksam zu werden, war einmal eine Regel der tragischen Bauart schlechthin, die durch solche analytische Fabel dem Zuschauer die Illusion einer zwingenden Synthese erzeugte; insofern ist dieser Bau auch eine Bedingung der tragischen Furcht, durch die Schaubarmachung eines Zusammenhangs, der durch das in ihm selbst Gesetzte bis zur letzten vernichtenden Konsequenz führt. Zugleich kann der Dichter in der Exposition alle die Tatsachen verbergen, die das unmittelbare Verstehen beeinträchtigen könnten. Hierzu gehörte etwa, daß Eltern ihr Kind aussetzen und dem Tode preisgeben (Laios und Jokaste), auch, daß Ödipus Korinth flieht, anstatt bei den Menschen, deren leiblicher Sohn zu sein er doch zweifeln muß, weitere Aufklärung zu suchen. Auch daß Ajas die Fürsten der Achaier töten will, ist ein ungeheuerlicher Anschlag. Indem der Dichter diese Tatsachen schon voraussetzt, wahrt er das reine Furcht- oder Mitleiderregende. Jetzt hat Ödipus nur noch nach dem Mörder des Laios zu forschen, gleich, welcher Geschehenszusammenhang diesen Totschlag herbeigeführt hat. Ajas hat sich nur noch als Vernichteter zu entdecken; er ist nur noch der Unglückliche, nicht der Planer eines Verbrechens. Auch daß Admetos, um sich zu retten, statt seiner seine Gattin Alkestis dem Tode sich hat anbieten lassen, setzt der Dichter besser als geschehen voraus. So sieht man nicht mehr einen Egoismus, der sich durch Preisgabe eines anderen und ihm nächsten Lebens rettet, sondern das Rührende der sterbenden Alkestis und einen schmerzerfüllt trauernden Gatten. Und auch sieht man besser die Klytämnestra, die sich dem Aigisth ergeben hat, als die Frau, die dies erst tut.

Der äußeren Form nach sind solche Expositionen oft nur Gespräche, doch auf die poetische Formung hin betrachtet sind sie dichte Gestaltungen. Eine Bedingung tragischer Wirkung ist auch dieses Gesammelte, das Gedrungene, wodurch der Dichter ohne viel Umschweife seinen Zuschauer in das Geschehen hineinführt. Dies kann auch ein fast epischer Bericht leisten. Im einzelnen verfährt hier der Dichter seinen genaueren Zwecken gemäß. Sophokles führt durchschnittlich kunstvoller ein Handlungsgeschehen durch; so soll auch die Exposition die erste Bewegung in diesem Geschehen sein. Euripides sucht mehr die Wirkung starker pathetischer Momente; so ist er lässiger im Gesamtbau. Er unterrichtet prologartig, seiner Kunst gewiß, den Zuschauer durch die Suggestion seiner Dichtung genügend hinzureißen und zu erschüttern.

Grundzüge dieses Schemas bleiben immer wieder gewahrt. Der Klassizismus bedient sich stets der Exposition durch eine klarlegende Rede, und stets mit diesem Erfolg, daß er komprimiert, rasch den Zuschauer in das Geschehen einführt. Darum rühmt August Wilhelm Schlegel die Kunst der Franzosen, rasch zur Hauptsache zu kommen[1]. Goethe leitet die «Iphigenie» durch einen Monolog ein, der schon Iphigeniens Lage und Zustand völlig offen legt. Mit dem Auftreten von Arkas und seinem Vorbringen, daß der König über seine Werbung endlich festen Bescheid wünsche, mit dem anschließenden Auftreten von Thoas, mit seiner Werbung und Iphigeniens Abwehr, mit Thoas' Ankündigung, die alten Menschenopfer seien dann zu erneuern, und mit seiner Meldung, daß soeben Fremdlinge an der Küste ergriffen worden seien – hiermit sind alle Voraussetzungen des Geschehens schon entwickelt, und das Geschehen selbst ist schon im Gange. So verfährt auch Schiller in der «Braut von Messina» oder Kleist im «Robert Guiskard». Doch auch bei Lebensstoffen und realistischerer Behandlung kann auf diese Weise exponiert werden. Shakespeare läßt seinen Richard III. in einem einleitenden Monolog sich ganz eröffnen. Indem hier ein Willensentschluß geäußert wird, der auch sofort zur Tat führt, ist dieses Sicheröffnen auch der unmittelbare Auftakt des Geschehens. Auch Goethe legte im «Clavigo» die Voraussetzungen des Geschehens in einem bloßen Gespräch dar; ähnlich Gerhart Hauptmann in «Vor Sonnenuntergang». In den «Jungfern von Bischofsberg» läßt Hauptmann hierzu eigens eine Person auftreten, die nur zu fragen und Antwort zu erhalten hat, eine freilich mehr lustspielhafte Freiheit.

Auch jetzt versteckt der Dichter Geschehensmomente in die Exposition, die entweder an sich nicht oder doch auf der Bühne vorgestellt nicht zwingend wären. Wie im «Hamlet» die Königin zu Claudius steht, ist psychologisch ein weit weniger Begründbares als die Stellung der Klytämnestra, die ihrem Gatten schon entfremdet und dann lange von ihm getrennt war; also schiebt der Dichter dies in die Voraussetzungen. In Kleists «Schroffensteinern» wird die latente Lage zwischen den feindlichen Häusern dadurch aktiviert, daß man einen Knaben des Hauses Schroffenstein-Rossitz tot aufgefunden. Knechte von Schroffenstein-Warwand sollen die Mörder sein. Später stellt sich heraus, daß der Knabe ertrunken ist; die beiden Knechte, die man bei der Leiche fand, haben nur aus Aberglauben dem Toten einen Finger nehmen wollen. Man hätte feststellen müssen, daß der Knabe ertrunken ist. Einen der Knechte hat Graf Schroffenstein-Rossitz sofort niedergehauen; der zweite hat auf der Folter den Namen Sylvester ausgesprochen, den Namen des Grafen von Schroffenstein-Warwand. Alles dieses Unwahrscheinliche und Unbegründete setzt der Dichter voraus, der Zuschauer nimmt es als gegeben hin[2]. Paul Ernst stellt dieses Verfahren nicht nur für den «König Ödipus», sondern auch für die Dramen Ibsens fest.

Was jetzt auf der Bühne sich zeigt, muß unmittelbar eingängig sein. Nachdem einmal der Mord an dem alten Hamlet geschehen ist, wirkt dessen Erscheinen und Aufruf zur Rache selbstverständlich; ebenso gewinnt Kleist eine starke Szene, indem er Rupert von Schroffenstein-Rossitz in düsterer Kapelle an der Bahre des toten Knaben zeigt und die Seinen Rache gegen das Haus Warwand schwören läßt. Es kann so dem Zuschauer selbst Unwahrscheinliches zugemutet werden,

wenn auch mehr in den äußeren Verhältnissen. Im «Clavigo» sind die Voraussetzungen des Geschehens einfach und klar. Ein Mann hat seine Verlobte verlassen. Daß er dies tut, ist ein psychologisches Problem, das der Dichter, wie später
Ibsen, in die Exposition schiebt. Ein Bruder kommt, um die Untreue an seiner
Schwester zu rächen. In der «Stella» aber begegnet dieses psychologische Problem doppelt, da Fernando sowohl Frau wie Geliebte verlassen hat. Zudem ist
hier weiter dies vorausgesetzt. Cäcilie, die verlassene Gattin, ist in bedürftige Umstände geraten; so soll ihre Tochter sich ihr Brot als Gesellschafterin verdienen.
Die Dame aber, bei der sie Stellung antritt, muß Stella sein, die verlassene Geliebte
Fernandos. Dies ist ein unwahrscheinlichster Zufall. Und fast nicht weniger zufällig ist es, daß eben zu dieser Stunde Fernando eintrifft. Zwar erklärt der Dichter
durch Motive. Fernando hat Cäcilie gesucht, sie nicht gefunden; jetzt sucht er
Stella auf. Doch muß dem Zuschauer dieses innerlich Begründete genügen. Das
Äußere, die Gleichzeitigkeit der Ankunft Cäciliens und Fernandos, bleibt zufällig, muß als ein höherer, als ein schicksalvoller Zufall erfahren werden. Hauptmann fügt ähnlich, doch überzeugender, im «Friedensfest». Sohn und Vater kehren fast gleichzeitig nach mehreren Jahren nach Hause zurück. Hier hat ein Streit
die Familie getrennt. Der Sohn hat sich verlobt; es ist jetzt Weihnachten. Die Mutter seiner Braut hat ihn gewogen, jetzt die Versöhnung zu suchen. Der Vater aber,
der Dr. Scholz, kehrt als Todkranker zurück. Wieder motiviert Weihnachten den
genaueren Zeitpunkt. Es ist das Fest des Heiles, des Friedens, der Familie. Da
entschließt sich der dem Tode Nahe zur Rückkehr.

Es fragt sich jeweils, was der Dichter an Unwahrscheinlichem verbergen will
und muß, und welches Unwahrscheinliche der Erklärung bedarf. Dies hängt teils
von dem Vergegenwärtigen in der Exposition ab. Die Aufforderung aus Delphi,
den Mörder des Laios zu entdecken, zwingt zu einer Erklärung, warum der Mord
nicht aufgedeckt worden ist. Ebenso kann in der «Emilia Galotti» kaum uner-
klärt bleiben, wieso der Prinz, so leidenschaftlich um Emilia bekümmert, von
ihrer bevorstehenden Hochzeit nichts weiß. Man hört hier: die Familie Galotti
lebt nicht am Hof, der alte Galotti auf dem Lande, er ist des Prinzen Freund nicht,
auch Appiani lebt dem Hofe fern. Die Verlobung ist in aller Stille erfolgt, die
Hochzeit soll außerhalb der Stadt sein. Marinelli weiß von des Prinzen Leidenschaft nichts, und er kann seinem Herrn nicht gefallen, indem er von den Galottis
oder Appiani spricht. Kleist fügt in seinen «Schroffensteinern» die Unwahrschein-
lichkeit in das Ganze seiner tragischen Demonstration ein: die Menschen sind
durch Mißtrauen verblendet, Graf Rupert von übereilender Heftigkeit. Überall
drängt sich ihnen Verdacht auf, sie folgen ihm zu rasch. Weniger glücklich ist
Hebbel in seiner «Maria Magdalena». Warum sich Clara dem ungeliebten Verlobten auf dessen Drängen hingegeben hat, der sich hierdurch ihrer hat versichern
wollen, nachdem der von ihr geliebte Sekretär zurückgekehrt war, ist ein psychologisches Rätsel. Dieses in die Exposition gesetzte Unerklärliche wird nun in der
Exposition erklärt: Clara habe dies getan, um sich selbst den Rückweg zu dem
Sekretär abzuschneiden. Der Erklärungsversuch vollendet die Unerklärbarkeit.
Hauptmann erklärt für seine Dorothea Angermann unbestimmter und besser: sie

ist in einem Moment der Apathie, der Willenlosigkeit dem Mario verfallen. Sie ist das Opfer einer fatalen Situation. Clara ist das Opfer eigner unbegreiflichster Torheit. Zugunsten seiner Charakteristik versäumt Hebbel die mögliche Situationstragik, daß vielleicht der geliebte Mann schon zu spät kam. So kommt für Dorothea Angermann der sie liebende Dr. Pfannenschmidt zu spät, um das Unglück zu verhindern.

Ferner soll eine wirksame Exposition gedrungen sein, in wenigen großen Zügen in das tragische Geschehen einführen. Der einfache Stoff, dessen Bekanntheit, die Vermittlung durch zusammenfassende Rede machte dem antiken Dichter diese Aufgabe leicht lösbar. Der Dichter der historischen Stoffe muß Verwickelteres darlegen, zudem das dem Zuschauer meist Unbekannte. Insofern genoß nach Jakob Burckhardt die griechische Tragödie den großen Vorteil, «daß ihr die Exposition, worauf unsre Dichter die besten Kräfte wenden müssen, großenteils erspart blieb. Was unser historisches Drama im Dichter wie im Zuschauer durch seine Darlegung der politischen und anderweitigen Lage an Atem und durch zerstreuende historische Details an Sammlung verliert, das ging dem griechischen mit seinem Mythus nicht verloren.» Dazu verlangen wir nach «Breite der Handlung, wieder sie kreuzenden Nebenhandlung und Vielheit der Charaktere, welche sich im Stücke allmählich entwickeln ...» Darum gibt es «so wenige gute historische Tragödien, welche wirklich die Bühne bezwungen haben». Sehr viele, auch der «Egmont», «existieren bloß um einiger ergreifender Momente willen[3]».

Für Shakespeare ist diese Aufgabe noch lösbar, durch die Art seiner Geschichte, die durch den Menschen getragen wird und seine Leidenschaften, und durch seine frei mimische Darstellung, die unabhängig von Raum und Zeit die prägnanten Momente herausstellen kann. Dieses Prägnante gestaltet er prägnant. Im «Hamlet» wird die Situation offenbar durch die Erscheinung des Geistes. Doch läßt der Dichter nicht nur den Geist dem Hamlet ankündigen, läßt ihn nicht nur ihm erscheinen. Er zeigt den Eindruck der Erscheinung des Geistes auf Hamlet; man erlebt dessen Erschütterung mit. Der Bericht Hamlets an seine Freunde ist wieder auf diesen Ton gestimmt, daß Ungeheuerliches geschehen ist. Die Freunde sollen schwören, über dies Vorkommnis zu schweigen. Hamlet läßt sie diesen Schwur dreimal tun, befiehlt vor dem zweiten und dritten Schwur jeweils einen Wechsel des Standorts. In seine Aufforderung fällt auch die Stimme des Geistes mit seinem «Schwört!» Die historischen Stoffe seit dem 16. Jahrhundert zwingen schon zur Darlegung der verwickelteren Verhältnisse des werdenden modernen Staates, zugleich in der gemesseneren Darstellung der realistischeren Bühne. Im «Götz» wetteifert Goethe noch mit Shakespeare, übersteigert dessen Szenenvielfalt, nur an die innere Vorstellung denkend; im «Egmont» sucht er die räumliche Konzentration. Das Spiel läuft zugunsten der Explikation der Lage und des Charakters des Helden langsam an. Schiller, im «Wallenstein» auf ähnlicher Bahn, benötigt selbst ein Vorspiel. Doch kehrt er in der «Maria Stuart» zu der raschen, erregenden, mimischen Exposition zurück, die die Situation in einer Episode schlagend hell macht, steigert auch den schaubaren Vorgang unter Zurückdrängung des mehr dramatischen, durch Rede sich vorstellenden Gegeneinanders.

Alle diese Weisen des Vorstellens sind mehr die Bedingungen der wirksamen Exposition. Tragisch wirksam wird die Exposition, indem der Dichter sich solcher Fügungen bedient, um teils mehr Furcht zu erregen, teils mehr Mitleid.

Wie weit in solchen Auftritten Furchterregendes aufklingt, ist nach den Bauformen verschieden. Die Exposition der folgernden Fabel erregt unmittelbar starke Furcht durch diese Fügung selbst: man sieht hier, daß der tragische Held zu Fürchtendes tut oder hierzu getrieben wird, wie bei Lear, Macbeth, Karl Moor. Auch in den entfaltenden Fabeln kann dies rasch hervortreten. Frau Miller schwatzt gegenüber Wurm von dem vornehmen Liebhaber ihrer Tochter; der alte Miller, der seine Frau zurückhalten will, gerät doch selbst so in Harnisch, daß er Wurm noch gründlicher die Meinung sagt, worauf dieser sich verabschiedet. Hier sind die Menschen und ihre momentane Situation auf dieses Furchterregende hin erfunden: die eitle Dummheit der Mutter, die eine ins Primitive und Stupide transponierte Claudia Galotti ist, der cholerische alte Miller, ein kleinbürgerlicher Odoardo Galotti, die einleitende Streitsituation zwischen den Gatten, die in der Mutter den Willen stärkt, doch den vornehmen Liebhaber für die Tochter zu gewinnen, den Vater in einen Zustand versetzt, der ihn zum Opfer seines Temperaments machen kann, der Besuch Wurms eben in diesem Augenblick, dadurch ein unkluges Ausplaudern gegenüber diesem Mann, und ein Brüskieren, das bei Wurms Charakter und seiner Stellung als Sekretär des Präsidenten von Walter für die Familie Miller verhängnisvoll werden muß. Hier wird die Konstellation drastisch demonstriert. Doch auch Goethe bedient sich dieser Möglichkeiten, nur nicht so drastisch. Wer den Charakter Weislingens kennt und Adelheid von Walldorf am Hofe zu Bamberg gesehen hat, muß für Götz fürchten. Es muß auch Furcht erregen, daß die Prinzessin den sie liebenden Tasso eben jetzt auf Antonio verweist, da dieser gegen Tasso gereizt und gegen ihn als Mensch verschlossen ist. Hier liegt durchschnittlich das Furchterregende in dem fatalen Zusammenhang dieser Menschen mit diesen Bedingungen eben dieser Situation. Doch können auch Situationen ganz durch sich selbst Furcht erregen, etwa durch ein unerwartetes Zusammentreffen von Personen. Fernando, Stella, Cäcilie müssen eben jetzt an einem Orte zusammentreffen. Gleichzeitig mit Wilhelm Scholz kehrt auch der Vater Scholz zurück (G. Hauptmann, Das Friedensfest). Ferner kann das Furchterregende ganz der Mensch selbst sein durch die Richtung seines Willens. Jago will Othello, Franz Moor seinen Bruder Karl vernichten, Königin Elisabeth die Maria Stuart. Im entwickelnden Drama ist solcher Wille ein oft durchgehendes furchterregendes Motiv. Dieser Wille kann mehr aktiv sein, wie bei Jago oder Franz Moor, oder mehr reaktiv, eine entschiedene Verteidigung mit allen Mitteln, wie bei der Marwood oder Wurm. In diesem Sinne wirkt auch der Wille des tragischen Helden selbst furchterregend, durch ein fühlbar Hybrides seines Tuns oder durch die frühe Sichtbarkeit von Faktoren, an denen er scheitern wird.

Durchschnittlich macht der Dichter unmittelbar in dem gegenwärtigen Geschehnis das Furchterregende hinreichend sichtbar. Doch kann er auch das Bedürfnis oder den Zwang empfinden, hierüber hinauszugehen. Goethe und Schiller sprechen von Motiven als Bauelementen, für das Epos wie das Drama. Es gibt

vorwärtsschreitende, rückwärtsschreitende, retardierende, zurückgreifende, vorgreifende Motive[4]. Die ersten drei Motive dienen dem Gang der Handlung. Der
Dramatiker bedient sich überwiegend der vorwärtsschreitenden Motive, der Epiker auch mit Vorteil der rückwärtsschreitenden Motive, die vom Ziele der Handlung entfernen. Zurück- und vorgreifende Motive dienen mehr der Vorstellung,
was der Dichter sichtbar macht und auf welche Weise. Ein guter Teil des Dramen-
inhalts etwa bei dem bürgerlichen Drama kann Aufdeckung des Voranliegenden
durch ein Zurückgreifen sein. Dieses Aufdecken wird meistens zugleich voranschreitendes Motiv, weil es dem Ende der Handlung näher führt. Auch in der Exposition greift der Dichter zurück, indem er die Voraussetzungen sichtbar macht;
um aber hier schon Furcht zu erregen, kann er auch vorausgreifen.

Euripides bedient sich dieses Motivs häufig durch seine Prologe, die den Gang
des Ganzen schon ankündigen. Auch daß bei Sophokles Teiresias den Ödipus
schon als Mörder des Laios bezeichnet, ist ein solches vorausgreifendes Motiv.
Freilich gibt ihm der Dichter auch eine handlungsimmanente Funktion, indem
Ödipus den Seher durch Kreon bestochen glaubt, es so zum doppelten Streit
kommt, mit Teiresias und Kreon. Doch wird so auch dem Zuschauer ein furchterregendes Wissen vermittelt, das seine Wirkung als dieses dramatische Vorstel-
lungselement in der poetischen Illusion und Gestimmtheit tun soll; denn den Stoff
kannte der Zuschauer sowieso. Der Dichter bedient sich hier solcher Personen,
denen das Kommende schon offenbar ist. Auch der neuere Dichter sucht solche
Erweiterungen, um schon furchterregend anzukündigen, was noch nicht verwirklicht, vielleicht so auch noch nicht abzusehen ist. In «Richard III.» mehrt Shakespeare die Furcht durch düstere Prophezeiungen der alten hexenhaften Königin
Margareta. Sie sagt den in den Vorgang Verwickelten ihr unglückliches Ende voraus. Oft wird die Furcht gesteigert, indem das Unglückliche nur unter bestimmten
Bedingungen eintritt, also vielleicht vermieden werden könnte. Aber dieses Bedingende geschieht. Antigone kann gerettet sein, wenn Kreon nur nicht zögert;
aber er verhärtet sich und gibt zu spät nach. Ajas soll gerettet sein, wenn er an diesem Tag das Zelt nicht verläßt, aber er verläßt es. Buckingham soll von dem Verhängnis frei bleiben, wenn er, der noch Unverwickelte, sich von Richard III. frei
hält; aber er sucht hier seinen Vorteil und mißachtet die Warnung Margaretas.
Cäsar wird von dem Seher vor den Iden des März gewarnt, mit gutem Grund,
wie der Zuschauer schon weiß, aber er hört nicht auf ihn.

Auch Träume weisen über die Gegenwart hinaus, nehmen Künftiges vorweg.
Sie brauchen nicht stets diejenigen zu beunruhigen, die geträumt haben, wenn sie
schon trüber stimmen, lassen aber stets den Zuschauer Unglückliches ahnen.
Schon Aischylos gebraucht diese Erfindung für die Atossa in seinen «Persern»,
wie er im «Agamemnon» die prophetische Kassandra schon mit einführt. Bei
Shakespeare begegnen die Träume mit stereotyper Häufigkeit. Auch Sara Samp-
son ist im Traume auf schmalem Gebirgsweg einer Frau begegnet, die sie in den
Abgrund hat stürzen wollen; Emilia Galotti aber hat von Perlen geträumt, und
Graf Appiani, ein schwermütiger, wie sein Unglück vorausahnender Liebhaber,
muß bemerken, daß Perlen Tränen bedeuten. Auch Götz hat geträumt: er

habe Weislingen seine Rechte geboten; hierbei sei seine eiserne Hand abgebrochen.

Dieses Vorgreifende soll mehr stimmen als unterrichten. Der Dichter sucht Zeichen, die auf das Künftige hinweisend tragische Furcht erregen. In der «Emilia Galotti» muß dies der kleine Schlußauftritt sein, in dem Rat Rota Papiere zur Unterschrift bringt, darunter ein Todesurteil. Der Prinz, eilig, ist zu unterzeichnen bereit, mit einem unbesonnenen «Recht gern». Das Furchtbare der Bemerkung muß auf den Rat wirken. In einem kleinen Schlußmonolog bekennt er seinen Schauder über dieses gräßliche «Recht gern». In «Kabale und Liebe» wird Luise plötzlich von dieser Hellsichtigkeit überfallen: «Ein Dolch über dir und mir! Man trennt uns!» In beiden Fällen hat sich das Befürchten schon im Zuschauer angebahnt. Jetzt vertieft sich dies zum Gefühl drohenden Unheils. In dem bürgerlichen Raum, der nur die durchschnittlichen Verwicklungen kennt, tauchen am Horizont mögliche tiefere Verhängnisse auf.

Der Dichter kann auch dem Ganzen der Vorstellung diese eigentümliche Stimmung geben, dieses mehr zu Fühlende als zu Fassende. Der antike Dichter kennt dies kaum; seine Bühnenkunst ist, wie die Schlegels schon betonen, mehr plastisch als malerisch. Shakespeare dagegen scheint besonders für den heutigen Leser der Magier des Stimmens zu sein, der mehr malerische Dichter. Besonders den Leser weiß er in seine jeweilige Welt eines Dramas zu verzaubern, wie Herder dies so suggestiv bekennt. Zu den jeweiligen Ganzheitsstimmungen treten die einzelnen Stimmungsmittel, das oft Unheimliche der Interieurs, das Hineinbeziehen der Natur in den dramatischen Vorgang, dieses Korrespondieren des Inneren und des Äußeren. Sturm und Gewitter können hier herrschen; die Szene scheint mit den gewittrigen Farben eines Tintoretto gemalt. Doch stellt die Bühne seiner Zeit diese Räume nicht dar; zudem hebt die Exposition schon die tragischen Momente kräftig heraus. Mehr auf die Stimmung ist oft das realistische Lebensgemälde angewiesen; auch kann die hier realistische Bühne zum Raum mit eigner stimmender Kraft ausgestaltet werden. Diese Stimmung muß den Eindruck bewirken, daß hier mehr vorliegt, als unmittelbar zu sehen ist. So stimmt Lessing den 1. Akt seiner «Miß Sara Sampson» ganz auf dieses Moll. Der seiner entführten Tochter nachgereiste Sir Sampson ist schmerzlich betroffen über das elende Wirtshaus, worin er seine Tochter findet, der ihn begleitende alte Diener ergeht sich in rührenden Erinnerungen; Mellefont tritt tief beunruhigt auf, früh aufgestanden nach durchwachter Nacht, von seinem Gewissen gepeinigt, das ihm sein Diener nur noch mehr erregt, und die ohnehin tief niedergeschlagene Sara ist durch ihren Traum beunruhigt worden. In der «Maria Magdalena» ist die Mutter soeben von schwerer Krankheit wieder aufgestanden; das Trübe dieser schweren und noch nicht wirklich überwundenen Bedrohung lastet sofort auf den Personen. In den «Gespenstern» ist der junge Herr krank, muß noch ruhen. Elida Wangel, in der «Frau vom Meere» lebt in einem geängstigten Fürchten, in «Klein Eyolf» läßt der Dichter selbst das Furchterregende in der Gestalt der Rattenmamsell auftreten, die mit ihrem Hund die Ratten ins Meer lockt. Klein Eyolf ist sofort furchterregend von ihr gebannt.

Furcht erregt der Dichter mehr durch die Lage, die wirkt, Mitleid durch die Menschen, auf die die Lage wirkt. Sind die Tragödien unmittelbar pathetische Gemälde, so ist dieses Mitleid sofort mit der Erscheinung des leidenden Helden da. Herrscht in der Exposition das Erregende der Furcht, so mischt der Dichter doch gerne das Mitleiderregende hinzu. An den furchterregenden Monolog Richards III. schließt sich sofort das Auftreten des gefangenen Clarence an und hieran der Begräbniszug des ermordeten Heinrich VI. Der Angriff Franz Moors auf seinen Vater ist furchterregend, der Zustand des Vaters, der über seinen geliebten Sohn Karl so Verdammenswertes hört und der ihn verdammen soll, erregt Mitleid. Seinen «Fiesco» leitet Schiller dadurch ein, daß Fiescos Gattin Leonore bei einem Fest verzweifelt aus dem Festsaal gestürzt kommt: sie muß an die Untreue ihres Gatten glauben, der sich um die Gunst der Gräfin Julia aus dem Hause Doria bemüht. Zu Wallenstein muß sofort seine Gattin, die Herzogin, treten. Was sie aus Wien berichtet, erregt Furcht; wie sie ihre Lage erleidet, an der Seite dieses hochstrebenden und so gefährdeten Mannes, erregt Mitleid. Auch in «Klein Eyolf» muß der Anblick, die Rede, die Ahnungslosigkeit des gelähmten Kindes äußerstes Mitleid erregen, und dies wird noch gesteigert durch den Reflex in den Eltern, denen das Unglück ihres Kindes zur äußersten Seelenqual wird. Auch seinen «Baumeister Solneß» leitet Ibsen mit einem sehr starken pathetischen Auftritt ein. Der alte Brovik, des Solneß niedergerungener Konkurrent, jetzt als Angestellter bei Solneß tätig, bricht zusammen. Zugleich leiht Ibsen dieser rührenden Szene, die sich zudem noch im Mitgefühl des Sohnes und der Nichte spiegelt, dramatische, ja tragische Energie. Brovik will, bevor es mit ihm zu Ende geht, mit Solneß über die Zukunft des auch bei ihm tätigen Sohnes sprechen, und dies soll eine Auseinandersetzung werden zwischen dem Sieger und dem Besiegten. Solneß soll diesem Sohne die Stellung einräumen, die er seinem Können nach verdient. So zeichnet sich die schicksalhafte Situation des Solneß ab. Er hat als der Junge den alten Brovik niedergerungen. In dessen Sohn steht der Junge auf, der ihn niederzuringen droht.

# VIERTES KAPITEL

# DIE DURCHFÜHRUNG

## DIE DURCHFÜHRUNG DER FABEL

Die wirksame Durchführung der Fabel ist wie der Zentralanspruch, der an eine Tragödie gestellt ist. Sie verwirklicht die Furcht, die der Dichter in der Exposition nur anklingen ließ, sie reißt den Zuschauer in die Tiefe des tragischen Fürchtens hinein.

Die Grundregel ist die, daß der Dichter hier einen Zusammenhang bildet, dem der Zuschauer sich nicht entziehen kann. Für die tragische Furcht scheint wesentlich, daß dieser Zusammenhang sich aus den in die Exposition gesetzten Prämissen wie ein Stück Leben selbst entfaltet, als ein Geschehen des Lebens selbst mit einer nur unheimlichen Bewegung. «Wir sollen», sagt Lessing, «überall nichts als den natürlichsten ordentlichen Verlauf wahrnehmen; daß wir bei jedem Schritte, den er (der Dichter) seine Personen tun läßt, bekennen müssen, wir würden ihn, in dem nämlichen Grade der Leidenschaft, bei der nämlichen Lage der Sachen, selbst getan haben; daß uns nichts dabei befremdet als die unmerkliche Annäherung eines Zieles, vor dem unsere Vorstellungen zurückbeben und an dem wir uns endlich, voll des innigsten Mitleids gegen die, welche ein so fataler Strom dahinreißt, und voll Schrecken über das Bewußtsein befinden, auch uns könne ein ähnlicher Strom dahinreißen, Dinge zu begehen, die wir bei kaltem Geblüte noch so weit von uns entfernt zu sein glauben[1].»

Lessing hebt weltanschaulich Bedeutsames heraus, die Natürlichkeit des Zusammenhangs, daß das traurige Ende ganz den Bedingungen des Lebens selbst entspringt. Doch betrachtet er diesen Zusammenhang nur mit Rücksicht auf seine Gemütswirkung, nicht auf seinen philosophischen Sinn. Daß dieses Ende sich aus dem Lebenszusammenhang ergibt, und nicht durch willkürliche Setzungen und Konstruktionen des Dichters, ist eine Bedingung zur Erregung tragischer Furcht und tragischen Mitleids. Lessing gibt die Regel für eine Fügung, durch die diese Wirkung erreicht wird. Er hebt eine tragisch wirksame Darstellung heraus.

Dieses Verfahren läßt sich genauer bestimmen. Der Dichter soll verknüpfen, doch stets der Sache und dem Gemüt gemäß. Es gibt vielleicht Fabeln, in denen dieses Verknüpfen weniger wichtig ist. Ferner kommt es darauf an, daß der Dichter die Entfaltung dieses Geschehensgangs auf dieses Gemüt abstimmt. Byron zeigt in seinen «Foscaris», wie hier Vater und Sohn Opfer einer unerbittlichen Rachsucht werden, die zuerst den Vater, dann den Sohn trifft, und er zeigt dies in einer lückenlosen Reihe grausamer Vorgänge. Goethe tadelt dies, das Gehäufte, Quälende, diese dauernde Anspannung und Tortur der Nerven[2]. Schiller fordert eine langsame, gradweise Steigerung. «Der Künstler sammelt zuerst wirtschaftlich alle einzelnen Strahlen des Gegenstandes, den er zum Werkzeug seines tragischen Zweckes macht, und sie werden unter seinen Händen zum Blitz, der alle

Herzen entzündet. Wenn der Anfänger den ganzen Donnerstrahl des Schreckens und der Furcht auf einmal fruchtlos in die Gemüter schleudert, so gelangt jener Schritt vor Schritt durch lauter kleine Schläge zum Ziel und durchdringt eben dadurch die Seele ganz, daß er sie allmählich und gradweise rühret[3].» Zu den Wirkungsregeln für das Gemüt gehört auch ein Abspannen in dem Geschehen, gehören auch die Ruhepunkte, die August Wilhelm Schlegel im antiken Drama findet und im französischen Drama vermißt. Hier eilt das Geschehen rastlos von einem Moment zum andern, von einer Steigerung zur nächsten fort, während der antike Dichter die lyrischen Szenen einschiebt. Der Dichter kann auch einen Wechsel bis zur Gegensätzlichkeit suchen. Shakespeare mischt den Humor ein als Kontraststimmung. «Allemal lasse man die Affekten kontrar aufeinander folgen, daß die Zuschauer in immerwährender Veränderung erhalten werden», sagt auch Christian Weise[4]; und auch Schiller. «Wenn ... das Gemüt, seiner widerstrebenden Selbsttätigkeit ungeachtet, an die Empfindungen des Leidens geheftet bleiben soll, so müssen diese periodenweise geschickt unterbrochen, ja von entgegengesetzten Empfindungen abgelöst werden – um alsdann mit zunehmender Stärke zurückzukehren und die Lebhaftigkeit des ersten Eindrucks zu erneuern[5].» In seinen Entwürfen zum «Warbeck» gibt Schiller sich Rechenschaft über die Gemütswirkung jeden einzelnen Auftritts[6].

Wie der Dichter genauer verfährt, hängt von seinem Stoff und seiner Bühne ab. Das Drama erregt die Furcht durch dieses Ganze des Zusammenhangs, dieses Ganze aber besteht durch aufeinanderfolgende Momente in der Zeit. Es stellen sich jeweils nur diese Momente vor, und sie jeweils in sich selbst müssen furchterregend sein. Die Tragödie aber ist eine Folge mehr oder minder furchterregender Szenen. Hierbei kann der Dichter mehr das Ganze oder mehr das Einzelne betonen. Jenes überwiegt, wenn ein Vorgang bis zu einem unglücklichen Ende rasch und unerbittlich durchgreift. Das Einzelne überwiegt, wenn der Dichter mehr erwägt, welche Wirkung jeweils von dem einzelnen Auftritt zu erwarten ist.

Die Bedeutung dieses Einzelnen wurde schon in der Antike bemerkt und gewahrt. So hob Aristoteles die Konstellationen heraus, die besonders furchterregend waren. Dieses Poetische der Gemütswirkung überwiegt das Philosophische der demonstrativ schicksalvollen Fügung. Doch löst sich so das antike Drama weder in eine Abfolge furchterregender Einzelheiten auf, noch entwickelt es sich in einer Fülle von Auftritten, die der Dichter nun immer wieder in besonders furchterregende aufgipfeln läßt. Vielmehr schränkt sich das Drama auf wenige Geschehensauftritte ein. Furchterregende Verkennungs- und Erkennungsszenen sind wie der einzige Gipfel dieses Geschehens, die Wendung zum Guten oder zum Schlechten. Durch diese Konzentration kann der Dichter die Furcht mehr diesem Ganzen zuteilen; das ganze Drama ist oft nicht mehr als ein ausentfalteter furchterregender Auftritt, zerteilt und gelängt durch den sich einschiebenden Chor. Das Furchtmoment liegt schon in der Exposition offen: indem man König Ödipus zum Nachforschen angetrieben sieht, Antigone in ihrer Entschlossenheit, den Bruder zu bestatten, indem man Odysseus und Neoptolemos sieht und ihren Ent-

schluß hört, Philoctet mit seinem Bogen zu entführen, oder indem man hört, daß
Ajas schon entehrt ist. Diese Situationen führen rasch und sicher zu Konsequenzen. Es wirkt mehr dieser Zug des Ganzen als die besondere Spannung des einzelnen Moments.

Der französische Klassizismus weicht hiervon ab, zugunsten der mehr dramatischen Erregung. Die Auftritte werden immer wieder gefährlich zugespitzt. Dieses
Drama ist schon als rascheres Sprechdrama stoffreicher, verwickelter. Doch entspricht diese Fügung auch der Neigung dieser Dramatiker. Euripides zeigt den
einfachen Vorgang, wie die Liebe Phädras an Hippolytos verraten wird, und was
hieraus folgt. Hier ist das Thema der tragische Vorgang mit seiner pathetischen
und furchterregenden Kraft. In Racines «Phädra» ist das Thema die Leidenschaft
und Leidenschaftsverwicklung, Leiden durch Leidenschaft. Phädra steht im Mittelpunkt, die am meisten ihre Leidenschaft Erleidende. Der Konflikt wird erfahren
und ausgemalt. Aber auch Hippolytos steht in einem Konflikt; er liebt Aricia, die
am Hofe seines Vaters lebt, die aber Angehörige ist eines feindlichen Stamms. Das
Geschehen verwickelt sich so. Phädra muß ihre Leidenschaft verbergen, Hippolytos die seine, und wieder Aricia die ihre, da sie Hippolytos liebt; überall droht
die Leidenschaft durchzubrechen, sich zu verraten, Vernichtung herbeizuführen.
Jetzt steht der Phädra nicht nur ein sie nicht liebender, sondern ein Mann entgegen,
der eine andere Frau liebt, und dies bedroht wieder, durch Phädras Eifersucht, diese
zu verheimlichende Liebe. Überall ist das Geschehen auf die Spitze des Fatalen,
damit auf die Furcht gestellt. Hiergegen sucht der deutsche Klassizismus wieder
die antikische Einfachheit. Goethe in seiner «Iphigenie» erregt die Furcht durch
den schlichtesten Geschehensgang. An Iphigenie tritt die Nötigung heran, entweder Thoas zu heiraten oder in den griechischen Fremdlingen den Bruder und
dessen Freund zu opfern. Hierbei könnte das äußerlich Furchterregende sehr gesteigert werden, indem man etwa sieht, wie Pylades und Orest Anstalten zur Rettung treffen, wie sie hierbei, durch Verhältnisse im Raum, in der Zeit, in den
äußersten Drang geraten, und wie im letzten Augenblick dieser Plan mißlingt.
Dies alles aber verlegt Goethe hinter die Szene. Auch Schiller, der sonst furchterregende Zuspitzungen sucht, vermeidet sie in der «Braut von Messina». Stark
furchterregend ist der Auftritt, in dem man Don Manuel bei Beatrice sieht, nachdem die Mutter den Söhnen das Verschwinden der Schwester mitgeteilt und sie
aufgefordert hat, die Entschwundene zu suchen. Manuel muß fürchten, was der
Zuschauer weiß, daß die Verschwundene, daß seine Schwester seine Geliebte ist,
und dies erfährt er auch. Wieder muß Furcht erregen die Ankunft des herrischen
Don Cesare, von dem der Zuschauer weiß, daß er Beatrice für sich beansprucht.
Doch begnügt sich der Dichter mit dem wie selbstverständlich Spannenden dieser
Situation. Den Gipfel malt er nicht nochmals spannungsreich aus, sondern jäh, so
wie Don Cesare auftritt, geschieht auch die Tat, daß er den Bruder ersticht.

Auch bei Shakespeare überwiegt die sachliche Unerbittlichkeit, das Wirken
durch das, was schlechthin geschieht und geschehen muß. Das Theatralische, als
ein eigner Wirkungs- und Effektapparat, scheint noch nicht entdeckt. Doch liegt
dies bei Shakespeare nur tiefer verborgen, es gewinnt den Charakter des Drama-

tischen und Tragischen. Im mimischen Spiel werden die Vorgänge vielfältiger, das Drama wird reicher an Auftritten, die einzelnen Auftritte können mimisch mehr ausgespielt werden. So sind mehr furchterregende Einzelmomente möglich, sie sind sogar nötig, und ohne daß der Zusammenhang des Ganzen zu zerreißen braucht. Der Dichter arbeitet mit klarer Berechnung im Ganzen wie im Einzelnen.

In «Romeo und Julia» hat Shakespeare in der Exposition das Furchterregende gezeigt, unter dem hier die Liebe stehen wird, die Feindschaft zwischen den Häusern. Zugleich hat er dieses Erregende gesteigert. Bricht der Streit wieder öffentlich auf, wird der Schuldige verbannt. So kann es zu Romeos Verbannung kommen. Doch wird dies nicht durch Romeo geschehen, der bestrebt sein muß, dies zu vermeiden. Also fügt Shakespeare seinem Helden die Situation, daß Romeo den Zusammenstoß nicht vermeiden kann. Er führt den Tybalt ein, Julias Vetter, einen händelsüchtigen jungen Mann. Wieder muß die Fatalität es wollen, daß dieser schnell Reizbare gereizt wurde. Romeo mit seinen Freunden hat das Fest der Capulets besucht. Tybalt gerät hierüber in äußersten Zorn, er muß sich aber durch den Onkel bändigen lassen. Also beschließt er, diese Schmach bei anderer Gelegenheit zu rächen. Diese Gelegenheit ergibt sich, indem er zunächst auf Merkutio trifft, auf Romeos Freund. Jetzt muß Romeo hinzutreten. Diese Konstellation ist äußerst erregend. Es muß soeben die heimliche Ehe vollzogen sein, also darf jetzt hier nichts Unglückliches geschehen; doch sind alle Bedingungen so, daß es kaum zu vermeiden sein wird. Tybalt wendet sich jetzt Romeo zu, er beschimpft ihn. Romeo beherrscht sich, vor dem Vetter seiner Frau, zudem des Befehls des Prinzen eingedenk. Für Merkutio aber muß schmachvoll sein, daß Romeo dies hinnimmt; so zieht er jetzt den Degen. Romeo versucht den Kampf zu verhindern, doch umsonst. Tybalt und Merkutio fechten, Merkutio fällt. Nun zieht auch Romeo den Degen. Tybalt fällt. Romeo wird, da er gegen den Befehl des Prinzen gehandelt, verbannt.

Hierbei begnügt der Dichter sich nicht, das Stoffliche der Szene wirken zu lassen. Sie ist genau auf die Erregung der Furcht berechnet. Man sieht Merkutio zusammen mit seinem Freund Benvolio auftreten. Dieser mahnt, nach Hause zu gehn. Der Tag sei heiß, die Capulets seien draußen, bei einem Zusammentreffen jetzt gäbe es sicher Zank. So wird schon die gefährliche Situation sichtbar, noch ohne Bezug auf Romeo. Merkutio höhnt wortreich den Benvolio wegen seiner Feigheit. Schon kommt Tybalt mit den Seinen, schon bindet er mit Merkutio an: er harmoniere mit Romeo. Nochmals mahnt Benvolio vor einem Zwist in der Öffentlichkeit. Jetzt tritt Romeo auf, Tybalt wendet sich ihm zu; Romeos Versuch einer gütlichen Einigung scheitert an Merkutios Eingreifen. Merkutio wird niedergestochen, Tybalt flieht. Romeo hofft, daß die Wunde nicht zu beträchtlich sei, doch lassen Merkutios Bemerkungen Schlimmeres fürchten. Zum Wundarzt ist schon geschickt worden, jetzt muß Merkutio sich in ein Haus führen lassen, um nicht umzusinken. Romeo erwägt, daß seinetwegen dieser dem Prinzen nah verwandte Ritter so schwer verwundet worden ist, er beklagt, daß Liebe, Julias Einfluß ihn so weibisch gemacht habe: so sieht er seine Hemmungen gegenüber Tybalt weichen. Zudem sieht er durch diese Tat auch den Prinzen getroffen, dessen Zorn sich jetzt auch gegen Tybalt richten muß. Da meldet Benvolio: der wackere Freund sei tot. Da kommt auch Tybalt zurück. Hier flammt Romeo auf:

> *Am Leben! siegreich! und mein Freund erschlagen!*
> *Nun flieh' gen Himmel, schonungsreiche Milde!*
> *Entflammte Wut, sei meine Führerin!*

Der Auftritt ist in Momente zerlegt, die den Zuschauer teils unmittelbar erregen, teils durch die Wirkung der Geschehnisse auf Romeo. Einleitend hört der Zuschauer, was geschehen kann, Merkutios Haltung zeigt ihm, wie leicht dies möglich ist, durch Tybalt ist das Gefährliche greifbar nahe. Indem jetzt Romeo auftritt, wendet es sich ihm zu. Merkutio muß nur verwundet werden, Tybalt muß fliehen. Nun kann der Vorfall in Romeo hineinwirken, in ihm einen Zustand bereiten, der seine künstliche Fassung und Zurückhaltung zerbricht. Der Tod Merkutios bringt diesen Zustand zur Reife, das Erscheinen Tybalts in eben diesem Augenblick zur Auslösung. Dies ist nicht ein bloßes Lebensgemälde; sondern bewußteste Kunstfügung zum Zwecke stärkster Wirkung auf den Zuschauer. Shakespeare hätte den Auftritt auch anders, ja vielleicht unmittelbarer und lebensechter erfinden können: Merkutio und Tybalt fechten, Merkutio fällt, jetzt springt Romeo hinzu, und er tötet Tybalt. Dies ist wahrscheinlicher, als daß ein Tybalt flieht und nachher ohne Grund zurückkommt. Aber er muß fliehen, damit sich das Geschehen vor dem Zuschauer entwickeln kann, und er muß zurückkehren, damit Romeo ihn im Moment des Affektgipfels töten kann.

Gleich kunstreich und wirkungsvoll zeigt Shakespeare die Folgen. Der Prinz tritt auf, mit ihm die Häupter der feindlichen Familien. Romeo ist fort. So kann Benvolio Fürsprecher des Freundes sein, er kann berichten, daß Tybalt den Streit vom Zaum gebrochen hat. Er plädiert lebhaft, in einem Muster des mimisch dramatischen Berichts. Der Zuschauer darf für Romeo hoffen, um so mehr, als er ja einen Verwandten des Prinzen gerächt hat. Die Gräfin Capulet fleht um Rache für Tybalt: Benvolio spreche aus Freundschaft zu den Montagues falsch. Der Zuschauer muß die Wirkung dieses Arguments fürchten, um so mehr, als weitere Zeugen fehlen. Der Prinz rekapituliert den Tatbestand: Tybalt hat Merkutio, Romeo Tybalt erschlagen: wer soll die Schuld tragen? Gräfin Montague fleht: nicht ihr Sohn, der nur den dem Gesetz schon Verfallenen getötet hat. Dies alles sind retardierende Motive, um die Spannung des Zuschauers aufs höchste zu treiben. Die Antwort des Prinzen ist überraschend, aber doch nicht unmotiviert. Es ist jetzt so weit gekommen, daß ein Verwandter von ihm Opfer dieses Familienstreites geworden ist. Jetzt soll der Zwist ohne Gnade erstickt werden. Romeo wird verbannt.

So ist die erste Gipfelszene der tragischen Furcht abgeschlossen. Doch ist ihre Auswirkung noch nicht vollständig. Zwar muß Romeo Verona verlassen, doch könnte auf Mittel und Wege gesonnen werden, wie Julia ihm folgt. Oder man könnte auch versuchen, doch noch Begnadigung für Romeo zu erreichen. Also muß die Lage sich so entwickeln, daß diese Zeit fehlt. Am Anfang hat der Dichter einen Bewerber auftreten lassen, einen Grafen Paris. So sieht der Zuschauer eine

schon herandrohende Gefahr. Zugleich muß diese Gefahr noch ganz am Rande
stehen. Der Dichter macht nur mit einem Bewerber bekannt. Aussicht auf erfolg-
reiche Werbung besteht jetzt nicht. Capulet sagt:

> *Sie hat kaum vierzehn Jahre wechseln sehn.*
> *Laßt noch zwei Sommer prangen und verschwinden.*

Er stellt ihm die Werbung hierbei frei, doch soll Julia selbst entscheiden.

> *Mein Will ist von dem ihren nur ein Teil.*

Diese angekündigte Gefahr muß jetzt plötzlich aktualisiert sein, wenn Paris wie-
derkommt, nachdem die heimliche Ehe geschlossen worden ist. Es spricht ein
ganz anderer Vater jetzt, den Shakespeare jetzt für diesen Moment, zum höchsten
furchterregenden Moment, braucht. Er sagt jetzt dem Freier:

> *ich vermesse mich zu stehn*
> *Für meines Kindes Lieb' : ich denke wohl,*
> *Sie wird von mir in allen Stücken sich*
> *Bedeuten lassen.*

Es ist jetzt Montag, am Donnerstag schon soll die Hochzeit sein. So schafft der
Dichter die zwingende Situation, der Julia sich nur durch den Schlaftrunk ent-
ziehen kann, durch den sie gestorben scheint; wieder eine Auskunft, die mehr
Furcht als Hoffnung erweckt.

Einen solchen konsequenten Zusammenhang mit starken Gipfelszenen bildet
Lessing auch in seiner «Miß Sara Sampson» aus. Man sieht die Marwood, ihre
äußerste Entschlossenheit; man erlebt ihr Ringen mit Mellefont, bei dem sie nicht
nur am Ende unterliegt, sondern auch ihr Kind zu verlieren droht. Ihre Zusage,
abreisen zu wollen, nachdem sie die begünstigte Nebenbuhlerin nur einmal gesehen hat, muß für Sara äußerste Furcht erregen, und um so mehr, als dieses Zusammentreffen durch eine Täuschung bewerkstelligt werden soll: die Marwood soll
als eine Verwandte, eine Lady Solms, bei Sara eingeführt werden. Das Unglück
will es, daß Sara bei dieser Zusammenkunft die Verzeihung ihres Vaters erfährt;
dieses Vaters, den die Marwood herbeigerufen hat, damit er nur die Tochter mit sich
nehme, und daß Sara sich freut, der Lady, Mellefonts Verwandten, diese glückliche
Fügung mitteilen zu können. Die Marwood ist erschüttert, ihrer selbst kaum mächtig. Mellefont befürchtet, daß sie sich verrät, der Zuschauer hofft, daß sie dies tut.
Doch sie zieht sich unerkannt zurück. Ein erneuter Besuch, zum Zwecke der Ent-
schuldigung und des Abschieds, muß alle Befürchtungen des Zuschauers erneuern,
und nun wird auch Mellefont abgerufen, und die Frauen sind miteinander allein.
Sara muß jetzt die Marwood angreifen, diese muß sich als Lady Solms verteidi-
gen; dann gibt sie sich triumphierend zu erkennen; so kommt es dazu, daß Sara
ohnmächtig wird und die Marwood Sara vergiftet.

Mehr mit den Einzelsituationen der Furcht arbeitet Schiller, mit höchster Zuspitzung. Das Spiel in der «Maria Stuart» läßt er in der großartigen Furchtszene
des Zusammentreffens der beiden Königinnen gipfeln. Der Zuschauer kennt

Elisabeths Vernichtungsabsicht; er weiß, daß sie Mortimer gedungen hat, durch
Meuchelmord die Rivalin zu beseitigen, die sie zu verurteilen nicht wagt. Daß Leicester seinen Rettungsplan darauf aufbaut, die beiden Frauen zusammenzubrin-
gen – wenn Elisabeth mit Maria spricht, so gilt dies als Begnadigung – muß schon
äußerste Furcht erregen. Das Zusammentreffen soll wie ein Zufall sein, anläßlich
einer Jagd. Hierzu wird Maria in den Park entlassen. Sie kennt den Grund nicht.
Doch sie fühlt sich wieder frei, ihr ganzes unterdrücktes Leben erwacht wieder in
ihr; sie ist wieder diese lebensvolle und sinnenmächtige Frau, deren Zauber ihr
zum Verderben geworden ist. Da erschallen die Jagdhörner, sie hört, die Königin
ist in der Nähe, die Frau, die ihr dieses Leben geraubt hat, sie soll ihr begegnen, sie
soll sich vor ihr demütigen. So stehen sich nun diese Frauen gegenüber – dort
Maria, die mühsam sich bändigen muß, um den Schein der Demut zu erwecken,
hier Elisabeth, die nur gekommen ist, um diese Demütigung zu genießen und sie
durch Hohn unerträglich zu machen. So wird Maria zur Empörung getrieben. Sie
vernichtet ihre Feindin seelisch, dafür wird Elisabeth sie körperlich vernichten.

Bei Lessing und Schiller ist das dramatisch Theatralische wirksam, das besonders die Franzosen auf der Bühne herrschend gemacht haben. Es führt zu den zu-
gespitzten Situationen, die dem Zuschauer den Atem stocken lassen. Shakespeare
kennt sie nicht; die Dinge geben sich gleichsam wie von selbst. Er wahrt auch stets
diese Breite, daß in dem dramatischen Vorgang sich der Mensch aussprechen
kann. So baute er die Romeo-Tybaltszene, ließ Tybalt fliehen, zeigte so optisch
und durch Rede, was sich in Romeo entwickelte. Schiller steht diesem Theatralischen näher. Immer wieder steht das Geschehen auf des Messers Schneide. Der
Präsident mit seinen Häschern dringt in Wurms Haus, Luise zu verhaften; Ferdinand wirft sich ihm entgegen. Er scheint gegen den Vater machtlos, Luise scheint
verloren zu sein. Da, in seiner letzten Not, droht er: er werde verraten, wie man
Präsidenten macht. Er kann den Vater bloßstellen, der Präsident muß nachgeben.
Ferdinand trifft auf Hofmarschall von Kalb, der der Liebhaber Luisens sein soll.
Er stellt ihn, er bedrängt ihn. Kalb ist gerade im Begriff, den ganzen Anschlag zu
gestehen, Wurms Intrige, Luisens Schuldlosigkeit – da stürzt Ferdinand ab. Das
Rettende bleibt unausgesprochen. Im «Don Carlos» weiß der Zuschauer, daß die
Gräfin Eboli die Vertraute des Königs ist. Don Carlos hält sie für seine Freundin,
er will ihr wichtigste Geheimnisse anvertrauen. Im letzten Augenblick kann Posa
dies verhindern. Gerade ist es Wallenstein gelungen, die Pappenheimer zu überzeugen, daß er nicht mit den Schweden paktiert habe und nach wie vor beim Kaiser stehe – da tritt Buttler auf und meldet: die Truppen rissen die kaiserlichen Adler von ihren Fahnen. Die Pappenheimer machen kehrt und marschieren ab.

Realismus und bürgerliches Spiel wahren solche Fügungen weitreichend. In
den Gesellschaftsdramen um 1850 herrscht sogar das Theatralische vor, das auf den
Effekt gearbeitete Bühnenstück. Auch Otto Ludwig ist in seinen frühen Dramen
hiervon nicht frei. Nur Hebbel verzichtet in seiner «Maria Magdalena» auf das
dramatisch theatralische Theaterstück, freilich, zugunsten der demonstrierten Tragödie, der Charaktere, der seelischen Vorgänge, auch auf die Theaterwirksamkeit
schlechthin. Ibsens Leistung ist, das Theatralische und das Realistische in einer

höheren künstlerischen Einheit verbunden zu haben. Seine Dramen werden wieder zu furchterregenden Lebensgemälden. In der «Hedda Gabler» war Lövborg, Heddas Liebhaber, dem Alkohol verfallen. Eine Frau Elvstedt hat ihm die Kraft gegeben, dieses Übel zu überwinden. Lövborg trifft Hedda in ihrem Hause, als Frau des Staatsstipendiaten Tesman. Er macht ihr Vorwürfe wegen ihrer Ehe mit Tesman. Frau Elvstedt tritt hinzu. Es wird Punsch gereicht. Nun malt Ibsen mit der Genauigkeit, mit der Shakespeare den entscheidenden Auftritt in «Romeo und Julia» ausmalt, die Geschehensmomente aus, wie Hedda Lövborg anreizt, den Punsch zu trinken, und dies in einer Stimmung zu tun, in der er gegen Frau Elvstedt äußerst empört sein muß. Er betrinkt sich aus Trotz. Damit beginnt seine endgültige Vernichtung. Ähnlich muß es Furcht erregen, wenn Hilde Wangel den nicht schwindelfreien Solneß bestimmt, den Kranz auf dem neuerrichteten Turm selbst anzubringen. Gerhart Hauptmann schließt sich Ibsen an, unter noch stärkerer Betonung der Fatalität des Lebens. Ibsen zeigt doch mehr den Menschen in seinen Willensakten, hinter denen freilich ein Lebensimpuls steht, Hauptmann mehr die Impulse selbst oder auch nur die Situation. In «Vor Sonnenaufgang» wirkt sich in Helene Krause nur die Situation aus. Loth wird sie verlassen, wenn er die Verhältnisse, die Trunksucht und Demoralisierung im Hause Krause kennt, und dies kann ihm nicht verborgen bleiben. Mit der Liebe ist darum sofort die äußerste Furcht gesetzt, da der Zuschauer ein Scheitern voraussehen muß. Im «Friedensfest» zeigt der Dichter, wie die Versöhnung in der Familie erreicht ist, zwischen dem Vater und dem jüngsten Sohn, und zwischen ihnen und den übrigen Familienmitgliedern, der Mutter, der Tochter, dem älteren Sohn. Doch hat der Dichter eine neue Katastrophe schon vorbereitet. Der jüngere Sohn, nach einem Streit mit dem Vater wie auch dieser sieben Jahre abwesend, ist als Verlobter, mit seiner Verlobten und seiner künftigen Schwiegermutter zurückgekehrt. Der ältere Bruder, verbittert, zynisch, ist von einer Neigung zur Braut des jüngeren Bruders ergriffen. Hinter der Versöhnung steht doch der Bruderhaß, der mögliche Bruderstreit. Man sieht dies, sieht ein neues Unglück herandrohen, sieht es sich verwirklichen. Der Streit zwischen den Brüdern flammt neu auf, die Schwester mischt sich ein, dann der Vater. Ihn, den schon Schwerkranken, trifft der Schlag. Im «Gabriel Schilling» schafft Hauptmann ähnlich eine große Furchtszene, indem dem sensiblen, kränkelnden Künstler, der sich auf eine kleine Insel zurückgezogen hat, zwei Frauen nachgereist sind, die nun als Rivalinnen hier aufeinanderprallen. In «Vor Sonnenaufgang» will Geheimrat Clausen die junge Inke Petersen als seine künftige Frau in die Familie einführen, und zwar anläßlich eines Familienmahls. Man sieht die Familie vor dem Essen im Speisezimmer versammelt, hört und sieht ihre Opposition in ihren verschiedensten Graden und Gründen. Das Auftreten Clausens mit Inke Petersen erregt eine äußerste Furcht. Die Situation führt auch zur Katastrophe. Die Entwicklung dieses Inneren in diesem Äußeren eines durchschnittlichen Lebensvorgangs, eines Mahles, ermöglicht dem Dichter wieder diese schrittweise Entwicklung, die Entfaltung des Geschehens in der Form einer scheinbar unverbindlichen Konversation während des Essens.

Diese Einzelauftritte sind die konstituierenden Elemente eines Gesamtvorgangs,

der nur durch sie wirklich werden kann. Zugleich sind sie nur Elemente dieses
Ganzen. Sie können Gipfelszenen dieses Ganzen sein, die furchtstärksten Szenen
in einem furchterregenden Ganzen. Sie gewinnen selbständige Bedeutung nur in
den episodischen Fabeln, in denen der Autor mehr durch das Furcht- oder Mitleiderregende des einzelnen Auftritts als durch das tragische Ganze zu wirken
sucht. Wie nun solche Auftritte zu und in dem tragischen Ganzen stehen, hängt
von den Bauformen, den Stoffen, der Bühne ab. Die griechischen Dramen sind
relativ gleichartig durch die Kürze ihrer Fabel und die Stilisierung des Spiels.
Shakespeare hingegen fügt ein folgerndes Drama sichtlich anders als ein Drama
mit einer Verknüpfung, durch die das entscheidende Unglückliche erst am Ende
steht. In folgernden Dramen zeigt er furchterregende Folgen und zeigt diese Folgen furchterregend. Im «Macbeth» eilt er, nun ohne strenge Verknüpfung im
einzelnen, von einer Folge zur anderen. Etwas zusammenhängender entwickelt er
die Folgen im «König Lear». Auch sein «Julius Cäsar» ist so gebaut. In ihm wird
vornehmlich gezeigt, was aus der Ermordung Cäsars für die Verschwörer folgt.
Auch die entfaltenden Fabeln lassen viele Variationen zu. In «Romeo und Julia»
erregt Shakespeare die Furcht überwiegend durch die fatale Fügung der Lage, die
entweder als absolute Nötigung wirkt, wie durch den Entschluß der Eltern, Julia
zu verheiraten, oder doch mit einer sehr starken Nötigung, wenn Romeo sich auf
den Kampf mit Tybalt einläßt. Hier drängt das Geschehen rasch auf die Entschei-
dung zu. Im «Hamlet» erregt der Dichter umgekehrt die Furcht dadurch, daß
die Entscheidungen sich solange hinauszögern, daß hier ein Krieg im Dunkeln
geführt wird, mit versteckten Waffen, bei dem am Ende Hamlet erliegt. Auch hier
weicht Shakespeare der kahlen Intrige aus. Er verknüpft mit dem Zentralgeschehen
die Schicksale der Familie Polonius. Der alte Polonius wird durch Hamlet erstochen, die Tochter Ophelia geht wegen Hamlet ins Wasser. Der Sohn Laertes
ist wie ein selbständiger Rächer, und nicht nur Instrument für die Intrige des
König Claudius. Dies ist dasselbe Verfahren wie im «Macbeth», wo Macduff als
selbständiger Rächer auftritt. Im «Othello» wirkt der Dichter nicht durch die
strenge Verknüpfung, sondern durch die Einwirkungen auf Othello. Die Furcht
wird hier durch die in ihm wachsende Eifersucht erregt.

Im realistischen Gegenwartsspiel ist diese Freiheit durchschnittlich eingeschränkt
durch den weniger umfänglichen, an äußerer Handlung ärmeren Stoff, der geschlossen dargeboten werden will, sodann durch die Kastenbühne mit ihrer festen
Kulisse. Schon Shakespeare konzentriert in «Romeo und Julia», diesem mehr privaten Lebensgemälde, die Geschehnisse auf eine kürzere Zeit, als ihm die Novelle
übermittelte. Lessing gibt für das konzentrierte Spiel die überzeugendsten Muster. Er schreibt die Dramen der sorgsam entfalteten Fabel, durch die ein Geschehen aus einer ganz durchschnittlichen Lebenslage oder doch aus einer noch
nicht tief bedrohlichen Lage rasch zur Katastrophe führt. Der Dichter greift hier
nicht so viele Geschehensmomente auf, flicht sie aber um so kunstvoller zusammen und führt den Vorgang subtiler durch. In der «Emilia Galotti» sind alle Figuren, ihre äußere und innere Lage so zusammengestellt, daß nun das Ganze
eines unglücklichen Geschehens sich bildet. Statt der großen Furchtmomente

überwiegt das Ganze, auch die Bereicherung durch selbständig Episodisches ist vermieden. Die Gräfin Orsina gewinnt nicht die Selbständigkeit der Ophelia-szenen im «Hamlet». Sie ist notwendiges Glied in diesem Geschehensganzen, das durch sie im 4. Akt entscheidend fortschreitet. An sich selbst ist sie nur wie eine neue Melodie in der tragischen Symphonie, um der Gefahr des zu gleichmäßig Raschen und Eintönigen zu steuern.

Lessings Form bleibt verbindlich bis zur Gegenwart. Sie verdankt dies ihrer Gunst für die tragische Furcht, indem so aus der durchschnittlichen Lebenssitua-tion rasch das Verhängnisvolle hervortritt. In der «Nora», dem «Baumeister Sol-neß», der «Hedda Gabler» läßt Ibsen das Spiel in der durchschnittlichen Lebens-situation beginnen, in der aber alle Bedingungen zu einer raschen Katastrophe liegen. Auch Gerhart Hauptmann bedient sich dieser Fügungen fast ausschließ-lich und stets mit dem Ergebnis einer äußersten Furchterregung. Dies wird noch dadurch gesteigert, daß Hauptmann das Handeln vom Menschen her so sehr aus-schaltet, daß er soviel in die Fatalität der Situation und die Art der Charaktere, in den hierdurch sich ergebenden Zusammenhang legt. Das Leben selbst, jenseits alles menschlichen Wollens, Planens, Tuns, trägt das Vernichtende in sich. Frauen wie Helene Krause, Dorothea Angermann, aber auch Männer wie Johannes Vockerath oder Gabriel Schilling erliegen rasch einem Vernichtenden aus den Le-bensverhältnissen selbst heraus.

Nicht nur im Stoff, auch in der Darstellungsabsicht ist begründet, daß im Re-alismus das aufdeckende Drama wieder so sehr gepflegt wird. Shakespeare, Les-sing, Goethe, Schiller bedienen sich dieser Form nicht. Auch in der «Braut von Messina» deckt sich nicht fertiges Verhängnis erst auf, sondern geschieht das Verhängnisvolle als letzte Folge einer unglücklichen Konstellation. Kleist be-nutzt die aufdeckende Fabel nur für das Lustspiel, den «Zerbrochenen Krug». Bei Ibsen hingegen sind «Die Stützen der Gesellschaft», «Rosmersholm», «Die Gespenster», «Die Wildente», «John Gabriel Borkman» aufdeckende Dramen. Hier überall wird nur das Fazit gezogen einer schon fertigen Vergangenheit und mit dem Aufdecken ist auch die Katastrophe da.

Dieses Aufdecken ist zunächst ein dem Drama immanenter Vorgang. Hierbei kann ein Gefährliches teils dem Helden, teils seiner Umgebung unbekannt sein. Im ersten Falle wird die Furcht erregt, indem der Held unwissend in sein Unglück hineinschreitet, dieses in seiner Blindheit noch fördert, wie König Ödipus, im zweiten Falle, indem er vergeblich bemüht ist, das ihm Gefährliche verborgen zu halten, wie Nora in Ibsens Drama. Doch kann auch dieses Unglückliche sich durch den Vorgang schlechthin ergeben, wie in den «Gespenstern» und in «John Gabriel Borkman». Außer dieser Grundverfassung wird für die Wirkung dieser Dramenfügung die Stellung des Zuschauers zu dem Verborgenen wichtig und die Art, wie der Dichter die Enthüllung betreibt.

Für die Furcht des Zuschauers ist wichtig, daß er der Unterrichtete, der Über-schauende ist, daß er voraussieht, was dem Helden noch verborgen bleibt. Es soll hier also nicht die Spannung des Kriminalromans erregt werden, daß sich das Un-erklärte erst am Ende aufklärt. Es ist gemeinhin besser, sagt darum Lessing, den

Zuschauer einzuweihen, ihn zu dem Überblickenden zu machen, die Beschränkung
nur dem Helden zuzuteilen[7]. Ein solcher Fall, worin das Verbergen besser ist,
sind Ibsens «Gespenster». Hier ist das Ende zwingend festgelegt, indem Oswald
dem nahen Wahnsinn verfallen muß. Nun kann die tragische Furcht nur erregt
werden durch diesen Zuschuß des Hoffens, daß der Zuschauer zwar weit mehr als
der tragische Held fürchten muß, daß er aber auch hoffen darf. Dies wäre in diesem Drama ausgeschlossen. Die Unausweichlichkeit und das ganze Gewicht der
Katastrophe darf der Zuschauer erst kurz vor der Katastrophe, als Einleitung
zu ihr erfahren. Daß hier Gefährlicheres droht, dürfte freilich an sich der Zuschauer früher wissen als die in dieses Geschehen Verwickelten, besonders als
Frau Alving. Doch verdoppelte der Dichter nur die Enthüllung für den Zuschauer
und beraubte sich einer sehr starken Szene. Alving teilte das dem Zuschauer Mit-
geteilte nur nochmals seiner Mutter mit. Indem der Dichter sich mit dieser einen
Mitteilung begnügt, läßt er seinen Zuschauer weit mehr an dem Entsetzen der
Mutter teilnehmen, auf die dieses Unerwartete zukommt.

In dem entfaltenden, streng verknüpfenden Drama überwiegen ganz die voranschreitenden Motive. In dem aufdeckenden Drama werden die retardierenden Motive wichtig. Oft könnte die Enthüllung schon sofort geleistet werden. Teiresias
brauchte nur klar auszusprechen und dies zu belegen, wie es um König Ödipus
bestellt ist. Richter Adam könnte sofort entlarvt werden, durch den Schreiber
Licht und durch Evchen. Des Dichters Kunst ist hier, in sein Drama die Hemmung
einzubauen, wie in ein Uhrwerk, damit die gespannte Feder nicht in einem Nu
abläuft. Diese Hemmung muß sich aus der jeweiligen Situation von selbst ergeben. Teiresias ist der Seher, der ein übermenschliches Wissen verwaltet wie die
Götter ihr Wissen, die den Menschen nur das zuteilen, was ihnen in diesem Augenblick zukommt. Evchen muß fürchten, daß ihr Ruprecht Soldat werden muß,
wenn sie nicht dem Richter Adam zu Gefallen schweigt. Dem Schreiber Licht
aber ist mehr daran gelegen, daß Adam sich im Verlaufe der Verhandlung den
Hals bricht, damit er um so sicherer Adams Nachfolger wird. In den «Gespenstern» hat zwar die tiefe Angst Oswald nach Hause getrieben; dieselbe Angst aber
hemmt ihn in der ganzen Aufdeckung. Zudem wird in der entscheidenden Szene
zwischen ihm und seiner Mutter das Interesse von der letzten Enthüllung abgelenkt. Oswald klammert sich an das ihm verbleibende Leben, an sein Verhältnis zu
Regine, und die Mutter stützt ihn jetzt hierin. Sie kann dem so Kranken nichts versagen. Ferner ist hier wichtig, daß der ausbrechende Wahnsinn wie die Folge des
Handlungsgeschehens scheint. Oswald darf keiner Erschütterung ausgesetzt werden. Er wird ihr aber ausgesetzt. Er muß erfahren, daß Regine, an die er sich ge-
klammert hat, seine Halbschwester ist. Regine, dies auch erfahrend, muß an ihm
das Interesse verlieren, nachdem sie in Oswald nicht mehr die gute Partie sehen
kann. Die Mutter muß Oswald das Idealbild des Vaters zerstören. Schließlich muß
der Brand ausbrechen im Asyl. Oswald eilt fort, bei den Löscharbeiten zu helfen.
Der Wahnsinn bricht jetzt in ihm aus wie als Folge der seelischen Erschütterung
und der körperlichen Anstrengung.

Ibsen gestaltet auch diese Spiele als rasches, einheitliches Geschehen. Doch

erstrebt schon der junge Schiller auch für das bürgerliche Drama von der Locker-
heit und Weite der Shakespeareschen Dramen. In «Kabale und Liebe» führt er das
Geschehen nicht in einem großen Zuge durch. Vielmehr entfaltet er es in zwei
Bewegungen hintereinander, bildet zwei selbständigere Gipfel des Furcherre-
genden aus. Der erste Anschlag, Luise zu verhaften, scheitert. Ein zweiter An-
schlag wird nötig. Man verhaftet den alten Miller, und Wurm nötigt Luise, den
Brief zu schreiben, der sie vor Ferdinand vernichtet, der aber den Vater retten soll.
In dem breiteren Geschehen wird mehr selbständiger Lebensstoff verarbeitet.
Zwar ist die Gestalt der Lady Milford dramaturgisch nötig wie in der «Emilia
Galotti» die Gräfin Orsina, doch beschränkt sich ihre Rolle nicht darauf, daß sie
an einem Orte nur auftritt und entscheidend eingreift. Vielmehr wird sie, ihr Charakter, ihr Schicksal selbständig ausgemalt, und mit ihr ein ganzer Hintergrund
der sozialen und moralischen Verhältnisse in diesem Fürstentum. Damit zerteilt
sich dieses Spiel auch auf mehrere Räume, es erstreckt sich über längere Zeit.
Die Räume gewinnen ihr Eigenrecht: der Raum des Kleinbürgertums, der Raum
der höfischen Gesellschaft, hier wieder die Differenz zwischen dem Raum des
Präsidenten und einer Mätresse eines Herzogs. Noch mehr zeigen die «Räuber»
die große, freie Form, besonders auch durch die Verlagerung des Geschehens in
die freie Natur.

Dieser Zug bleibt bis zu Gerhart Hauptmann wirksam, wird im Naturalismus
sogar im Streben nach möglichst konkreter und umfänglicher Wirklichkeit neu
aufgenommen. Schon in «Vor Sonnenaufgang» ist Hauptmann um eine Mehrung
der Räume bemüht, besonders auch wieder um die Einbeziehung des Naturraums
in das Spiel. Er malt ein möglichst reiches Menschen- und Gesellschaftsbild bis an
die Grenze des Zufälligen, um jeden Anschein einer die Wirklichkeit auf einen einheitlichen Vorgang reduzierenden Vorstellung zu vermeiden. In den «Webern»
weitet er dieses Gemälde zu einem Totalgemälde des Lebens in diesem Raum aus,
zugleich dehnt er die Zeitdauer des Vorgangs.

Solche Dehnung kann den eigentlichen Geschehenszusammenhang, sie kann
dieses verknüpfte Geschehen in eine Folge von Bildern auflösen. Was hier vorliegt, kann nur durch genaue Berücksichtigung der jeweiligen Gesamtdarstellung
gesehen werden. Die Antike kannte nur diesen einen geschlossenen Vorgang, der
auch eine ideale Behandlung der Zeit unsichtbar machte, da das Geschehen auf der
Bühne einheitlich fortschritt. Sichtlich ein Problem kann hier erst das Spiel auf der
freien mimischen Bühne stellen, etwa das Drama Shakespeares. Doch setzt Shakespeare nun stets die tragische Verwicklung in die Exposition, er entfaltet stets in
der Fabel das in der Exposition Vorbereitete. Dies leistet er mit rascher und strenger Konsequenz, und die sich ausbreitende Fülle des Lebens, die Nebenwege und
Nebenbewegungen sind nur dazu da, um das Kahle der offenen Konsequenz zu
vermeiden. Dann bleibt nur noch die Frage, wie er in dieser Ausentwicklung verfährt. Dies ist sehr verschieden und jeweils dem Fabelbau gemäß. Hängt für das
Geschehen alles an der Verknüpfung der Geschehnisse, daß eine Summe äußerer
und innerer Faktoren ein Unglück bereiten, dann stellt Shakespeare dies sorgfältig
dar, so daß man in einem Auftritt sieht, wie es zu diesem Unglück kommt. So

exponierte er den «Macbeth» oder baute er die große Wendeszene in «Romeo und
Julia». Schreibt er eine folgernde Fabel, so ist diese Verknüpfung überflüssig, und
er braucht nur die Folgen in maßgeblichen Erscheinungen zu zeigen. Hier kann
er von Moment zu Moment springen. Dies wirkt auf den Zuschauer nicht als Zer-
reißung des tragischen Ganzen in Bilder, sondern als tragische Raffung, daß sich
nun gleichsam in wenigen großen Gipfelszenen das Verhängnis am tragischen
Helden vollendet. Die Tragödie des Macbeth erhält hierdurch ihre ungeheure Ge-
schehenswucht. Doch bleibt bei Shakespeare, daß er stets weniger auf die strenge
Verknüpfung aller Momente zu achten braucht, daß er sie nicht so beachten kann,
da sein Drama nicht als dieser gleichsam zeitlich lückenlose Vorgang abläuft, bei
dem die Aufführungsdauer mit der Geschehensdauer der Handlung in eins zu
fallen scheint.

Shakespeares Fügung wird später oft mißverstanden, als dramatisiere er nur die
Geschichte und schriebe nicht Tragödien in freier Form. Goethe im «Götz»
wahrt noch die tragische Verfassung, gibt aber die tragische Wirksamkeit der
Shakespearischen Fügung preis. Auch die lockerste und vielschichtigste Darstellung bei Shakespeare führt doch nicht zum bloßen Lebensgemälde, sondern nur
zum Reichtum der tragischen Instrumentierung. Die Dramen von Lenz bekunden
das volle Mißverständnis, wenn sie in Nachfolge Shakespeares geschrieben sein
sollen. Lenz löst nicht nur Shakespeares tragischen Geschehensgang in eine bloße
Bilderfolge auf, sondern gibt diese mißverstandene freie Form auch noch dem
Stoff des bürgerlichen Lebens, für den Goethe die beschränkte Form als die ihm
angemessene wählte. Hier bricht nicht ein fortschreitendes Genie zu neuer Form
durch, sondern ein Dilettant mißversteht die Formen der Überlieferung. An Lenz
schließt sich Büchner an. Doch wahrt er die tragische Struktur. In «Dantons Tod»
setzt er das Vernichtende schon in die Exposition: diesen Robespierre, der diesen
Danton nicht brauchen und der ihn vernichten kann, diesen Danton, einen vitale-
ren und zugleich müde gewordenen Nachfolger eines Egmont, für den das Leben
schon dem Tode nahe steht. Bei diesen beiden Männern wiederholt sich der Gegensatz zwischen Octavian und Antonio. Woycek ist sofort die zum Unterliegen
verurteilte arme Kreatur, überall gedrückt und getreten und schließlich tödlich getroffen in seiner Liebe zu Marie, dort, wo er einzig noch Mensch hatte sein können. Der Form nach sind diese Dramen bloße Skizzen, geniale Würfe und Entwürfe; sie machen keine neue Form sichtbar und verbindlich.

Gerhart Hauptmann nähert sich wieder dieser Freiheit Shakespeares unter Wahrung der tragischen Verfassung und Wirkung. Er wendet die folgende Fabel auch
auf das Lebensgemälde der Gegenwart unter den Bedingungen der modernen
Kastenbühne an. Er episiert hierbei seine Dramen nicht, wie oft fälschlich gemeint wird, sondern wiederholt nur die schon von Shakespeare geltend gemachte
Form mit den sich hier schon zeigenden Vorzügen, der verdichtenden Raffung.
Im «Fuhrmann Henschel» ist der tragisch entscheidende Akt die Ehe Henschels
mit Hanne Schäl. Nun steht er unter den Folgen dieses Schritts, die in Etappen
und in einer Erstreckung über einen längeren Zeitraum gezeigt werden können.
In der «Dorothea Angermann» ist dieser tragische Akt der Schritt des Pastors

Angermann, seine Tochter mit ihrem Verführer nach Amerika abzuschieben. Damit richtet er sie zugrunde. Auch dies geschieht in einem längeren Zeitraum und in einem breiten Spielfeld, teils in Deutschland, teils in den Vereinigten Staaten. Hierbei sind auch einzelne Gipfelszenen der Furcht möglich. Eine solche Szene ist die Tat des Vaters, wie er den Verführer seiner Tochter zur Ehe zwingt. Eine andere Szene ist das Scheitern eines letzten Rettungsversuchs. Dr. Pfannenschmidt, ein früherer und treuer Liebhaber, trifft Dorothea in Amerika schon in den elendesten Umständen. Er hebt sie aus ihrer Verzweiflung zu neuer Hoffnung hoch, er will ihren Mann zum Rücktritt bewegen. Doch kommt es in dieser Auseinandersetzung zum Streit, zu Tätlichkeiten, und Dorothea glaubt doch als Frau dieses Mannes reagieren zu müssen.

Erst der Expressionismus löst den festen Dramenzusammenhang auf, gibt statt eines tragischen Auseinanders ein episches Nacheinander der Bilder. In dieser Richtung hat schon Wedekind gewirkt. Er geht wieder auf Büchner zurück und mit ihm auf Lenz, schließlich auch auf Shakespeare, auf das Drama der in sich geschlossenen Auftritte. Eine gewisse tragische Folge hält er hierbei fest. In seinen Luludramen zeigt er, was aus Lulus Natur für die Männer um sie und schließlich auch für sie selbst folgt. Ferner wirkt in dieser Richtung der späte Strindberg. Seit seiner geistigen Erkrankung, von der er nie mehr ganz geheilt worden, hatte er die feste Sachlogik ersetzt durch Vorstellungen, die nicht mehr der Kontrolle durch die empirische Erfahrung und eine ordnende Ratio unterstanden. In solchen Dramen werden die Auftritte selbstwertig. Sie enthalten teils Zuständliches, Lebensepisoden, teils geben sie Gelegenheit, daß das Subjekt sich in seinem Inneren ausspricht.

Hieran knüpfte der Expressionismus an. Im Glauben, der Naturalismus sehe den Menschen zu sehr im Zwange der Verhältnisse, schien ihm diese Auflösung angemessen, eine Folge selbständiger Auftritte, in denen der Mensch mit seiner seelischen Innerlichkeit sich entäußern konnte. Der Form solcher Darbietung hatte auch Wedekind schon vorgearbeitet, durch die Preisgabe der realistischen und naturalistischen Sprechweise und durch den Rückgriff auf die charakteristische und dynamische Sprache Shakespeares, des Sturm und Drangs, Büchners. Solcher expressiveren Form fügt der Expressionismus den expressiven, den innerlichen seelischen Gehalt hinzu, und er rechtfertigt die Form von hier her. Hanns Johst etwa füllt sein Grabbedrama mit lyrischen Expressionen, mit den Entäußerungen eines genialen Dilettanten in seinem Weltgefühl und seinen Lebenszuständen. Ihn leitet ein philosophischer Begriff des Tragischen, daß das Verhängnis in der Brust des Menschen selbst liegen und sich möglichst in sich selbst, ohne das Äußerliche eines Äußeren, auswirken müsse. So soll der Menschenuntergang durch sich selbst das Tragische sein, und nicht die Fügung einer Fabel, die dem Helden diesen Untergang bereitet.

Dies ist nur eine Möglichkeit im Expressionismus, die mehr durch lyrisch rhetorische Dichter ausgebildet wird. Geborene Dramatiker, wie etwa Georg Kaiser, verfahren anders. Sie stehen neben Gerhart Hauptmann durch die Wahrung dramatisch tragischer Fügungen. Ihnen eignet dann auch eine besondere theatralische

Wirkungskraft. In «Von Morgens bis Mitternacht» vereinigt Kaiser folgernde Fabel und äußerste zeitliche Konzentration. Die Exposition baut er wie Shakespeare im «Macbeth». Auch im Drama Kaisers wird ein Mensch verführt, diesmal ein Kassierer, und nicht durch die bewußte Bosheit von Hexen, sondern durch eine Dame, die diese Absicht nicht hegt. Sie betritt den Schalterraum der Bank. Durch fatale Umstände wird des Kassierers bislang schlummernde und unterdrückte Lebensgier erweckt. Er unterschlägt eine bedeutende Summe Geldes. Dies ist der tragische Ort der Exposition. Jetzt steht er unter der Folge der Tat. Er muß erfahren, daß er es mit einer Dame der Gesellschaft zu tun hat; seine Tat war umsonst. Er sucht jetzt das Leben zu genießen. Dies mißlingt ihm rasch, in einigen Etappen, die bis Mitternacht beendet sind. Auch hier ist das Drama nach dem Expositionsakt eine Folge von Bildern, aber von Bildern tragischer Folge.

Im Zusammenhang mit den Wirkungsmitteln der Tragödie läßt sich auch das Wesen des Dramatischen klären. Die Versuche, das Drama in einem wesenhaft Dramatischen zu begründen, mußten scheitern, da man auf der Suche nach etwas Imaginären war. Dagegen besitzt das Drama Bauweisen, Bauelemente, die Faktoren spezifischer, dem Drama zukommender Wirkungen sind, und die man, indem man sie vom Epischen und Lyrischen unterscheidet, als dramatisch ansprechen kann, da sie besonders dem Drama zukommen.

Goethe und Schiller fordern vom Drama, im Unterschied zum Epos, daß der Zuschauer in steter sinnlicher Anstrengung bleibe. Die Bedingung hierzu ist zunächst die dramatische Form, dann aber auch die dramatische Fügung dieser Form. Die Fügung des Dramas wie des Epos wird verwirklicht durch den Gebrauch von Motiven, von Grundelementen des poetischen Baus. Sie sind teils für Drama wie für Epos gleich günstig, teils mehr für die eine oder die andere Kunstform. Vorgreifende und rückgreifende Motive gebrauchte der Epiker wie der Dramatiker. Ebenso bedienen beide Dichter sich der retardierenden Motive, die den Gang aufhalten oder den Weg verlängern. Dagegen bedient sich nur der Epiker der rückschreitenden Motive, in denen das Geschehen sich von seinem Ziele entfernt, der Dramatiker hingegen besonders der voranschreitenden Motive, die das Geschehen dem Ziele nähern. Als dramatisch also ist eine Kunstfügung zu bezeichnen, in der die voranschreitenden Motive herrschen. Dieses Voranschreiten aber dient der Spannung, der Erregung, der Furcht. Auch die retardierenden Motive dienen diesem Zweck: sie verlängern, mehren nur die Spannung, wenn das Geschehen zu rasch seinem Ende zueilt. Ebenso haben die vorgreifenden Motive die Aufgabe, ein noch zu fernes Ende schon fühlbar zu machen.

Dieses Voranschreiten ist nur dramatisch, nicht tragisch; doch ist es auch ein Element der tragischen Wirkung. Es ist für die Tragödie schon da durch deren raschen Ablauf, und besonders dann, wenn in diesem Ablauf ein entscheidender Schicksalswechsel sich vollzieht. Dieses Voranschreiten ist teils wie der rasche Ablauf des gegenwärtigen Geschehens selbst; dieser Absicht dient die Regel, das Geschehen innerhalb eines Sonnenumlaufs sich vollenden zu lassen. So fallen im «König Ödipus» die Zeit des Geschehens und die Spieldauer in eins. Doch ist dieser Gebrauch voranschreitender Motive ein eignes künstlerisches Tun, das nur künstlerisch den Zuschauer in dieses Gefühl erschütternder Raschheit bringt, unabhängig von der realen Zeit. Im «Macbeth» mehrt sogar das dramatische Tempo, wenn er sich nur auf den Gebrauch der voranschreitenden Motive verläßt, aus einem faktisch einen längeren Zeitraum erfüllenden Vorgang nur die voranschreitenden Momente auswählt und darstellt. Auch G. Hauptmanns Dramen zeigen das Übergewicht dieses Voranschreitenden; nur scheint dies hier die Logik des Lebens selbst zu sein. So wird auch hier der Zuschauer in steter sinnlicher Anstrengung gehalten. Vischer kennzeichnet diese Fügung so: «Der dramatische Stil ... ist wesentlich vorwärts drängend, spannend und durchschlagend ... Was nicht blitzt, durchschlägt, zündet, ist nicht dramatisch.» Er grenzt so gegen epische und lyrische Fügungen ab [8].

Ein anderer Begriff des Dramatischen ersteht an anderem Orte, doch mit der gleichen Tendenz, ein dem Drama eigentümliches Wirkungselement zu sein. Man kann von dramatisch gebauten Auftritten sprechen. Sie werden dramatisch genannt nicht wegen der Energie des Voranschreitens, sondern wegen eines spannungsvollen Gegeneinanders, das bestimmte, dem Drama eigentümliche Erregungen zeigt und bewirkt. Hegel hatte einen metaphysischen Begriff des tragisch Dramatischen konzipiert: daß in der Tragödie Weltsein und Menschsein sich polar entgegenstünden. Sieht man von diesem Metaphysischen ab, so bleibt dem Drama doch, daß oft in einem dramatischen Auftritt die Personen sich entgegenstehen. Die Personen stehen in einem Willensgegensatz, und dieser Gegensatz findet einen dramatischen Ausdruck im Sinne einer gesteigerten kämpfenden Auseinandersetzung. Dies kann in Verhaltenheit und äußerer Ruhe geschehen, so wenn in Ibsens «John Gabriel Borgman» die beiden Schwestern um den Sohn und den Neffen ringen; doch wiegt ein sichtlich dramatischer Ausdruck vor. Der Dichter steigert die Temperamente, gibt ihnen dieses Affektbetonte. Die Auseinandersetzung zwischen Antigone und Ismene, zwischen Ödipus und Kreon wird durch den heftigen Charakter der tragischen Helden zu Streitszenen. Noch Ibsen leitet seine «Gespenster» nicht anders ein, durch den Streit zwischen Regine und dem Tischler Engstrand; auch im 1. Akt von Hauptmanns «Webern» kommt es zum Streit, schon zu einer ersten Rebellion. Dieser Streit kann nach außen treten, er kann zu Kampfszenen führen, wie in «Romeo und Julia» und im «Götz». Solche Auftritte wiederholen sich auch immer wieder im Drama. Lessing zeigt, wie Mellefont und die Marwood miteinander ringen. Es prallen auch in solchen Szenen äußerste Gegensätze aufeinander, so in der großen Szene zwischen Maria Stuart und Elisabeth. Der tiefere Charakter solcher Szenen ist tragisch, sie sind teils mehr pathetisch, teils mehr furchterregend. Marwoods Lage – die abgedankte Geliebte, die um den treulosen Liebhaber ringt – ist pathetisch. Zugleich erregt eine solche Szene äußerste Furcht, denn man sieht, daß Mellefont zu schwach ist, um Sara vor dieser entschiedensten Frau zu schützen. Ebenso ist der Auftritt zwischen Maria und Elisabeth ein Geschehen von äußerster Furchterregung, auch ein stark voranschreitendes Motiv, ja die Schicksalswende. Aber die Darstellungsform ist dramatisch im Sinne dieses kämpfenden Gegeneinanders.

Nun aber kann das Dramatische noch enger als eine Kunst gefaßt werden, in der Fügung der Einzelelemente. Es muß auch die Rede zwischen den Personen dramatisch sein. Dies ist sie nicht nur in der Weise, daß hierin das Geschehen voranschreitet, auch nicht nur so, daß hier Personen einander entgegenstehen, auch nicht nur so, daß nun der Ausdruck dramatisch gesteigert ist, bis zur Scheltrede oder der Affektrede. Vielmehr gibt es bestimmte dramatische Vorstellungs- und Vermittlungsweisen.

Eine solche Weise ist mehr tragisch dramatisch. Hierzu gehört, daß der Dichter den Dialog oft retardierend gestaltet. Dies geschieht mit derselben Absicht, mit der Shakespeare den Auftritt zwischen Romeo und Tybalt so auseinanderfaltete, zur Erregung von Spannung und Furcht.

Otto Ludwig hebt dieses Verfahren bei Shakespeare heraus. Im «Hamlet» enthüllt sich erst langsam in Rede und Gegenrede, daß es der ermordete Vater ist, der dem Sohne erscheint. «Der Geist könnte es gleich sagen, Hamlet weiß es eigentlich schon durch die bloße Erscheinung und Aufforderung zur Rache. Aber das Zögern beider, das das Schreckliche hinhalten will, bringt sympathetisch im Zuhörer dieselbe Stimmung, dieselbe Angst vor dem Aussprechen des Wortes hervor, das er gleich im Anfange des Stückes erriet. Wunderbar ist die Mannigfaltigkeit Shakespeares in diesen Vorbereitungen, so daß man fast jede einzelne Szene erst anatomieren muß, um zu finden, daß sie fast alle so gebaut sind. – So wird die Stimmung der einzelnen Szenen fixiert, und der Eindruck jeder vollständig ausgebeutet und dem Hörer ins Herz und Gedächtnis gegraben[9].» Auch Schiller läßt die schicksalschwere Nachricht, daß Wallensteins Unterhändler mit den Schweden, Sesin, von den Kaiserlichen gefangen genommen worden ist, nicht unmittelbar durch Terzky aussprechen. – Er ist gefangen, sagt er, von Gallas schon dem Kaiser ausgeliefert. – Auf Wallensteins Frage, wer gefangen sei, antwortet er: Der unser ganzes Geheimnis weiß. – Jetzt fragt Wallenstein: Sesin doch nicht? So kommt einmal die Nachricht auf Wallenstein, zugleich kommt sie auf den Zuschauer zu. Dieses langsame Eröffnen erweckt in Wallenstein eine fürchtende Spannung; das Gewicht, das er der Nachricht beilegen muß, sein Zustand bei dieser Befürchtung wird von dem Zuschauer geteilt. Dieses rein technische Wirkungsverfahren wird zugleich durch dieselbe Situation lebensecht, auf die schon Shakespeare sich stützt; Terzky schrickt vor der zu unmittelbaren so bösen Eröffnung zurück. Noch Ibsen verfährt in den «Gespenstern» so. Nach schon längerer Vorbereitung sagt Oswald:

*Ich muß dir etwas sagen, Mutter.*
*Frau Alving (gespannt) : Nun?*
*Oswald (starrt vor sich hin) : Ich kann es nicht länger ertragen.*
*Frau Alving : Was! Was ist es?*
*Oswald (wie zuvor) : Ich habe nicht den Mut gehabt, es dir zu schreiben ; und seitdem ich*
  *wieder daheim bin – – –*
*Frau Alving (erfaßt seinen Arm) : Oswald! Was ist es?*
*Oswald : Sowohl gestern wie heute habe ich versucht, die Gedanken von mir zu weisen, –*
  *mich loszumachen. Aber es geht nicht.*

*Frau Alving (erhebt sich) : Jetzt mußt du offen reden, Oswald!*
*Oswald (zieht sie wieder auf das Sopha herab) : Bleib, Mutter, und ich will versuchen, es*
*  dir zu sagen.*

Auch hier versteht man, daß Oswald bis zuletzt zögert, seine herandrohende geistige Vernichtung zu eröffnen. Dieselbe Furchtbarkeit dieser Tatsache drängt ihn
auch zum Geständnis, damit er in seiner Not nicht so allein ist. Der Zuschauer
fühlt auch hier mit, was hier gefühlt wird, das ängstliche Zögern Oswalds, die
ängstliche Erwartung Frau Alvings. Es handelt sich jetzt auch nicht mehr um eine
bloße Verzögerung in einem Sachbericht. Sondern die Sache wird nun im Medium
der Gemütszustände erfahren, worin sie mitgeteilt wird. Durch die Verlagerung
des objektiven Berichts in die subjektive Gestimmtheit ermöglicht der Dichter
dem Schauspieler die Rolle, die darum auch zu mimischer Gebärdung drängt, und
ermöglicht darum wieder dem Schauspieler, den Zuschauer einen Menschen in
einem Zustand der Not erleben und nicht nur als Berichter von Inhalten hören zu
lassen.

Nun gibt es auch noch einen dramatischen Stil des Dialogs. Dies ist eine Formung, in der das Bewegte und Erregte mit besonderer Kraft herausgetrieben wird.
Dies geschähe einmal durch die Sprachgebung, sodann aber auch durch die Führung des Dialogs. Es liegt hier in der Situation, oder in der Stellung zwischen den
Personen ein Spannendes, das die Wechselrede zum Ausdruck einer äußersten
jähen Spannung macht. Jetzt kann die Spannung in den Eröffnungsszenen noch
weiter gesteigert werden durch solche fiebernde Erregung, die nun zum Zerpflücken des Dialogs führt. Grundlage solcher Gestaltung ist das mimische Spiel,
der rasch und charakteristisch agierende Schauspieler, diese mehr durch Gestik als
durch Deklamation wirkende Energie; darum kennt der antike Dichter solche Gestaltung nicht. Shakespeare hingegen bildet dieses unmittelbar Dynamische aus.
Nicht er, nicht seine Personen sind erregter als der Dichter oder der Mensch in der
Antike, sondern nur seine Darstellungsweise ist erregender. Hierbei wahrt Shakespeare doch ein eigentümliches Ausmalen; er steigert den Ausdruck nicht durch
eine Zuspitzung des Momentanen und ein Zerpflücken des Dialogs. Lessing erst
bildet diesen dramatischen Stil ganz heraus. Hinter ihm steht der geistige, der
dialektisch gespannte, der den breiten Lebens- und Gefühlsausdruck auf knappe
Formeln zuspitzende Mensch. Lessing übt ihn auch im Versdrama, im Nathan. Es
entfaltet sich ein rasches Dialogspiel, worin die innere Stellung der Personen sich
ausdrückt. Recha glaubt, von einem Engel gerettet worden zu sein. Nathan will sie
eines Besseren belehren. Recha sagt: Endlich, als er gar verschwand ... Nathan
nimmt dies Stichwort widerlegend auf, macht diese Bemerkung zum Mittelpunkt
knapper rhetorischer Fragen:

> *Verschwand? — Wie denn verschwand? Sich unter Palmen*
> *Nicht ferner sehen ließ? — Wie? oder habt*
> *Ihr wirklich ihn schon aufgesucht?*
> *Daja : Das nun wohl nicht.*
> *Nathan :                    Nicht, Daja? nicht? — Da sieh*

*Nun, was es schadet! – Grausame Schwärmerinnen! –*
*Wenn dieser Engel nun – nun krank geworden? ..*
*Recha : Krank!*
*Daja :                               Krank! Er wird doch nicht!*

Dieses Dramatische kann auch komisch gesteigert werden, wie in Lessings Bearbeitung des Plautusschen «Schatz». Anselmo kommt nach langer Abwesenheit
zurück, er stößt auf Mascarill, den Diener seines Sohnes. Sie erkennen sich langsam.

*Anselmo : Kerl! – Aber jetzt seh' ich ihn erst recht an. Mas–*
*Mascarill : Herr An–*
*Anselmo : Maska–*
*Mascarill : Ansel– –*
*Anselmo : Mascarill– –*
*Mascarill : Herr Anselmo– –*

Kleist steigert diese Formung zur Manier. Er schafft Szenen, in denen auf der
einen Seite eine Aussage verzögert, auf der anderen Seite mit brennender Begier
erwartet wird. Hier wird die Eröffnung nicht abgewartet, sondern gleichsam durch
Zwischenbemerkungen die Rede aus dem Eröffnenden herausgezogen. Der Streit
zwischen den Schroffensteinern hat sich durch den Tod des Knaben aus dem
Hause Schroffenstein-Rossitz zugespitzt, da er Mördern aus dem Hause Schroffenstein-Warwand zum Opfer gefallen sein soll. Jeronimus, auch ein Schroffen-
steiner, läßt sich durch den Kirchenvogt von dem Geschehenen unterrichten. Man
hat bei dem toten Knaben Männer von Schroffenstein-Warwand gefunden, mit
blutigen Messern. Den einen hat Graf Ruppert sofort niedergehauen. Von dem
zweiten sagt der Kirchenvogt:

                                 *... Und*
                   *Der hats gestanden.*
*Jeronimus : Gestanden?*
*Kirchenvogt : Ja, Herr, er hat's rein h'raus gestanden.*
*Jeronimus :                                         Was*
                   *Hat er gestanden?*

Voranschreitendes und Retardierendes vereinigt sich hier zu einem spezifischen
Stil, der im raschesten Gegeneinander den Eindruck der Raschheit erweckt und
doch dazu dient, den dramatischen Vorgang für den Zuschauer übersichtlich aus-
einanderzuentfalten. Es wird der faktisch nicht zu rasche Geschehensgang der
Form nach sehr gepreßt und dynamisch gespannt, indem gleichsam eine Taktlänge
mit vielen Noten gefüllt wird.

Grillparzer verstärkt ein weiteres Element, das raumgebundene mimische Spiel.
Er stellt auch seine antikischen Dramen auf die Wiener Spielbühne. Er zeigt etwa
Jason, wie er das goldene Vließ raubt. Er führt Jason und Medea bis in das Innere
der Höhle. Medea steigt, in der einen Hand einen Becher, in der anderen eine
Fackel, in die Höhle hinab.

*Medea : Komm nur herab, wir sind am Ziel!*
*Jason (oben noch hinter der Szene) :*                  *Hierher das Licht!*
*Medea : Was ist?*
*Jason (mit gezogenem Schwert auftretend, und die Stiege schnell herabeilend) :*
                *Es strich an mir vorbei! Halt! Dort!*
*Medea : Was?*
*Jason :*           *An der Pforte steht's, den Eingang wehrend.*
*Medea (hineinleuchtend) : Sieh, es ist nichts, und niemand wehrt dir Eingang,*
      *Wenn du nicht selbst.*
      *(Sie setzt den Becher weg und steckt die Fackel in einen Ring am Treppengeländer)*
*Jason :*                 *Du bist so ruhig.*
*Medea : Und du bist's nicht.*

Es wird eine Tat getan von äußerster Verwegenheit und Gefahr. Hinzu tritt das innerlich Erregende, daß Medea, die den Raub verhindern müßte, ihn aus Liebe zu Jason ermöglicht. Jason ist entschlossen, das Vließ zu rauben, Medea ist von äußerster Angst erfüllt, sie stellt ihm alle Gefahren vor. Wie er auf das Tor zugeht, hinter dem der Drache das Vließ hütet, ruft sie:

        *Jason!*
*Jason :*         *Hinein!*
*Medea :*           *Jason!*
*Jason :*             *Hinein!*
     *(Er geht hinein, die Pforten fallen hinter ihm zu)*
*Medea (schreiend an die nunmehr geschlossenen Pforten hinstürzend)*
             *Er geht! Er stirbt!*
*Jason (von innen) : Wer schloß die Pforte zu?*
*Medea :*             *Ich nicht!*
*Jason :*                *Mach auf!*
*Medea : Ich kann nicht. –*
Sie versucht den Geliebten zu beschwören:
*– Jason! – Hörst du mich? – Setz hin die Schale!*
*Er hört mich nicht! – Er ist am Werk!*
*Am Werk! – Hilfe, ihr dort oben!*

Solche Formmittel bleiben auch im Realismus erhalten; sie führen hier nur zur inneren Gespanntheit des realistischen Dialogs. Wie auch Ibsen kunstvoll retardiert, so gestaltet er auch diese dramatischen Dialoge, doch nun mit einer mehr inneren Spannung. Hilde Wangel tritt dem Baumeister Solneß mit einem Willensimpuls gegenüber, als die Frau, die diesen Mann an sich fesseln will. Solneß verspürt diesen Einfluß, er reagiert hierauf. Der Dichter bildet eine mimische Szene, an der diese Beziehungen heraustreten können; er gestaltet den Dialog ohne Bruch mit der realistischen Wahrscheinlichkeit mit der Prägnanz und Knappheit eines nun realistisch dramatischen Stils. Durchs Zimmer schlendernd, wühlt Hilde ein wenig in den Büchern und Papieren herum.

*Solneß (kommt näher): Suchen Sie etwas?*

*Hilde: Nein, ich sehe mir nur das alles hier an. (dreht sich um)
    Darf ich vielleicht nicht?*

*Solneß: O bitte recht sehr.*

*Hilde: Schreiben Sie in das große Protokollbuch da?*

*Solneß: Nein, das tut die Buchhalterin.*

*Hilde: Ein Frauenzimmer?*

*Solneß (lächelnd): Ja natürlich.*

*Hilde: Eine, die hier immer um Sie ist?*

*Solneß: Ja.*

*Hilde: Ist sie verheiratet?*

*Solneß: Nein, es ist ein Fräulein.*

*Hilde: Ah so.*

*Solneß: Aber wahrscheinlich heiratet sie jetzt bald.*

*Hilde: Das ist ja gut für das Fräulein.*

*Solneß: Aber für mich kaum. Dann habe ich doch niemand, der mir hilft.*

*Hilde: Können Sie denn keine andere kriegen, die ebenso tüchtig ist?*

*Solneß: Vielleicht würden Sie hierbleiben und – und ins Protokollbuch schreiben?*

*Hilde: (sieht ihn von oben bis unten an): Na, hören Sie mal –! Nein, dafür bedanken
    wir uns schönstens!*


## DIE DURCHFÜHRUNG DER FIGUR

Soll die tragische Figur im Mittelteile des Dramas wirken durch das Pathetische, so muß der Dichter versuchen, dieses Pathetische auch zur vollen Entfaltung zu bringen. Hierzu gehört zunächst, daß er sich hierfür den Raum wahrt. Darum tritt das Charakterisieren zurück, wo es nicht unbedingt nötig ist, dem tragischen Helden das Interesse zu bewahren. Ferner ist es nicht rätlich, diesen Raum zur Entwicklung des Inneren des tragischen Helden zu benutzen. Hebbel und Gustav Freytag vertreten diese Auffassung, daß hier der innerlich psychologische Prozeß dargestellt werden solle. Doch ist dies nicht nur nicht die Aufgabe des tragischen Dichters, er nimmt sich hierdurch auch den Raum für ein eigentliches Thema. Der dramatische Charakter soll schon durch die Exposition fertig gegeben sein. «Entwicklung im richtigen und dramatischen Sinne, sagt Otto Ludwig, ist Herauswicklung, Entfaltung des schon Vorhandenen, welches durch den Vorgang nicht gemacht, nur gezeigt wird. Weder Sylock noch Porzia z. B. zeigen das Werden eines Charakters. Es tritt nur allmählich ans Licht, was sie sind, es ändert sich aber nichts an ihnen[10].»

Dieser so gewahrte Raum soll der Darstellung des pathetisch gestimmten Menschen, dem Ausdruck seines Leidens gehören. Dies nicht getan zu haben, wirft Lessing den Franzosen vor, und hierbei nicht nur, daß sie, im Vergleich mit ihrem Vorbild, dessen eigentliches Ziel nicht erreicht haben. Vielmehr scheint bedenklicher, daß sie sich hierdurch einer letzten durchgreifenden Wirkung ihrer Spiele beraubt haben. Sie haben weitgehend das tragische Pathos durch das stoische Ethos ersetzt. Aber alles Stoische ist untheatralisch. «... unser Mitleiden ist allezeit dem Leiden gleichmäßig, welches der interessierende Gegenstand äußert. Sieht man ihn sein Elend mit großer Seele ertragen, so wird diese große Seele zwar unsere Bewunderung erwecken, aber die Bewunderung ist ein kalter Affekt[11].» Auch für August Wilhelm Schlegel ging besonders Corneille «weit weniger darauf aus, Schrecken und Mitleiden, als Bewunderung durch die Charaktere und Erstaunen durch die Lagen seiner Helden zu erregen[12]».

Ferner, wenn das Pathetische gestaltet wird, soll es auch pathetisch gestaltet werden. Auch hieran lassen es, wie August Wilhelm Schlegel bemerkt, die Franzosen fehlen, und teils, weil sie sich zu enge Grenzen der gesellschaftlichen Konvention setzen, teils weil sie das Ethische in der Gestaltung überwiegen lassen. Es waren «die herrschenden einheimischen Begriffe von geselliger Schicklichkeit, was die französischen Dichter bei der Ausübung ihres Talentes hemmte, und ihnen in vielen Fällen die höchste tragische Wirkung unerreichbar machte». Denn solange die Franzosen noch besonnen genug sind, um nicht die Höflichkeit zu verletzen, «solange sie nicht von der Hingegebenheit des Schmerzes und der Gemütsverwirrung ganz übermeistert erscheinen, kann auch die innigste Rührung nicht eintreten». Corneille aber besonders dringt nicht bis zur unmittelbaren Gestaltung von Leidenschaft und Leiden vor, weil er Gesinnung und Besinnung vorherrschen läßt. Er hat zwar auch den Kampf der Leidenschaften und Antriebe dargestellt, «aber meistens nicht als solchen unmittelbar, sondern schon in einen Streit der Grundsätze verwandelt[13]». Dies ist auch im deutschen Drama zu finden, auch bei Goethe in der «Natürlichen Tochter», doch entspricht dies hier einer Kunstabsicht des ganzen Dramas. Goethe schreibt hier ein Drama erhellender Besinnung. Gleichwohl versäumt er das Pathetische nicht, schränkt es aber an Umfang sehr ein.

Wird das Pathetische ergriffen, wird es auch pathetisch gestaltet, so kommt es darauf an, daß es auch an Umfang entschieden vorherrscht. Der Dichter reicherte Stoffe, die ihm durch das Schicksal des Helden nicht hinreichend oder nicht auf völlig befriedigende Weise pathetisch schienen, durch weitere pathetische Erfindungen an. Wie sich dies im konkreten poetischen Drama auswirkt, bezeugt am instruktivsten Shakespeares «Richard III.». Blickt man nur auf den Helden selbst, so scheint das Wesentlichste dieses Dramas zu sein, daß es eine bestimmte tragische Verfassung des Menschen heraushebt: es zeige, wie die prätendierte Freiheit des menschlichen Willens mit dem notwendigen Gange des Ganzen zusammenstößt. Diese Bemerkung erfaßt nur, was Shakespeare an seinem Richard III. zeigt, erfaßt aber nicht, was er in seiner Tragödie «Richard III.» zeigt und hier wirksam macht. Denn diese Tragödie in ihrem künstlerischen Dasein ist eine Folge von furcht- und mitleiderregenden Auftritten, die das Gemüt zu den tragischen Zuständen erschüttern. Schon im 1. Auftritt des 1. Aktes, nach Richards Monolog tritt Richards Bruder Clarence als Gefangener auf und als Opfer von Richards Intrige. Die 2. Szene zeigt den Leichenzug des von König Eduard entthronten, von Richard ermordeten Heinrich VI., begleitet von Anna, der Witwe von Hein-

richs Sohn, den Richard gleichfalls ermordet hat. Der Auftritt I, 3 hat zu seinem
Mittelpunkt die düstere Gestalt der Königin Margareta, der Witwe Heinrichs VI.,
die wie das repräsentative Opfer und die Trägerin aller Verhängnisse zwischen
den Häusern Lancaster und Yorck ist; und sie schleudert Fluch und Rache auf
Richard, den Verderber ihres Glücks, und sagt auch Königin Elisabeth, der Gattin
Eduard IV., ihr Unglück voraus. I, 4 zeigt den gefangenen Clarence und dessen
Ermordung. In II, 1 wird König Eduard IV. hereingeführt, ein schwerkranker
Mann, dem Tode nahe. Clarences Tod wird gemeldet und bewegt den König zu
trüber Klage. II, 2 zeigt die alte Herzogin von Yorck mit Clarence' Kindern.
Elisabeth tritt auf, sie meldet jammernd den Tod des Königs, ihres Gatten. II, 3
zeigt Bürger, die über die Zukunft beunruhigt sind, II, 4 Königin Elisabeth mit
ihrem Sohn, von dem der Zuschauer schon weiß, daß er zum Tode bestimmt ist.
Ein Bote tritt auf; er meldet, Richard habe Lord Rivers, Elisabeths Bruder, und
Lord Gray, ihren Sohn aus erster Ehe, verhaftet. Elisabeth antwortet mit pathetischer Klage; hierin stimmt die anwesende Herzogin von Yorck ein.

In dieser Stimmung des Unglücks, des Leidens, mit diesem Auftreten der Opfer
vergangener und gegenwärtiger Verhängnisse setzt der Dichter sein Werk fort.
In III, 1 sendet Richard den jungen Prinzen von Yorck, den er in seine Gewalt gebracht hat, zu dessen Bruder in den Tower, den er, wie wir schon wissen, nie wieder verlassen wird. In III, 3 werden die Angehörigen der Familie Elisabeths zum
Tode geführt, in III, 4 Richards tödlicher Schlag gegen Lord Hastings gezeigt und
dessen Klagen. Der 4. Akt beginnt mit den Klagen der Königinnen, zu denen sich
jetzt auch, einer nicht weniger trüben Zukunft gewiß, Königin Anna gesellt.
IV, 2 zeigt Richard auf dem Wege, die beiden Söhne Eduards IV. zu ermorden,
IV, 3 wird der vollzogene Mord gemeldet. IV, 4 bringt den Widerhall dieser Tat
bei den Frauen. Elisabeth tritt auf, um ihre Kinder jammernd, mit ihr die Herzogin
von Yorck; eine große Abrechnung hebt an. Richard tritt auf. Seine Mutter, die
Herzogin von Yorck, und Elisabeth überhäufen ihn mit Klagen und Anklagen.
In V, 1 schlägt der Dichter nochmals diesen pathetischen Ton an, indem man sieht,
wie Buckingham zum Tode geführt wird. Dann tritt dieses Darstellungselement
zugunsten des Strafgerichts an Richard zurück.

Dieses Pathetische wird künstlerisch wirksam gemacht durch den Gebrauch der
Sprache, durch den Einsatz der künstlerischen Möglichkeiten der Stilprägung.
Wie sehr hier die antike Tragödie durch die musikalische Steigerung der Sprache
lebte, hebt besonders Herder heraus. Nachdem er den Griechen den forcierten
Sprechstil der neueren Dramen hat tadeln lassen, läßt er ihn fortfahren: «Ob unsre
Aussprache, unsre Deklamation, Aktion und Musik euch gleich verloren sind;
eure Kammer wird euch zu eng, euer Haus voll schallender Luftgenien werden,
indem ihr sie nur leset. Denkt euch dieses bestimmtfortgehende, immer wechseln-
de Melos, unterstützt jetzt von der Flöte, jetzt von andern Instrumenten, wie es
Szene und Leidenschaft forderten, hört es im Geist, und verstummt über eure ver-
stummte Bühne[14].» Schillers Stilgebung in der «Braut von Messina» ist dann
nicht nur eine sachlich künstlerische Neurealisierung der antiken Tragödie, sondern auch ein Versuch, dieser Art der Wirkung wieder nahezukommen, freilich

unter Mehrung des Elements der Besinnung. In dieser Rücksicht steht neben ihr Goethes gleichzeitige «Natürliche Tochter».

Die wirksamste Lösung auf dem Boden des mimischen Stils gibt Shakespeare durch seine charakteristische Schreibart. Sein Kennzeichen ist das ausladende charakteristische Malen, wodurch er das Gegenständliche alter Dichtung vereinigt mit einer nun durch das Wort bewirkten Dynamik. Er vermeidet, was Herder den Griechen dem neueren Dramatiker vorwerfen läßt: «Ihr schreit und seufzt und poltert!, bewegt die Arme, strengt die Gesichtszüge an, räsoniert, deklamieret[15].» Shakespeare selbst läßt Hamlet gegen das Übertriebene und das Künstliche des Modegeschmacks sprechen. Hamlet wünscht von den Schauspielern eine pathetische Rede zu hören, aus einem Stück, das ihm und den Kennern besser gefallen hat an der großen Menge. Diese fand in ihm zu wenig Pfeffer und Salz, zu wenig Ziererei, mehr Schönheit als Schmuck, eine zu schlichte Manier. Otto Ludwig vergleicht dieses Verfahren mit Mozarts Melodiengestaltung in dessen Opern. «Wo schlechtere dramatische Komponisten den Affekt mit solchen Melodiesprüngen malen und das Orchester entsprechend so dazu wüten lassen, daß der Sänger froh sein muß, wenn er nur die Noten richtig trifft und nichts verschluckt, da sind Mozarts Melodien so objektiv, so ruhig klar und tragen den Affekt so nur in der Intention, daß der Sänger seine ganze dramatische Singkunst anwenden kann, ungeniert von mechanischen Schwierigkeiten, und nur eine Anlage auszuführen hat, die ihm den Weg zeigt, durch seine möglichst freie Tätigkeit sie durch rhetorisch-mimische Ausmalung fertig zu machen[16].»

Shakespeare gibt eine fertige Lösung, die, wenn man sie nicht übernehmen will, durch ein anderes Prinzip zu ersetzen ist. Eine solche Neulösung ist das literarische Theater der Franzosen, das sich auf die Pflege und Wirkung der menschlichen und sprachlichen Kultur stützt. Wieder eine neue Lösung ist die Versprägung Goethes, der den poetischen Vers ausbildet. Er vermehrt hierdurch die menschliche und poetische Substanz der Dichtung; doch sind diese Verse mehr für das Lesen oder für den Vortrag als für die theatralische Rolle wirksam. Der Franzose wahrt in seinem Vers noch die Rhetorik, die sich an ein Publikum wendet; Goethe bevorzugt die reine poetische Gestaltung der inneren Zustände. Sie sind, wie Otto Ludwig bemerkt, für den Schauspieler unfruchtbar; denn sie «haben schon die Melodie, die sie haben können; was der Schauspieler hinzutun kann, ist dasselbe, was der Dichter schon hinzutat; er ist überflüssig, er kann die ätherische Musik nur vergröbern». «Darum wirkt so vieles von Goethe auf der Bühne gar nicht[17].» Goethe will so die Dichtung erweitern und vertiefen; auch Shakespeare wird ihm zwiespältig, einmal zu dem Dichter, der die Bühne ganz beherrschte, dann zu dem poetischen Magier, dem die Bühne zu eng, ja selbst die ganze Welt zu eng wurde, der mithin zugunsten der freien poetischen bühnenhaft theatralischen Vorstellung überschritt[18]. Es sei für Shakespeare gut gewesen, daß er nicht eine ihn so bindende Bühne vorgefunden hätte, wie die Franzosen. Was er so als Theaterdichter verloren habe, mithin als Dichter für eine spezifisch theatralische Bühne, habe er als Dichter im allgemeinen gewonnen. Hier überall bleibt die poetisch dramatische Wirklichkeit gewahrt; es steht nur deren Wirkung auf der Bühne in Frage. Die Romantiker machen hier ein Neues geltend: daß das Drama, statt zur Erscheinung von Menschen und Vorgängen, zum Gefäß für ein Ungegenständliches wird, für subjektive Empfindung oder philosophische Reflexion. Dieser Zug herrscht auch in den Gegenbewegungen gegen den Naturalismus vor: Literatur, Bildung, oft sogar ein kunstgewerblicher Schönheitssinn, der, wie bei Paul Ernst, sich mit gepflegter Sprachkunst begnügt. Diesen Versuchen gegenüber bleibt der Realismus wirksamer und herrschend. Der wirksamste Poetiker ist Gerhart Hauptmann, indem er von einer realistischen zu einer poetischen Gestaltung übergeht. In «Hanneles Himmelfahrt» wahrt er auch den Grund in der naturalistischen Darstellung, benutzt die Poesie nur zur Beschwörung des übersinnlichen Bereichs in der Form des metaphysisch bedeutsamen und des durch eine visionäre Poesie verwirklichten Traums. Doch wird er auch ebenso der Meister des ganz im Vers ausgebildeten Dramas, ob nun mehr in der Prägung der Antike, oder Shakespeares, oder der deutschen Klassik. Er bildet wieder den Bühnenvers aus, der, was ihm als Lese- oder Sprechvers fehlen mag, durch seine Tauglichkeit für die Bühnenvorstellung vergütet.

Bedenklich bleiben die Versuche, Shakespeare zu übersteigern, Dynamik und Wirkung zu erhöhen, indem man seinen plastischen Kunstleib zugunsten des unmittelbarer Dynamischen mindert. Dies versucht Kleist besonders in seiner «Penthesilea». Er will sich über Goethe und Schiller hinaus durch eine rasante und dauernde Dynamik neue Ausdrucksmöglichkeiten erobern, gerät aber in das Forcierte. Was Kleists Erfolg beim großen Publikum hindert, ist nach Otto Ludwig einmal, daß er alles, auch in der Fabelfügung, zu sehr auf die Spitze treibt, damit raffiniert, überspannt, absichtlich wirkt, statt den Schein des Lebens zu wahren, daß er ferner seine Probleme mehr mit und für den Verstand einrichtet, schließlich, daß seine Sprache das Gegenteil von der Sprache Shakespeares ist. «Wie er selbst Verstand sein und Leidenschaft darstellen sollte, wie Shakespeare, ist er Leidenschaft und stellt Verstand dar[19].» Um so fragwürdiger müssen Versuche im Expressionismus sein, Kleist noch zu übersteigern, wie etwa durch Fritz von Unruh.

Der realistische Dichter steht vor der Frage, wie er, ohne Bruch mit der realistischen Wahrscheinlichkeit, seinem Drama doch noch hinreichende pathetische Energie verleiht. Lessing zeigt in der «Emilia Galotti», wie nahe er grundsätzlich der literarischen Überlieferung bleibt, indem er einmal doch die Zustände in Rede ausformt, sodann durch Bild, Vergleich, durch ein dialektisches Denken einen übernaturalistischen Ausdruck schafft. Er wählt hierzu Personen von einem Bildungsstand, die das Literarische glaubhaft machen; dazu sind hier Leben und Literatur weniger geschieden als heute. Das gebildete gesellschaftliche Sprechen wurde noch mehr als Aufgabe empfunden und wird heute auch in den Gesprächen jener Zeit erwartet. Das Rationalere dieses Sprechens bei Lessing, der Verzicht auf alles breitere Sichergehen des Subjekts und auf die Fülle des Sprachausdrucks ist nicht nur die Folge des Realismus, eines mehr verständigen Menschentums, des Mangels an poetischer Phantasie, sondern auch des Willens zur dramatischen Schlagkraft, zur dramatisch dynamischen Rede. In der «Miß Sara Sampson» hat Lessing diese

Form noch nicht erreicht, erlaubt sich noch die subjektive Redefülle; in dem dramatischen Gedicht «Nathan der Weise» verzichtet er auf sie, die hier unsachgemäß wäre. Deswegen sagt Goethe, Lessing sei durch Reflexion zur Bestimmtheit, Präzision, Kürze geführt worden. Er sei knapp in der «Minna» geworden, lakonisch in der «Emilia Galotti», später zu der heiteren Naivität zurückgekehrt, die ihn so wohl kleide im «Nathan[20]». Goethe sucht mehr durch die Fülle und den seelischen Elan seiner Charaktere zu wirken, Schiller mehr durch eine alle Mittel des charakteristischen Stils aufnehmende Rhetorik. Dort wie hier ist der Dichter gebunden an seinen eignen jugendlich bewegten Zustand, den er seinen Gestalten mitteilt; deshalb wird für Schiller, nachdem dieser subjektive Zustrom zurücktritt, das Dichten in der Prosa fragwürdig. Er klagt über ihre Magerkeit, und der Übergang zum Versdrama ermöglicht ihm nun eine neue Breite des Ausdrucks.

Entschiedener steht vor diesem Problem der konsequente Realismus. Die Franzosen bilden ein Drama aus, das mehr im dramatischen Geschehen und in der Konversation begründet ist. Das gesellschaftlich Gewandte, Geistreiche, das Zugespitzte, Witzige schiebt sich vor die Entäußerung des Menschen in seinen Zuständen. Auch Ibsen schließt sich an dieses Drama an. Doch bildet er die Kunst seiner Fabel aus, einen Lebensvorgang anschaulich zu entfalten, die Kunst seiner Rede, dem Alltäglichen tragische Intensität zu geben. In den «Gespenstern» schreit Frau Alving laut auf, als Oswald sie bittet, ihm bei einem neuen Wahnsinnsanfall Gift zu geben, aber mit einem bloßen «Ich!»

*Oswald : Wer steht mir denn näher als du?*
*Frau Alving : Ich! Deine Mutter!*
*Oswald : Gerade deshalb!*
*Frau Alving : Ich, die ich dir das Leben gegeben!*
*Oswald : Ich habe dich nicht um das Leben gebeten. Und welch ein Leben hast du mir gegeben?*
*    Ich will es nicht. Du kannst es zurücknehmen.*
*Frau Alving : Hilfe! Hilfe! (läuft ins Vorzimmer)*
*Oswald (ihr nach) : Geh' nicht von mir! Wohin willst du?*
*Frau Alving (im Vorzimmer) : Einen Arzt holen, Oswald! Laß mich hinaus!*
*Oswald (ebenfalls im Vorzimmer) : Du kommst nicht hinaus. Und niemand kommt hinein (dreht den Schlüssel um).*
*Frau Alving (kommt wieder herein) : Oswald! Oswald! – mein Kind!*

Ibsen schließt sich an den Lessing der «Emilia Galotti» an. Auch bei ihm sind die Personen ohne eignen pathetischen Gehalt; auch hier erzwingt der Druck der Lage den Ausdruck. So legt Ibsen viel in den Vorgang, in ein optisch Schaubares; die Rede ist wie die Erscheinung dieses Vorgangs im Wort. Hierbei fehlt die kunstvolle Fügung des Sprechens nicht; es ist subtile Kunstformung, wie Frau Alving entfaltet, was in ihrer kurzen Antwort «Ich» enthalten ist. Doch bleibt die Ebene durchschnittlichen Sprechens gewahrt. Das Literarische liegt in der Rundung und Pointierung der Rede, nicht im Redeinhalt selbst. Der Dichter ist sorgsam bemüht, im Redeinhalt den Vorstellungs-, Gefühls-, Sprachhorizont seiner Charaktere nicht zu überschreiten. Hierdurch erreicht er eine Natürlichkeit, die ihn weit über die epigonale literarische Bildungsrede erhebt; zugleich schwächt er so die Gewalt des Pathetischen. Die Ansprüche an die realistische Wahrscheinlichkeit setzen dem Dichter feste Schranken des Ausdrucks. So können seine Dramen auch mißverstanden werden, als seien sie zuerst realistische, gesellschaftskritische, psychologische Darstellungen, und nicht Tragödien in der Form des künstlerischen Realismus.

Gerhart Hauptmann überwindet diese Schranke Ibsens. Er neigt mehr zur freien Form, zum Schein des sich zwanglos vorstellenden Lebens, er teilt dieses Freiere auch seinen Personen mit. Er zeigt auch mehr die Menschen des unmittelbaren Lebens, in denen das Leben stärker treibt, weniger gezügelt durch gesellschaftliche und geistige Disziplin. Zum Teil wählt er auch seine Figuren aus Bereichen, in denen das Geistige und Literarische nicht besteht, wie etwa weitgehend in «Vor Sonnenaufgang» oder in den «Webern». Doch auch im Bereich der gebildeten Gesellschaft steigert er aufs äußerste die innere Lebensbewegung. Seine Personen können von innen her aufgerührt werden bis zum Extrem des Affekts, sie sind sogar darauf angelegt. Der Dichter bemerkt dies selbst: «Der Bereich dessen, was man gesund und normal nennt, wird im Affekt verlassen. Ein Drama ohne Affekt ist undenkbar, daher es einigermaßen ins Pathologische übergreifen muß [21].»

In Haltung und Ausdruck steht Gerhart Hauptmann zwischen Goethe und Kleist. Goethes Gestalten entäußern sich leicht und reich in der Fülle ihrer lyrischen Innerlichkeit; Kleist läßt in seinen Gestalten ein zunächst stummes Innere sich stauen und dann mächtig sich entladen. Die Gestalten bei Gerhart Hauptmann sind nicht so von sich selbst aus bewegt, wie bei Goethe, doch auch nicht so gewaltsam gestaut, wie bei Kleist. Zudem stimmt der Dichter den Ausdruck auf ihr Wesen ab. Die großen Bewegungen und Ausbrüche kommen nur den Gestalten zu, deren seelische, geistige, gesellschaftliche Verfassung dies zuläßt. Eine Helene Krause, ein naiv gutes Geschöpf, kann in ihrem Leiden nur stammeln. Der Fuhrmann Henschel, eine dumpfe lebenspraktische Natur, frißt sein Leid in sich hinein, bis es ihn vergiftet hat. Die des Ausdrucks mächtigeren Gestalten aber äußern sich auch wieder ihrer Anlage gemäß. Wilhelm Scholz ist auch ein unzähmbares Temperament wie alle Mitglieder dieser Familie; doch ist er Musiker, sensibler Künstler. Er ist von fast krankhaft hysterischer seelischer Labilität. Ähnlich legt der Dichter seinen Künstler Gabriel Schilling an. Der Geheimrat Clausen ist hingegen der tatmächtige alte Mann, der Industrieführer, aber doch durch Anlage und durch eben überstandene seelische Krankheit in seinem Innern schon erschüttert. Auf ihn muß das Äußere weit stärker wirken. Dann aber antwortet er mit einem mächtigen Ausbruch, der der Prankenschlag eines alten Löwen ist, den die Meute seiner Familie zu Tode hetzt.

Solche Macht und Wirkung kann der Expressionismus nicht überbieten. Seine Expression liegt zuerst auf einem anderen Gebiet: er will den Menschen als seelisches Wesen wahren, gegen alles Entseelende des modernen Lebens, gegen die Mechanisierung der Technik und der technisierten Berufe, gegen die Konventionsschranken durch Familie, Gesellschaft, Staats- und Militärordnung. Zugleich sucht er auch die neue Stoßkraft des Ausdrucks. Er stilisiert das Sprechen wieder auf einen übernaturalistischen Ausdruck. Doch nimmt er diesem Ausdruck zugleich die Fülle des konkreten menschlichen Wesens. Er dynamisiert durch Abstraktion, durch Verarmung. Das Sprechen schwankt zwischen entkörperter Seele und rationaler Dynamik. Hanns Johst versieht Ausrufe mit drei Ausrufungszeichen, als könne man den Ausdruck steigern vom Satzzeichen her und durch reine Lautstärke. Die Sprache des expressionistischen Georg Kaiser ist eine Vergewaltigung des Sprachkörpers durch einen raffinierten Intellekt. Es können so neue Reize und Wirkungen des Sprechens erreicht werden, nicht nur durch das anstößig Ungewohnte, sondern auch durch das Ganze eines extremen Stilausdrucks. Doch diese gewaltsame Forcierung, das Literarische überwiegt. Es herrscht die Manier, die heute überrascht, frappiert, und die morgen veraltet ist und verbraucht.

# FÜNFTES KAPITEL

# DAS DARSTELLEN

Alles Darstellen dient unmittelbar dem Wirken; denn der erste Grundsatz der dramatischen Kunst ist die Nachahmung eines Geschehens auf der Bühne durch den Schauspieler, und zwar, indem der Dichter den Schauspieler zum Träger eines anschaulichen Lebensvorgangs macht und ihm affektbetonte Zustände als Stoff seines persönlichen Ausdrucks gibt. Dies Verfahren ist schon aufgedeckt worden. Hier kann nur noch von solchen Elementen der Schau gesprochen werden, die besondere Wirkungselemente sind.

Diese Wirkung braucht nicht rein dramatisch-tragisch zu sein. Die antike Schau wirkte zunächst mehr durch das Schaubare und sinnenhaft Wirksame schlechthin, durch die Macht der Deklamation, durch die Musik, den Tanz, durch die Aufzüge. Ebenso hat das mimische Spiel seinen eigenwirkenden Schaugrund; älter als das dramatisch-tragisch ausgebildete Drama sind die Haupt- und Staatsaktionen. Deswegen kann Freytag auch für Shakespeare betonen, daß er seines Publikums Freude am Schauen befriedigt[1]. Schiller verfährt nicht anders. Während Goethe im «Götz» mehr Lebensbilder geben will, die oft mehr für innere als für äußere Vorstellung günstig sind, baut Schiller die großen repräsentativen Szenen, mit großartiger Architektonik der Bühne. Die Bankettszene im «Wallenstein», die Expositionsszene im «Demetrius», der Reichstag in Krakau haben das Große, Dekorative, das Pompöse und Dynamische einer an Rubens oder Tiepolo erinnernden Kunst. Auf neue Weise befriedigt wieder der Naturalismus dieses Bedürfnis, im Gegenschlag gegen eine gesellschaftlich, dramatisch, philosophisch gewordene Kunst. Während Hebbel mehr den Menschen mit seinen tragischen Problemen auftreten läßt, gibt der Naturalist das Lebensbild schlechthin. Es soll einfach schaubar gemacht, Wirklichkeit möglichst konkret dargestellt werden. So wird zunächst das Bedürfnis nach Wirklichkeit schlechthin befriedigt; damit hier der Reiz nicht fehlt, soll es doch besondere Wirklichkeit sein. Dem antiken Menschen wird die große Welt der Mythen und Sagen gegenwärtig; der Zuschauer der historischen Spiele nimmt an dem Größeren und Weitgespannteren des geschichtlichen Lebens teil, ein Reiz, von dem heute noch die historischen Filme mit ihren großen Schaumöglichkeiten zehren; der naturalistische Dichter aber zeigt mehr ein besonderes Leben anderer Landschaften, anderer sozialer Schichten; er eröffnet den Blick auf zuvor nicht oder wenig Bekanntes.

Tragisch wirksam wird diese Schau durch den Bezug auf den tragischen Zweck. Man kann hier mehr das Ganze der Schau überprüfen oder mehr ihre einzelnen Momente. Im ersten Falle soll die Schau als solche tragisch wirken. Im zweiten Falle werden tragische Hauptmomente durch Schaubarkeit wirksamer gemalt.

Die Tragödie bildet sich aus, indem die Schau tragische Bedeutung gewinnt, also fatale Zusammenhänge demonstriert, die Menschen in ihren Antrieben und Zuständen dargestellt, Grundverfassungen des menschlichen und des Weltseins erhellt werden. Insofern wird die Schau poetischer, literarischer, philosophischer, unanschaulicher. Aischylos wirkt mehr durch Schaumittel als Sophokles, der mehr durch Spannung und Erschütterung wirkt. Doch wird nun in der antiken Tragödie die Macht der sinnenhaften Schau stets gewahrt; sie wird tragisch, indem die gleichen Vorstellungsmittel Elemente tragisch bedeutungsvoller Vorstellung werden.

Die antike Bühne war nicht nur der Schauplatz für einen repräsentativ ausgestalteten Vorgang, sondern verfügte auch über eigne wirksame Vorstellungsmittel. Der deus ex machina konnte durch eine Maschine herabgelassen werden, die Tore des den Hintergrund bildenden Palasts waren zu öffnen, es konnten so schon bei Aischylos die Leichen der Klytämnestra und des Aigisth auf Gestellen herausgerollt werden; Blitz und Donner wurden nachgeahmt. Der Dichter bedient sich dieser Vorstellungsmittel, hält sich aber auch in den Grenzen des hier Realisierbaren. Auch Shakespeare intendiert die Wirkungsmittel der Bühne. Wenn die Romantiker sein Drama mehr malerisch als plastisch nennen, so treffen sie hiermit auch das Streben des Dichters nach Stimmung. Sie wird schon durch den Stoff nahegelegt, durch das Vorherrschen des Geschichtlichen mit einer Tingierung durch das nordisch Sagenhafte. Mächte der Natur und der Seele wirken hier geheimnisvoll zusammen, Natur und Schicksal scheinen hier einen Bund einzugehn. Der antike Dichter gibt dem plastisch symbolischen Vorgang sinnenhafte Gegenwärtigkeit, er bannt nach Nietzsche das Dionysische in apollinische Form; Shakespeare dagegen gibt diesen Eindruck des Totalen. Welch ein Wechsel von Zeiten, Umständen, Stürmen, Wetter, Zeitläufen, sagt Herder von Lear[2]. Dieses Ganze kann nicht so gegenständlich plastisch, es muß als malerischer Gesamteindruck gegeben, es muß hier der Mächteraum fühlbar werden, der die Menschen so schicksalhaft umschließt wie den antiken Menschen der Wille der Götter. Insofern spielt hier die Natur mit, die der Grieche nicht darstellte, und sie hat den Charakter des tragisch Stimmenden, wird, als Nacht, Sturm, Gewitter, als Zeichen des Bedrohlichen, Schicksalhaften, Zerstörenden empfunden.

Durch die Kastenbühne konnten solche Intentionen verwirklicht werden. Die barocke Opernbühne bildet wieder die sinnenhafte Schau aus, nun auch durch die Kulissen mit den Mitteln aller künstlerischen Illusionen und Suggestionen. Hier wird zunächst ein Höchstmaß an Sinnenreiz gesucht für die höfisch dekorativen Spiele. Doch blickt auch der dramatische Dichter auf die Stimmungsmöglichkeiten dieser Bühne. Das Krasse und Schaurige, das durch Seneca zu einem Kennzeichen tragischer Darstellung wurde, konnte nun sinnenhaft vermittelt werden. Die Intentionen werden weniger poetisch und bedeutungsvoll als bei Shakespeare, der mit diesen Mitteln nicht rechnen konnte, dafür werden sie theatralischer. In den Dramen von Gryphius herrscht die Stimmung, schwerer, nächtiger, dunkler Gewölbe, die ungewisser Fackelschein erhellt. Wie in den Bildern dieser Zeit weicht der klare Tag der Renaissancekunst der Nacht und dem künstlichen Licht. Diese Intentionen rechnen mit einer so gearteten Bühne. Eine andere Frage ist, ob dem Dichter praktisch diese Bühne zur Aufführung zur Verfügung stand, er sich nicht doch mit den Brettern des mimischen Spiels begnügen mußte.

Shakespeares Vorbild bewirkt, daß seit dem Sturm und Drang unsere Bühne wieder zum Raum solcher totalen Darstellungen wird, in denen der Mensch nun auch wieder in die Natur hineingestellt und in Zusammenhang mit ihr gebracht wird. Goethe konzipiert so seinen «Götz» und seinen «Faust». Schiller fügt diesem poetischen das mehr theatralische Element hinzu, indem er in mehr barocker Art, besonders in den «Räubern», die Bühne als theatralischen Stimmungsraum betont. Die böhmischen Wälder, dann die Heimatlandschaft, werden weitreichend Raum und Hintergrund für das tragische Geschehen, und im Schlußakt werden die Schauer Shakespearescher Natur und das nächtlich Düstere barocker Interieurs beschworen. Das hier noch in den Dienst tragischer Erregung Gestellte macht der junge Tieck in seinen Schicksalsdramen zu einem Stimmungs- und Erregungsapparat, dessen sich noch Grillparzer in der «Ahnfrau» bedient.

Otto Ludwig setzt diesen Zug, ins Realistische gewendet, fort. Der Grundsatz bleibt derselbe, ja wird vielleicht noch gesteigert: durch die Stimmung zu wirken, die von dem Ganzen der Bühnenvorstellung ausgeht. Wieder führt hierauf der Stoff, er nötigt sogar noch dringlicher als der historische Stoff. Hier kann die Stimmung des Tragischen schon vermittelt werden durch den Raum des Geschehens; im bürgerlichen Drama hingegen liegt sie mehr in dem Ganzen der Verhältnisse. Je weniger hier Willensbewegungen leisten, je weniger eine dramatische Spannung von Spiel und Gegenspiel herrscht, desto rätlicher wird es, ein Bedenkliches, Bedrohliches, zur Furcht Stimmendes sofort fühlbar zu machen. Dies kann zunächst bewirkt werden durch die Gestimmtheit der Personen, dann aber auch durch die von dem Bühnenraum ausgehende Stimmung. Durch den Anspruch des Realistischen verschwindet nicht nur das Betonte des mimisch theatralischen Ausdrucks, sondern auch die krasse Schauerapparatur des Schicksaldramas; es tritt das tragisch Sinnhafte solcher Darstellung wieder hervor, die Stimmung auf das Bedenkliche hin, das den Menschen umfängt. Düsterwalde heißt die Besitzung, auf der Ludwigs Erbförster wirkt, sein Haus und er selbst sind wie von einem düsteren Wald umschlossen, und entscheidende Vorgänge spielen sich an der düstersten Stelle dieses Waldes, im heimlichen Grunde, ab. Doch fehlen auch die düsteren Interieurs nicht. Die Szene ist in Nacht getaucht, in der Förster Ulrich sich entschließt, zum heimlichen Grund aufzubrechen, um den Mann zu töten, von dem ihm berichtet worden ist, daß er seinen Sohn getötet habe.

Auch Ibsen vertieft seinen Realismus durch dieses Stimmungshafte. Das trübe Wetter, der Regen, der das Haus der Frau Alving umfängt, ist Zeichen für den schicksalhaften Raum dieser Menschen; er erklärt auch, warum Oswald in Paris leben will, vielleicht auch schon den Lebenshunger seines Vaters in diesem trüben Raum, und warum das Sehnsuchtswort des dem Wahnsinn Verfallenden die Sonne ist. Sie ist es, die meistens diesen Menschen hier fehlt; nicht das Zerstörerische tritt heraus, aber der Mangel an Glück. Schicksalhafter wird die Natur in der «Frau vom Meere»: Ellida Wangel ist die magisch dem Meer Vermählte; und diese Bindung lastet schon als frühe Drohung über ihr, nachdem sie durch ihre Ehe mit dem Arzte Wangel sich an das Land gebunden hat. Auch der Naturalismus weiß sich dieser Stimmungsmittel zu bedienen. Hauptmann und Halbe geben ihren

Spielen ein Milieu, das ähnlich mit stimmender Kraft den Zuschauer ergreift. Es wird schaubar und fühlbar als eine den Menschen umgreifende Macht; so ist es als Fluidum bedeutender als durch Nachahmung einer Realität. Der sich verstehende Bühnenbildner malt auch diese Szene auf die Stimmung hin. Die Hütten der Weber müssen die Atmosphäre der Armut fühlen lassen; für den Salon des Fabrikanten Dreißiger ist die kalte Pracht vorgeschrieben. Die moderne Bühne mit ihren großen Darstellungsmitteln, besonders durch die Beleuchtung, wird hier zu einem ausgebildeten Stimmungsinstrument. Schon die Meininger mit ihrem Streben nach dem historisch Getreuen und Echten der Vorstellung wirkten doch weniger historisch als in einer gewählteren Weise dekorativ; sie malten die Szene als geschmackvolles historisches Gemälde aus. Die Bühne erzeugt so eine gesteigerte stimmende Illusion. Darum waren Versuche, ernsthaft durch die Realität selbst statt durch Mittel zur künstlerischen Illusion zu wirken, erfolglos. Daß man, der Bühnenvorschrift gemäß, auf der Bühne wirklich Sauerkraut kochte, führte dazu, daß das Theater auch nach gewandelter Szene noch nach Sauerkraut roch; ebenso erwies es sich als wirksamer, auf eine Speerspitze ein rotes Wollknäuel zu stecken, das die Illusion eines Menschenherzens erzeugte, als ein Kalbsherz, echtes, aber schmutzig braunrotes Fleisch[3].

Da hier doch Stimmung gesucht wird, nicht Realität, und Gestimmtheit durch tragische Mächte, nicht bloß Demonstration durch Milieu, so liegen Erweiterungen in den Naturraum nahe. Hauptmann folgt am entschiedensten der Neigung Shakespeares oder Goethes, die Spiele wieder in die Natur hineinzustellen. Schon in «Vor Sonnenaufgang» bettet er in Anlehnung an Goethes Gretchenszenen seine Liebesszene in den Naturraum hinein, um so von der Schau her den lyrischen Gehalt zu mehren. In der «Versunkenen Glocke» spielt die Natur als dämonische Macht sogar die Hauptrolle; und in «Gabriel Schillings Flucht» ist das Meer ähnlich schicksalsvoll wie in Ibsens «Frau vom Meere». Es ist das große Element, das die kleine Insel umbrandet, auf der Schilling Genesung sucht; und es ist sofort auch in seiner zerstörerischen Gewalt sichtbar. In der Szene des 1. Aktes schon drängt sich die Gallionsfigur eines gestrandeten Schiffes auf, und diese Figur trägt die Züge der Hanna Elias, an der Schilling auch scheitern wird. Dazu muß der Zimmermeister Kühn auftreten mit Sargbrettern. So bildet der Dichter eine durch den Anspruch des Realistischen gedämpfte, vom Symbolischen vertiefte Stimmungsapparatur aus. Noch in seinem späten Klassizismus bedient Hauptmann sich dieses Stimmungsstarken der Bühnenbilder. Die Szene in Aulis ist düster; Durst verzehrt das Heer der Griechen im stillen gnadenlosen Brand der Sonne, die Schiffe im Hintergrund leuchten in drohendem Schwarz und Rot.

Der Expressionismus begibt sich dieser Schaumittel, die den Menschen im Banne der Realität zeigen sollen, des Milieus oder der Naturmächte, um nun diese stimmende durch eine eigentümlich stilisiert abstrakte und rein dynamische Szene zu ersetzen. Diese Stilisierung, die die äußerliche Stoffülle und Konkretheit des Naturalismus auf tragende Grundelemente in Form und Farbe reduzierte, die, statt nur abgemalter, künstlerisch bewältigte Wirklichkeit geben soll, wirkt doch zugleich durch die Entstofflichung mehr rational als ästhetisch, zugleich mehr in-

tellektuell dynamisch als seelisch erfüllt. Sie bietet neue Reize abstrakter Formen,
die sinnvoll sein können als Reaktion gegen gleichgültig werdende Stofflichkeit,
von denen auch die Reize klarer Stilisierung ausgehen können, die aber schwer zu
beziehen sind auf das, was bisher auf der Bühne als tragische Macht erschienen ist
und tragisch gestimmt hat. Die Logik der tragischen Darstellung und die des expressionistischen Stils stehen einander entgegen. Auch im Raum eigner Voraussetzungen kann diese Intellektualisierung fragwürdig wirken durch den Widerspruch zum eigenen Programm, den Menschen in seinem Widerstand gegen
Konvention und moderne Mechanisierung zu zeigen. Im «Jungen Menschen»
stellt Hanns Johst die Opposition junger Menschen gegen entleerte und unredlich
gewordene Konventionen dar; doch schreibt er vor, daß diese jungen Menschen,
Schüler, wie Marionetten an Fäden in den Schulraum geschritten kommen. So
werden Reize des Revuestils und der Revueausstattung auf das Theater übertragen.
Es beginnt damit eine Periode der Experimente und Auflösungen, die gegenwärtig noch unabgeschlossen ist. Wer diese Phänomene als nächste Gegenwart sieht
und erlebt, kann versucht sein, entscheidende Wandlungen, Aufbrüche in ein
grundsätzlich neues Zeitalter auch der dramatischen Kunst zu vermuten. Wer auf
die Überlieferung blickt von Aischylos bis zu Gerhart Hauptmann, und wer bemerkt, daß diese Dichtung eine Kontinuität von mehr als zwei Jahrtausenden besitzt, und daß die großen Dichter stets Träger dieser Kontinuität gewesen sind, wer
sich zudem die Lebensverfassung vergegenwärtigt, worin diese Schau begründet
ist, und die gleichbleibenden ästhetischen Faktoren, durch die sie allein vollgültig
vermittelt werden kann, wird das Treiben auch regsamster Literatur mehr dem
literarischen Leben der Gegenwart zuordnen und erwarten, daß ein großer Dichter sich nicht anders verhalten und grundsätzlich nicht anders verfahren wird, als
schon Sophokles, Shakespeare, Calderon, Corneille, Goethe oder auch Gerhart
Hauptmann.

# VIERTER TEIL

# DAS ERHELLEN

Der dritte Grundzweck des tragischen Dichters ist das Erhellen. Der dritte Grundzweck des tragischen Dichters ist das Erhellen. Dies ist zuerst seine Aufgabe, nicht die des Denkers und Forschers. Er sei Darsteller des menschlichen Schicksals, sagt Herder, aber auch, durch seine Darstellung, Ausleger und Anwender dieser Blätter des Schicksals[1]. Es ist zu überprüfen, wie und mit welchem Ergebnis der Dichter die Blätter des Schicksals auslegt und anwendet. Ihm sind hierfür drei Grundmittel verfügbar: das Wirken auf das Gemüt, das Zeigen durch die Schau, das Verdeutlichen durch die aufhellende Rede.

Aufgabe der Wissenschaft ist dann, die Tragödie nicht als eine in sich selbst noch unerschlossene Wirklichkeitsbekundung zu erfassen, die erst durch die Wissenschaft erschlossen werden muß, sondern als ein schon in verschiedenen Graden Erschlossenes, und dieser Erschlossenheit sich zu bemächtigen. Die Wissenschaft erhellt nicht von sich aus die Tragödie, sondern sie eignet sich die durch die Tragödie vermittelte Helle sachlich auffassend zu.

Doch erschöpft sich die Helle der Tragödie nicht in deren Bewirken, Zeigen, Sagen und in dem Auffassen dieses Erhellenden durch die Wissenschaft. Es gibt auch ein theoretisches Erfassen eigner Art, diese mehr ontologische Erkenntnis, die fragt, was die Wirklichkeit der Tragödie und was die tragische Wirklichkeit eigentlich ist.

Dies kann einmal schon eine Frage des Dichters sein. Der Dichter selbst mithin geht über das praktische Bilden hinaus in eine grundsätzlichere Art der Erkenntnis. Dies Grundsätzliche kann mehr praktischer Art sein. Der Dichter vergewissert sich, was eine Tragödie grundsätzlich leisten soll, und wie die Tragödie dies leistet. Die antiken Dichter besinnen sich so auf ihre Kunst. Die humanistischen Poetiker besinnen sich auf die Kunst der Griechen. Lessing setzt diese Poetik noch fort, indem er unter Benutzung der Erkenntnisse des Aristoteles das Wesen der tragischen Kunst bei den Griechen fixiert. Der Ort, an dem diese Kunst gesichert werden muß, ist deren spezifische Wirkung auf das menschliche Gemüt. Hier setzt auch Schiller an.

Die Ausarbeitung der ontologischen Erkenntnis ist die Aufgabe der Philosophie. Aufgabe und Notwendigkeit der philosophischen Vergewisserung liegen offen; doch ist viel der philosophischen Erkenntnis der Tragödie problematisch geblieben. Anstatt, wie Aristoteles, die Tragödie phänomenologisch zu fixieren und ontologisch zu bestimmen, geht die Philosophie von einem weltanschaulichen Entwurf aus, von dem aus sie, aufnehmend oder sich absondernd, die Tragödie erfaßt. Sie bildet so eine Philosophie des Tragischen als Element der eignen Philosophie heran, oder sie läßt an der Tragödie nur das als wirklich bestehen, was in dem Horizont der eignen Philosophie bestehen bleibt. Seit 1800 gerät auch der tragische Dichter in den Bann solcher Philosophie, bis zu dem Grade, daß ihm die poetische Tragödie zum Mittel für die Demonstration dessen wird, was er als das Wesen des Tragischen philosophisch glaubt erkannt zu haben. Eine so strukturierte Philosophie kann hier nicht herangezogen werden, um überhöhend das Tragische in der Tragödie zu erkennen, sondern nur, um die Aufnahme der Tragödie in eigne weltanschauliche Gebilde zu zeigen, in denen das Wesen der alten Tragödie mehr verfälscht als entdeckt wird.

# ERSTES KAPITEL

# DAS ERHELLEN DURCH ZUSTAND UND SCHAU

## DIE TRAGISCHE REINIGUNG

Die Tragödie wurde poetisch zuerst wirklich, indem sie einen bestimmten Zustand des Gemüts bewirkte. Dieser Zustand kann in mehrfacher Rücksicht erfaßt werden. Er war zunächst in seiner Beschaffenheit zu sichern: daß er der kennzeichnende tragische Zustand ist. Ferner konnten so Inhalte der Tragödie gesichert werden, da durch den Zustand nur im Gemüt empfangen wurde, was durch die tragische Schau sich zeigte. Damit wurde auch schon die Wirklichkeit berührt, die durch die Tragödie gezeigt und wirksam gemacht wird. Indem man dies sichtet und sichert, geht man schon auf den Seinsgehalt der Tragödie zu; man befragt den Zustand und die tragische Schau nach der durch sie offenbar werdenden Wirklichkeit. So macht man zugleich auch das Erhellende dieses Zustands sichtbar. Er erhellt, indem durch die Furcht das zu Fürchtende, und indem durch das Mitleid das Leiden erfahren wird.

Doch ist dies nur die eine Seite dieses Zustandes, der Bezug, der von dem Zustand auf die Schau möglich ist. Der Zustand selbst ist aber nicht nur ein Bestand, sondern auch ein Wirken im Gemüt. Soweit er nur ein Bestand ist, weist er auf die tragische Schau zurück, von der man weitere Erhellung zu erwarten hat. Die Schau muß zeigen, was das zu Fürchtende und was das Leiden ist. Als Wirken aber kommt dem Zustand eine eigne Erhellungskraft zu. Er an sich selbst erhellt den Menschen über sich selbst und sein Verhältnis zur Wirklichkeit. Er bringt das Gemüt in eine erhellende Bewegung hinein.

Die eine Seite dieses Erhellenden hatte Schiller herausgehoben mit dem Begriff einer tragischen Lust. Kant hatte der Tatsache der ästhetischen Lust am Schönen diesen tiefen Rückhalt gegeben, daß hier eine Vollkommenheit der Wirklichkeit, ein harmonischer Zusammenklang der Ordnung der Natur mit der Ordnung der Freiheit durch einen Zustand des Gemüts erfahren werde. Insofern war hier diese Lust von unmittelbar erhellender Kraft. In ihr wurde der so Gestimmte einer Seinsvollkommenheit teilhaftig. Der erhellende Philosoph erhellte nur dieses Erhellen, er führte einen Besitz vor das denkende Bewußtsein, der im fühlenden Bewußtsein schon gegeben war. Er zeigte hier noch mehr als eine bloße Teilnahme auf. Das Lustgefühl entsprang auch einer bewirkten Vollkommenheit, daß in diesem Augenblick, im ästhetischen Genuß, die beiden Seinsordnungen im empfangenden Subjekt versöhnt seien, so daß dieses nicht nur Harmonie anschauend genieße, sondern selbst zur Harmonie gestimmt sei. Im ästhetischen Zustand wurde Vollkommenheit im Empfangenden verwirklicht.

Dies nun soll auch in der Lust am Tragischen stattfinden. Auch hier wird der

Empfangende eines Seins inne, einer Seinsvollkommenheit. Nur wird er hier mehr aufgehellt über sein eignes Sein. Durch die tragische Schau, durch den Anblick des zu Fürchtenden und des Leidens, des Untergangs des Menschen in seiner körperlichen Natur, fühlt er sich selbst als Naturwesen bedrängt und bedrückt, aber als Vernunftwesen erhoben. Die Tragödie vergewissert ihn dieser Seinsvollkommenheit, seiner Teilhabe an dem göttlichen Sein.

Der Mensch erfährt sich hier in der ihm möglichen Erhebung. Dem widerspricht eine zweite Erfahrung nicht, die auch im tragischen Zustand gewonnen ist: von der Notwendigkeit der Ergebung. Der Mensch ist nicht unbeschränkt frei. Er bleibt an das Umgreifende gebunden, und auch im Aufschwung bringt er sich mit diesem nur in Übereinstimmung, oder er wahrt diese Übereinstimmung, denn er schwingt sich zu diesem Sein empor. Indem er, dies zu wahren, sein körperliches Dasein preisgeben muß, erfährt er stets auch seine Schranke, daß er nur in solcher Einordnung in und unter dieses Ganze echt bestehen kann. Hierauf richtet sich der Appell, der von den Zuständen Furcht und Mitleid ausgeht. So leiten auch sie den Zuschauer der Tragödie auf eine ihm mögliche und von ihm geforderte Seinsvollkommenheit hin.

Aristoteles spricht hier von einer Katharsis. Der Zuschauer solle nicht nur zu Furcht und Mitleid erschüttert, sondern auch von dergleichen Zuständen gereinigt werden. Was Aristoteles unter dieser Reinigung verstanden hat, ist uns nicht erhalten. Versuche, in den übrigen Schriften von Aristoteles für diese Frage einschlägige Stellen zu finden[2], belegen zwar den Gebrauch dieses Begriffes für körperliche Vorgänge und führen nahe, daß Aristoteles etwas dem Körperlichen Analoges meint, ein Verhältnis von Krankheit, Entladung, Befreiung, Heilung. In der Poetik betont Aristoteles auch die Lustempfindung, an anderer Stelle spricht er von Reinigung als einer Heilung und einer mit Lust verbundenen Erleichterung[3]. Doch führt dies alles nicht an den Kern des seelischen oder seinhaften Vorgangs heran. Worterklärungen, Suche nach Parallelstellen, historisch-philologische Kritik bleiben hier im Vorhof der eigentlichen Erschließung, mit der unüberholbaren Bedeutung, daß sie die Gefahr eines kritiklosen Modernisierens bannen. Die hier zu leistende Erschließung geht über alles Philologische und Historische hinaus. Man muß mit dem Blick auf die Tragödie selbst, auf die durch sie bewirkte Erfahrung auf die Grundverfassung ästhetischer Erfahrung erschließen, was Aristoteles hier gemeint haben kann. Hat man Furcht und Mitleid als seinsbedeutende Zustände des Gemüts gesichert, so muß man sehen, was diese Zustände durch sich selbst im Gemüt bewirken können.

Dies ist der Weg Lessings. Er versucht aufzudecken, was durch diese Zustände selbst im Gemüt sich ergeben muß. Hierzu muß der Wirkungsbestand selbst wieder kritisch gesichert werden, wie Mitleid und Furcht sich zueinander verhalten. Lessing selbst begann noch mit der vorwiegenden Mitleidstragödie in seiner «Miß Sara Sampson». In der Hamburgischen Dramaturgie arbeitet er die Bedeutung der Furcht heraus, daß durch sie allein die tragische Wirkung über das Philanthropische hinaus gesteigert werden könne. Denn mit der Furcht ist stets ein unmittelbarer Bezug des Zuschauers auf sich selbst gesetzt. Er erfährt ganz unmittel-

bar dieses Zufürchtende, und er befürchtet nicht nur das Unglück des tragischen
Helden. Darum betont Lessing dies, daß die Furcht sich auf den Zuschauer
selbst beziehe und so erst echte tragische Wirkung erreicht werde. «... wenn wir
auch schon, ohne Furcht für uns selbst, Mitleid für andere empfinden können, so
ist es doch unstreitig, daß unser Mitleid, wenn jene Furcht dazu kommt, weit lebhafter, stärker, anzüglicher wird ... und ... daß die gemischte Empfindung allein
durch die dazukommende Furcht für uns zu dem Grade erwächst, in welchem sie
Affekt genannt zu werden verdient[4].» Aristoteles betrachtet so «das Mitleid
nicht nach seinen primitiven Regungen, er betrachtet es bloß als Affekt. Ohne jene
zu verkennen, verweigert er nur dem Funken den Namen der Flamme. Mitleidige
Regungen, ohne Furcht für uns selbst, nennt er Philanthropie: und nur den stärkeren Regungen dieser Art, welche mit Furcht für uns selbst verknüpft sind, gibt
er den Namen des Mitleids[5].»

Der tragische Zustand muß also seinem Grade nach ein Affekt sein; denn nur so
bewirkt er die Reinigung des Gemüts. Lessing nennt sie eine «Verwandlung der
Leidenschaften in tugendhafte Fertigkeiten». Er betont so zwar mit Nachdruck,
daß die Tragödie sich an die moralische Natur des Menschen wendet, doch in diesem weiten Sinne, der jeden Moralismus meidet. Moralisch ist jeder Bezug auf das
eigentlich Seinhafte des Menschen, und er muß stattfinden, wenn die Tragödie
nicht wesen- und bedeutungslos werden soll. Da nach Aristoteles bei jeder Tugend «sich diesseits und jenseits ein Extremum findet, zwischen welchem sie in-
nesteht: so muß die Tragödie, wenn sie unser Mitleid in Tugend verwandeln soll,
uns von beiden Extremis des Mitleids zu reinigen vermögend sein; welches auch
von der Furcht zu verstehen. Das tragische Mitleid muß nicht allein, in Ansehung
des Mitleids, die Seele desjenigen reinigen, welcher zuviel Mitleid fühlet, sondern
auch desjenigen, welcher zu wenig empfindet. Die tragische Furcht muß nicht
allein in Ansehung der Furcht die Seele desjenigen reinigen, welcher sich ganz
und gar keines Unglücks befürchtet, sondern auch desjenigen, den ein jedes Unglück, auch das entfernteste, auch das unwahrscheinlichste, in Angst setzt.
Gleichfalls muß das tragische Mitleid, in Ansehung der Furcht, dem was zuviel,
und dem, was zu wenig, steuern: so wie hinwiederum die tragische Furcht, in Ansehung des Mitleids[6].»

Auch hier liegt ein Bezug auf Seinsvollkommenheit vor, durch die Findung des
Maßes. Hierin läuft die Wirkung der Tragödie aus, hierzu war die Stärke der Erschütterung des Gemüts nötig. Nur dort, wo das Mitleid durch die Beimischung
der Furcht den Grad des Affekts erreicht, findet diese Verwandlung der Leidenschaft in tugendhafte Fertigkeiten statt. Doch kann die Tragödie nur erhellen, sie
kann nicht seinspraktisch wirken. Es bleibt der grundlegende Unterschied bestehen zwischen dem Leiden und dem Mitleiden, zwischen den Vollzügen auf der
Bühne und dem Miterfahren im Zuschauerraum. Auf der Bühne geht Antigone
in den Tod, Othello straft für sein Vergehen sich selbst, Egmont oder Maria
Stuart überwinden sich in ihrer Lebensverhaftung. Der Zuschauer nimmt nur im
Gefühl erfahrend hieran teil. Die tragische Schau und die Erschütterung durch sie
erspart ihm nicht den eigenen Vollzug. Er gewinnt nur tugendhafte Fertigkeiten,

also nur eine Erfahrung und eine Bereitschaft des Bewußtseins; er hat selbst keine Tugend geübt. Auch Schiller hält diesen Unterschied zwischen dem Ästhetischen und dem Ethischen genau fest. Durch den ästhetischen Zustand, durch ein Frei-werden in ihm von dem sinnenhaft begehrenden Bezug auf Naturwirklichkeit, durch ein Sicherheben in die Freiheit der kontemplativen ästhetischen Schau, löst zwar der Mensch sich von einer niedrigeren Bindung los, kann sich jetzt an ein Höheres, an die Ordnung der sittlichen Freiheit, binden; doch ist dieses Sichbinden ein eigener sittlicher Tatakt. Erst die Romantik verwechselt ästhetische Erfahrung mit dem sittlichen oder religiösen Vollzug, glaubt durch ästhetische Erlebnisse sittlich oder religiös verwirklicht zu haben. Hiergegen richtet sich Goethe. Er steht ohnehin der mehr pathologischen Auffassung der Tragödie nahe, daß sie sich nicht in einer Reinigung des Zuschauers bewähren müsse. Dringlicher als die Wirkung scheint ihm die Schau, die nun ihrerseits die Reinigung enthalten, also zeigen soll, wie der Mensch sich in diesem Leben läutert und befreit. Der Zu-schauer aber wird nur im Gemüt bewegt, er wird nicht praktisch verändert. Der Zuschauer, der asketisch genug aufmerksam auf sich wäre, würde sich selbst ver-wundern, daß er ebenso leichtsinnig als hartnäckig, ebenso heftig als schwach, ebenso liebevoll als liebelos sich wieder in seiner Wohnung findet, wie er hinaus-gegangen. Vollzüge also kann man so nicht gewinnen, dies geschieht nur in der Religion und der Philosophie. Doch wird so Erhellung gewonnen, und hieran hält auch Goethe fest. Der objektiven Bewegung des Geschehens im Drama ent-spricht unmittelbar eine subjektive Bewegung im Zuschauer. «Hat nun der Dich-ter an seiner Stelle seine Pflicht erfüllt, einen Knoten bedeutend geknüpft und wür-dig gelöst, so wird dann dasselbe im Geiste des Zuschauers vorgehen; die Ver-wicklung wird ihn verwirren, die Auflösung aufklären[7].»

## DIE TRAGISCHE HANDLUNG
## UND DIE GRADE IHRES ERHELLENDEN

Der Dichter macht durch ein Drama zunächst einen bestimmt gearteten Gesche-henszusammenhang anschaulich. Die Charaktere sind nur in solchem Geschehens-zusammenhang, nur als ein Element von ihm, als ein Treibendes oder Getriebenes, da. Dieses Geschehen soll erhellend sein.

Hier fragt sich zuerst, wie sich dieses Geschehen vergegenwärtigt, wie es mög-licherweise als erhellendes gegenwärtig ist. Dieses Geschehen ist nicht zuerst für eine hierauf sich richtende Besinnung da. Vielmehr ist es eine durch die Kunst des Dichters im Zuschauer bewirkte Illusion, also nur da in dieser Unmittelbarkeit der scheinbar realen sinnlichen Gegenwart. Eine hierauf sich richtende Reflexion er-faßt nicht, im Gegensatz zum realen Lebensgeschehen, die Sachverfassung einer empirischen Tatsache, sondern verliert die Illusion, durch die dieses Geschehen allein real ist. Mithin ist das Empfangen dieser Schau durch den hohen Grad intui-tiver Auffassung und durch den Mangel an Reflexion gekennzeichnet. Zudem soll die dramatische Schau am wenigsten kontemplativ genossen, sie soll als eine erregende Bewegung erfahren werden. Der Zuschauer soll nach Goethe in steter sinnlicher Anstrengung bleiben, er soll sich nicht zum Nachdenken erheben.

Mithin kann der Zuschauer zuschauend das möglicherweise Erhellende der Tragödie nicht mit der Klarheit der Reflexion besitzen; er kann dieses Erhellende nur ohne reflektiertes Bewußtsein hiervon empfangen. Um hierüber hinauszukommen, ist er auf ein Nach-Denken angewiesen, auf eine der unmittelbaren Erfahrung nachfolgende Besinnung auf das durch die Tragödie ihm als Schau gegenwärtig Gewordene.

Unmittelbar anschauend ist der Erfahrende geknüpft an den einmaligen besonderen Lebensfall. Es ist dieser Ödipus, dieser Lear, dieser Götz, denen, durch diese Verfassung ihres Charakters und ihrer Lage, dies geschieht. In der Besinnung taucht das Sinnbildliche auf. Es wird verstanden, daß dies jeweils Partikulare in der Tragödie nicht Selbstzweck ist, sondern daß es zum Wesen dieser künstlerischen Darbietung gehört. So ist eine bestimmte Konkretheit der Personen und der Lebensvorgänge die Voraussetzung für die Erschütterung des Zuschauers zu Furcht und Mitleid; hierdurch aber wird eben das Allgemeinmenschliche der Darstellung erfahren. So gehört es hier nach Goethe zum Wesen dieser Kunst, daß das Allgemeine als einzelner Fall sich vorstellt, und so stellt im einzelnen Fall sich das Allgemeine vor.

Was sich hier als das Allgemeine vorstellt, ist ein Geschehenszusammenhang, worin der Mensch als der Leidende erscheint, teils, indem er der Bedingte, teils, indem er hierdurch der seelisch Leidende ist. Auch dies erhellt schon, daß man sieht, wie der Mensch bedingt ist, wie er leidet, scheitert. Doch wird nun mehr an Erhellung gewünscht. Der Zuschauer wünscht zunächst zu sehen, worin ein solcher, für den Menschen so fataler Zusammenhang begründet ist; er wünscht zu sehen, wohin dieses Geschehen den Menschen leitet, was hierin für den Menschen bewirkt wird. Bei diesem Wunsch wird der Zuschauer geführt durch das Bedürfnis nach einem Sinnhaften; dieses Bedürfnis soll am Ende befriedigt sein. Es soll ein Sinnvolles dem tragischen Geschehen zugrunde liegen, es soll ein für den Menschen Sinnvolles erreicht werden.

Die Frage nach dem Sinn fällt für den Zuschauer in eins mit dem Bedürfnis nach einer Positivität des Seins und einem positiven Verhältnis des Menschen hierzu. Das den Menschen Bedrängende ist ein hier möglicher Mangel. Dies ist einmal der Mangel an Sein selbst. Die Erfahrung kann sich vordrängen, daß es eigentlich an Sein fehle. Wenn nach Goethe und Schiller der Dichter physische, sittliche, metaphysische Welt zum Anschauen bringen soll, so kann hier Not erfahren werden durch ein Nichtsein dieses Seienden. Das eigentliche Sein ist das Nichts, hieran vernichtet sich auch der Mensch. Ferner kann das Wirkliche als negativ erfahren werden; das letzte Sein ist nicht das Positive, sondern ein Negatives, ein Dämonisches, Satanisches. Sodann ist hier der Mangel möglich im Verhältnis des Menschen zum Sein. Der Mensch ist des Seins nicht hinreichend teilhaftig. In der physischen Welt hat er nur für wenige Jahre Bestand, mit einem oft schlechten Zustand seiner Physis und überall beengt durch seine Daseinssituation; er bleibt dem Sittlichen fern, und er ist von dem Göttlichen durch eine unendliche Kluft getrennt. Die Tragödie ist dann eine Dichtung, in der vielfältigst solcher Mangel zum Anschauen gebracht wird. Doch soll das Geschehen so begründet sein, daß für den Menschen Seinsmangel nicht das Letzte seiner Wirklichkeit ist, daß der Mensch sich von einem positiven Seinsgrund herkommen und sich auf einem Wege sieht zum positiven Sein. Dies kann das tragische Geschehen in verschiedenen Graden zeigen.

Am wenigsten hiervon zeigt die konsequente realistische Handlungs-Schau. Lessing hat sie zuerst ausgebildet. Blickt man in der «Emilia Galotti» nur auf den Geschehenszusammenhang, noch ohne Rücksicht auf das hierdurch in den tragischen Personen Bewirkte und das zusätzlich erhellend Ausgesagte, so zeigt sich nur die Konsequenz eines natürlichen Lebenszusammenhangs mit einer spezifisch negativen Richtung für dieses irdische Leben. Dies allein ist sein Nichtnatürliches, diese stets negative Logik des Geschehens, die nicht der Neutralität der Natur entspricht. Denn die Natur an sich selbst enthält die Bedingungen in sich für Leben und Tod, für Kraft und für Schwäche, für Gesundheit und Krankheit, für Förderung und Hemmung. In dieser Tragödie scheint es so, als bewirke dieser Zusammenhang schlechthin ein Fatales, und als sei der Mensch dazu bestimmt, solches Fatale zu fördern. Fatal ist für die Marwood, daß sie dem alten Sampson den Aufenthalt seiner Tochter und ihres Verführers verrät; denn jetzt will Sir Sampson nicht, wie die Marwood erwartet hat, nur seine Tochter, sondern auch den Liebhaber zu sich heimholen. Diese Absicht wird wieder fatal für Sara Sampson, da die Marwood nun alles tun wird, diesen Schritt zu verhindern. Fatal ist für den Prinzen von Guastalla, daß Emilia eben an diesem Tage heiraten und außer Landes gehen will, fatal für die Galottis, daß neben dem Prinzen dieser gewissenlose Marinelli steht, fatal, daß ihr Bedienter Pirro ein alter Bandit ist, fatal für Pirro, daß er im Banne seiner Vergangenheit mitspielen muß, fatal für Appiani sein Streit mit Marinelli, der ihn jetzt um so mehr aus dem Wege räumen muß. Fatal ist für Marinelli und den Prinzen, daß der sterbende Appiani den Namen seines Mörders noch hat aussprechen können, fatal, daß jetzt die Orsina aufs Schloß kommt, fatal das Hinzukommen des alten Galotti. Fatal ist, daß der Oberst Galotti seine Tochter in ein Kloster bringen will, fatal für den Prinzen, daß er diesen Plan zu durchkreuzen sucht, indem er für Emilia das Haus des Kanzlers Grimaldi bestimmt, worin die Sittenlosigkeit herrscht: so zieht Emilia den Tod dem Falle vor. Der Naturalismus macht dies zu einem Prinzip, daß er den Menschen in einem unglücklichen Zusammenhang stehend und ihm erliegend zeigt. Helene Krause, Rose Bernd, Dorothea Angermann, aber auch Johannes Vockerath, Fuhrmann Henschel, Gabriel Schilling werden Opfer einer fatalen, von ihnen nicht zu bewältigenden Situation.

Man hat hier von einem weltanschaulichen Rationalismus und Naturalismus gesprochen. Lessing soll glauben, daß die Wirklichkeit als lückenloser Kausalzusammenhang besteht, ebenso der Naturalist. Doch eignet diesem Zusammenhang eine Tendenz, die ihm an sich selbst, als natürliche Neutralität, nicht zugehört. Nun freilich zeigt manchmal das Leben selbst Zusammenhänge fataler Art; der Dichter könnte solche Zusammenhänge ergriffen haben. Damit kann auch eine subjektive Stellung des Dichters zur Wirklichkeit maßgeblich sein, ein persönlicher Pessimismus, dem es gefällt, am menschlichen Leben vorzüglich das Unglückliche herauszuheben. Doch wird hier nur aufgedeckt und demonstriert, daß der Mensch in der Möglichkeit des Leidens und Scheiterns steht. Indem dies getan wird, ist der natürliche Zusammenhang nicht mehr das nur durch die Kausalität Gefügte, sondern nur die Form, in der sich ein Tieferes verwirklicht, eine Bestimmung des Menschen zum Leiden und zum Scheitern. Es verwirklicht sich in diesem Zusammenhang eine den Menschen bedingende tragische Macht. Wie der Dichter den Zusammenhang fügt, daß hier die Regel des Fatalen herrscht, gehört nicht der Natur an, ist nicht ein zufälliger unglücklicher Fall, drückt nicht den Pessimismus des Dichters aus, sondern demonstriert erhellend, daß der Mensch solcher Fügung untersteht. Darum trifft auch der Vorwurf eines Konstruierens nicht, daß der Dichter das Geschehen einseitig auf das Unglück anlegt, daß jeweils die Elemente des Geschehens so zu diesem Unglücklichen gefügt werden. Dies gehört zur erhellenden Demonstration. Zu tadeln sind nur die willkürlichen Konstruktionen, die äußerlich zufällig, unwahrscheinlich, Hilfsmittel des Dichters sind. Lessing läßt seinen Odoardo sich entfernen, kurz bevor Emilia auftritt. Dieses Sichverfehlen ist für das Geschehen von entscheidender Bedeutung. Emilia wäre mit ihrer Erregung vor den Vater getreten, der sofort entscheidende Konsequenzen gezogen hätte, und nicht vor eine Mutter, die der Tochter rät, von dem Vorfall mit dem Prinzen zu schweigen. Doch gehört dieses Sichverfehlen hier zum natürlichen Lebensvorgang, ist in der Situation und den Charakteren selbst begründet, demonstriert, wie fatal sich die Geschehensmomente fügen können. Dagegen scheint es Lessing nicht tragbar, wenn eine Person von einer anderen immer nur von hinten gesehen wird, damit eine Erkennung unterbleibt. Ähnlich muß in Otto Ludwigs «Erbförster» eine Person zwar gesehen haben, daß eine Flinte, mit der geschossen wurde, einen gelben Riemen hatte, darf aber den Schützen nicht erkannt haben.

Das Erhellende schränkt sich hier auf die Demonstration der Fatalität des Zusammenhangs ein. Es wird gesehen, daß Kausalität nicht mehr bloß Kausalität, das Natürliche nicht mehr bloß das Natürliche ist. In ihnen wirkt eine andere Wirklichkeit, wirkt eine spezifisch tragische Macht. Man sieht, daß es tragische Macht gibt. Verborgen bleibt noch, was diese tragische Macht eigentlich ist.

Lessing kann diesen Realismus mit dieser Bestimmtheit ausbilden, da für ihn unangezweifelt feststeht, daß im natürlichen Zusammenhang der vorsehende Gott wirkt. In einer etwas anderen Lage ist der realistische Dichter, der, vielleicht gerade darum, weil er weniger der religiös positiv Glaubende ist, sich nicht in den Grenzen bloßer Tatsachendarstellung halten will. Er wünscht für seine dichterische Darstellung schon den Hinweis auf eine tragische Macht. Er selbst lebt in der Erfahrung solcher hintergründlichen Mächte; er als Dichter sucht für solche Mächte eine poetische Vorstellung, die oft nur poetisches Zeichen ist, und die kein Bekenntnis ist für einen religiösen Glauben oder eine philosophische Überzeugung.

Ein solches Zeichen tragischer Macht kann das Natürliche selbst sein. Schon in der Ödipussage ist das eigentliche, Theben treffende Unheil ein Natürliches: es ist die Pest. Doch ist dieses Zeichen sofort ausgedeutet, denn die Pest ist durch die

Götter geschickt, durch sie wirken die Götter. Mehr zu diesem Zeichenhaften
drängt der vertiefte Realismus. Ibsen schreibt seine «Frau vom Meere», macht
hier die Natur zu einem magisch-tragischen Hintergrund, an den Ellida Wangel
gebunden, der wie der Grund ihres Seins ist. Ähnlich ist bei Gerhart Hauptmann
sein Gabriel Schilling dem Meere nahe, gehört auf diese kleine, meerumspülte Insel und nicht in das klassische Griechenland, in das sein Freund Breuer ihn entführen will, und er geht in dieses Meer wie in ein umgreifendes Sein zurück. In
«Klein-Eyolf» verkörpert Ibsen ein Naturdämonisches durch die Gestalt der Rattenmamsell, die die Ratten in das Meer hineinlockt, und im Verlauf des Geschehens
auch Klein-Eyolf. Das Natürliche kann auch als das Raum-Zeitliche begegnen,
worin Schicksalszeichen hervortreten. Im Hause des Baumeisters Solneß stehen
die Zimmer der toten Kinder leer, oder Frau Alving verspürt plötzlich die «Gespenster», daß ihr verstorbener Mann mit allen seinen Verhängnissen in seinem
Sohne wieder auferstanden ist. Die «Wildente» wird zum Zeichen einer preisge-
gebenen Bindung an die Natur; daß Baumeister Solneß nur noch Wohnhäuser
baut, keine ragenden Türme mehr, zum Zeichen für die Preisgabe des höheren
Strebens, und sein Sturz vom Turm, als er bei einem Richtfest den Kranz selbst
anbringen will, zum Zeichen seines Versagens.

Hier überall wird das Physische metaphysisch bedeutsam gemacht. Es werden
Zeichen gesucht, die das Gefühl bedeutsamerer Wirklichkeit vermitteln. Betont
man dieses Bedeutsame mehr als den realen Vorgang, so entsteht ein symbolisie-
rendes Drama. Seine Gefahr ist, daß die Konkretheit des Realvorgangs geschwächt,
ohne daß die Sinnerhellung angemessen verstärkt wird. Darum greift der Dichter
gerne zu dem konkreten Metaphysischen, das als schon zugeeignete und verstandene Wirklichkeit er in seinem Kulturraum findet.

Eine solche Wirklichkeit ist für den Dichter seit dem Humanismus die antike
Mythen- und Sagenwelt. Für den antiken Dichter war sie eins mit seiner eignen
Glaubenswelt und der seiner Zuschauer. Doch ist sie auch unabhängig hiervon
eine poetische Vorstellungswelt. Sie bleibt dies, auch wenn der Dichter diesen
Glauben nicht gehegt hätte, bleibt dies auch vor einem nichtantiken Publikum.
Freilich verliert sich so viel von dem, was dem antiken Menschen gegenwärtig
war. Wo dieser schon die Helle vor und außerhalb der tragischen Vorstellung besaß, diese Vorstellung im Lichte eigner Helle unmittelbar erfuhr wie der christliche Zuschauer eine Darstellung im Sinne des Christentums, da bleiben dem modernen Zuschauer nur die poetischen Zeichen für schicksalhafte Mächte. Der
Dichter kann sie nur als solche Zeichen benutzen. Schon der antike Dichter
konnte dies. Aischylos war gewiß fromm, Sophokles bekleidete ein Priesteramt.
Von Euripides aber meint Wilamowitz, daß er mehr philosophisch denkend als
religiös glaubend gewesen sei. Er habe die Göttinnen (Aphrodite und Artemis im
«Hippolytos») so nicht einführen können, wenn nicht sein Volk an sie geglaubt
hätte. Er würde die menschlichen Charaktere nicht haben menschlich dichten
können, wenn er den Glauben seines Volkes noch geteilt hätte. «Er glaubt an den
unpersönlichen Gott, der in der Natur und Sittlichkeit regierte [8].» Doch hat dies
sonst keinen Einfluß auf die Konkretheit und das Schema metaphysischer Vorstel-

lungen. Vielmehr findet man bei ihm von solchen Vorstellungen mehr als bei Sophokles, der der konsequentere Gestalter der Lebensvorgänge ist. Auch dem
christlichen Humanisten bleibt jetzt diese Vorstellungswelt, doch nur noch als
poetische Veranschaulichung metaphysischer Wirklichkeit. Sich ihrer zu bedienen, wurde sogar zum Zwang bei der Neubearbeitung antiker Stoffe, die den antiken religiösen Vorstellungen gemäß gebildet werden mußten. Seitdem ist die griechische Götterwelt ein poetisches Veranschaulichungsmittel für tragisch wirkende
Mächte.

Eine zweite solche Wirklichkeit ist der Bestand an eignen volkhaft metaphysischen Vorstellungen: die Geister, Hexen, Dämonen usf. Sie sind ursprüngliches,
auch vom Christentum anerkanntes Glaubensgut, spielen darum auch ihre Rolle
im enger christlichen Drama. Seit der Aufklärung hören sie auf, in dieser konkreten Form glaubhaft zu werden; jetzt werden auch sie bewußte poetische Vorstellungsmittel. Sie sind verwendbar zur erhellenden Erweiterung auch der Lebensvorgänge, besonders historischer Art. Geistererscheinungen sind ein fast
stereotyper Bestand der Renaissance- und Barockdramen. Hierbei wird aus der
Antike die Verfassung tragischer Darstellung erneuert, die Herder die Schicksalsfabel nannte, zugleich soll dieses Schicksalhafte sich konkret darstellen. Herder
nimmt von Shakespeare an, daß er solche Fabeln im christlichen Zusammenhang,
im Sinne christlicher Theodizee gedichtet habe; doch sucht Shakespeare nicht die
christlich religiöse Demonstration. Er bleibt im Lebensvorgang, läßt nur in ihm
übersinnliche Mächte auftreten. Im «Macbeth» sind dies die Hexen, in anderen Dramen die Geister. Hierbei kann der Dichter und noch mehr sein Publikum an die
konkrete Wirklichkeit solcher Erscheinungen geglaubt haben. Doch begnügt er
sich nicht damit, nur an den Glauben seiner Zuschauer zu appellieren, vielmehr
erhebt er seine Vorstellungen zu überzeugender dichterischer Realität. Bei einem
Gespenste von Shakespeare, sagt Lessing, sträuben sich dem Zuschauer die
Haare, «sie mögen ein gläubiges oder ungläubiges Gehirn bedecken[9]». Hiermit
wird die Realität des Übersinnlichen unabhängig von dem Glauben oder Nicht-
glauben des Zuschauers; sie zwingt sich auch dem Nichtglaubenden auf durch ihre
dichterische Suggestion. Doch ist dies nicht eine Suggestion nur durch die Vorstellung, sondern durch deren Sichwenden an des Menschen tiefere Bereitschaft
zur metaphysischen Erfahrung, von der sein Aufklärungsglaube nur vordergründig getrennt hat. Der Mensch nehme die poetischen Geister als wirklich
an, sagt Jean Paul, weil er ursprünglich zur Erfahrung von Geisterwelt und Gei-
sterfurcht veranlagt sei. Der Dichter trifft durch Vorstellungen des Aberglaubens
diese Schicht des realen metaphysischen Glaubens[10]. Für dieses Treffen sind eben
die Vorstellungen des Aberglaubens günstig, denn sie sind sinnenhaft, gegenwärtig, wirksam; sie sind dem Menschen durch Überlieferung vertraut und anspre-
chendste Zeichen für nicht geleugnete metaphysische Wirklichkeit. «Hundertmal», sagt Grillparzer, «hat Calderon den katholischen Aberglauben gebraucht...
kaum einmal den Glauben. Und doch erschüttert dieser Aberglaube im Gedicht
Menschen, die ihn verachten in der Religion[11].»

Der dritte metaphysische Bestand ist die christliche Vorstellungswelt selbst, die nun mit Rücksicht auf ihre poetische Brauchbarkeit ergriffen werden kann. Hierbei kann der Glaube des Dichters und seines Publikums noch außer acht bleiben. Der Dichter um 1800 hatte mit einem aufgeklärt christlichen Publikum zu rechnen, der Dichter um 1900 mit einem Publikum, für das auch die christliche Welt nicht die adäquate Vorstellung von metaphysischer Wirklichkeit war. Er kann von sich selbst aus unmittelbar von dieser Glaubenswelt absehen und sich nur mit der poetischen Vorstellungsrealität begnügen. Doch bleibt dieser Bereich, gemessen an dem Anschaulichen der antiken metaphysischen Welt, unvollkommen. Es entsteht, wie Goethe sagt, dem modernen Dichter hier eine besondere Schwierigkeit, «weil wir für die Wundergeschöpfe, Götter, Wahrsager und Orakel der Alten, so sehr es zu wünschen wäre, nicht leicht Ersatz finden[12]». Solcher Ersatz ist um so nötiger, als eine eigne mythologische Welt des Germanentums nicht mehr gegenwärtig ist. Aus dem Nibelungenlied sind die alten Vorstellungen ausgemerzt, ohne daß man eine christliche Welt hineingefüllt hätte. Uralter Stoff liegt zugrunde, bemerkt Goethe, doch: «... Behandlung, wie sie zu uns gekommen, verhältnismäßig sehr neu ... Die Motive durchaus sind grundheidnisch. Keine Spur von einer waltenden Gottheit. Alles dem Menschen und gewissen imaginativen Mitbewohnern der Erde angehörig und überlassen[13].» Es scheint die Aufgabe, aus den christlichen Beständen die neue Mythologie zu bilden. Der moderne Tragöde, meint Zacharias Werner, «da er die hellenische Mythenwelt zu nichts mehr brauchen kann, die nordische für uns vergraben, die indische noch unentdeckt ist er muß die christkatholische wieder aufstellen, nicht als Glaubenssystem – die Bühne hat mit dem Kirchenglauben nichts zu tun – sondern als Kunstmythologie! Er muß die Menschen an die christlichen Mythen gewöhnen, so wie der Grieche an den trojanischen Krieg, die Schicksale des Ödipus usw. gewöhnt war – um auf diesem Grunde neue, dem Zeitgeiste angemessene – Kunstgebilde erheben zu können[14].»

Herrscht so die Kunstabsicht, übersinnliche Mächte vorzustellen, ohne hiervon die vom religiösen Glauben oder der philosophischen Überzeugung angemessene Vorstellung zu verlangen, so schränkt sich hier das Erhellen auf das Schaubarmachen von übersinnlichen Mächten ein. Die Art dieser Mächte bleibt unerschlossen. Doch zeigt sich hier eine breite Skala von Möglichkeiten; sie reichen von einem bewußten nur poetischen Gebrauch von übersinnlichen Vorstellungen, von einem bloßen Andeuten bis zu Darstellungen, die dem eignen religiösen Glaubensgrund entstammen und ihn bezeugen.

Mit einem bloßen Hinweis begnügt sich etwa Ibsen. Er stützt sich als Dichter auf den realen Lebensvorgang, der an sich selbst unmittelbar konkret da ist; und bedient sich des Erhellenden nur als zusätzlicher, diesen Vorgang vertiefender Zeichen. So verfuhr auch schon Shakespeare. Auch sein Drama wird getragen von dem Realvorgang; das Erhellende ist wie ein zusätzliches, jeweils partikulares, nicht einem Willen nach einheitlichem Sinn entspringendes Zeigen. Der Geist des ermordeten Vaters im «Hamlet» dient nur einer sehr wirksamen Exposition. Die Geister seiner Opfer, die den seinem Sturz nahen Richard III. schrecken, können als Zeichen erfahren werden, daß von Gott her eine sittliche Weltordnung besteht und Richards hybrides Tun zu seiner Vernichtung führen muß. Die Hexen im «Macbeth» zeigen, daß es in dieser Welt auch das schlechthin Verderbliche gibt, dämonische Mächte, ein Negatives zwischen Gott und Mensch, dem der Mensch verfallen kann. Letztlich wird so nur die Realität tragischer Fügung demonstriert, daß es ein Höheres ist, durch das der Mensch in sein Unglück gerät.

Auch Schiller begnügt sich, dieses Höhere nur anzudeuten; und auch er beläßt es in seiner Mehrdeutigkeit. «Der astrologische Aberglaube», sagt Goethe, «ruht auf dem dunklen Gefühl eines ungeheuren Weltganzen[15]», und Schiller zeigt im Banne dieses Glaubens seinen Wallenstein. Doch wird dieser Glaube dem Feldherrn zum Verhängnis. Im Warten auf die günstige Sternenstunde versäumt er die richtige Stunde für das Handeln in dieser Welt. In der «Jungfrau von Orleans» läßt Schiller den schwarzen Ritter als Geistererscheinung auftreten; solche Erscheinung entspricht dem wundergläubigen Mittelalter. Für seine «Braut von Messina» bekennt er, daß er mit poetischer Freiheit sich mehrerer metaphysischer Vorstellungskreise bedient habe. Da für Schiller in jeder Religion das Göttliche erscheint, so muß es für ihn «dem Dichter erlaubt sein, dieses auszusprechen, in welcher Form er es jedesmal am bequemsten und am treffendsten findet». Deshalb habe er in der «Braut von Messina» «die christliche Religion und die griechische Götterlehre vermischt angewendet, ja selbst an den maurischen Aberglauben erinnert. Aber der Schauplatz der Handlung sei Messina, wo diese drei Religionen teils lebendig, teils in Denkmälern fortwirkten und zu den Sinnen sprachen. Und dann halte er es für ein Recht der Poesie, «die verschiedenen Religionen als ein kollektives Ganze für die Einbildungskraft zu behandeln, in welchem alles, was einen eigenen Charakter trägt, eine eigne Empfindung ausdrückt, seine Stelle findet[16].» Doch will der Dichter auch so nur dringlicher die tragische Fügung schlechthin verdeutlichen. Das Fürstenpaar wird durch zweideutige Orakel nur in die Irre geleitet, und indem es diesen Orakeln gemäß richtig zu handeln glaubt, führt es das Unglück erst herauf. Das Geschehen zeigt nur das unaufhebbar Fatale.

Schillers Spiel nähert sich hier der tieferen Schicksalstragödie. Dies ist nicht die triviale Schicksalstragödie, die das Schicksal materialisiert, das Geschehen abhängig macht von bestimmten Requisiten und Terminen, sondern hier wird die tragische Gebundenheit des Menschen demonstriert, indem er durch die Tat, durch die er einem Verkündeten entfliehen will, dieses Verkündete verwirklicht. Nur indem König Laios sich seines Sohnes, der ihn töten soll, zu entledigen versucht, tötet dieser ihn; nur durch seine Flucht vor dem Vatermord und der Mutterehe verfällt Ödipus diesem Verhängnis. Nur indem die Fürstin von Messina ihre Tochter vor den Söhnen verbirgt, führt sie deren Untergang herbei. Lessing hat ähnlich, noch subtiler, einen Plan für eine Tragödie «Der Horoskop» entworfen. Einem Manne ist in einem Horoskop vorausgesagt worden, sein Sohn werde großen Kriegsruhm gewinnen, dann aber Vatermörder werden. Den ersten Teil des Horoskops hat er dem Sohne oft mitgeteilt, um ihn zu großen Taten anzufeuern, ihm aber auch nicht verschweigen können, daß im Horoskop noch mehr enthalten sei. Der Sohn erringt sich den Kriegsruhm. Jetzt will er das Ganze der Vorhersage wissen und weiß dies auch zu erfahren. Er verfällt der Schwermut, er will sich töten, indem er sich erschießt. Hierbei überrascht ihn der Vater, und bei dessen Versuch, das Vorhaben des Sohnes zu verhindern, löst sich ein Schuß, und der Vater wird tödlich getroffen.

Solche bloße Klärung fataler tragischer Struktur kann als unzureichend empfunden werden. Ein Ideal der Tragödie scheint doch eine Schau zu sein, die in der Helle eines verbindlichen religiösen Glaubens steht. Die erste Grund- und Hochform dieser verbindlich hellen Schau haben die Griechen ausgebildet. Indem ihre Tragödie aus den sakralen Feiern hervorgeht, in ihre Stoffe schon das Mythische und Religiöse eingewebt ist, indem sie nicht nur Lebensvorgänge darstellen, sondern auch Grundverhältnisse des Menschen veranschaulichen will, ist sie ursprünglich in ursprünglicher Helle da, greift den ganzen Bereich der Wirklichkeit auf, um den es in der tragischen Darstellung geht. Hier liegt offen, daß der Mensch umgriffen wird von der Macht der Götter, daß sie es sind, die dem Menschen als tragische Macht begegnen. Der Dichter übernimmt dies alles aus der Überlieferung und stellt dies als ein ihm selbst und jedem Zuschauer schon helles Überlieferungswissen dar.

Doch wird eben durch diese selbstverständliche Helle die antike Tragödie wieder verdunkelt. Sie besteht in der Antike als ein im religiös bedeutsamen Stoff gebildetes Kunstwerk, nicht als eine religiös didaktische oder gar als eine persönlich weltanschauliche Demonstration. Sie setzt also schon die religiöse Helle im griechischen Publikum voraus; nicht will sie ihm solche Helle erst geben, am wenigsten ihm die persönlichsten religiösen und weltanschaulichen Überzeugungen des Dichters vermitteln. Indem der Dichter ein letztes Verständnis schon vorgegeben wußte, konnte er sich auf seine dichterische Aufgabe einschränken, und dies um so mehr, als seine Stoffe das religiös Ideelle schon in sich faßten. Er brauchte also nur seine Stoffe zu Tragödien zu formieren, auch ohne Rücksicht darauf, ob sie untereinander restlos einhellig waren oder nicht. Darum bemerkt Goethe von Sophokles: er sei in seinen Tragödien nicht von einer Idee ausgegangen, sondern habe nur Stoffe ergriffen, in denen eine gute Idee schon enthalten, und er sei selbst nur darauf bedacht gewesen, seine Stoffe so gut und wirksam wie möglich darzustellen.

So war die taugliche Darstellung auch das erste Gebot, unter dem der tragische Dichter stand; er strebte zuerst nach dem Siegespreis im Wettbewerb um die beste Tragödie. Aristoteles kennt die Tragödie nur als Kunstphänomen, beurteilt nur ihre künstlerischen Qualitäten. Doch ist gleichwohl die höhere Welt mit in diese Tragödie aufgenommen; es ist nur zu beachten, in welcher Weise sie hier erscheint. Sie erscheint als eine Helle der poetischen tragischen Darstellung, die zuerst diese Darstellung ist, zu der dann eine Helle auch zugehört, die aber nicht nur das Mittel für solche Helle ist. Es ist irrig, in der Tragödie zuerst solche Helle suchen zu wollen. Man kann nur zusehen, was der Dichter seinem Spiel an Helle gegeben hat.

Die Mitte der antiken Tragödie ist erfüllt durch die Gestaltung des tragischen Lebensvorgangs. Mithin ist er und der Mensch in ihm das eigentliche Thema. Dieser Vorgang wird auch durch Tatsachen des Lebens selbst bestimmt. Xerxes ist gegen Griechenland gezogen und kehrt als Geschlagener zurück. Philoctet ist auf eine unwirtliche Insel verbannt und soll des Bogens des Herakles beraubt werden. Hippolytos wird das Opfer der Leidenschaft seiner Stiefmutter Phädra. Doch in solche Vorgänge sind die Götter hineingeflochten. Sie haben vielleicht das hier Geschehene veranlaßt. Athene sagt dem Odysseus, sie habe den Ajas verwirrt, der, im Zorn, daß die Rüstung des Achill nicht ihm zugesprochen, die Fürsten der Achaier habe niedermetzeln wollen. Aphrodite sagt, sie habe in Phädra die Leidenschaft erregt, um Hippolyt zu vernichten, oder Dionysos sagt, daß er den Pentheus zu vernichten beschlossen habe. Dies sind jetzt Vorstellungen erhellender Art, da sie letztlich nur den Grund des Geschehenden aussagen, nicht aber im Geschehen an die Stelle der Lebenstatsachen ein Handeln der Götter setzen. Auch die Anlässe des Geschehens könnten in natürlichen Tatsachen gefunden werden: in einer sinnverwirrenden Raserei des Ajas, in der Leidenschaft der Phädra, in dem bacchischen Rausch, dessen Opfer Pentheus wird. Die Erscheinung der Götter zeigt nur, daß dem scheinbar nur natürlichen Geschehen, das darzustellen Aufgabe der Tragödie ist, ein Grund im Transzendenten gegeben werden muß. Ferner können die Götter den Ausgang des Geschehens im Guten bestimmen. Apollo, der dem Orest den Muttermord befohlen, löst auch die hieraus erwachsenden Verwicklungen wieder auf; Herakles besiegt den Tod und rettet so die diesem verfallene Alkestis, der schon zum Olymp erhobene Herakles steigt nieder, um dem Philoctet eine glückliche Beendigung seiner Leiden zu verkünden.

Hiermit sind die Götter als die im natürlichen Zusammenhang wirkende Macht sichtbar geworden; offen bleibt noch die Frage nach dem Sinn dieses Zusammenhangs. Sieht man auf das Verursachende, so tritt das bloße Faktum eines Problematischen in dem Verhältnis zwischen Mensch und Göttern heraus, eine Konfliktlage, eine Störung des Seinsollenden. Athene kann gegenüber Ajas die sittliche Ordnung wahren, doch für Ödipus haben die Götter schon seinen Untergang vor seiner Geburt und auch nicht auf Grund einer Charakterbeschaffenheit beschlossen, die dies herausforderte. Am sichtbarsten ist, daß die Götter ihre Position behaupten, schlechthin, weil sie die Götter sind. Der Mensch muß so leben, daß keine Kollision mit den Göttern stattfindet, daß er das ihm als dieses Wesen Zukommende wahrt. Hiergegen aber wird immer wieder verstoßen. Auch Prometheus hat dies von sich aus und für die Menschen getan, indem er ihnen das Feuer gab; Herakles ist unmittelbar über das menschliche Maß gesteigert. Es scheint eine Verfehlung, daß Hippolyt glaubt, sich von der Liebe, oder Pentheus, sich von bacchischen Kulten freihalten zu können. Vielfach ist eine Kette von Störungen weit zurückzuverfolgen. Iphigenie wird noch Opfer einer Störung, die sich bis auf Tantalus und seinen Sturz zurückführt.

Über dieses Allgemeine und wieder in sich Vielspältige hinaus gibt der Dichter in seiner Tragödie keine Auskunft. Er bleibt meistens an die Tatsachen gebunden, die ihm durch seinen Stoff gegeben sind; er gibt nicht mehr als Varianten in der tragischen Problemstellung. Das Vorliegende ist hinsichtlich der genaueren Ausdeutung ein jeweils besonderer Fall. Agamemnon gehört zwar dem Geschlecht des

Tantalus an, doch sein Verhängnis ist näher darin begründet, daß er im Jagdeifer Hindinnen der Artemis tötete. Darum versagte Artemis den in Aulis versammelten Griechen den Wind zur Fahrt nach Troja, darum mußte Agamemnon Iphigenie opfern; so entfremdete er sich die Gattin, so geschah deren Untreue; so fiel am Ende auch Agamemnon, so wieder Klytaimnestra. Antigone nimmt zwar an dem Verhängnis des Laios und Ödipus teil, doch wieder nur dadurch, daß sie einem Gebot Kreons widersteht. Der Dichter demonstriert in seinen Dramen keine einheitliche Idee. Wenn man es unternehme, sagt Volkelt, sich die Lebensanschauung klar zu machen, die aus den Dichtungen von Sophokles spreche, so werde man «das gefühlsmäßig Ungefähre sehr bald als eine Grenze erfahren, über die sich nur schwer hinausgehen läßt[17]».

Der Grieche empfing in der Tragödie ein Spiel, das ihm durch sein eignes religiöses Wissen geklärt war. Für den nachantiken Menschen ist diese griechische Welt kein Inhalt des eignen Glaubens mehr: er kann diese Religion nicht mehr als seine eigne religiöse Wahrheit annehmen. Doch erfährt er hier bis in die deutsche klassische Zeit hinein nicht eine Relativität religiöser Glaubensinhalte, sondern sieht sich seinerseits im christlichen Glauben begründet. Er lebt in der religiösen Überzeugung, daß in der Religion der christliche Mensch über den Griechen hinausgeschritten, daß er in dem Besitz einer höheren Offenbarung ist. Der Christ hat alles das hinter sich gelassen, was der griechischen Religion ihr Düsteres geben mochte, das Bedingtsein des Menschen durch ein rätselhaft ihm von den Göttern verhängtes Schicksal. «Dergleichen ist unserer jetzigen Denkungsweise nicht mehr gemäß», sagt Goethe von der griechischen Schicksalsidee, «es ist veraltet und überhaupt mit unseren religiösen Vorstellungen in Widerspruch[18].» Und für Schiller fällt heute die alte Unzufriedenheit mit dem Schicksal hinweg und verliert sich «in die Ahndung oder lieber in ein deutliches Bewußtsein einer teleologischen Verknüpfung der Dinge, einer erhabenen Ordnung, eines gütigen Willens[19]». Will jetzt der Dichter nicht nur durch poetische Zeichen erhellen, so muß er seinen eignen religiösen christlichen Glaubensgrund geltend machen. Dies etwa tut Goethe in seiner «Iphigenie». Er zeigt die antike Schicksalswelt überhöht durch einen Gott, der nun dem Menschen zwar in diesem Leben Leiden und Scheitern nicht erspart, der aber den Menschen doch zu einem positiven Sein hinführt. Iphigenie gehört dem Hause des Tantalus an, ihr sind die Greuel dieses Geschlechts bekannt, sie selbst ist Opfer fataler Verwicklungen geworden, die sie als Priesterin nach Tauris geführt haben. Sie muß hier durch Pylades und Orest neue Greuel im Hause ihres Vaters hören: den Vatermord, den Muttermord; und ihr soll zugemutet werden, jetzt mit eigner Hand den Bruder am Altar der Artemis zu opfern. Doch eben in dieser Situation sieht sich der Mensch nur vor die Frage gestellt, wie er Wesen und Walten der Götter aufzufassen habe, und für Iphigenie, d. h. hier für den christlichen Menschen ist nur der Glaube an eine liebende und sittliche Gottheit möglich. In diesem Zeichen auch siegt Iphigenie.

Es ist nur ein Schritt auf diesem Wege, daß der Dichter unmittelbar Gott als Grund der Wirklichkeit aufzeigt. Schon Herder hatte erkannt, daß Lessing mit seinem «Nathan» mehr geschrieben hatte als ein Lehrstück für die Toleranz, daß diese Idee nur ein vordergründlicher, wenn schon bedeutsamer Inhalt der Lessingschen Dichtung sei. Der «Nathan» ist für ihn vielmehr auch eine Schicksalsfabel, wie die Griechen sie schon ausgebildet hatten. Im Mittelpunkt steht der in diesem Diesseits absolut gescheiterte Mensch. Nathan hat in einer Mordnacht sein Weib und seine sieben Söhne verloren. Eigenstes von Lessing tritt hier hervor: daß er, in seiner nach vielen Schwierigkeiten endlich geschlossenen Ehe, Frau und Sohn rasch wieder bei dessen Geburt verlor. Das Ödipusschicksal wiederholt sich an Nathan; nur wird jetzt heller gefragt, was solches Schicksal für den Menschen bedeutet. Lessing antwortet im Sinne des jüdisch-christlichen Theismus. Nathan mag auch ein wie Hiob Versuchter, Geprüfter sein, an ihn ist ein Anspruch wie an Hiob gestellt. Er besteht ihn. Auch Sophokles deutet den Segen an, der in seinem Geschlagensein dem Ödipus doch zuteil wird. Er ist den Göttern näher gerückt, er wird zu den Göttern erhoben; die Stätte seines Grabes soll segenspendend sein. Was der Grieche als Zeichen seines Glaubens gestaltete, was dem späteren Erfasser nur noch erhellendes Zeigen sein konnte, gestaltet Lessing im Raum des jüdisch-christlichen Theismus neu. Er zeigt eine höchste durch dieses Scheitern dem Menschen möglich gewordene Positivität. Nathans Scheitern liegt schon weit zurück. Aus ihm ist Nathan hervorgegangen als der Weise. Gott hat ihm dieses Schicksal beschert. Nathan ist jetzt der Überlegene, der Segenspendende. Er lebt in diesem Leben vor Gott und auf Gott hin.

Goethe dichtet im gleichen Sinne seinen «Faust». Er stellt den ganzen Menschen, mit seinem ganzen Leben in dieser Welt dar. Er nennt dieses Spiel eine Tragödie, obschon es dem durchschnittlichen Begriff der Tragödie widerspricht. Faust geht nicht in seiner tragischen Situation zugrunde, er lebt und stirbt nicht in pessimistischer Verlorenheit. Doch muß sich Goethe des Gewichts und Rechts dieser Bezeichnung gewiß gewesen sein; denn mit diesem Namen, der anspruchsvoller ist als die Bezeichnung Trauerspiel, benennt Goethe den 1. Teil in seiner fertigen Form, mit dem Prolog im Himmel, in der Werkausgabe von 1808. Für Goethe ist Fausts Schicksal tragisch, da er in diesem Leben in jedem Versuch einer absoluten Erfüllung scheitert. Er scheitert im Streben nach absoluter, magischer Erkenntnis, nach einer Absolutheit der sinnlichen Liebe, nach dem absoluten Besitz der absoluten Schönheit, nach absoluter Erfüllung des Lebens durch Besitz und Macht. Die Erkenntnis bleibt ihm beschränkt, die Liebe führt zu dem von ihm verschuldeten Untergang Gretchens, die Schönheit als volle sinnliche Gegenwart läßt sich nicht halten, Besitz und Macht sind das Endliche schlechthin, das jede absolute Befriedigung versagt. Insofern lebt Faust sein Leben nur aus, um eine Kette von Tragödien zu erleben. Doch bleibt der Dichter bei dieser Darstellung nicht stehen. Er fügt bis 1808 den Prolog im Himmel hinzu, er zeigt hier Faust unter der Macht Gottes und des Mephisto. Der Mensch soll ein Knecht Gottes sein. Er ist, wenn er ein guter Mensch ist, sich in seinem dunklen Drange des rechten Weges wohl bewußt. Es wird Mephisto nicht gelingen, einen solchen Menschen von seinem Wege abzuziehen. Doch ist auch der Mephisto da, der sich solches Abziehn zum Ziele setzt. Er kann auch mit seinen Erfolgen rechnen, denn nicht jeder Mensch braucht der gute Mensch zu sein, d. h. der Mensch, der stets im Zuge einer höheren Bestimmung lebt. Damit wird der Mensch selbst gesichtet als das Wesen, das wesenhaft in der Form der Möglichkeit lebt; er ist, als was er sich ergreift, wozu er sich entscheidet. Faust ist wirklich in dieser Möglichkeit zwischen Gott und Mephisto; er ist verloren, wenn er ein Nichtgöttliches als sein Sein wählt.

Nun kann scheinen, als sei die Wahl des Nichtgöttlichen dem guten Menschen nicht möglich. Doch ist wohl kaum der ganze Gang des Geschehens in Fausts Hand gelegt. Auf der einen Seite ist Mephisto bemüht, Faust zu vernichten. Man kann annehmen, daß auf der anderen Seite Gott bemüht ist, Faust zu retten, solange Faust solcher Rettung würdig ist. Retten aber heißt, ihn nie einem irdischen Augenblick verfallen zu lassen. Dies wird verhindert, indem Faust scheitert. Erkenntnis, Liebe, Schönheit, Besitz und Macht, sie können durch dieses Scheitern ihm nie absolut werden. Auch das Hybride des Freitods kann er nicht vollziehen: Engelchöre klingen hier auf und ziehen ihn in dieses Leben zurück. Doch indem Faust so seinen Weg zu Ende geht, ohne dem Mephisto zu verfallen, hat er sich nicht sein Heil durch eignes Verdienst erworben. Sein Drang bleibt dunkel, tiefste Dunkelheit liegt über seinem Ende. Gottes vorhersehende Gnade mußte schon in seinem Leben tätig sein, damit er nicht fiel. Gottes Gnade auch rechnet ihm sein Streben als Verdienst an; Faust hat sich nicht durch Verdienst der Erlösung würdig erwiesen, sondern ist nur von Gott als der Gnade würdig erachtet worden.

Goethe schreibt mit seinem «Faust» eine Tragödie, die er in die Helle des christlichen religiösen Wissens stellt; doch schreibt er keine Dichtung des christlichen Bekenntnisses. Für ihn ist die Wahrheit der christlichen Religion zu selbstverständlich, zu sehr frei von religiösen Kämpfen da, als daß er als Dichter für sie eintreten müßte. Um so mehr kann er als darstellender Künstler bilden, seinen Faust und dessen Seinsbezüge als einen poetischen Darstellungsgegenstand und nicht als ein Manifest christlichen Glaubens behandeln. Doch ist auch die spezifisch christliche Tragödie möglich, die nun, entschiedener als dies in der Antike der Fall sein konnte, sich für die bekennende Darstellung des Menschen in seinen religiösen Wirklichkeitsbezügen einsetzt. Sie wird zuerst in Spanien, durch Calderon, im Raum eines sich im Kampfe gegen die Reformation neu bewußt werdenden Katholizismus ausgebildet. Hier soll die Darstellung das christlich religiöse Weltverhältnis sichtbar und eindringlich machen. Dies geschieht nicht durch einen nun christlichen Sagen- und Mythenstoff, sondern durch einen Lebensstoff, an dem Sein und Schicksal des christlichen Menschen erscheinen. Hier kann zum Teil die antike Struktur gewahrt werden, daß der Mensch dem Leiden und Scheitern ausgesetzt ist. Hierfür kann jetzt eine im christlichen Sinne hellere Erhellung gegeben werden, indem der so Leidende für seine überirdische Bestimmung reif und gerettet wird. An die Stelle der antiken Götter treten jetzt die Zeichen des vorhersehenden und führenden Gottes, der den Menschen, besonders durch höhere wunderbare Erscheinungen, seinem höchsten Ziele zuführt. Doch liegt dieser christlichen Tragödie eine andere Vorstellung näher. Das Christsein begegnet dem Menschen als ein religiöser Anspruch, vor dem er bestehen und vor dem er möglicherweise versagen kann. Das was dem christlichen Menschen geschieht, ist wie eine Prüfung, eine Erprobung; der Mensch wird versucht, kann fallen, kann sich bewähren. Es

wird jetzt entscheidend wichtig, wie sich der religiöse Mensch im Geschehenszu-
sammenhang des Lebens verhält. Im Geschehen wird jetzt gezeigt, wie vielleicht
Gott den Menschen vor einem letzten Sichselbstverlieren bewahrt, oder wie er den
Gestrauchelten ergreift, aufrichtet, rettet. Grund, Sinn, Ziel des tragischen Vor-
gangs werden auch hier mit Bezug auf das vorhergehende Wissen des christlichen
Zuschauers, doch mit einer eignen religiösen Dringlichkeit demonstriert.

Die christliche Tragödie mit dieser didaktischen Deutlichkeit ist ein Grenzfall
in der neueren europäischen Tragödie. Sie kann auch überall da gebildet werden,
wo der Dichter sich fast zuerst als Christ erfährt, ihm die Bekundung der christlichen Stellung zu einer persönlichen Aufgabe wird, wie etwa für Gryphius oder
für den späteren Racine. Sonst setzt sie die auch zeitbestimmte Kampfstellung voraus, wie im spanischen Katholizismus um 1600. Dieselbe Lage erneuert sich in
Deutschland in der Romantik. Die Säkularisation ist nur der eine und der erste
Schritt in dieser Bewegung; ein zweiter und hierin begründeter Schritt kann die
Bemühung sein, diesen ersten Schritt wieder rückgängig zu machen. Friedrich
Schlegel, der maßgebliche Ausbilder der romantischen Kunstphilosophie und
der neueren Philosophie vom Tragischen, wird katholisch. Der Dramatiker möchte jetzt seine Personen um so weniger in ihrem bloßen Leiden und Scheitern, in
vielleicht nur persönlichen Vollzügen, mit vielleicht nur andeutenden Hinweisun-
gen auf einen höheren Seinsbereich zeigen, als dieser Bereich nicht mehr gesichert
ist. Der Dichter übernimmt es als seine Aufgabe, seine Personen über ihr begrenztes Erdenleben hinaus in die religiöse Erlösung hinein zu führen. Schon Schiller
opfert diesem Zug in seiner «Jungfrau von Orleans», einer «romantischen Tragödie». Goethes «Faust» ist eine Erfüllung höchster positiver romantischer Dra-
menwünsche. Zacharias Werner schreibt seine Dramen der Überwindung des Irdischen und des Hineingehens in einen mystisch erotischen Tod. Arnim erweitert
in seinem «Halle und Jerusalem» das Spiel von Gryphius, dessen «Cardenio und
Celinde». Gryphius zeigt, wie der auf sich selbst gestellte Mensch abirrt, wie Gott
durch Wundertat eingreifen muß, um den Menschen nicht verloren sein zu lassen,
ein auch von Goethe im «Faust» benutztes Motiv göttlicher Vorsehung. Arnim geht
hierüber hinaus, indem er auch den ganzen Erlösungsweg des Menschen darstellt,
seine Reue, seine Buße, seine endliche Erlösung. Richard Wagner greift dieses
Thema im «Tannhäuser» neu auf und in seinem «Parcival». Aus einer ähnlichen
Situation, in der sich der Dichter um 1800 gedrungen sah, wieder das christlich
bekennende Drama auszubilden, erneuert Paul Claudel dieses Dramas um 1900. Er
setzt den säkularisierten Tragödien die katholisch christliche Tragödie entgegen.

Es konnte ein Zug gesehen werden, die Tragödie in eine äußerste weltanschauliche Helle zu bringen, indem sie in den Raum der positiven Religion gestellt wird
und in ihm Grund, Sinn, Ziel menschlicher Seinsverfassung sich abschließend erhellen. Mit diesem Zuge wird die Tatsache anerkannt, daß nur in diesem Raum
eine für die tragischen Tatsachen hinreichende Helle vorfindlich ist. Damit werden auch die Möglichkeiten des Dichters in seinem erhellenden Tun festgelegt.
Er kann auf jedes sichtlich Erhellende verzichten, sich mit der Darstellung des
tragischen Lebensvorgangs begnügen. Das Erhellende wird dann in der Demon-

stration dieses Zusammenhangs liegen und in dessen Wirkung auf das Gemüt. Er kann die erhellenden Elemente durch poetische Zeichen mehren, ferner kann er, wie noch zu sehen sein wird, Erhellendes geben durch die subjektiven Vollzüge der tragischen Personen und durch erhellende Rede. Will er aber durch darstellende Zeichen in seinem Erhellen voranschreiten, so muß er entweder seinen Halt suchen in dem Lebensvorgang, daß dieser sich in sich selbst trägt und nicht nur durch einen symbolischen Gehalt verständlich wird, oder er muß durch solche Zeichen erhellen, die dem die Tragödie Empfangenden unmittelbar klar und verständlich sind. Dies erreicht er, indem er sich auf die seinem Zuschauer schon gegenwärtige metaphysische Vorstellungswelt stützt, also sich des schon Gegenwärtigen und Verstandenen bedient. Goethe läßt im «Faust» Gott sprechen, den Mephisto auftreten, zeigt Faust um Helena als Symbol des Schönen bemüht. Hier ist noch die Stellung gewahrt, daß der Dichter vorfindliche Welt aufgreift und gestaltet. Diese Lage wird geändert durch die romantische Philosophie, der gemäß der Dichter weniger Darstellungsorgan des schon Vorfindlichen als Offenbarungsorgan des jetzt neu werdenden Seins sein soll, und durch die der Dichter, statt auf das schon Gegebene, Geklärte, Verstandene, auf das Neue seiner genialen Schau verwiesen wird. Er soll jetzt selbst ein ursprünglich metaphysisch Erfahrener sein, er soll die Tiefe der Wirklichkeit ganz neu und eigen aus eigner Intention aussprechen. Da aber dem Dichter solche Gabe nur täuschend zugesprochen wird, so verdunkelt sich jetzt nur die Welt der Dichtung. Statt des Objektiven und Klaren empfangen wir jetzt ein Subjektives und Dunkles. Für Lessing besteht noch die Natur ihrer Erscheinung nach als natürlicher Zusammenhang, ihrem Sein nach als Gottes Schöpfung. In der Romantik hingegen soll die Natur vom Menschen selbst her erschlossen werden, und man begreift sie jetzt als eine Seite des göttlichen Seins selbst. Damit ändern sich die tragischen Bezüge. Durch die Natur wirkt nicht Gott, oder wirken nicht die Götter; sondern sie selbst soll jetzt als mögliche tragische Macht begegnen. Es gibt etwas Naturmagisches, etwas Naturdämonisches; und es wird dem Dichter zugeordnet, daß er die Natur von dieser Seite her erfahre. Dies ist im begrenzten Maße möglich. Goethe benutzt dieses Motiv in Balladen, wie im Erlkönig, oder dem Fischer. Für das Gewichtige der Tragödie aber reicht ihm dieser Bezug nicht aus; hier muß die tragische Macht doch weit über die Natur hinaus liegen. Gerhart Hauptmann stellt schicksalhafte Naturbezüge mehr in Märchenspielen dar, und auch mit dieser Wirklichkeit hinter der Natur. In der «Versunkenen Glocke» wird es dem Glockengießer Heinrich zum Schicksal, daß er, lebend und bildend, die Natur vergottet, den Bereich des konkret Sittlichen, Religiösen, das Eigne und Begrenzte des menschlichen Kunstwerks nicht mehr sieht. In «Und Pippa tanzt» soll das Absolute und nicht zu Wahrende der Schönheit gezeigt werden, das Michel Hellriegel, der deutsche Michel, zugunsten einer mehr innerlich visionären poetischen Schau verliert.

So darstellend, geht der Dichter weit über die Vergegenwärtigung des realen Lebensvorgangs hinaus: es werden anschaulich durch des Dichters Phantasie Mächte beschworen. In der «Versunkenen Glocke» bewährt sich die Regel, daß der Dichter gut tut, sich hierbei an einen überlieferten Bestand von Vorstellungen anzuschließen. Dem Zuschauer werden hier Naturwesen vorgestellt, wie er sie durch die Märchenüberlieferung kennt, und auch wenn der Dichter sie als besondere Wesen ausbildet, erscheinen sie doch als Bruder und Schwester des schon Bekannten. In «Und Pippa tanzt» verfährt der Dichter selbständiger, eigenmächtiger; er will von sich aus Mächte beschwören und verdeutlichen, und er verfällt der modernen Dunkelheit. Hier treten Personen auf, die zunächst Gestalten des Lebens zu sein scheinen, Pippa, die Tochter eines italienischen Glasbläsers, Michel Hellriegel, ein Handwerksbursche, Huhn, ein alter Glasbläser, Wann, ein alter, eine Baude im Gebirge bewohnender Mann. Zugleich sind diese Personen nur Zeichen für überrealistische Wirklichkeit: Pippa ist dem Dichter das «Etwas, nach dem unsere Seele sich sehnt», das «vor unserer Seele in schönen Farben und anmutigen Bewegungen hin und her tanzt». Sie ist das vollendete, leichte, anmutige Leben. Huhn ist ein alter Korybant, dumpfe Erdhaftigkeit, die nach ihrer Erlösung in Pippa drängt. Wann ist eine «mythische Gestalt», ein guter Geist, dem aber die Rettung durch die Schranken derer nicht gelingt, die er retten will. Dem entsprechend wollen die Vorgänge gleichnishaft verstanden werden, als Aufzeigen überrealer Wirklichkeit. Der Dichter schreibt ein «Glashüttenmärchen», Pippa ist Tochter eines Glasbläsers, ist selber zerbrechliches Glas. Huhn ist ihre Gegenwirklichkeit, die dumpfe Erdhaftigkeit, die sich nach Pippa sehnt; Pippa bleibt ihrerseits an den Erdgrund gebunden. Pippa darf, nach Wanns Warnung, nicht vor Huhn tanzen; Huhn bringt sie doch hierzu, er zerdrückt hierbei ein Glas in seiner Hand: Pippa stirbt, und Huhn stirbt ihr nach. Hellriegel erblindet, um innerlich sehend zu werden. Nur durch Miterfassen ihrer tieferen Bedeutung werden die Realvorgänge noch verständlich; zugleich ist dies zu sehr das Bild des von sich selbst her schauenden und gestaltenden Dichters, als daß dieser Sinn durch die Aufzeigung offen wäre.

Ähnlich verdunkelt sich bei Gerhart Hauptmann die tragische Schau in seiner Atridentetralogie. Hier herrschen zwar die Götter, der Mensch untersteht ihrem Gebot, doch ist es Hekate, die chthonische Gottheit, die die Iphigenie für sich verlangt, und Iphigenie fühlt sich solcher Gottheit verbunden. Götter sind hier nur Bezeichnungen für unheimliche untergeistige Mächte, die den Menschen in sich selbst überwältigen. Der Mensch scheint wie die Möglichkeit eines solchen Untergangs in zugleich schaudererregende wie anlockende Tiefen. Der Dichter offenbart hier die völlige Ohnmacht seiner autonomen Erfahrung, wenn sie über das Poetische in das Weltanschauliche übergehen soll. Solche Darstellungen können sinnvoll nur gelesen werden als Bekundung eines Alterspessimismus, verbunden mit einem Zeitpessimismus, der die Erdmächte neu sich regen verspürt; oder sie müssen registriert werden als Zeugnisse hilfloser Dumpfheit des Menschen, der den Himmel sich verschlossen hat und nur noch die Mächte der Tiefe erfährt. Es ist eine Welt, in der, da Gott ausgeschieden worden ist, das Ungöttliche sich an die Stelle Gottes gesetzt hat.

## ERHELLEN DURCH DIE SCHAU DER TRAGISCHEN FIGUR

Der Dichter kann durch den tragischen Charakter erhellen, indem er Menschenwesen zeigt und indem er den Charakter Erhellendes aussprechen läßt. Im zweiten Falle ist der Charakter nur Sprachrohr für das Erhellende, das der Dichter sagen will; er ist ein Element der Besinnung. Nur im ersten Falle erhellt der Dichter durch das Zeigen des Charakters selbst. Dies wieder geschieht vorzüglich zweifach. Einmal zeigt der Dichter den Charakter als eine bestimmte Seinsbeschaffenheit, sodann zeigt er, wie und mit welchem Ergebnis ein Mensch sich in der tragischen Lage, sich zu ihr verhält.

Man glaubt oft, der tragische Charakter müsse bestimmte Beschaffenheiten besitzen, durch die er spezifisch tragisch wäre oder würde. Er zieht durch seine Dämonie sein Schicksal auf sich, in ihm selbst liegen schon die Bedingungen seines Untergangs, er verfällt einer Schuld, die Sühne verlangt. Dies alles sind Tatsachen, durch die der Mensch scheitern kann, doch sind sie an sich selbst nicht spezifisch tragische Tatsachen. Denn der Dichter zeigt den Menschen im ganzen Umfang seines menschlichen Wesens. Er zeigt diesen Menschen im Zusammenhang mit einem umgreifenden Sein, wie er im Verhältnis zu ihm der Leidende ist oder wird. Dem Menschen kommt also vor diesem Sein eine Bedingtheit zu. Insofern zeigt der Dichter nie einen Menschen, der an sich selbst tragisch wäre. Er zeigt nur diesen Menschen jeweils in einem Verhältnis zu diesem umgreifenden Sein, worin er der Bedingte ist.

Bedingtheit ist das Allgemeinste, das der tragische Dichter an seinen Charakteren aufdeckt. Bedingtheit zeigt sich als Bedingtsein. Dieses Bedingtsein setzt den Begriff und die Tatsache eines Unbedingten voraus. Der Mensch ist bedingt im Bezug auf ein Unbedingtes. Dieses Bedingtsein kann sich einmal so zeigen, daß dem Menschen jede Aktion verwehrt ist. Hierbei kann er von außen gehemmt werden. Maria Stuart lebt als Gefangene. Doch dieses Äußere ist nur durch eine Beschaffenheit des Menschen möglich, hier durch physische Bedingtheit, durch den Mangel an physischer Kraft. Der Mensch ist ein körperlich beschränktes Wesen, das durch stärkere Kraft von außen zur Ohnmacht verurteilt wird. Diese Bedingtheit kann sich steigern, indem der Mensch schon durch physischen Mangel in sich selbst der Ohnmächtige ist. Die frühe Jugend, das späte Alter, Mißbildungen, Krankheit, sie zeigen den Menschen in äußerster Bedingtheit an sich selbst, auch des sogenannten normalen Bestandes an physischem Sein nicht teilhaftig.

Hier wäre der Mensch unmittelbar der physisch Bedingte, durch Mangel in sich selbst oder durch übermächtige feindliche Kraft von außen. Doch ist er bedingt auch im ganzen Umkreis seiner natürlichen Eigenschaften. Er besitzt die Gabe des Denkens und Erkennens, aber nur in sehr bedingter Weise. Dies herauszuheben wird oft wie zu einer zentralen Absicht des tragischen Dichters. Offenbar ist diese Bedingtheit für den Menschen in seinem Verhältnis zu einem unbedingten Sein besonders repräsentativ. Zum Körperwesen gehört die Schranke schlechthin; es kann hier ein Unbedingtes nicht beansprucht werden. Als Erken-

nender hingegen nimmt der Mensch an einem göttlichen Vermögen teil, das sich
erst in einer Allerkenntnis angemessen erfüllt. In der Bedingtheit der Erkenntnis
zeigt sich am deutlichsten des Menschen Schranke vor Gott.

Diese Bedingtheit kann der durchschnittlich körperlichen analog sein, daß der
Mensch nur in bestimmtem Umfang erkennen kann. Diese Begrenzung kann
des Menschen Leiden und Qual sein, wie bei Faust. Doch scheint aufschluß-
reicher, daß dem Menschen schlechthin ein angemessenes Erkennen versagt ist,
daß er an der Schranke eben des Vermögens scheitert, durch das er an einem
Göttlichen teilnimmt. Er ist in diesem zentralen Vermögen fehlerhaft. Dies auch
ist für Aristoteles die Haupterscheinung menschlicher Bedingtheit. Der tragische
Charakter, sagt er, solle nicht ohne Fehler (Hamartia) sein. Dieser Fehler ist vorwiegend intellektueller Art, teils indem des Menschen Erkenntnisvermögen fehlerhaft ist, teils, indem der Mensch im Gebrauche dieses Vermögens Fehler begeht. [20]

Viele Dramen sind in diesem Fehlerhaften begründet. Es ist ein Fehlerhaftes,
durch das die Situation entstanden ist, in der die tragische Person sich findet,
oder ein Fehlerhaftes, wodurch diese Situation in ihrer Auswirkung für die Person
tödlich wird. Ein Zug ist hier, daß die Person in den Voraussetzungen ihres Tuns
sich irrt, daß sie sachlich richtig zu handeln glaubt, aber durch Mangel an richtiger
Kenntnis falsch handelt. Der Mensch ist im Bezug auf entscheidende Tatsachen
blind. Sir Sampson hat nicht gewußt, daß Mellefont, den er wegen gewisser
Verbindlichkeiten in sein Haus einführte und mit besonderem Vorzug behandelte,
ein gewissenloser Verführer war. Auch seine Tochter Sara wußte dies nicht,
und durch die Schätzung ihres Vaters blieb sie ohne Vorsicht und wurde Mellefonts Opfer. Dieser Schaden ist oft die Folge einer guten Absicht, die zu einem
besonders glücklichen Erfolg führen soll. Die Mutter Claudia hat ihre Tochter
in der Stadt erzogen, hier bessere Lebenschancen für die Tochter erhoffend. Hier
lernte sie auch den Grafen Appiani kennen, hier aber auch traf der Prinz auf sie.
Frau Buchner wollte einen alten Familienzwist auflösen, indem sie den Verlobten
ihrer Tochter, den Wilhelm Scholz, in das elterliche Haus zurückführte; das Ergebnis war eine endgültige Katastrophe (G. Hauptmann, Das Friedensfest). Auch
der alte Sampson sieht nicht, daß er, indem er Tochter und Liebhaber verzeihend
zurückholen will, die Katastrophe herbeiführt. Zu dieser, eine Situation begründenden Blindheit tritt die, die im Geschehen die Katastrophe herbeiführt. Oedipus
sucht mit Eifer nach dem Mörder des Königs Laios, ohne anfänglich zu ahnen,
daß er dies selbst sein könne. Kreon will den Blutbefehl gegen Antigone durchsetzen, ohne Einsicht darin, daß Antigones Tod zum Freitod seines Sohnes
Hämon und seiner Gattin Euridike führt. Lear sieht nicht, daß er durch seinen
Entschluß, sich der Herrschaft und des Besitzes zu begeben, seinen Untergang
herbeiführt, Brutus nicht, daß er durch die Tötung Cäsars den Untergang der
Freiheit Roms nur beschleunigt, und, indem er Antonius an der Bahre des toten
Cäsar zu sprechen erlaubt, sich selbst vernichtet. Wallenstein sieht nicht, daß
Octavio Piccolomini sein eigentlicher Gegner, daß das Zögern für ihn höchst
gefährlich ist, Maria Stuart nicht, daß sie bei niemandem zu ihrer Rettung schlech-
ter aufgehoben ist als bei dem Grafen Leicester, dieser nicht, daß sein Plan,

Maria zu ihrer Rettung mit Elisabeth zusammentreffen zu lassen, nur deren Vernichtungswillen freien Raum gibt.

Hier wird der Mensch als das Wesen gezeigt, das falsch erkennt, indem es sich in den Grundlagen seines Handelns oder Nichthandelns täuscht. Es kann aber auch des Menschen Erkenntnisvermögen durch einen subjektiven Zustand irritiert werden. Ajas oder Herakles sind von einem Wahn geschlagen, worin sie das sie Vernichtende begehen. Othello wird durch Jago in eine ihn verblendende Eifersucht getrieben, Karl Moor ist im Banne eines Affekts, wenn er sich entschließt, Räuber zu werden, Ferdinand von Walter wieder von Eifersucht blind gemacht. Die feindlichen Häuser Schroffenstein (Kleist) sind Opfer tiefsten wechselseitigen Mißtrauens, Förster Ulrich (Otto Ludwig, Der Erbförster) ist von Rachsucht erfüllt, dazu ist er nicht ganz nüchtern, als er, statt des vermeintlichen Mörders seines Sohnes, seine eigene Tochter erschießt.

Diese Blindheit oder Verblendung kann noch demonstrativ gesteigert werden, indem einmal durch Erkenntnis der Mensch einem Fatalen hat ausweichen wollen, ferner durch Blindheit das extrem Unglückliche geschieht. Im ersten Falle betont der Dichter mehr, daß der Mensch diesem Fatalen nicht entrinnen kann, daß es ihm schlechthin gefügt ist. Darum wird hier ein Fatales vorhergesagt, und durch des Menschen Maßnahmen, es zu verhindern, wird es herbeigeführt. Mit diesem Erfolge setzten Laios und Jokaste den soeben geborenen Ödipus aus, flieht Ödipus aus Korinth, tötet er den Greis am Dreiweg, heiratet er die Königin von Theben; oder die Fürstin von Messina erzieht die Tochter in Verborgenheit. Der Wille, Blindheit zu demonstrieren, die für den Menschen schicksalhaft wird, führt auch zur Betonung eines Tuns oder Nichttuns. Die Tragödie soll nicht nur einen Zusammenhang zeigen, worin der Mensch durch umgreifende Zwänge in seinem Handeln verhindert oder in jedem Moment durch ein Zwingendes bedingt ist. Vielmehr ist für das Erhellen wichtig zu zeigen, daß der Mensch, handelnd oder nicht handelnd, bestimmt ist, sich ein Unglück zu bereiten, indem er die sachlichen Grundlagen seines Verhaltens nicht durchschaut. Wallenstein muß aus Blindheit zu spät handeln, Lear aus Blindheit zu rasch und unbesonnen. Es muß durch irriges Handeln Schreckliches geschehen. Kreon vernichtet nicht nur Antigone, sondern auch seine Familie, Herakles tötet im Wahn seine Kinder, Theseus erfleht von Poseidon die Vernichtung des durch Phädra fälschlich verklagten Hippolytos, Othello tötet Desdemona, Ferdinand von Walter Luise, Fiesco sticht die Gattin nieder, die ihm im Mantel seines Feindes begegnet, die Grafen Schroffenstein wollen das Kind ihres Feindes töten, und töten, durch die Kleidung irregeführt, jeweils das eigene Kind.

Im Bereich des Körperlichen sind die Schranken dem Menschen durch das Faktische dieses körperlichen Daseins selbst gesetzt. Ebenso steht der Mensch in den Schranken seines Erkennens. Doch läßt Erkennen kompliziertere Beziehungen zu. Das Ergebnis des Erkennens ist nicht allein von der Schranke des Vermögens abhängig, sondern auch des erkennenden Menschen. Wahn, Affekt sind Schranken des Menschen, durch die er von seinem Erkenntnisvermögen keinen angemessenen Gebrauch machen kann. Solche Schranke kann auch in der Veranlagung des Menschen liegen. Der Dichter demonstriert, daß der Mensch, als Bedingter, sich zu den Möglichkeiten des Erkennens falsch verhält. Es kann sein, daß er nicht hinreichend erkennt, wo er erkennen sollte. Lear handelt höchst unbedacht. Cäsar glaubt die Warnungen des Sehers, Egmont die des Prinzen von Oranien nicht beachten zu brauchen. Hier kündigt sich eine falsche Selbstsicherheit des Menschen an. Ödipus verhöhnt den Seher Teiresias, der auf ihn als den Mörder des König Laios hinweist. Wallenstein glaubt seiner Umgebung an Einsicht überlegen zu sein. Hierhin gehört auch, daß der Mensch mehr erkennen will, als er kann, wie Faust.

Hier wird ein neuer Faktor wirksam, die Stellung des Menschen zu den ihm gegebenen Vermögen. Der Mensch wird nicht mehr nur als Träger bloßer Eigenschaften gesehen, sondern auch als Erfüller möglicher Ansprüche. Der Mensch ist nicht nur ein Seiendes, sondern auch ein Seinsollendes. Er kann nicht nur als der so oder so Bedingte begriffen werden. Vielmehr steht er unter Ansprüchen, die er erfüllen soll. Das Recht dieser Ansprüche muß anerkannt werden. Des Menschen Bedingtheit kann sich jetzt darin äußern, daß er gleichwohl solchen Ansprüchen nicht genügt. Der Mensch ist der immer wieder Versagende.

Wenn nach Goethe der Dichter physische, sittliche, metaphysische Welt darstellen soll, so zeigt er auch drei Bereiche möglicher Ansprüche auf. Physische Welt ist auch des Menschen natürliche, seine gesellschaftliche Lebenswelt: durch sie werden an den Menschen vielfältige Ansprüche gestellt, als Glied einer Lebensgemeinschaft. Der Mensch untersteht dem sittlichen, dem religiösen Gebot.

Der Mensch kann dargestellt werden, indem er solchen Ansprüchen genügt, oder indem er vor ihnen versagt. Der tragische Dichter stellt das eine wie das andere vor. Die tragischen Situationen können sich auch darin begründen und dadurch entfalten, daß der Mensch bestimmten Ansprüchen genügt. Antigone erfüllt das Gebot der Pietät, indem sie ihren vor Theben gefallenen Bruder Polyneikes bestattet; Catharina von Georgien (Gryphius) stirbt lieber, als daß sie ihren christlichen Glauben preisgibt. Hier liegt das Fatale in den Verhältnissen, daß in ihnen der Mensch, wenn er das Unbedingte wahren will, zugrunde geht. Das Bedingtsein des Menschen äußert sich hier nur in der Weise, daß er in seiner Unbedingtheit das Opfer einer ihn als Daseienden vernichtenden Situation wird. Je mehr der Dichter sich dem Seinskern des Menschen nähert, desto mehr tritt er für diesen Seinskern ein. Der Mensch ist am meisten durch sich selbst bedingt im Bereich der Erkenntnis. Im Bereich höherer Ansprüche aber, da, wo das eigentliche Sein des Menschen hervortritt in dessen Verhältnis zum sittlichen und religiösen Gebot, soll der Mensch nicht schlechthin der nicht Sittliche, der nicht Religiöse sein. Er kann hier auch der Unbedingte sein, der nur von außen her scheitert. Doch ist er freilich meistens der auch von innen Bedingte. Der Dichter stellt dies in einem umfassenden Zusammenhang von Bedingendem dar.

Dies trifft besonders zu für den engeren Bereich des Sittlichen. Hier werden nicht nur entschiedene Ansprüche gestellt, sondern auch angemessene Erfüllungen erwartet. Hier kann der sittliche Anspruch betont werden, die mangelnde Bereitschaft des Menschen, ihn zu erfüllen, der Verstoß gegen den Anspruch, die Schuld, die dem Vergehen angemessene Strafe. Der Dichter spricht selbst von Schuld und Sühne. Doch stellt er nicht das bloße moralische Nichtwollen oder Versagen dar. Für den antiken, auch für den noch christlich fundierten Dichter, ist das Moralische stets umgriffen durch das Religiöse; es geht um das Gebot der Götter oder Gottes. Der spezifisch moralische Anspruch tritt erst im 18. Jahrhundert hervor, und der eigentliche Bereich für moralische Forderung und Erfüllung ist die bürgerliche Welt. Was hier an Verstößen geschieht, beschränkt sich nicht auf den engen moralischen Bereich. In einem komplexen Vorgang kann verstoßen werden gegen bürgerliche Ordnung, gegen Sitte, gegen das Gesetz und gegen die Sittlichkeit.

Der Dichter stellt sich die Aufgabe, dieses Komplexe zu wahren und das Geschehende nochmals hineinzustellen in eine umgreifende, den Menschen bedingende Lebenssituation. In allen Verführungsdramen wirkt die Macht äußerer und innerer Verhältnisse: ein Mann von besonderer Verführungskraft (Miß Sara Sampson), arglose unbedingte Liebe (Gretchen), ein Moment seelischer und körperlicher Willenlosigkeit (Dorothea Angermann). In sonstigen Verstößen bis in das Kriminelle hinein herrscht die Macht der Situation, deren Verführungskraft, bei oft guter Absicht der Strauchelnden. Nora hat die Unterschrift ihres Vaters unter dem Wechsel gefälscht. Aber ihr Mann war krank, das Geld wurde dringend benötigt, das Einverständnis des Vaters konnte vorausgesetzt werden. Es war ein nicht vorauszusehendes Unglück, daß der Vater so plötzlich starb, ehe er diese Angelegenheit hatte regeln können. Peter Doorn (Halbe, Strom) unterschlägt das letzte, seine Brüder zu Miterben machende Testament des Vaters. Doch konnte er so nur den Hof retten; eine Erbteilung wäre untragbar gewesen. John Gabriel Borkman hat sich an Depotgeldern vergriffen. Doch tat er dies wegen sehr gewinnbringender Finanzoperationen, durch die er diese Gelder leicht wieder hätte zurückerstatten können. Das Unglück wollte es, daß diese Entnahme bemerkt wurde, bevor Borkman im Besitz des Gewinns war.

Der Mensch soll hier nicht als der Schuldige, sondern als der tragisch Gelegene, als der Bedingte aufgezeigt werden. Zudem zeigt der Dichter den Menschen nicht in seinem Schuldigwerden, sondern als den schon schuldig Gewordenen. Die Schuld wird als ein Faktum vorausgesetzt, nicht als Verschuldung im tragischen Spiel gezeigt. Es werden nur noch tragische Folgen erlitten. Ein dem moralischen Anspruch genügendes Verhältnis von Schuld und Strafe wird nicht dargestellt. Schuldlose können untergehen, wie Emilia Galotti, die Schuldigen können frei ausgehen, wie der Prinz und Marinelli.

Im historischen Drama werden die sittlichen Verhältnisse noch schwerer faßlich. Richard III. geht mit Schuld unter, Hamlet ohne Schuld. Bei Shakespeare fehlt überhaupt die Voraussetzung für die feste Zurechnung. Die Personen stehen nicht in der festen irdischen und moralischen Ordnung, in der sie im greifbaren Sinne schuldig werden könnten. Im geschichtlichen Raum selbst wird nicht mit dem Maß der Pflicht und Moral gemessen. Politik, Krieg lassen Taten zu, ja fordern sie, die im Gesetzesraum des bürgerlichen Lebens Verbrechen wären. Alles Legale führt sich auf einen illegalen Ursprung zurück, alles Illegale kann das Le-

gale von morgen sein. Der Sieger ist stets gerechtfertigt; die Schuld des Unter-
liegenden bleibt stets problematisch, seine Vernichtung stets ein Akt im freien
Mächtespiel. Höher scheint eine göttlich sittliche Weltordnung wirksam. Unord-
nung und Verbrechen können kein Regiment von Dauer stiften. Richard III. oder
Macbeth werden von ihrem Geschick ereilt. Insofern schreibt, nach Herder, Shakespeare Theodizeen. Doch macht er dies nicht zum ausdrücklichen Thema. Der Zuschauer sieht zuerst nur am faktischen Ergebnis, daß der menschlichen Willkür
Grenzen gesteckt sind.

Genauer könnte solche sittliche Weltordnung der neuere Dramatiker in seinen
jüngeren Stoffen erscheinen lassen. Die Feudalherrschaft ist vorbei, der Staat ist
wie zu einer eignen Macht, zum Sachwalter göttlicher Ordnung auf Erden geworden, der Regierende wieder ist Sachwalter Gottes durch den Staat. Die Rebellion
im Staat wird wie zur Rebellion gegen die gottgewollte Ordnung. Doch betont
auch hier der Dichter nicht die sittliche Schuld. Götz von Berlichingen, Egmont,
Maria Stuart sind Träger legitimer Rechte. Wenn Wallenstein sich gegen die legitime Macht des Kaisers erhebt, so steht er in einer tragischen Konfliktlage. Er
steigt kraft seiner Persönlichkeit zu einer Stellung empor, in der er mit dem Kaiser
kollidieren muß. Der Kaiser empfindet diese Kollision, er ist es, der zum Schlage
gegen Wallenstein ausholt. Inneres und Äußeres reizen Wallenstein an, sich gegen
den Kaiser zu behaupten. An seinen ersten Entwürfen dieses Dramas bemängelt
Schiller, daß hier der Charakter noch zuviel, die Verhältnisse noch zu wenig täten.
Er schreibt «Wallensteins Lager», das Wallensteins Verbrechen erkläre, er schiebt
die größere Schuld den Gestirnen zu. Auch liebt es der Dichter, nicht die sachlichen Ansprüche der legitimen Gewalt zu betonen. Der Kaiser tritt im Drama
Schillers nicht auf, so daß der Dichter sich ganz auf das tragische Schicksal seines
Helden konzentrieren kann. Coriolan wird durch den Neid der Tribunen zum Verrat am Vaterland getrieben. Macbeth fällt nicht durch einen der Söhne des Königs
Duncan, sondern durch Macduff, dessen Familie er ermordet hat. Weislingen
agiert gegen Götz als Diener der persönlichen Interessen Adelheids von Walldorf;
der Kaiser wird nur für dieses Private benutzt. Weniger ist es die Königin, als die
eifersüchtige und gekränkte Frau, die das Todesurteil der Maria Stuart unter-
schreibt. Auch Geßler fällt nicht durch den Freiheitshelden Tell, sondern durch
den Schützer seiner Familie. Tritt aber der Mensch als der Böse auf, handelt er als
solcher im Drama, so wahrt der Dichter auch hier noch den Menschen. Dieser
Richard in dieser Situation entschließt sich, ein Bösewicht zu werden. Er ist der
körperlich Mißgestaltete, doch unter seinen Standesgenossen der Klügste, Tapfer-
ste, Willensmächtigste. Der Tod des Königs ist nahe. Er ergreift die ihm günstige
Stunde. Wenn Christian Felix Weiße seinen Richard III. zum Ungeheuer macht, so
verfehlt er, nach Lessing, nicht nur die tragische Wirkung, sondern auch den tragischen Sinn. Die alten Dichter hätten lieber die Schuld auf das Schicksal gescho-
ben, sie mehr zum Verhängnis einer rächenden Gottheit gemacht, als daß sie uns
bei der gräßlichen Idee hätten verweilen lassen, der Mensch sei von Natur einer solchen Verderbnis fähig[21].

Die tragische Beschaffenheit des Menschen kann sich im Bereich des Sittlichen nicht klären, weil sie sofort hierüber hinaus weist in das Religiöse. In der Antike ist der Mensch tragisch, insofern er mit den Göttern kollidiert. Er ist der schlechthin von den Göttern Bedingte. Er ist das Wesen, dem die Götter Gesetz, Maß, Schranke gegeben haben. Doch ist der Mensch mehr als Natur; er kann das Unbedingte erstreben. Hier tritt ein weiterer Zug menschlicher Bedingtheit auf: der Mensch, der tragisch wird, indem er das Maß menschlicher Bedingtheit überschreitet. Im Bereich des Physischen ist nicht nur der Mensch tragisch, dem der Besitz des durchschnittlich Normalen versagt ist, sondern auch der, der diesen Grad ungewöhnlich überschreitet. Die Schönheit Helenas ist tragisches Verhängnis. Goethe stellt so seine Helena im «Faust» vor, doch begegnet dieses Motiv auch in anderen Stoffen, im Schicksal der Emilia Galotti, der Agnes Bernauer, ja der Rose Bernd. Den Mann gefährdet das Übermaß an heldischer Tugend, einen Achill, und noch den Herzog Albrecht von Bayern im Drama Hebbels (Agnes Bernauer). Titanen und Halbgötter sind zum Scheitern bestimmt wie Prometheus, Herakles. Die Erhebung des Menschen zu den Göttern kann Verhängnis sein, wie für Tantalus. Hippolytos ordnet sich nicht ins Menschliche ein, indem er, der keusche Jüngling, der Aphrodite den Dienst verweigert, ähnlich will Pentheus nicht dem Dionysos dienen.

Im christlichen Drama tritt die Stellung des Menschen zu Gott in einem präziseren Sinnganzen hervor. Gott ist das schlechthin absolute positive Sein, worin allein der Mensch sich erfüllt. Für Hybris ist auch hier Raum, daß der Mensch den Kreis seiner Bestimmung überschreitet. Faust möchte alle Höhen und Tiefen des Seins erkennend und erlebend durchdringen. Karl Moor möchte Statthalter Gottes auf Erden sein, Franz Moor sich selbst und seinen Egoismus an die Stelle der göttlichen Ordnung setzen. Überall erscheint der Mensch als der auf Schranke und Ordnung Verpflichtete, der seine Bedingtheit im Streben nach dem Unbedingten äußert.

Der Dichter zeigt den Menschen einmal in seiner bestimmten Beschaffenheit. Hierzu gehört auch des Menschen Stellung zu sich selbst, zu der Wirklichkeit; daß er Ansprüchen genügt oder vor ihnen versagt. Im Geschehen selbst sieht der Zuschauer diesen Menschen, er sieht ferner dieses Menschen Schicksal. Damit tritt ein zweites Moment des Erhellens hervor, indem man sieht, was dem so gearteten Menschen geschieht. Dies ist zunächst eine Demonstration für den Zuschauer. Doch ist auch möglich, daß dieses Geschehende sich dem tragischen Helden demonstriert. Er erfährt selbst die Wirkung des tragischen Vorgangs, er zeigt dem Zuschauer das in ihm Bewirkte.

Solches Bewirken im tragischen Helden selbst kann fehlen. Der tragische Held wird von seinem Schicksal nicht so gestellt, daß er sich stellen muß. Dies trifft für Wallenstein zu. Er glaubt sich zu den Schweden gerettet; er wird in dunkler Nacht jäh ermordet. Auch Faust erfährt sein eigentliches Schicksal nicht. Er scheitert immer wieder, doch verbleibt er immer in dem Partikularen einer Katastrophe. Er wird nicht einsichtiger, heller, klarer, geläuterter, besser. Den Greis fesselt die Erde am meisten, verdunkelt am meisten sein Bewußtsein, Wahn umfängt ihn bis zur Todesstunde. Es wird kein Bewirken im Helden gesehen, sondern nur

Gottes Wirken, dessen Liebe und Gnade ihn erlöst. Doch ist dieses Wirken im Menschen von Wichtigkeit. Je weniger die Frage nach Grund und Sinn des sich knüpfenden tragischen Zusammenhangs einhellig beantwortet werden kann, desto wichtiger ist es zu sehen, was dieses Geschehen für den Menschen, für sein Seinsbewußtsein, für seine Stellung zur Wirklichkeit bedeutet. Das Gewicht des Erhellens verlegt sich dann an das Ende der tragischen Darstellung. Herder betont, daß die Griechen die Frage nach den letzten Ursachen des tragischen Geschickes nicht gestellt haben. Sie nahmen diese Verfassung menschlichen Seins als gegeben hin. «Ohne zu grübeln, warum von Ewigkeit her der Sohn des Laios verdammt gewesen, ein Ödipus zu sein, begnügten sie sich damit: ,er war's! in Glück und Unglück ...' Hier war die Frage nicht: warum solche Schicksale die Menschen treffen, sondern wenn und weil sie treffen, wie sind sie anzusehen? wie sie zu ertragen [22].»

Der Dichter zeigt solches Bewirken, doch ist dies sehr verschiedener Art, und dies nicht nur in verschiedenen Räumen, Zeiten, Dichtern, sondern auch jeweils bei dem einzelnen Dichter. Bei Schiller kann Wallenstein seinen Untergang nicht in seine Besinnung aufnehmen, Maria Stuart hingegen erfährt ihn in allen seinen Stadien durch und läutert sich in ihm.

Der tragischen Person kann durch fremde Macht der leibliche Untergang bereitet werden. So sterben Antigone, Hippolytos. Sodann kann solche Person vor einem Schrecklichen stehen, das geschehen ist. Es kann dies ein Schreckliches sein, das sich für sie schlechthin ereignet. So erlebt Hekuba den Untergang ihrer ganzen Familie, oder Frau Alving steht vor ihrem dem Wahnsinn verfallenen Sohn. Es kann aber auch diese Person das Schreckliche selbst verursacht haben, wie Mellefont den Tod der Sara Sampson, Clavigo den Tod der Marie Beaumarchais, Faust Gretchens Tod, oder er kann dieses Schreckliche selbst verübt haben, wie Othello an Desdemona, Ferdinand von Walter an Luise Miller, Don Cesar an seinem Bruder Manuel.

Die negativste Antwort liegt da nahe, wo sich der tragischen Person das Schreckliche enthüllt. Die Folge kann schlechthin die Verzweiflung sein. So steht Frau Alving vor ihrem wahnsinnigen Sohn. So erfährt Borkman, daß sein Glaube, er werde ins Leben zurückkehren, noch einmal auf der Höhe der Macht stehen, Illusion war. Verzweifelt auch sind Ödipus oder Herakles nach Enthüllung ihres Schicksals.

Verzweiflung kann den Menschen in den Tod führen. Solchen Verzweiflungstod stirbt Helene Krause, nachdem Loth sie verlassen hat, ihr die letzte Hoffnung auf Rettung genommen ist. Dem Verzweiflungstod steht nahe der Tod als letzter Ausweg in sonst auswegloser Lage. Fernando hat seine Gattin Cäcilie verlassen, dann mit Stella zusammengelebt, dann auch diese verlassen, um, vergeblich, seine Gattin zu suchen. Zu Stella zurückkehrend, trifft er hier auf beide Frauen, auf zwei durch ihn Unglückliche. Er flieht in den Tod.

Hier ist eine weitere Folge verspürbar, das Zerrüttende. Die Situation überlastet die tragische Person seelisch. Sie wird wie in eine seelische Krankheit gestürzt. Clavigo wird so durch seine Schuld gegenüber Marie Beaumarchais zerrüttet. Er hat sie verlassen. Von ihrem Bruder gemahnt, bereut er, kehrt zurück, findet eine durch Krankheit Zerstörte, flieht wieder, Marie stirbt. Bei ihrem Leichenzug auf den Bruder treffend, gibt er sich dessen Degenstößen preis. Faust ist zerrüttet durch das Schicksal Gretchens, Orest durch den Muttermord. Auch Tasso wird zerrüttet.

Den Personen eignet dann eine besondere seelische Labilität, die Anlage zum Zerrüttetwerden. Dies stellt besonders Gerhart Hauptmann dar. Seine Rose Bernd, Dorothea Angermann, noch mehr seine Männergestalten, Johannes Vockerath, Fuhrmann Henschel, Gabriel Schilling, Geheimrat Clausen erfahren im tragischen Geschehen etwas Zerrüttendes. Der Freitod besiegelt diesen Zustand. Poetisches Zeichen solcher Zerrüttung kann der Wahnsinn sein. Lear, Ophelia, Gretchen verfallen dem Wahnsinn. Otto Ludwig bedient sich dieses Motivs in der «Pfarr-Rose», Gerhart Hauptmann in der wohl nicht zufällig namenähnlichen Rose Bernd.

Der Mensch wird hier gezeigt als der durch die tragische Situation zu Ruinierende. Dieser Ruin kann endgültig sein, indem der tragische Held im Tode endet. Doch kann auch Aussicht auf eine positive Lösung in der Zukunft bleiben. Orest wird von den Erinnyen befreit, Faust wird durch höhere Gnade wieder auferschaffen. Herakles kann seine Verzweiflung überwinden; auch Ödipus kann sich mit seinem Schicksal in Übereinstimmung bringen. Der Mensch wird nicht zerrüttet, verzweifelt nicht absolut, sondern er wahrt sich.

Dieses Sichwahren kann sich ganz nur auf die tragische Person beziehen, die sich als Person nicht preisgeben will. Sie steht meistens in einer Situation, in der sie nur durch den Tod sich wahren kann. Hedda Gabler, wenn sie fortlebte, würde von dem Assessor Brack abhängig. Sie gibt sich, die ohnehin in ihrer Liebe zu Lövborg gescheitert ist, selbst den Tod. Gräfin Terzky könnte fortleben. Doch, sie, die groß gestrebt hat, kann nicht klein fortleben.

Dieses subjektive Moment des Sterbens, daß es hierbei der Person um sich selbst geht, faßt den Sinn dieses Todes in sich. Der Tod soll nicht Mittel zur Förderung einer Sache sein. Auch da, wo die tragische Person sich für eine außersubjektive Wirklichkeit entscheidend einsetzt, wird doch dieses Subjektive als wesentlich empfunden. Die Freiheit, die ein Marquis Posa für die Niederlande erstrebt, ist nicht mehr aktuell und kann stets utopisch gewesen sein. Was bleibt, ist die Stellung des Subjekts, das sich für ein Ideelles, für die Wohlfahrt des Mitmenschen, so absolut einsetzt. Doch ist das Subjekt an sich selbst nicht die letzte Wirklichkeit, der letzte Wert. Das Selbstsein des Menschen erfüllt sich erst in einem übersubjektiven Sein. Dieses Sein muß dann wie des Menschen Selbstsein erfahren werden; es ist das Sein, das der Mensch zum erfüllten Selbstsein erstreben muß. Dies ist das Sein als Gott. Im Bezug hierauf gewinnt oder verliert sich der Mensch. Alle Wirklichkeiten zwischen diesem Absoluten und dem Menschen bleiben relativ, der Einsatz für den Mitmenschen, das Vaterland, die Menschheit. Sie werden absolut nur von Gott her, insofern dieser zu solchem Einsatz verpflichtet. Sollen sie ohne Gott absolut sein, so sind sie im Horizonte einer säkularisierten Weltansicht erfaßt, für die das Soziale, Patriotische, Humane der letzte Seinshorizont ist.

So faßt Selbstwahrung die Seinswahrung in sich, und Seinswahrung ist mit Selbstwahrung eins. Der Akt der Hedda Gabler, worin nur dieses Selbst empfunden wird, bleibt eigentümlich leer. Mehr wahrt schon die Gräfin Terzky den Menschen in seiner Würde als freies Vernunftwesen. Noch deutlicher wird dies, wenn in solchem Akt betont eine sittliche Wirklichkeit gewahrt wird.

Die den Menschen umgreifende Macht dieses Sittlichen kann zweifach eindringlich gemacht werden. Einmal erfährt der Mensch diese Macht ursprünglich als ein schlechthin Verpflichtendes; dem steht der Drang der Situation entgegen. Der Mensch kann dieses Sittliche nur durch seinen Tod wahren. Dies trifft für Emilia Galotti zu. Zugleich ist hier die Schwäche da, die Gefahr des Verfehlens, des Falles. Indem der Mensch fällt, stört er eine ihn umgreifende sittliche Ordnung. Damit wird das Fallen zum Appell zu deren Wiederherstellung.

Dieser Appell wird um so dringlicher, je tiefgreifender die Störung ist. Es ist Schreckliches getan worden. Othello hat Desdemona getötet, Don Cesar den Bruder, Karl Moor ist in ein Meer von Blut geschritten, Mellefont hat den Tod Saras verschuldet. Die sittliche Ordnung ist gestört. Nur durch einen Sühnetod kann sie wiederhergestellt werden.

Hier wird ein höherer, religiöser Anspruch sichtbar. Es gibt eine Ordnung von Gott her; der Mensch soll ihr gemäß da sein. Zunächst scheint, als wäre der Mensch gesichert, wenn er dieser Ordnung gemäß lebt. Doch ist dies eine Ordnung eigner Art, vom Menschen undurchdringlich, dem Menschen von seinem Irdischen her unverständlich. Sie ist eine Ordnung transzendenter Mächte, und ihr Positives ist, daß sie den Menschen sich gemäß wirklich haben will.

Solche Ordnung kann sichtlich durch den Menschen gestört werden. Ein Konflikt tut sich auf zwischen menschlichem und göttlichem Sein. Solcher Konflikt kann mehrere Generationen durchziehen, im Geschlecht des Tantalus, des Laios, der Fürsten von Messina. Am Ende des langen Ganges steht die letzte Katastrophe oder die Versöhnung. Zuletzt wird hier auf das problematische Sein des Menschen zurückgewiesen, daß er wie durch einen Abfall vom absoluten Sein konstituiert ist. Prometheus hat den Menschen in jetziger Unabhängigkeit erst ermöglicht, indem er ihm das Feuer gab, also zuerst die Naturmacht dem Menschen zur Erweiterung seiner Macht überantwortete. Der Mensch hörte auf die Einflüsterung der Schlange, daß er durch Erkenntnis sein könne wie Gott. So ist jeder Mensch schlechthin schon in einem problematischen Verhältnis zu Gott und den Göttern da. Jeder Mensch kann von dem göttlichen Sein her ergriffen, für jeden Menschen kann der Ausgleich zwischen menschlichem und göttlichem Sein akut werden. In diesem Sinne war Ödipus bestimmt: die Götter hatten schon über ihn die große Abweichung beschlossen, die dem Menschen grundsätzlich zugehört. Diese Abweichung sollte geschehen ohne persönlichen Willen, ohne wach erworbene Schuld. Sie lag in seinem Schicksal als Mensch. Sie bereitete ihm den tiefsten Sturz. Aber sie ermöglichte auch eine Aussöhnung besonderer Art. Ödipus erhebt sich wieder als Mensch durch seine Aussöhnung mit den Göttern, und die Götter zeichnen diesen Ödipus aus. Es gibt nach Goethe «wohl keine höhere Katharsis als der Ödipus von Kolonos, wo ein halbschuldiger Verbrecher, ein

Mann, der durch dämonische Konstitution, durch eine düstere Heftigkeit seines Daseins, gerade bei der Großheit seines Charakters, durch immerfort übereilte Tatausübung, den ewig unerforschlichen, unbegreiflich-folgegerechten Gewalten in die Hände rennt, sich selbst und die Seinigen in das tiefste unvorstellbarste Elend stürzt, und doch zuletzt noch aussöhnend ausgesöhnt» wird. Der mit den Göttern ausgesöhnte Ödipus aber wird «zum Verwandten der Götter, als segnender Schutzgeist eines Landes und eines eignen Opferdienstes wert, erhoben[23]». Auch Nathan ist der in dieser Weise Auserwählte, ein durch Gott geprüfter und begnadeter Hiob.

Hier überall ist der Mensch ein Wesen, das zu Gott in einem vorwiegend moralischen Verhältnis steht. Im jüdisch-christlichen Theismus ist Gott der absolut Heilige; der Mensch doch stets im Banne der Sünde. So ist vorwiegend der Mensch moralisch bedroht, er wird als moralisches Wesen gerettet. Gryphius in «Cardenio und Celinde» zeigt den Menschen, der, seinem eignen Willen überantwortet, fallen muß; nur Gott kann ihn bewahren. Der Mensch ist dann ein Wesen, das durch sein Scheitern im endlichen Leben moralisch auf den Weg zu Gott gebracht wird. Für Arnim in seiner Neudichtung des Dramas von Gryphius wird dieser Weg fertig beschritten. Der Mensch kommt zur Schuldeinsicht, zur Reue, zur Buße. Er endet in der Erlösung. Auch Richard Wagner zeigt solchen Weg im «Tannhäuser» und «Parcival». Strindberg zeigt den Menschen auf dem Wege nach Damaskus. Doch ist diese moralische Bedingtheit nur eine Seite der Endlichkeit des Menschen vor Gott; die allgemeinere Schranke ist des Menschen vor Gott bedingtes Sein. Es scheint dann des Menschen durchschnittlicher Zustand, daß er in dieser Bedingtheit wie selbstverständlich lebt, daß für den Menschen das Dasein, wenn er in ihm nicht zu peinlich gepreßt wird, wie das Sein ist. Danach gehört dem Menschen ursprünglich die Daseinsverhaftung zu. Sie ist eins mit der Verhaftung des Menschen an sich selbst, denn das Dasein ist hier der Raum für des Menschen auf sich selbst zentriertes Selbstsein. Es ist dann Sinn und Ziel des tragischen Vorgangs, den Menschen dieser Daseinsdurchschnittlichkeit zu entreißen. Der Mensch wird vor die Schranke dieses Daseins, vor die Vernichtung gestellt. Es erwächst ihm so die Aufgabe, an dieser Schranke das Sein zu gewinnen. Sein Tod gewinnt den Sinn der Seinsgewinnung. Der Mensch erfährt sich jetzt erst des wahren Seins teilhaftig, wenn er dieses Dasein verliert.

Der Dichter zeigt dann den Menschen, wie er in der Mitte des Lebens lebt, wie ihm dieses Leben vernichtet wird. Shakespeares Charaktere erfahren diese Situation vorwiegend heroisch, ohne viel Raum für sich ausbreitende Besinnung. Breitere Besinnung vergönnt Goethe seinem Götz, indem er an einer Wunde dahinsiecht. Hier herrscht das Gefühl vor, daß das Leben gebrochen ist. Die Wurzeln von Götzens Leben sind abgehauen, seine Kraft sinkt zu Grabe. Doch ist Tod zugleich Befreiung, Übergang in einen höheren Bereich. Freiheit war die Grundforderung Götzens in seinem ganzen Leben; doch war dies wohl mehr ein Bedürfnis metaphysischer als bloß individueller oder politischer Art. Diese Freiheit schenkt dieses Leben nie. Erst im Tode wird sie erfahrbar, und Götz spricht in seinen letzten Worten dieses Erfahren aus: «Himmlische Luft – Freiheit! Freiheit!», und

seine Gattin Elisabeth verdeutlicht: «Nur droben, droben bei dir. Die Welt ist
ein Gefängnis!» Seinem Egmont gestaltet der Dichter die Todessituation noch
viel radikaler. Seinen Götz macht er zu einem gebrochenen, Mitleid erregenden
Greis; seinen Egmont stellt er aus der Mitte des Lebens heraus vor einen schimpf-
lichen Tod. Er hat zugleich in ihm die Lebensmacht aufs äußerste gesteigert; was
bei Götz wie der Hintergrund eines sich doch in der praktischen Tat erfüllenden
Lebens ist, das ist für Egmont ein grundsätzliches Prinzip. Egmont weiß, daß er
um des Lebens willen lebt. Zugleich berührt er durch dieses Leben das Schicksal-
volle; er ist bereit, für dieses absolute Leben auch einen höchsten Preis zu zahlen.
In diesem Leben steht ihm der Tod bevor; er, der Ungebrochene, sieht sein Ende
auf dem Schafott voraus. Hier führt der Blick auf den Tod zu dem Aufschwung,
worin der Seiende das Leben hinter sich läßt und ein Einsatz für ein Seiendes, hier
für die Freiheit des Volkes, höher zu sein scheint als die Bewahrung des eignen
Lebens.

Ähnlich bildet Schiller Charakter und Lage seiner Maria Stuart. Statt des lebens-
mächtigen Mannes steht im Mittelpunkt die lebensmächtige Frau. Nur wird sie
nicht mehr in diesem Leben, sondern schon als Gefangene gezeigt, doch in einem
Zustand, worin sie für ihr Leben noch hoffen kann. Auch ihr wird diese Hoffnung
genommen, auch sie steht vor dem Tode auf dem Schafott. Auch sie fühlt, wie sie
an der Grenze dieses Lebens, dieses Leben hinter sich lassend, sich erst ganz gewinnt. Vor dem Tode fühlt sie ihre Freiheit, die Wiederherstellung ihrer geschän-
deten Person.

*Den Menschen adelt,*
*Den tiefgesunkenen, das letzte Schicksal.*
*Die Krone fühl ich wieder auf dem Haupt,*
*Den würd'gen Stolz in meiner edlen Seele.*

Wohltätig heilend naht ihr der Tod. Auch für sie war die Welt ein Kerker, der
nun aufgeht, auch für sie fallen die Bande, die frohe Seele schwingt sich auf Engels-
flügeln auf zur ewigen Freiheit.

Der Tod ist hier wie Befreiung von der Schranke der Leiblichkeit, der Übergang
in das Unendliche des geistigen Seins. Dies kann noch als eins erfahren werden mit
dem absoluten Sein Gottes, hier geht der Aufschwung über das Körperliche hinaus.
Hier wird für den Menschen festgehalten, daß dieses irdische Dasein, mit aller
Schranke, doch für den Menschen der natürliche Boden seines Seins ist, daß er den
Leib zugunsten des Geistes überwinden muß. Die Tragödie manifestiert die geistige Kraft des Menschen, zeigt den Menschen mit einem höheren heroischen Charakter. Hier ist der alte menschlich und religiös konkrete Grund menschlichen Daseins noch festgehalten, daß das Übersinnliche über allem Sinnlichen steht, daß
dies nur durch einen entschiedenen Akt, durch das Betreten einer neuen Seins-
ebene zu erreichen ist. Hingegen ist die Romantik bemüht, diese Spannungen zu
mildern und auszugleichen. Der Mensch scheint nur wie ein Teil in einem natur-
haft-geistigen Ganzen, er scheint schon in diesem Leben selbst, durch philosophische oder ästhetische Erfahrung, dieses Ganzen teilhaftig werden zu können.

Es ist kein harter Gegensatz zwischen dem menschlichen und dem göttlichen Sein, keine harte Spannung zwischen menschlichem Daseinswollen und dem Anspruch Gottes, dieses ganz ihm aufzuopfern. Vielmehr ist der Mensch, als der Endliche, von sich aus schon von Sehnsucht nach dem Unendlichen erfüllt; sein Dasein in dieser Welt ist wie eine Schranke, die er selbst zu überschreiten bestrebt ist. Säkularisierte mystisch pantheistische Stimmungen drängen sich hier vor.

Der Tod gewinnt in ihnen einen neuen Aspekt. Sterben ist die Befreiung von dem relativen Nichtsein, der Übergang in das reine Sein. Der Aufschwung über das Dasein hinaus ist nicht mehr nötig. Die Bewegung führt mehr in die Tiefe als in die Höhe, mehr in einen dunklen Lebensgrund als in die Helle des Geistes. Das erotische Erlebnis gewinnt hier weltanschauliche Bedeutung: in ihm fühlt sich das Ich von den Schranken seiner Endlichkeit befreit, in das Ganze des Alls zurückgetaucht. Der Mensch scheint dann ein Wesen, das reif werden muß zum Tode. In Kleists «Prinzen von Homburg» ist die Staatsordnung nicht mehr repräsentativ für die letzte Ordnung von Gott her, nicht mehr der Verstoß gegen das Gesetz das letzte Vergehen; sondern eine Natur des Lebens, erfüllt von Liebe und Ruhm, wird vor den Tod gestellt. Die Härte des Sterbenmüssens bleibt gewahrt, sogar über Goethe und Schiller hinaus; das Sichklammern an das Leben, das für Goethes Egmont nur ein Moment bleibt, wird hier stärker betont, bis zum Zusammenbruch vor dem Tode. Auch hier ist ein Aufschwung des Charakters nötig, um diese Situation zu bewältigen. Doch daß der Prinz fortlebt, zeigt schon ein neues Verhältnis zum Tode an: der Tod kann in dieses Leben aufgenommen werden. Es wird in diesem Lebensbereich, wie durch Novalis in der erotischen Mystik seiner Hymnen an die Nacht, die Schranke des Irdischen gesprengt. Zugleich büßt auch der Tod so seine letzte Härte ein, daß er vor dem Menschen wie das mögliche Nichts steht. Seine Seele sei zum Tod ganz reif geworden, bekennt Kleist[24]. Bei Zacharias Werner verschmelzen sich in seinen Personen Liebe und Tod, die Freiwerdung vom Selbst in der Liebe zum Tod wird enthusiastisch erfahren. So sterben auch Tristan und Isolde, in einer erotisch gestimmten Todesseligkeit. Auch bei Gerhart Hauptmann sind die Personen oft an sich schon todesnahe; es ist nur eine dünne Wand, die sie vom Tode trennt. Gabriel Schilling geht in das Meer, in das Allhafte, Reine. Geheimrat Clausen fühlt sich schon vom Tode berührt; er läßt das Leben hinter sich als Schüler des Marc Aurel. Iphigenie erliegt dem Anruf der chthonischen Gottheit.

Überprüft man das von den tragischen Personen in der letzten tragischen Situation Erfahrene, so ist einmal der Akzent auf das persönliche Erfahren, auf das Erleiden oder Vollziehen gelegt, ferner wird dieses Erfahren erhellt im Raum des gegenwärtigen metaphysischen Wissens. Bei den Griechen dominiert das Verhältnis zu den Göttern, im christlichen Raum das Verhältnis zu Gott. Die Personen bei Gryphius leben und sterben ganz im Bezug auf Gott. Auch Sara Sampson ist eine christliche Sterbende, die ihr Schicksal als Christin erfährt. «Wir sollten dir Mut einsprechen», sagt Sir William, «und dein sterbendes Auge spricht ihn uns ein.» Und Sara: «Die bewährte Tugend muß Gott der Welt lange zum Beispiele lassen, und nur die schwache Tugend, die allzuvielen Prüfungen vielleicht unter-

liegen würde, hebt er, plötzlich aus den gefährlichen Schranken.» Dieser Hintergrund wandelt sich seit 1800 im Sinne der romantischen Philosophie, des Positivismus, des Naturalismus. Der Bezug auf den transzendenten Bereich wird zuerst ver-
harmlost durch die Idee eines totalen immanenten Seins, in das der Mensch nur
hineinzugleiten glaubt, er wird dann entleert und verdunkelt. Doch auch da, wo
der Dichter diesen Bereich selbst noch wach und dringlich gegenwärtig hat, gestaltet er zuerst als Dichter, nicht als Verdeutlicher einer bestimmten Weltanschauung oder Religion. Für Schiller ist die Todesbereitschaft der katholischen
Maria Stuart poetischer Gegenstand, Stoff für sehr rührende und für erschütternde
Auftritte. Egmont bleibt auch noch im Sterben diese Natur des Lebens, vielleicht
zu sehr Leben, um in die letzte Tiefe der Wandlung zu gelangen. Er, als der lebensvolle Held, stirbt noch für die Freiheit, er stirbt zur eignen Freiheit. Dem möchte
der etwas opernhafte Schluß entsprechen.

# ZWEITES KAPITEL

# DIE ERHELLENDE SCHAU UND REDE

Die Grenzen zwischen dem Erhellen durch Zeigen und durch Rede sind fließend. Die Personen zeigen, indem sie reden. Doch die Rede kann das Geschehen aussprechen und fortführen, sie kann Zustände des Gemüts ausdrücken, kann Seinsakte bekennen, sie kann durch Besinnung erhellen. Mit der Rede dieser letzten Art haben wir es zu tun.

Es gibt zwei Pole der Schau, die des bloßen Lebensgeschehens, die bloß Leben zeigt und wirken läßt, und der Schau der idealen Erhellung, die weitgehend verdeutlichen will. Kolbenheyer spricht hier von dem Ideogenen und Ästhetogenen, von Darstellung, die die Klarheit der Idee und solcher, die nur sinnenhafte Wirklichkeit und Wirkung erstrebt, und er sieht von jener einen Gipfel im deutschen Klassizismus, von dieser im Naturalismus[1].

Im ersten Falle liegt das Erhellende schon im Thema: das Schicksal des Königs Ödipus, Agamemnons und seiner Kinder, der Fauststoff, die Konzeption des «Nathan». Dem Thema, das den Menschen schon im Zusammenhang mit göttlicher Wirklichkeit zeigt, entspricht die Behandlung; es soll klärende Darstellung erreicht werden. Diesem Ziele dient auch der schöne Stil. Er ist zunächst ein rein ästhetisches Element, indem er das Bedürfnis nach dem Schönen und Idealen befriedigt, doch macht er den Dichter auch von den Rücksichten realistischer Illusion frei. Der Dichter kann in seinen Personen die Besinnung über das Realistische hinaus steigern, er kann ihrem Denken Raum und Tiefe leihen, ja er kann besondere Organe für diese Besinnung schaffen.

Die Grundformen für dieses Erhellende haben die Griechen ausgebildet. Die erhellenden Stoffe waren ihnen gegeben, der Zug ihrer ganzen Kunst ging auf das Schöne hin; ferner war ihnen als Zentrum der sakralen Schau der Chor gegeben. Mit der Ausbildung der tragischen Handlung hörte er auf, dieser Mittelpunkt zu sein; um so mehr übernahm er die Funktion der erhellenden Besinnung. Mit dem Chor besprach sich die tragische Person, der Chor sprach sich über das Geschehen aus. «Er war im eigentlichen Verstande», sagt Herder, «die Zunge an dieser Waage; was niemand sagen durfte und sagen mochte, sprach er. Daher war und ist das griechische Theater so bildend. Es faßt die Begebenheit von allen Seiten, kehrt sie auf alle Seiten; es ergreift uns ... nicht durch die Verkündigung, sondern durch die Affekten selbst, die uns ergreifen[2].»

Das antike Drama bietet demnach eine zweifache Besinnung, die der tragischen Personen und die des Chors. Den Personen eignet eine höhere Besonnenheit; es sind auch Auftritte möglich, in denen die tragische Situation erörtert wird. Doch geht das Erhellende nicht über die Fixierung des Faktischen hinaus. Nachrechnungen über die Herkunft eines Unglücks führen in eine Vergangenheit, die jeweils jede Person in ihrem Sichverhalten menschlich und sachlich begründet. Klytaimnestra will nicht schnöde Ehebrecherin sein. Agamemnon hat, durch Opferung der Iphigenie, das Herz der Mutter tödlich verwundet. Der Argumentierende hat von seinem Blickort her recht, ist in seinem Verhalten gerechtfertigt. Das Unglück wurzelt in einem höheren umgreifenden Verhängnis, letztlich in den Göttern selbst, mit denen der Mensch, oft ohne Wissen und Willen, kollidiert ist. Der Chor geht wenig über die Feststellungen allgemeiner Lebensweisheit hinaus. Die Götter regieren, sie haben das Gesetz gegeben; es ist Pflicht und Weisheit des Menschen, sich ihnen zu fügen. Der Chor will mithin keinen eignen, keinen neuen Reflexionsgehalt geben, sondern nur alte Weisheit festhalten, für sie wach halten. Teils auch scheint er selbst beteiligt zu sein; was er sagt, ist wie der Reflex momentaner Erschütterung. Dies Allgemeine ist so, daß es oft einem Gemeinplatz sich nähert. Es kommt nur auf die runde, klare, selbstverständliche Aussage an. Sophokles läßt am Ende der «Antigone» den Chor dieses sagen:

*Besonnenheit deucht von den Gaben des Glücks*
*Die erhabendste mir. Nie frevle der Mensch*
*An der Götter Gesetz! Der Vermessene büßt*
*Ein vermessenes Wort mit schwerem Gericht,*
*Und der Trotzige lernt*
*Noch spät in dem Alter die Weisheit.*

    Wilamowitz ironisiert die Neigung der Philosophie, hierin eine dringliche, ja eine die Idee des Dramas enthüllende Bekundung des Dichters zu sehen. Für ihn erfüllt solche Rede nur eine Funktion im Drama; sie dient hier dem letzten Ausklang des Geschehens. Das Drama ist beendet, der Zuschauer ist schon im Begriff aufzubrechen. Hier mehr zu geben als einen trivialen Satz wäre für den Dichter ein Einsatz am falschen Ort[3]. Ein Beispiel für das situationsbedingte Partikulare gibt Sophokles am Ende seines «Ödipus auf Kolonos». Ein Menschenleben hat geendet, das voll des tiefsten Jammers und Leidens war. Der Chor sagt unter diesem Eindruck:

*Nie geboren zu werden ist*
*Weit das beste, doch wenn du lebst,*
*Ist das Zweite, dich schnell dahin*
*Wieder zu wenden, woher du kamst.*

Auch hier kann solcher Spruch nicht als verbindliche Bekundung von des Dichters Lebensgefühl oder Weltanschauung gewertet werden.

    Das Allgemeine oder das Beschränkte in der Rede des Chors rechtfertigt sich durch dessen umfassendere Funktion, daß er nicht mit der Güte seines Reflexionsgehaltes steht oder fällt. Er ist eine höher teilnehmende Person, nicht aus dem dramatischen Zusammenhang herausgelöst. Er soll, nach Horaz, dem Tugendhaften Freund und Ratgeber sein, den Hader stillen, den Zorn besänftigen, die Mäßigkeit segnen, die Gerechtigkeit, die Gesetze, den Frieden. Er soll die Götter ehren und zu ihnen beten, daß sie die Unterdrückten erheben und den Hochmütigen zu Boden stürzen[4]. Dies alles aber bietet er als künstlerische Gestaltung dar. Seine Sprache ist lyrisch, sein Ausdruck musikalisch; hinzu kommt die Bewegung des Tanzes.

Als solches künstlerisches Element übernehmen den Chor die nachantiken Humanisten. Seine Funktionsbedeutung nimmt ab. Im humanistischen Sprechdrama kann ihm ein eigener künstlerischer Ort nicht mehr angewiesen werden; an eine weltanschauliche Bedeutung wird ohnehin nicht gedacht. So siegt das klassizistische Drama, das sich der Chöre nur in besonderen Fällen, in besonders antikischen Dramen bedient. Wo im barocken Drama der Chor durchgängiger gewahrt wird, wie auch bei Gryphius, ist er lyrische Einlage, ein Element in dem Ganzen eines vorwiegend lyrisch rhetorischen Dramas. Das Sinnenhafte der Chöre wahrt mehr die Oper, wobei sie diese Seite isoliert: so gehört zur Oper der Chor als Ensemblegesang, ferner das Ballett, wofür auch die römische Pantomime schon ein Vorbild bot. Erst Schiller versucht wieder den Chor im Sinne der Antike zu erneuern.

Schiller sieht, daß hier das Ganze eines überrealistischen Dramas erstrebt werden muß. Denn eine realistisch naturalistische Gestaltung will auch wie solche Wirklichkeit wirken, d. h. durch die Gewalt des Lebens selbst. Der wahre Künstler aber vermeidet für Schiller die blinde Gewalt der Affekte, er hebt die naturalistische Täuschung auf, um den Zuschauer in höhere Freiheit zu versetzen. Diese Freiheit ist die nie geraubte Besonnenheit; sie setzt solche Besonnenheit auch in der dramatischen Darstellung voraus. Die Personen des Dramas selbst dürfen nie dem bloßen Affekt verfallen, ihre Sprache darf nicht bloß die Gestaltung des Affektes sein, sie müssen auch in der Bewegung des Gefühls noch besonnen, noch sich besinnend sein. Das Drama als Ganzes ist auf solche Besinnung abgestimmt. Dann aber kann diese Besinnung auch als ein Eigenes hervortreten, durch ein eigenes Organ repräsentiert werden. Der Chor reinigt das Gedicht, indem er die Reflexion von der Handlung absondert.

Zugleich ist in dem antiken Drama das Wesen des Chors nicht die reine Reflexion, sondern er ist poetische Realität; er ist in dem antiken Drama als Schaudrama «eine sinnlich mächtige Masse, welche durch ihre ausfüllende Gegenwart den Sinnen imponiert». Wenn er reflektiert, so tut er dies «mit der vollen Macht der Phantasie ..., er tut es, von der ganzen Macht des Rhythmus und der Musik in Tönen und Bewegungen begleitet.» Genauer ist er ein vorzüglich lyrisches Organ. Damit wandelt er nicht das poetische in ein philosophisches Drama um, sondern ist umgekehrt eine poetische Mitte des Dramas, er fordert zur Poetisierung, zu einer lyrischeren Gestaltung des ganzen Dramas auf. Sein lyrischer Schwung legt dem Dichter auf, «verhältnismäßig die ganze Sprache des Gedichtes zu erheben und dadurch die sinnliche Gewalt des Ausdrucks überhaupt zu verstärken.» Der tragische Dichter umgibt «seine streng abgemessene Handlung und die festen Umrisse seiner handelnden Figuren mit einem lyrischen Prachtgewebe, in welchem sich, als einem weit entfalteten Purpurgewand, die handelnden Personen frei und edel mit einer gehaltenen Würde und hoher Ruhe bewegen». So wie er «in die Sprache Leben bringt, so bringt er Ruhe in die Handlung – aber die schöne und hohe Ruhe, die der Charakter eines edlen Kunstwerkes sein muß[5]».

Dieser Chor verläßt zwar den engen Kreis der Handlung, «um sich über Vergangenes und Künftiges, über ferne Zeiten und Völker, über das Menschliche überhaupt zu verbreiten, um die großen Resultate des Lebens zu ziehen und die

Lehren der Weisheit auszusprechen», doch sind dies auch jetzt Einsichten allgemeinster Art, und sie sind, gemessen an der Antike, sogar vager und andeutender.
Denn der antike Dichter sprach doch adäquat eigne religiöse Überzeugungen und
zum wenigsten Überzeugungen eines Publikums aus, er sprach im Raume eines konkreten religiösen Glaubens. Schiller hätte hierzu als Christ sprechen müssen. Da er,
im Gegensatz zu Lessing und Goethe, nicht zu diesem Bekennen vordringt, vielmehr in der poetischen Verdeutlichung tragischer Fügung bleibt, so kann sein
Chor auch nur das Bestehen tragischer Fügungen betonen und bekräftigen. Ihm
ist nur gegenwärtig, daß ein Verhängnis im Hause der Fürsten von Messina waltet.
Dies wird auf Frevel zurückgeführt, der einmal geschehen ist und als Verhängnis
fortwirkt. Ein Raub war's,

> *Der des alten Fürsten ehliches Gemahl*
> *In ein frevelnd Ehebett gerissen,*
> *Denn sie war des Vaters Wahl.*

Dieser vage Frevel hat Folgen, die nun weder im natürlichen Zusammenhang noch
in einer übernatürlichen moralischen Ordnung begründet sind. Sie entstammen
vielmehr dem Fluche des Ahnherrn.

> *Und der Ahnherr schüttete im Zorne*
> *Grauenvoller Flüche schrecklichen Samen*
> *Auf dies sündige Ehebett aus.*

Durch den Fluch scheint das Verdammenswerte sich fortzuzeugen:

> *Greueltaten ohne Namen,*
> *Schwarze Verbrechen birgt dieses Haus.*

Dieser Fluch wirkt sich auch an den Söhnen des Fürstenpaars aus, die durch tiefe
Feindschaft getrennt sind:

> *kein Zufall und blindes Los,*
> *Daß die Brüder sich wütend selbst zerstören,*
> *Denn verflucht war der Mutterschoß,*
> *Sie sollte den Haß und den Streit gebären.*

Auch die jetzige Versöhnung zwischen den Brüdern scheint nicht dauerhaft, denn
schon ist neues Bedenkliches geschehen. Don Manfred hat sich seine Braut aus
dem Kloster geraubt. Der Chor spricht zu ihm:

> *Raub hast du am Göttlichen begangen,*
> *Des Himmels Braut berührt mit sündigem Verlangen,*
> *Denn furchtbar heilig ist des Klosters Pflicht.*

Der Chor kann kein glückliches Ende erhoffen; denn schon zu tief hat sich der
Haß gefressen, zu schwere Taten sind schon geschehen. Der Chor hat das Ende
noch nicht gesehen; auch schrecken ihn ahnungsvolle Träume. Er will sich Wahr-
sagung nicht anmaßen, aber sehr mißfällt ihm dieser geheime,

*Dieser Ehe segenloser Bund,*
*Diese lichtscheu krummen Liebespfade,*
*Dieses Klosterraubs verwegne Tat ...*

Ein hier Wirkendes scheint danach ein durch eine Schuld erzeugter Zusammenhang immer neuer Schuld zu sein. Es wirkt jetzt ein Fluch sich aus, den der Ahnherr ausgesprochen hat.

Ferner aber sind diese Fürsten von dem Schicksal der Großen bedroht, die hoch stehen, aber auch tief fallen können.

*... hinter den großen Höhen*
*Folgt auch der tiefe, der donnernde Fall.*

Schließlich aber ist der Mensch den Göttern ausgeliefert; was der Mensch tut, ihnen zu entrinnen, führt nur das über ihn Beschlossene herbei.

*Wie die Seher verkündet, so ist es gekommen,*
*Denn niemand entfloh dem verhängten Geschick.*
*Und wer sich vermißt, es klüglich zu wenden,*
*Der muß es selber erbauend vollenden.*

Hier überall ist das Erhellende mit der konkreten poetischen Funktion verknüpft, so daß man die Aussage nicht durch ihren Reflexionsgehalt hinreichend erfassen kann. Der Chor klärt die Mitwirkenden über die tieferen Zusammenhänge des Geschehens auf, doch spricht er hiermit auch zum Zuschauer. Dem Dichter, sagen Goethe und Schiller, begegnet die metaphysische Wirklichkeit als «die Welt der Phantasien, Ahnungen, Erscheinungen, Zufälle und Schicksale[6]». So eignet dem Chor auch ein mehr ahnendes Wissen, ein Befürchten für die Zukunft. Dies teilt sich dem Zuschauer mit, daß dem Geschehen tiefere Verhängnisse zugrunde liegen, daß ein unglücklicher Ausgang zu erwarten ist. Der Zuschauer wird durch solches Erhellen mehr tragisch gestimmt als philosophisch oder religiös belehrt. Hier steht für Schiller auch fest, daß nur dies und nicht mehr erreicht werden soll.

Für die erhellende Rede der Personen in solchem Drama kann dasselbe zutreffen. Besonders in der «Braut von Messina» sollen die Personen keine realistisch wirklichen Wesen sein, «die bloß der Gewalt des Moments gehorchen, und bloß ein Individuum vorstellen, sondern ideale Personen und Repräsentanten ihrer Gattung, die das Tiefe der Menschheit aussprechen[7]». Schiller bezieht sich hier auf das Vorbild der Antike «... das Beispiel der Alten, welche es auch so gehalten haben und in demjenigen, was Aristoteles Gesinnungen und Meinungen nennt, gar nicht wortkarg gewesen sind, scheint auf ein höheres poetisches Gesetz hinzudeuten, welches eben hierin eine Abweichung von der Wirklichkeit fordert[8]». Doch sind auch diese Personen darauf eingeschränkt, das Geschehene zu erkennen und hieraus für sich die Folgerungen zu ziehen. Diese Folgerungen sind sehr verschieden bei verschiedenen Personen. Isabella ist, wie schon Jokaste, blind; noch als sie vor der Bahre ihres Sohnes Manfred steht, höhnt sie gegen die Götter, und berichtet dem Chore, daß ihrem Sohne ein ganz anderer Untergang vorhergesagt worden sei.

> *Die Kunst der Seher ist ein eitles Nichts,*
> *Betrüger sind sie oder sind betrogen.*

Der Chor, eben durch Isabellas Rede wissend, daß sich das Orakel an Manfred erfüllt hat, warnt:

> *Halt' ein, Unglückliche! Wehe! Wehe!*
> *Du leugnest der Sonne leuchtendes Licht*
> *Mit blinden Augen! Die Götter leben,*
> *Erkenne sie, die dich furchtbar umgeben!*

Nachdem Isabella hat erkennen müssen, daß Manfred durch den eigenen Bruder getötet worden ist um der Schwester willen, endet sie in Verzweiflung. Frevel hat sie in dieses Haus geführt, Frevel führt sie aus ihm heraus; mit Widerwillen hat sie es betreten, mit Furcht bewohnt.

> *Und in Verzweiflung räum' ich's — Alles dies*
> *Erleid' ich schuldlos; doch bei Ehren bleiben*
> *Die Orakel, und gerettet sind die Götter.*

Für Beatrice und Don Cesar hingegen hat sie dieses Verhängnis herbeigeführt. Der Vater hat den Tod der Tochter gewollt, die Mutter hat sie gerettet. So hadert Beatrice mit ihr:

> *Warum hast du mich*
> *Gerettet! Warum warfst du mich nicht hin*
> *Dem Fluch, der eh' ich war, mich schon verfolgte?*
> *Blödsichtige Mutter! Warum dünktest du*
> *Dich weiser als die Allesschauenden ...?*

Auch Don Cesar klagt an:

> *Verflucht sei deine Heimlichkeit,*
> *Die all dies Gräßliche verschuldet!*

Zugleich erkennt er die höhere Fügung:

> *Freilich wollten wir*
> *Den Frieden, aber Blut beschloß der Himmel.*

Er ist nun schuldig geworden, des schwersten Verbrechens, des Brudermordes. Er kann diese Tat nicht seinem freien Willen zurechnen, aber er muß sie sühnen, und zwar mit dem Tod. So allein hebt er die Macht des Fluches auf.

> *Ist sie wahrhaftig seine, meine Schwester,*
> *So bin ich schuldig einer Greueltat,*
> *Die keine Reu' und Büßung kann versöhnen ...*
> *Nicht auf der Welt lebt, wer mich richtend strafen kann,*
> *Drum muß ich selber an mir selber es vollziehn.*
> *Bußfertige Sühne, weiß ich, nimmt der Himmel an;*

*Doch nur mit Blute büßt sich ab der blut'ge Mord ...*
*Den alten Fluch des Hauses lös' ich sterbend auf,*
*Der freie Tod nur bricht die Kette des Geschicks.*

Goethe schreibt ein ähnliches Drama tragischer Erhellung in seiner «Natürlichen Tochter». Er vermeidet hier das Antikische, die poetische Pracht und Bildersprache; er schildert einen Vorgang, der für die politische Lage seiner Gegenwart, für die tiefe Erschütterung der alten politischen Ordnungen repräsentativ ist. Er begnügt sich mit einer abstrahierenden Allgemeinheit, mit einem Drama in Versen ohne das Bestimmte eines Raumes, einer Zeit, mit typisch aufgefaßten und benannten Personen, von denen nur die Heldin des Geschehens, Eugenie, einen persönlichen Namen trägt.

Das Geschehen ist einmal politisch bedeutsam als Kennzeichnung von Zuständen und Regeln des staatlichen Lebens. Ein Herzog, Oheim des Königs, hat seine natürliche Tochter, Eugenie, in Abgeschiedenheit erziehen lassen, doch nur, um sie für das große Leben des Hofes zu erziehen und sie jetzt diesem Hofe zuzuführen. Dies aber widerspricht den Interessen einer mächtigen Gegenpartei, an deren Spitze der Sohn des Königs selbst steht. Diese Partei weiß sich Eugeniens zu bemächtigen und sie auszuschalten. Dies könnte ein politischer Schachzug sein, der die Heldin des Dramas innerlich nicht berührte. Doch bildet Goethe hier einen Charakter von äußerster persönlicher Selbstmächtigkeit, ein Wesen, das nicht nur von außen, sondern auch von innen zum Wirken in der großen Welt bestimmt ist. Das Heraustreten aus ihrer Zurückgezogenheit, das Hineintreten in die große Welt des Hofes ist für sie wie der Beginn ihres eigentlich erfüllten Lebens selbst. Indem ihr dieses Leben verweigert wird, steht sie in einer tragischen, ihr Sein gefährdenden Situation.

Es wäre möglich gewesen, an diesem Vorgang das zwingende Geschehen selbst zu betonen. Doch fügt Goethe das Geschehen so, daß er seine Personen zu den Situationen jeweils so stellt, daß sie sich ihnen mit Besinnung stellen müssen. Der Zwang herrscht, aber als jeweils schon fertiger. Von der Partei des Königs sind Schritte zu erwarten, die für die Gegenpartei gefährlich sind. Insofern sagt der im Dienste dieser Partei stehende Sekretär zu Eugeniens Hofmeisterin:

*Der Augenblick des Handelns drängt uns schon.*

Er hat die Hofmeisterin dazu zu bewegen, Eugenie nach einem Hafenort zu bringen, von dem aus sie auf eine Insel verbannt werden soll. Die Hofmeisterin ist die Verlobte des Sekretärs, doch muß sie auch sachlichen Zwängen ausgesetzt sein. Der Sekretär sagt ihr, daß die Gegenpartei für Eugenie nur die Wahl kenne zwischen Verbannung und Tod. Indem die Hofmeisterin mitspiele, verhüte sie nur für Eugenie das Äußerste. Ähnlich gelingt es, den Herzog auszuschalten. Die Gegenpartei bedient sich eines Weltgeistlichen, der von ihr abhängig und ihr verfallen ist. Er spricht zum Sekretär:

*Ihr nahmt mich zum Genossen eures Glücks,*
*Mich zum Gesellen eurer Taten auf.*

*Zum Sklaven, sollt' ich sagen, dingtet ihr*
*Den sonst so freien, jetzt bedrängten Mann.*

Er unternimmt es, dem Herzog Unfall und Tod der Tochter zu melden und
ihn zu bewegen, auf den Anblick der Verstümmelten zu verzichten. So ist Eugenie
ihrer Lage ohne Aussicht auf Hilfe ausgeliefert. Als Eugenie, im Vorgefühl ihres
neuen Lebens, feststellt: «Unwiderruflich, Freundin, bleibt mein Glück — »
spricht die Hofmeisterin bei Seite: «Das Schicksal, das dich trifft, unwiderruflich. »

So ist zunächst das Ausweglose der Situation demonstriert. Ein Weiteres ist
es, zu klären, was in solchem Lageschaffenden wirkt. Dies spricht der Gerichtsrat
aus, der die Aufgabe hat, im Hafen Eugenie mit ihrem Schicksal bekannt zu
machen. Goethe vermeidet das poetisch Vorstellungshafte, die Rede von Göttern
und Schicksal, um mit möglichster Direktheit, doch ohne Preisgabe dichterischer
Vergegenwärtigung, in einem Ineinander von philosophischer Aussage, poetischer
Anschauung, stimmender Rede das Wesen der tragischen Macht auszusprechen.
Es wirken hier, wie Goethe für Ödipus feststellt, ewig unerforschliche, unbegreiflich folgegerechte Gewalten, die sich im Horizont menschlicher Vorstellung
und Sinngebung oft nur negativ bestimmen lassen, in dem, wodurch sie sich
von diesem Engeren und Begreiflicheren unterscheiden.

*In abgeschlossenen Kreisen lenken wir,*
*Gesetzlich streng, das in der Mittelhöhe*
*Des Lebens wiederkehrend Schwebende.*
*Was droben sich in ungemeßnen Räumen,*
*Gewaltig seltsam, hin und her bewegt,*
*Belebt und tötet, ohne Rat und Urteil,*
*Das wird vielleicht nach anderm Maß, nach andrer Zahl*
*Vielleicht berechnet, bleibt uns rätselhaft.* (IV, 2).

Indem diese Gewalt vom Menschen hier nicht durchdrungen werden kann,
ist es umso wichtiger, zu bemerken, was sie für den Menschen bewirken will.
Bei Ödipus ist es das Selbstmächtige seiner Person, womit er einem umgreifenden
Ganzen entgegensteht, sich in seiner Selbstgesetzlichkeit festhalten will. Ähnlich
ist Eugenie die absolute selbstmächtige Persönlichkeit. Grundsätzliches, das im
Götz oder Egmont in partikularerer Weise erschien, als Freiheitsdrang, als Unbedingtheit des eigenen Lebens, tritt hier klarer hervor, daß der Mensch ursprünglich schlechthin als Eigensein besteht, und daß dessen Überwindung von einer
höheren Macht verlangt wird. Dieses Eigene scheint wie das eigenmächtig Menschliche, das aufgeopfert werden muß, damit der Mensch als ein gültigeres Sein
wirklich wird. Goethe demonstriert dies an seiner Eugenie so, daß sie vor die
Wahl gestellt wird, entweder eine bürgerliche Ehe einzugehen, damit ihrem Eigen-
anspruch zu entsagen, oder die Verbannung auf sich zu nehmen. Für diese Ehe
bietet sich der Gerichtsrat an. Eugenie wählt diese Ehe. Damit ist ein Wirken
möglich in einem engbegrenzten Maße, im Durchschnitt des Dienstes am Leben,

ohne das Hybride eines Selbstanspruches. Schon Egmont hatte am Ende seines Lebens solchen selbstlosen Dienst als das Höhere gefeiert; auch Faust ringt sich am Ende seines Lebens zu dieser Einsicht durch. Der Mensch wird erst ganz, indem er sich als dieses Menschsein aufgegeben hat, durch das er sich, in Abwendung von Gott, schon anfänglich, schon in dem ersten Menschenpaar, als dieser Mensch konstituiert hat.

Die von Goethe gesuchte Erhellung liegt ganz in der Linie des erhellenden antiken Dramas, er sucht in den strengen Formen antiker Klassizität, doch ohne Antikisieren, ein Drama, worin er nun auf manchen antiken Zug verzichtet, um desto mehr die Verbindlichkeit dieses antiken Vorstellens und Aussagens wieder zu erreichen. Er geht hier an die äußerste Grenze dessen, was dem Dichter im Bereich poetischen Darstellens noch möglich ist. Er verzichtet auf den Chor, steigert aber Sehen und Sprechen seiner Figuren zur höchsten besonnenen Helle. Der Umfang der Gestaltung der Personen in ihren Gefühlszuständen, die in der «Iphigenie» und im «Tasso» mit lyrischer Intensität fast den ganzen Dramenraum einnehmen, ist hier auf wenige Pathosszenen beschränkt. Hierzu gehört die Szene, in der dem Herzog der plötzliche Tod seiner Tochter vorgetäuscht wird.

Dieser Grad der Helle kann legitim nur im Anschluß an die Antike, an eine Darstellungsform erreicht werden, die diese Helle grundsätzlich möglich macht. Bei allen Lebensstoffen wird diese Helle eingeschränkt durch den Anspruch der realistischen Illusion. Doch kann der Dichter versuchen, dieses Realistische zu überhöhen.

Dies ist für die historische Dramatik selbstverständlich, die im Raume des Humanismus geschrieben wird. Die Franzosen machten es sich zum Grundsatz, nur die zu idealisierenden, d.h. räumlich und zeitlich hinreichend entfernten geschichtlichen Stoffe und diese idealisierend zu behandeln. Doch auch Shakespeare schränkt sich nicht auf die bloße Lebensdarstellung ein. Seine Dramen sind durchweg von Erhellendem durchwirkt. Dieses Erhellende reicht von dem Aussprechen dunkler Erfahrungen, Ahnungen bis zur rational faßlichen Aussage, von dem Hinweis auf magisch Schicksalhaftes bis zur Behauptung göttlich sittlicher Weltordnung.

Shakespeare hält den antiken Zug fest, seine Personen nicht dem blind werdenden Affekt zu überantworten. «Bei ihm ist», sagt Otto Ludwig, «keine Figur ganz in eine Leidenschaft verwandelt.» Die Freiheit der Betrachtung schwindet nie ganz. «Die Betrachtungen vertreten die Stelle des antiken Chors und sind oft wie ein Kommentar über die psychologischen Prozesse Offenbarungen der Intentionen des Dichters [9].» Der Dichter scheut sich auch nicht, dieses Chorische unter Verletzung der psychologischen Wahrscheinlichkeit einzuschalten. Macbeth sieht vor der Ermordung des Königs Duncan die Folgen klar voraus. Er wird nicht von außen so getrieben, daß er diese Tat tun muß, auch wenn seine Vernunft ihm widerspricht, zugleich ist er nicht so von innen getrieben, daß seine Reflexion nur eine gegenüber dem Lebenstrieb ohnmächtige Verstandeseinsicht wäre. Vielmehr spricht der Dichter durch ihn mit chorischer Helle zum Publikum:

*Die blutige Lehre, die wir anderen geben,*
*Fällt schwer auf des Erfinders Haupt zurück;*
*Gerechtigkeit, im gleichen Maße messend,*
*Zwingt uns, den eignen Giftkelch auszuleeren –* (I, 7).

Die in solcher Rede gegebene Helle kann partikular sein, sich auf einen bestimmten Moment beziehen, der zum tragischen Scheitern führt. Der Dichter de-
monstrierte immer wieder die Blindheit des Menschen. Mit tragischer Ironie verfällt der Mensch dieser Blindheit eben durch die täuschende Selbstsicherheit, der
Sehende zu sein. Ödipus muß glauben zu sehen; er spottet der körperlichen Blindheit des Teiresias, die ihm auch Zeichen geistiger Blindheit zu sein scheint. So ist
in «Richard III.» Lord Hastings auf eine demonstrierende Weise blind. Als er
von neuen Opfern Richards III. hört, triumphiert er, da er sich bei dem König in
sicherer Gunst glaubt; doch hat Richard auch seinen Untergang beschlossen. Bei
seinem Sturze sieht er dies ein. Ich Tor, sagt er,

*ich hätte dies verhüten können:*
*Denn Stanley träumte, daß der Eber ihm*
*Den Helmbusch abstieß, aber nur gering*
*Hab' ich's geachtet und verschmäht zu fliehn ...*
*Jetzt reut es mich, daß ich dem Heroldsdiener*
*Zu triumphierend sagte, meine Feinde*
*In Ponfret würden blutig heut geschlachtet,*
*Derweil ich sicher wär' in Gnad' und Gunst.* (III, 4).

Weiter greift eine Besinnung aus, in der schlechthin das Walten des Verhängnisses festgestellt wird. Im Streit zwischen den Häusern Lancaster und Yorck
wiederholt sich die Tragödie im Hause des Tantalus oder des Königs Laios: die
Menschen sind in eine Kette der Verhängnisse eingeflochten. In den «Sieben
von Theben» ist am Ende nur noch Antigone von dem Geschlecht des Laios
übrig; und Aischylos läßt die Bürger voraussehen, daß Antigone, durch ihren
Entschluß, den gefallenen Bruder gegen den Willen des Königs Kreon zu bestatten, ein letztes Opfer wird der dunklen Götter des Verderbens, die den Stamm des
Ödipus verheeren. Shakespeare legt solches Wissen von dem Verhängnis zwei
Frauen in den Mund, die hierdurch am meisten geschlagen worden sind, und die
nun düstere Abrechnung halten: der Margareta, der Witwe Heinrichs VI. und der
Herzogin von Yorck, der Mutter Richards. Margareta sagt:

*Mein war ein Eduard, doch ein Richard schlug ihn;*
*Mein war ein Gatte, doch ein Richard schlug ihn;*
*Dein war ein Eduard, doch ein Richard schlug ihn;*
*Dein war ein Richard, doch ein Richard schlug ihn.*

Die Herzogin entgegnet:

*Mein war ein Richard auch, und du erschlugst ihn;*
*Mein war ein Rutland auch, du halfst ihn schlagen.*

Darauf Margareta:

> *Dein war ein Clarence auch, und Richard schlug ihn.*
> *Aus deines Schoßes Höhle kroch hervor*
> *Ein Höllenhund, der all uns hetzt zu Tod. (IV, 4).*

In dieser Form pathetischer Abrechnung scheint der Mensch als der Verschuldende, der selbst das Ungeheuerliche bewirkt hat. Dies Bewirkte ist wie ein konsequentes Ergebnis des menschlichen Tuns. Auch Shakespeare kennt das prophetische Vorhersehen und das Wirkende des Fluchs. Der Seher warnt Cäsar vor den Iden des März. Margareta verflucht alle, die mitschuldig geworden sind an ihrem Unglück.

> *Wohl! trennt die schweren Wolken, rasche Flüche! –*
> *Wo nicht durch Krieg, durch Prassen sterb' eur König,*
> *Wie Mord des unsern ihn gemacht zum König!*
> *Eduard, dein Sohn (der Königin Elisabeth), der jetzo Prinz von Wales,*
> *Statt Eduard, meines Sohns, sonst Prinz von Wales,*
> *Sterb' in der Jugend, vor der Zeit, gewaltsam!*
> *Du, Königin statt meiner, die ich's war,*
> *Gleich mir Elenden überleb' dein Los!*
> *Lang lebe, deine Kinder zu bejammern! ...*
> *Und nach viel langen Stunden deines Grams*
> *Stirb weder Mutter, Weib, noch Königin!*
> *Rivers und Dorset, ihr saht zu dabei –*
> *Auch du, Lord Hastings –, als man meinen Sohn*
> *Erstach mit blut'gen Dolchen: Gott, den fleh' ich,*
> *Daß euer keiner sein natürlich Alter*
> *Erreich', und plötzlich werde weggerafft! (I, 3)*

Dies scheint zunächst nur der maßlose Ausbruch einer maßlos getroffenen Frau, doch wie Margareta es vorhergesagt, geschieht es. Elisabeth fürchtet auch die Macht des Fluches, sie mahnt ihren Sohn, Lord Dorset, zu fliehen:

> *Geh' eil' aus dieser Mördergrube fort,*
> *Daß du die Zahl der Toten nicht vermehrst,*
> *Und unter Margaretas Fluch ich sterbe,*
> *Nicht Mutter, Weib, noch Königin geachtet. (IV, 1).*

Doch Dorset entrinnt seinem Verhängnis nicht. Auch Lord Hastings erfaßt seinen Untergang als Wirkung des Fluchs:

> *O! jetzt, Margreta, trifft dein schwerer Fluch*
> *Des armen Hastings unglücksel'gen Kopf. (III, 4).*

Von diesem Schicksal möchte Margareta den Herzog von Buckingham ausgenommen wissen, denn er ist an dem Geschehen ohne Schuld. Doch darf er, um so zu bleiben, auch nicht mit Richard paktieren. Buckingham aber hält es mit Richard. Darauf Margareta:

> *Wie? Höhnst du mich für meinen treuen Rat*
> *Und hegst den Teufel da, vor dem ich warne?*
> *O denke des auf einen anderen Tag,*
> *Wenn er dein Herz mit Gram zerreißt, und sage :*
> *Die arme Margareta war Prophetin.* (I, 3).

Und auch Buckingham erkennt vor seinem Tode:

> *Schwer fällt Margretas Fluch auf meinen Nacken :*
> *«Wenn er», sprach sie, «dein Herz mit Gram zerreißt,*
> *Gedenke, Margareta war Prophetin.»* (V, 1).

Hier herrscht eine Ordnung des Fluchs, die begründet ist in moralischen Verhältnissen: die so Untergehenden haben sich verschuldet und gehen unter durch
ihre Schuld. Doch besteht hier kein angemessenes Verhältnis von Schuld und
Sühne, da die Schuld teils schwer, teils aber auch leicht ist; und es scheint nicht
die Ordnung göttlicher Gerechtigkeit zu herrschen, sondern die eines privaten
Rachegelüsts. Margareta weiß, daß sie der Rache lebt. Als sie als Sachwalter ihrer
Rache Gott anruft:

> *O Gott, der du es siehest, duld' es nicht!*
> *Was Blut gewann, sei auch so eingebüßt!*

entgegnet ihr Buckingham:

> *Still, still! aus Scham, wo nicht aus Christenliebe.*

Und Margareta:

> *Rückt Christenliebe nicht, noch Scham mir vor :*
> *Unchristlich seid ihr mit mir umgegangen ...* (I, 3).

Es ist nicht unmittelbar einsichtig, welche Ordnung hier waltet. An Macbeth
zeigt sich, daß auch dämonische Verführung möglich ist, der Mensch verhängnisvollen Mächten erliegt. Auch Othello erkennt vor seinem Ende, Opfer eines teuf-
lischen Anschlags geworden zu sein. Zudem sprechen die Menschen aus der Mitte
ihrer Anschauungs- und Glaubenswelt heraus. Für die Personen im christlichen
Raum ist es selbstverständlich, daß sie Christen sind. Im «Hamlet» betet auch der
König Claudius. Im «Richard III.» leben die Personen in der christlichen Vorstellungswelt. Margareta ist überzeugt, daß ihre Flüche auch bei Gott wirksam
sind:

> *Ich glaube doch, sie steigen himmelan*
> *Und wecken Gottes sanft entschlafnen Frieden.* (I, 3).

Der von Richard gedungene Mörder, der Clarence umbringen soll, fürchtet sich
nicht vor den weltlichen Schwierigkeiten der Tat, denn er hat ja Vollmacht, aber
vor der Verdammnis, vor der ihn keine Vollmacht schützen kann. Buckingham
hat sich selbst Vergeltung gewünscht, wenn er sich je der Untreue schuldig machen sollte; er ist durch seinen Dienst für Richard III. so schuldig geworden. In
seinem Sturze, vor seinem Tode sieht er ein:

*Der hoh' Allsehende, mit dem ich Spiel trieb,*
*Wandt' auf mein Haupt mein heuchelndes Gebet*
*Und gab im Ernst mir, was ich bat im Scherz ...*
*Kommt, daß ihr mich zum Block der Schande führt:*
*Unrecht will Unrecht, Schuld, was ihr gebührt.* (V, 1).

Auch Richard III. fühlt sich am Ende verdammt. Ihn peinigen die Geister der von ihm Erschlagenen, er fühlt sich der überzeugten Kraft für die letzte kriegerische Auseinandersetzung beraubt.

Im realistischer werdenden historischen Drama schränkt sich diese Freiheit poetischer Verdeutlichung häufig ein, zugleich wird am Dichter selbst seine religiöse oder weltanschauliche Stellung sichtbarer. Shakespeares eignes Bekenntnis ist nicht faßlich, von Lessing, Goethe, Schiller, Kleist, Hebbel weiß man, wie sie religiös oder weltanschaulich gestanden haben. Hier kann zum Teil, wie bei Schiller, das Poetische und das Weltanschauliche schärfer getrennt werden. Schiller ist am eindeutigsten deutlich dann, wenn er an den Aufschwung des Menschen in der tragischen Situation appelliert; hier steht hinter seinen Personen sein persönlicher Einsatz. «Alle Dramen Schillers», sagt Goethe, «sind durchzogen von der Idee der Freiheit[10].» Dagegen die letzten Gründe der Wirklichkeit werden stets nur umkreist; sie treten auch in der erhellenden Rede nicht eindeutig faßlich hervor. Ein Muster hiervon sind die großen chorischen Szenen auf dem Gipfel des Wallensteindramas, da, wo Wallenstein zu den Schweden übergeht.

Hier den Gipfel des dramatischen Geschehens, den Moment des entscheidenden dramatischen Entschlusses zu suchen, bleibt irrig. Wallenstein tut hier nichts Entscheidendes von sich aus, sondern dieses Entscheidende ist an anderem Orte geschehen, dadurch, daß Sesin, sein Unterhändler mit den Schweden, gefangen genommen ist, nach Wien gebracht wird, nicht schweigen wird, wenn er hierdurch seinen Kopf retten kann. Wallenstein steht jetzt vor dem Kaiser als Verräter. Er kann nicht mehr ehrenvoll zurücktreten, sondern sich nur noch von dem Kaiser richten lassen. Will er dies nicht, muß er jetzt Rebell werden. Um dies werden zu können, braucht er jetzt die Schweden. Darum sagt Illo zu ihm:

*Vorwärts mußt du,*
*Denn rückwärts kannst du nun nicht mehr.*

Auch Wrangel, der Unterhändler der Schweden, weiß dies. Als Wallenstein vor der Schweden Forderung nach zu großen Sicherheiten, – er soll Prag nehmen und räumen – zurückweicht: lieber trete er dann zurück zu seinem Kaiser, – antwortet Wrangel: «Wenns noch Zeit ist», und auf Wallensteins Bemerkung, dies stünde bei ihm:

*Vielleicht vor wenig Tagen noch. Heut nicht mehr.*
*– Seit der Sesin gefangen sitzt, nicht mehr.*

Wallenstein muß also zu den Schweden. Daß die Schweden so hohe Sicherheiten fordern, zeigt nur, daß Wallenstein in ihrer Hand ist, daß sie die Bedingungen jetzt diktieren können. Der tragische Druck auf Wallenstein wird demonstriert. War er zuerst dem Sturze vom Kaiser her ausgesetzt, so jetzt der Abhängigkeit von den Schweden.

> *Von dieser Schweden Gnade leben,*
> *Der Übermütigen? Ich trüg' es nicht.*

Da die Situation feststeht, ebenso die aus ihr zu ziehende Folgerung, so ist eine wesentliche Handlungsentwicklung nicht möglich. Mehr Raum könnte das geheim Pathetische einnehmen, der Zustand, worin diese Situation Wallenstein versetzt. Doch bleibt auch dieser Ausdruck beschränkt. Wenn gleichwohl dieser Teil umfänglich ausgestaltet wird – durch einen Monolog Wallensteins, durch die Verhandlung mit Wrangel, durch ein Gespräch mit Terzky und Illo, durch ein langes Gespräch mit der Gräfin Terzky —, so geschieht dies durch das Hervortreten des Erhellenden. Es kann auf die Situation, ihren Grund, ihren Anspruch reflektiert werden. Zugrunde liegt eine Zwangsläufigkeit, vom Kaiser gestiftet, der Wallenstein entmachten will. Schon zu Beginn des Geschehens antwortet Wallenstein auf den Bericht seiner Gattin über ihren kalten Empfang in Wien:

> *O! sie zwingen mich, sie stoßen*
> *Gewaltsam, wider meinen Willen, mich hinein.*

Jetzt ist das Verhängnisvolle geschehen, jetzt kann nur noch auf das reflektiert werden, was geschehen muß. Das Recht auch der kaiserlichen Legitimität scheint zweifelhaft; Wallenstein ist nicht nur gezwungen, sondern auch berechtigt. Tat und Ausgang muß einer höheren Instanz anvertraut werden. Wallenstein und der Kaiser scheinen in dem Verhältnis zu stehen, daß sie sich wechselseitig ihr Schicksal bereiten. Der Mensch ist zu letzten Entscheidungen gezwungen, mit denen er an ein Unerforschliches appelliert und sich hierauf wagt.

> *Ernst ist der Anblick der Notwendigkeit.*
> *Nicht ohne Schauder greift des Menschen Hand*
> *In des Geschicks geheimnisvolle Urne.*

Es geschieht, was muß.

> *Recht stets behält das Schicksal, denn das Herz*
> *In uns ist sein gebietrischer Vollzieher.*

Dies muß geschehen, auch wenn der Untergang vorauszusehen ist:

> *... ich erwart' es, daß der Rache Stahl*
> *Auch schon für meine Brust geschliffen ist.*
> *Nicht hoffe, wer des Drachen Zähne sä't,*
> *Erfreuliches zu ernten. Jede Untat*
> *Trägt ihren eignen Racheengel schon,*
> *Die böse Hoffnung, unter ihrem Herzen.*

Auch Kleist begnügt sich damit, die Situation selbst demonstrativ aussprechen zu lassen oder sie als eine Faktizität zu klären, die auch durch ihre Zwangsläufigkeit den von ihr Getroffenen nicht entlastet. Nachdem in den «Schroffensteinern» zwei Väter ihre eigenen Kinder, durch deren Verkleidung getäuscht, getötet haben, kommentiert die alte hexenhafte Ursula:

*Wenn ihr euch totschlagt, ist es ein Versehn ...*

und Graf Ruperts natürlicher, einem hellsichtigen Wahnsinn verfallener Sohn:

*Der Teufel hatt' im Schlaf den beiden*
*Mit Kohlen die Gesichter angeschmiert.*

Im «Prinzen von Homburg» hat Kleist deutlich demonstriert, inwiefern der Prinz bei der Paroleausgabe abwesend sein mußte; so konnte er auch in der Schlacht gegen des Kurfürsten Befehl verstoßen. Graf Hohenzollern trägt dies dem Kurfürsten vor, und besonders, daß der Kurfürst selbst diese Zerstreutheit verschuldet habe. Er habe im Park von Fehrbellin dem Prinzen den Kranz genommen, die goldene Kette hineingeflochten, den Kranz der Prinzessin Nathalie gegeben, hierbei sei dem Prinzen der Handschuh der Prinzessin in der Hand geblieben, den wieder die Prinzessin eben während der Befehlsausgabe gesucht habe. Der Kurfürst verfällt, dies hörend, in Nachdenken. Dann antwortet er:

*Und nun, wenn ich dich anders recht verstehe,*
*Türmst du, wie folgt, das Schlußgebäu mir auf:*
*Hätt' ich mit dieses jungen Träumers Zustand*
*Zweideutig nicht gescherzt, so blieb er schuldlos:*
*Bei der Parole wär' er nicht zerstreut,*
*Nicht widerspenstig in der Schlacht gewesen.*
*Nicht? nicht? das ist die Meinung?*

Hohenzollern überläßt es seinem Gebieter, die Schlußfolgerungen zu ziehen. Der Kurfürst zieht sie:

*Tor, der du bist, Blödsinn'ger! hättest du*
*Nicht in den Garten mich hinabgerufen,*
*So hätt' ich, einem Trieb der Neugier folgend,*
*Mit diesem Träumer harmlos nicht gescherzt.*
*Mithin behaupt' ich, ganz mit gleichem Recht,*
*Der sein Versehn veranlaßt hat, warst du! –*

Kleist wiederholt so die alte Nachrechnung, die den Menschen in seinem Verhalten stets durch eine Veranlassung von außen, durch eine Fatalität jenseits von bösem Willen und Tun erklärt. Doch hebt dies die Folgen nicht auf, auch wenn sie wieder durch menschlichen Entschluß bewirkt werden. Der Prinz hat gefehlt, der Kurfürst muß strafen. Die Begnadigung am Ende des Geschehens ist kein Straferlaß, sondern setzt ein Vollzogenes im Prinzen voraus, einmal die Anerkennung des weltlichen Gesetzes, dann aber auch den wissenden Vollzug der Todessituation, die Verwandlung vor dem Tode. Der Prinz lebt jetzt doch als tragisch Eingeweihter fort.

Dieses Erhellende übernimmt Lessing auch für seine realistischen Fügungen. Daß Sara ein Opfer des Mellefont wurde, ist weniger eine freie moralische Schuld, als die Folge einer fatalen Situation. Soll hier von Schuld gesprochen werden, so erkennt Sir William Sampson, daß er sie sich zusprechen müßte. Er habe selbst den größten Fehler bei diesem Unglücke begangen, sagt er:

*Ohne mich würde Sara diesen gefährlichen Mann nicht haben kennen lernen. Ich verstattete ihm wegen einer Verbindlichkeit, die ich gegen ihn zu haben glaubte, einen allzufreien Zutritt in meinem Hause.*

Doch war dieser Fehler für den Vater unvermeidlich, denn ihm fehlte die Kenntnis von Mellefonts Leben und Charakter. Er selbst war schon Opfer in einem fatalen Zusammenhang.

In den freier poetischen Dramen ist dieser Zusammenhang unmittelbar an sich selbst mit metaphysischer Bedeutsamkeit da, ob nun im negativen oder positiven Sinne. Es scheint unmittelbar eine metaphysische Kausalität zu wirken, ob mehr teuflischer oder göttlicher Art, ob als eine Kausalität des Fluches oder der sittlichen Weltordnung. Lessing begründet seine realistischen Dramen zuerst in dem natürlichen Kausalzusammenhang. Sir William betont, wie alles auf das natürlichste geschehen ist.

*Es war natürlich, daß ihm die dankbare Aufmerksamkeit, die ich für ihn bezeigte, auch die Achtung meiner Tochter zuziehen mußte. Und es war ebenso natürlich, daß sich ein Mensch von seiner Denkungsart durch diese Achtung verleiten ließ, sie zu etwas Höherm zu treiben.*

Doch untersteht hier der natürliche Zusammenhang der Vorsehung Gottes. Gott, als freier Beherrscher der Welt, bedient sich der natürlichen Geschehnisse zur Verwirklichung seines Willens. Dies sieht auch Sara ein, wenn sie, als Sterbende, sich nicht als Opfer einer natürlichen Kausalität, sondern als von Gott Geführte erfährt. Deutlich spricht diese Fügung die Gräfin Orsina in der «Emilia Galotti» aus. Die Orsina trifft zu dem für den Prinzen ungünstigsten Zeitpunkt auf dessen Lustschloß Dosalo ein, und zwar nur, weil der Prinz ihren Brief, worin sie eine Zusammenkunft zu dieser Zeit hier vorschlug, nicht gelesen hat. Hätte er den Brief gelesen, so hätte er ohnstreitig diese Zusammenkunft verhindert. Für Marinelli ist dies ein peinlicher Zufall. Für die Gräfin Orsina aber bekundet sich hier höhere Fügung.

*Ein Zufall wär' es, daß der Prinz nicht daran gedacht hat, mich hier zu sprechen, und mich doch hier sprechen muß? Ein Zufall? – Glauben Sie, Marinelli: das Wort Zufall ist Gotteslästerung. Nichts unter der Sonne ist Zufall ...*

Noch betonter legt dieses Fügen Gottes durch den natürlichen Zusammenhang Nathan dar. Recha ist aus dem brennenden Haus durch einen Tempelherrn gerettet worden. Sie und ihre Dienerin Daja sind überzeugt, dies müsse ein Engel gewesen sein. Nathan, dem dieser Vorfall nach seiner Rückkehr von einer Reise berichtet wird, führt Recha dahin, daß hier ein Natürliches vorliege, dies aber gleich-

wohl ein Wunder sei. Der irdene Topf wolle stets mit einer silbernen Zange aus
dem Feuer gehoben sein. Gott habe dies zur Erreichung seiner Zwecke nicht nötig; er könne sich hierzu des natürlichen Zusammenhangs bedienen. Dieser Zusammenhang selbst aber trage den Charakter eines Wunders. Denn damit der Tempelherr zugegen sein konnte, mußte Saladin ihn, ganz gegen seine sonstige Übung,
begnadigt haben; damit dies aber geschah, mußte der Tempelherr ihn durch seine
Gesichtsbildung an einen lang verschollenen Bruder erinnern. Eine zufällige Bildung also der Gesichtszüge in dieser Weise war nötig, damit Recha gerettet werden konnte.

Lessing kann das Spiel eines konsequenten natürlichen Zusammenhangs ausbilden, weil für ihn hierin Gott wirkt. Durch die Festigkeit und Klarheit dieser
Überzeugung schon kann er auf spezifisch poetische Vermittlung verzichten, die
freilich auch seinem Talent nicht gelegen hätte. Diese Helle und Klarheit tritt
seit dem 19. Jahrhundert mehr und mehr auch in der Rede zurück. Hierbei ist
möglich, daß die Philosophie des Tragischen, wie sie seit der Romantik ausgebildet wird, nun auch ein Thema in dem Drama selbst wird, so daß hier die Personen
diese Philosophie aussprechen. Es ist fraglich, ob man dies zu dem erhellenden
Tun des Dichters rechnen darf. Denn das Erhellende der älteren Tragödie ist darin
begründet, daß dem Dichter einmal die Faktizität des Tragischen, der Mensch in
seinem Leiden und Scheitern, gegeben sind, er auf der anderen Seite im Besitz
einer poetischen Vorstellungs- und religiösen Glaubenswelt ist, durch die er diese Tatsachen in Grund, Sinn, Ziel minder oder mehr aufhellen kann. Voraussetzung für dieses Erhellen ist mithin, daß der Dichter keine Philosophie des Tragischen besitzt, durch die er glaubt, das Tragische vorgängig durch eine Philosophie
zu wissen. Besitzt er solche Philosophie, so erhellt er nicht mehr das faktische Tragische, indem er es durch poetische Vorstellungen in seinem Sinn verdeutlicht
oder es in das Licht des religiösen Glaubens stellt, es mit den Tatsachen der Religion verknüpft, sondern er demonstriert in der Tragödie sein philosophisches Wissen, er macht sie damit zu einer Explikation seiner Philosophie des Tragischen.
So verfahren weitreichend Hebbel und Paul Ernst. Mithin gehört, was sich hier
zeigt, mehr dem philosophierenden Dichter zu und wird auch besser im Zusammenhang mit einer Philosophie des Tragischen behandelt. Wo diese Philosophie
mit dieser täuschenden, scheinwissenden Helle nicht herrscht, zieht sich der Dichter im Realismus mehr und mehr auf die bloße Darstellung zurück. Hierbei kann
er, wie Gerhart Hauptmann, doch wieder zu einer dem Stoff entsprechenden erhellenden Rede vordringen, oder er kann schon erhellendere Stoffe behandeln. Es
tritt das Partikulare wieder auf, wie es aus der Überlieferung bekannt ist. Die tragische Person hat gefehlt; sie fühlt sich einer höher moralischen Ordnung unter-
worfen. Auf Schuld folgt Strafe, sagt Dr. Scholz im «Friedensfest». Es liegt etwas Tückisches in der Wirklichkeit; und wie Othello das Opfer Jagos, so ist
Fuhrmann Henschel das Opfer der Hanne Schäl geworden. Es ist ihm eine
Schlinge gelegt worden, bekennt er; er ist in sie hineingetappt. Doch kann der
Dichter auch auf einen religiösen Zusammenhang verweisen, daß der Mensch sich
in einem Leben über dieses Leben hinaus erfüllen soll. In den «Webern» stellt

Hauptmann in den Mittelpunkt des 5. Aktes den alten Weber Hilse, der den Aufstand der Weber nicht mitmacht und ihn nicht billigt. Wer in dieser Welt der arme
Lazarus war, wird im Jenseits der von Gott Beseligte sein; und wer hier der reiche
Mann war, der hat sein Teil schon auf dieser Welt dahin. So wird auch das sterbende Hannele nicht nur in seinen Träumen aus dem Elend dieses Lebens ins Pa-
radies geführt. In seinem «Michael Kramer» legt der Dichter das Geschehen so an,
daß er Kramer vor die Leiche seines Sohnes stellt, der, in diesem Leben benach-
teiligt und stets im Schatten seines als Künstler größeren Vaters stehend, in den
Tod geflohen ist. Kramer spricht aus, daß der Sohn durch seinen Tod über ihn
hinausgeschritten ist, daß er an einem Ort steht, den die Lebenden noch nicht erreicht haben.

Dem seine Enge überwindenden Realismus schließt sich mit betontem Über-
realismus der expressionistische Dramatiker an. Das Geschehen des Dramas soll
jetzt unmittelbar metaphysisch bedeutsam sein, es soll zugleich in die Helle des
weltanschaulichen Sprechens erhoben werden. Doch dominieren hier mehr die allgemein menschlichen Probleme zwischen Mensch, Welt, Gott als die engeren Probleme des tragisch gelegenen Menschen. Den spezifisch tragischen Problemen steht
am nächsten Georg Kaiser. In seiner «Koralle» ist eine Seite der Darstellung und
Rede das Tragische des Menschen schlechthin. Der Milliardär ist der Mensch, der,
als Sohn eines Fabrikarbeiters, in seiner Jugend das Furchtbare erlebt hat, den
Untergang von Vater und Mutter durch die mordende Industrie. Seitdem sucht
er dieses Furchtbare zu meistern, indem er sich selbst zum Herrn des Furchtbaren
macht, indem er es durch Mildtätigkeit zu lindern versucht, indem er seine Kinder,
Sohn und Tochter, von diesem Furchtbaren frei hält. Hier ist die tragische Situation selbst der offen gesehene Gegner des Menschen. Der Milliardär erliegt ihr,
vornehmlich dadurch, daß Sohn und Tochter sich zu dem Furchtbaren bekennen,
so daß sie für den Vater verloren sind. Der Milliardär muß erkennen, daß das
Furchtbare ihn eingeholt hat.

Überprüft man den ganzen Bestand des durch Schau und Rede vermittelten Erhellenden, so zeigt sich, daß dies begrenzt bleibt einmal dadurch, daß die Tragödie
mehr subjektiv wirken als objektiv zeigen soll, ferner dadurch, daß der Dichter
die religiöse Helle in seinem Publikum schon voraussetzt, schließlich dadurch, daß
dem Dichter in seinem Raum jede Helle verlorengegangen ist. Dort, wo die religiöse Helle der Grund der Tragödie ist, kann sie auch als bekannte Helle hervortreten wie im christlichen Drama. Doch gibt es nun auch noch die Helle einer Philosophie des Tragischen. Sie gehört an einen anderen Ort; sie soll eine vom philosophisch Erkennenden gewonnene Einsicht in das Wesen des Tragischen sein.
Sie muß in einer Kritik dieser Philosophie begriffen werden.

# DRITTES KAPITEL

# DIE ERFASSUNG DES TRAGISCHEN DURCH DEN DICHTER

Es war zwischen einem ästhetischen und einem philosophischen Begriff des Tragischen zu unterscheiden, zwischen den Tatsachen einer poetischen Kunst und einer Verfassung des Menschen, der Wirklichkeit oder einer Auffassung hiervon. Der Dichter hat es zunächst mit dem ästhetischen Begriff zu tun.

Der antike Dichter übte nur eine Kunst besonderer Art, mit ihr eignen Inhalten und Formen. Hierauf auch war nur seine Besinnung gerichtet, mit vorwiegend praktischem Interesse. Sophokles beurteilt so seine eigne Kunst und die seiner Mitdichter, Aristophanes teilt Besinnung auf die Kunst der Komödie den Chören zu. Letzte Begründungen dieser Kunst wurden nicht erstrebt, ebensowenig ein Sichvergewissern ihres ganzen Umfangs. Dies blieb dem Theoretiker vorbehalten.

Anders sind Lage und Stellung des neueren Humanisten. Er ergreift aus der Antike die Tragödie als eine zunächst fremde Kunst; er bedarf der umfänglicheren Vergewisserung, was ihm mit diesem Gebilde gegeben ist. Doch bleibt auch hier Besinnung noch enger begrenzt. Die Tragödie ist als Faktum begründet und gerechtfertigt, weil die antiken Dichter, die Meister der Dichtkunst, sie ausgebildet haben; sie ist in der Weise vorbildlich, wie sie ausgebildet worden ist. Eigne weltanschauliche Antriebe und Bekümmernisse spielen nicht mit. Die Poetiken, von Scaliger, Opitz, bemerken insofern von der weltanschaulichen Seite der Tragödie nichts; die Kennzeichnung des ihr eigentümlichen Themas, ihrer Formen genügt. Der Dichter übernimmt diesen Bestand als Praktiker. Er ist teils genauerer Wiederholer der antiken Gebilde, Klassizist wie in Holland, in Frankreich, in Deutschland im 17. Jahrhundert, oder er strukturiert überlieferte Bestände mit Hilfe der Antike neu durch, bildet sie zu Tragödien aus, wie in England oder in Spanien.

Diese Lage wandelt sich im 18. Jahrhundert. Es stand zunächst fraglos fest, daß man, mit der Übernahme antiker Stoffe und Formen, auch die antike Tragödie erneuert habe. Dies wird jetzt zweifelhaft. Die Besinnung auf die Tragödie wird tiefer getrieben. Nachbildung von Stoff, Geschehensgang, Form der antiken Tragödie gewährleisten diese Erneuerung noch nicht. Lessing geht zuerst entschieden auf Aristoteles zurück, er bemerkt, daß für den antiken Theoretiker das Kennzeichnendste der Tragödie eine bestimmte Wirkung auf das Gemüt sei, er findet diese Beobachtung durch die griechisch antiken Tragödien bestätigt. Damit ist einmal das Wesen der Tragödie durch die Art ihres Bewirkens gesichert, ferner sind die Kriterien für die richtige Tragödie aus dem sachlichen Formenbestand in deren subjektive Wirkung verlagert. Inhalt und Bedeutsamkeit sind durch das subjektive Wirken mitgegeben. Furcht und Mitleid setzen die Schau eines zu Fürchtenden und eines Leidens voraus.

Schiller führt diesen Zug fort, die Tragödie an dem durch sie Bewirkten zu erschließen und zugleich dieses so Bewirkte als eine Seite des Tragischen zu begreifen, indem auch für ihn das Tragische eins ist mit dem Zustande des Mitleids und der hierin beschlossenen Wirklichkeit, ferner sich das Tragische erschließen läßt als eine spezifische Weise der ästhetischen Lust. Auch für Goethe ist das Tragische zuerst eine Wirkung auf das Gemüt, und noch die Romantiker fordern als Ideal die schöne Tragödie, die ihnen in Sophokles zu gipfeln scheint, indem diese Tragödie das empfangende Gemüt aufs höchste harmonisch stimmt und befriedigt[1].

Doch soll nun auch die Wirklichkeitsverfassung ausgesprochen werden, die sich im tragischen Bilde zeigt. Sie ist für Lessing oder Herder keine Wirklichkeitsverfassung eigner Art, sondern nur die Tatsache menschlichen Bedingtseins, Leidens, Scheiterns, die sich im Zusammenhang der christlichen Religion ausdeuten läßt. Nathan ist der in seinem Lebensglück tragisch Gescheiterte, doch ist dies eine Prüfung Gottes, die ihn näher zu Gott hinführt. Shakespeare schreibt für Herder Schicksalsfabeln als Theodizeen, er zeigt das Wirken Gottes im menschlichen Leben auf[2].

Auch Goethe und Schiller heben zunächst nur heraus, daß die Tragödie den Menschen von der Seite des persönlich beschränkten Leidens vorstelle. Goethe findet auch genauere Formeln. Sie bleiben aber partikular, zudem zeigen sie mehr Faktisches auf, als daß sie letzte Ursprünge oder Ziele erhellen. Shakespeares Spiele, sagt Goethe, drehten sich um den geheimen Punkt, in dem das Eigentümliche unseres Ich, die prätendierte Freiheit unseres Willens, mit dem notwendigen Gange des Ganzen zusammenstößt[3]. Doch zeigt Shakespeare dies nur in einer Anzahl seiner Dramen, es ist ihm nicht ein durch sie demonstriertes Grundprinzip. Ferner hebt Goethe nur ein Faktum heraus. Er sagt nicht, woher dieses Faktum kommt, und wohin es den Menschen führt. Oder Goethe bemerkt, alles Tragische gründe in einem Konflikt[4]. Auch dies ist bloß eine aus dem Leben und den Tragödien zu ersehende Tatsache. Die Griechen stellen diesen Konflikt oft als eine Kollision zwischen Mensch und Göttern dar, die wieder bloße Tatsache bleibt. So kollidiert Agamemnon mit Artemis, Philoctet mit Chrysis, Hippolyt mit Aphrodite. Bei Shakespeare findet mehr die Kollision mit einer anonymen Macht eines Übergreifenden statt. Dies ist ein faktisch Bestehendes, das sich einer letzten Sinndeutung und einem Begreifen entzieht. Es waltet schlechthin ein Mächteverhältnis. Der Mensch selbst ist Macht in seiner prätendierten Freiheit, in einer Gebundenheit der Freiheit durch sein eignes Wesen. Ihm stehen Mächte entgegen. Sie übersteigen, wie der Gerichtsrat es Eugenie verdeutlicht (Die natürliche Tochter), als eine höhere unbegreifliche Ordnung unsere Prinzipien der Ordnung und des Sinns. Auch Ödipus rennt für Goethe den ewig unerforschlichen, unbegreiflich-folgegerechten Gewalten in die Hände.

Goethe spricht ein Äußerstes aus, das im Kreise rein menschlicher Erkenntnis durch empirische Feststellung gesichert werden kann. Jede weitere Aussage, die nicht nur Erhellendes der Dichtung selbst referiert, geht in ein eignes philosophisches Erhellen, in eine Ontologie des Tragischen über. Diese Ontologie kann einmal mehr theologischer Art sein, indem man die Tragödien, die bis um 1800 im Raum einer festen religiösen Weltansicht gebildet werden, auch im Raum dieser

Weltansicht begreift. Dies träfe noch für Lessing und Herder, auch für Goethe zu. Doch ändert in Deutschland seit Fichte die Philosophie ihren Anspruch und ihren Charakter, indem sie nicht mehr nur die Wirklichkeit im Raum der natürlichen Vernunft denkt, hiermit der geschichtlichen Religion den ganzen Bereich eines Übernatürlichen und Übervernünftigen überläßt, sondern indem sie sich als totales Wirklichkeitsdenken mit einer eignen Wirklichkeitsanschauung an die Stelle der Religion setzt. Damit kann die Tragödie nicht mehr im Raum der christlichen Religion begriffen werden. Sie kann auch damit nicht mehr das Gebilde sein, das im Raum der christlichen Religion schon erhellt gegenwärtig ist. Vielmehr scheint die Tragödie nun ein Gebilde zu sein, von dem man erst jetzt, erst durch den jetzigen Erkenntnisakt dieser Philosophie weiß, was sie eigentlich, was eigentlich das Tragische ist.

Hierdurch wird das bisher herrschende empirisch kritische Erkenntnisverhältnis abgeschnürt. Das Ganze des hier Gegebenen wird jetzt zum Stoff einer philosophischen Erfassung, in der oft mehr die Wirklichkeit dieser neuen Philosophie, als die Wirklichkeit der Tragödie erscheint. Dieser Eingriff der philosophischen Spekulation in den empirischen Tatbestand geht sehr tief und revolutioniert die Anschauung von der Tragödie bis in ihre ersten Voraussetzungen hinein.

Die vielfältigen, sehr verschiedenartigen, oft sich widersprechenden Lehren dieser Philosophie verwirren den Dichter schon durch eine problematische Auffassung von seinem Wesen und seiner Aufgabe. Für den jüdisch-christlichen Theismus war der Mensch in allen Grundbezügen auf Sein an die Tradition verwiesen. Gott hat den Menschen erschaffen, hat sich ihm im Schöpfungsakt offenbart und ihn sofort unter sein Gebot gestellt. Die religiöse Wirklichkeit entstammt der Transzendenz, sie ist nur durch diesen Grundakt in der Zeit, damit nur als Inhalt einer Überlieferung da, die diese Tatsache gegenwärtig hält. Dieser Bestand kann nur angereichert werden durch neue Offenbarung von Gott her, die wieder zum Inhalt eines Traditionswissens wird. So hat sich Gott zuletzt durch Christus offenbart; er ist mithin der letzte archimedische Ort für alles religiöse Wissen. Mit der religiösen Offenbarung ist zugleich die sittliche Ordnung positiv gegeben. Doch auch die Kunst, das Wissen von ihr sind letztlich in dem Schöpfungsakt begründet. Gott hat sie dem Menschen als eine Gabe eigner Art verliehen; der Mensch hat sie, besonders in Griechenland, zu einer höchsten Entfaltung gebracht. Insofern ist hier zu sehen und zu lernen, was die Kunst eigentlich ist, was ihr möglich ist; so ist es noch ein letztes Wort Goethes, daß der Künstler die Griechen studieren solle und immer wieder die Griechen [5]. Wahrheit in der Religion, in der Sittlichkeit, das Richtige und Vollendete in der Kunst können also nur durch Traditionsbezug verwirklicht werden. Das Überlieferte steht stets als Gipfel vor jeder Gegenwart, die nur durch dessen Zuneigung das ihr Aufgegebene erreicht.

Die Thesen der neuen idealistischen Philosophie verneinen dem Künstler dieses Werden durch Rückbezug auf das Gewordene, und sie überantworten ihn einem jeweils ganz ursprünglichen und stets ganz neuem Werden. Für Hegel ist Gott nicht mehr das vor aller Welt und nach aller Welt als höchste und fertige Absolutheit bestehende Sein, sondern dieses Absolute wird gedacht als ein zwar der Welt

vorangehender und sie begründender Geist, doch zugleich als ein Geist, der als
Welt sich realisiert und der wie das Prinzip des Werdens dieser Welt selbst ist.
In diesem Werden des Göttlichen als Welt wird der Kunst und der Dichtung eine
ausgezeichnete Bedeutung zuerkannt. Die Dichtung ist ein Medium, worin dieses
absolute Sein sich zur Selbstanschauung bringt; der Dichter ist Organ für ursprüngliches Sichoffenbaren des göttlichen Seins. Er ist damit nicht mehr, was er
für Goethe und Schiller war, das autonome, vor der Wirklichkeit stehende Subjekt, durch Phantasie anschauend auf die gegebene natürliche, sittliche, übernatürliche Welt gerichtet, nicht mehr der Bildner jeweils besonderer Bilder des in fester
Schöpfungsordnung stehenden menschlichen Seins, sondern er ist Träger und
Vollzieher des sich in ihm fortschreitend zu sich selbst bringenden absoluten
Seins. «Da die Entwicklung des absoluten Begriffes den immerwährenden Fortschritt notwendig in sich schloß», bemerkt Grillparzer, «so konnten die Mitleben-
den nicht zweifeln, ihren Vorgängern unendlich überlegen zu sein, wenn nicht an
Talent, doch durch die Höhe des Standpunkts, auf den alles ankam[6].» An die
Stelle des Rückbezugs auf die Überlieferung tritt jetzt das Hinhorchen auf ein absolut eignes und neues Sprechen in der Tiefe des schöpferischen Subjekts, worin
sich der Weltgeist verkünden will. So ist für Hebbel das echte Drama grundsätzlich geschichtlich, weil in ihm das Werden des Seins geschieht. Wenn der Dichter
sich nur «nicht klein und eigensinnig in sein dürftiges Ich verkriecht, sondern
durchströmt wird von den unsichtbaren Elementen, die zu allen Zeiten im Fluß
sind und neue Formen und Gestalten vorbereiten, so darf er dem Zuge seines Geistes getrost folgen und kann gewiß sein, daß er in seinen Bedürfnissen die Bedürfnisse der Welt ausspricht[7].» Das letzte Ergebnis ist hier, nach Grillparzer,
«ein maßloser Eigendünkel». Der Dichter ist Sprachrohr des eigentlichen Zeit-
seins und des Weltseins. Noch Paul Ernst glaubt, freilich «mit tiefer Demut» erkennen zu können, daß der Gefühlsgehalt seiner Zeit sich in ihm geformt hat[8].

Die Tendenz dieser Philosophie ist, die ursprüngliche Offenbarung des transzendenten Seins, die in dem jüdisch-christlichen Theismus auf Gott selbst und
seine religiösen Organe eingeschränkt worden ist, als ein Sichoffenbaren eines sich
entfaltenden immanenten Seins dem Dichter zuzuordnen; so daß der Dichter, der
im Zusammenhang solcher Konzeptionen sich selbst begreift, nicht nur philoso-
phierend an die Seite des Philosophen tritt, sondern auch diese Auffassung von
sich und seiner Kunst gewinnt, daß er nicht gegebenes Sein nur darzustellen, sondern werdendes Sein zu offenbaren habe. Dieser Konzeption setzt sich der wissenschaftliche Positivismus und Realismus zunächst entschieden entgegen. Hegel
hatte seine Erkenntnis im Gefolge des religiösen Theismus noch in dem Sichoffenbaren des Seins von sich aus begründet; er hatte nur das beschränkte Sichoffenbaren Gottes aus der Transzendenz durch ein totales Sichoffenbaren des Seins
als Geist ersetzt, der als Gedanke im Geiste des Philosophen offenbar war, als Natur für den stofflich anschauenden Menschen, als Kunst in den ästhetischen Gebilden, als Religion in der Innerlichkeit des fühlenden Gemüts. Für den Positivismus ist der Glaube an solches Sichoffenbaren nur Traum, Illusion, Wahn; Erkenntnis der Wirklichkeit findet nur im Zugriff des wissenschaftlich forschenden

Menschen zur gegenständlichen Wirklichkeit statt. Damit hört auch der Dichter auf, im Sinne des Idealismus und der Romantik Offenbarungsorgan zu sein; in ihm steigt nicht mehr die tiefere Wirklichkeit als Gebilde ursprünglicher Phantasie auf. Doch bleibt aus der älteren philosophischen Konzeption erhalten, daß der Dichter nicht nur gegebene Wirklichkeit darstelle, sondern neue Wirklichkeit zeige; nur ist dies nicht mehr das Neue des Sichoffenbarens des Seins von sich her, sondern des Erforschens der Wirklichkeit vom Menschen her. Der Dichter steht jetzt neben dem Forscher, als Psychologe, Soziologe, Historiker; er erfaßt solche Wirklichkeit beobachtend und darstellend genau auf, und seine Kunst ist nun ebenso in der äußeren Welterfassung begründet, wie zuvor in der inneren Weltoffenbarung.

Doch wird dem Dichter so nur eine neue Seinsproblematik gesetzt. Noch für Goethe war er darstellend unbeschränkt Teilnehmer an dem im Raum der Natur, der Sittlichkeit, der Religion schon offenbaren Seins. Seit der Romantik sollte er sogar der unmittelbare Offenbarer werden. Jetzt wird in ihm dieser Anspruch bestritten; dafür soll er auf dem Boden der gegenständlichen Wissenschaft leisten, was er durch ursprünglich offenbarende Phantasie nicht hat leisten können. Doch reichen Wissenschaft und äußere Erfassung zum tieferen Erschließen des Seins nicht hin. Es wird in der Wissenschaft selbst immer mehr der Seinsverlust verspürt, immer mehr das Bedürfnis nach einer tiefer erschlossenen Wirklichkeit, die die Wissenschaft nicht sich selbst verdankt, sondern als schon erschlossen in sich aufnimmt. Da solche Erschließung in der Theologie und in der philosophischen Metaphysik nicht stattgefunden haben soll – denn so höbe die Wissenschaft die sie als höchste Erkenntnis begründende Prämisse auf –, so scheint jetzt doch wieder der Dichter das bevorzugte Organ für die Erschließung des Menschen und der Lebenswirklichkeit zu sein. Er wird wieder in die problematische Rolle gedrängt, die Wirklichkeitserschließung zu leisten, die die Wissenschaft sich nicht mehr zutraut und die man im Raum der Offenbarungsreligion nicht mehr finden will.

Diese neue Stellung des Dichters verquickt sich sehr eng mit den neuen philosophischen Konzeptionen vom Wesen des Tragischen, wie sie seit der Romantik gebildet werden. Der Dichter wird hier als der Erfahrer, Erleider, Veranschaulicher eines spezifisch Tragischen begriffen, und er begreift sich selbst als Organ solcher Wirklichkeit. Es entsteht – wie noch zu zeigen sein wird – die Anschauung, als sei das Tragische eine eigne, sich durch den Dichter zeigende Wirklichkeit. Die sich nun entfaltende Philosophie des Tragischen, die die poetisch tragische Überlieferung von der Antike bis zu Goethe und Schiller nur als Stoff ihrer Selbstexplikation gebraucht und mißbraucht, spiegelt sich jetzt im Dichter, seiner Selbstauffassung, seinem Schaffen wieder. Das Tragische scheint zunächst, in der Romantik und bei Hegel, eine Verfassung des Seins selbst zu sein, eine metaphysische Verfassung, zu der der Dichter in besonders engem Bezug steht. Es kann dann, im Realismus und Naturalismus, wie ein gegenständlicher Inhalt besonders einer sozial problematischen Welt werden, die der Dichter gegenständlich auffaßt und darstellt. Das fortschreitende Problematischwerden des Menschen und seiner Wirklichkeit seit Ende des 19. Jahrhunderts führt dann dazu, das Tragische als ein mehr persönliches Erlebnisproblem des einzelnen Dichters mit vielleicht symptomatischer Bedeutung aufzufassen. Durch alle diese Positionen scheint das echte Tragische jetzt erst, mit dem modernen Menschen, seit dem 19. Jahrhundert, hervorzutreten. Gemessen an der Überlieferung von Sophokles bis zu Goethe hat dies alles mit dem eigentlich Tragischen dieser großen Vergangenheit und mit ihrer tragischen Kunst nichts zu tun. Vielmehr ist dieses Tragische nichts als moderne Seinsproblematik, die sich den Begriff des Tragischen zulegt und sich in die Überlieferung zurückprojiziert. So ist, an der Überlieferung gemessen, der moderne Dichter durch Erlebnis und philosophische Spekulation nicht erst der eigentliche Tragiker, sondern stets in Gefahr, als Mensch und als Künstler verdorben zu werden, indem er moderne Seinsproblematik, die mit der Tragödie nichts zu tun hat, durch den Begriff des Tragischen menschlich und weltanschaulich legitimiert.

# VIERTES KAPITEL

# DAS ERHELLEN DER TRAGÖDIE
# DURCH DIE PHILOSOPHIE

Bis um 1800 ist die Tragödie dem theoretischen Wissen oder Erkennen fast ausschließlich in drei Bereichen gegenwärtig: in der philologischen Gelehrsamkeit, in
den durchschnittlichen Poetiken und in einer kritischen ontologischen Erkenntnis. Die Philologie wurde schon in der Antike ausgebildet, durch den Humanismus erneuert und wird als Grundlage alles gelehrten Wissens von der Tragödie
bis in die Gegenwart hinein tradiert. Die durchschnittlichen Poetiken wurden seit
dem Humanismus, besonders in ihm, geschrieben, mit dem Versuch, die Tragödie definierend zu bestimmen, ihre Aufgabe und ihre Bildemittel aufzuzeigen. Die
kritische Ontologie wurde durch Aristoteles ausgebildet und im 18. Jahrhundert
besonders durch Lessing wieder ergriffen. Eine Philosophie des Tragischen wird
erst um 1800 versucht. Friedrich Schlegel gibt für sie zuerst einen Entwurf in seinen Versuchen einer Geschichte zunächst der antiken, dann auch der nachantiken
Poesie.

Die Aufgaben des Erkennens an der Dichtung hatte schon Herder aufgedeckt
und geklärt. Die Dichtung war einmal einer Philosophie zuzuordnen als einer ontologischen Erkenntnis. Diese Philosophie stand am Anfang aller Erkenntnis, indem sie das Wesen einer Dichtung sichtete. Sie stellte fest, daß die Dichtung wesenhaft ein Kunstwerk sei, ferner stellte sie fest, was wesenhaft ein Kunstwerk ist.
Hieraus ergaben sich die Möglichkeiten und Aufgaben einer empirischen Erkenntnis. Die Kunstwissenschaft hatte dieses Kunstwerk zu erschließen, die Philologie
die Bedeutung der Sprache für dieses Kunstwerk, eine Daseinskunde das konkrete Dasein dieses Kunstwerks in seinem Daseinsraum. Zu diesen Wissenschaften trat wieder die Philosophie. Ihre Aufgabe war hier, den Wirklichkeitsgehalt
dieses Kunstwerks zu klären.

Daß die Erkenntnis der Tragödie um 1800 über die Wissenschaft und über die
kritische Ontologie hinausgeht, ist nicht aus Ansprüchen und Antrieben von der
Sache her zu erklären. Weit entscheidender werden weltanschauliche Wandlungen
und Bedürfnisse.

In der Philosophie wird entscheidend die Wissenschaftslehre Fichtes. Er scheint
auf den Grundlagen von Kant fortzudenken. Doch übte Kant den kritischen
Kritizismus, der das dem Menschen Gegebene und Mögliche vorsichtig ausmaß.
Dahinter stand die Überzeugung von dem transzendenten Gott, der den Menschen
mit diesen Gaben und Schranken geschaffen hatte. Doch dachte Kant nicht von
der Theologie her, sondern ihm bestätigten sich die Sätze der Theologie von der
Philosophie her. Seine Methode nannte er die transzendentale, und er verstand
hierunter ein Denken, das auf das Apriorische hindachte, das als Bedingung für
die Möglichkeit des empirisch vorfindlichen Tatbestandes des menschlichen Be-

wußtseins angenommen werden mußte. Fichte dachte scheinbar im gleichen Schema, wenn er sich auf die Tatsache der menschlichen Freiheit richtete und auf die sie ermöglichende Bedingung hindachte. Doch beanspruchte er, die letzte Seinsbedingung der Freiheit ergreifen zu können. Sein Denken sollte bis zu dem Ort vordringen, an dem sich das Wesen des Seins selbst als Freiheit erwies. Damit war er nicht nur weiter als Kant auf das Sein hingedrungen, sondern er hatte dieses Sein auch anders bestimmt. Für Kant war das letzte Sein der transzendente Gott. Er war der letzte, aber der Erkenntnis unerreichbare Grund aller Freiheit. Indem Fichte den Seinsgrund der Freiheit erkennen zu können behauptete, gab er diesen unerreichbaren transzendenten Gott preis, um sich mit einer der Philosophie erreichbaren immanenten sittlichen Vernunft zu begnügen. Kant hatte als Philosoph den Raum der Religion gesichert. Fichte ersetzte diese Religion durch eine philosophische Weltanschauung. Die Philosophie kennt jetzt den Weltgrund besser als die Theologie. Sie gibt damit alles Konkrete der Religion, den persönlichen Gott, den persönlichen Bezug auf ihn preis. Damit gibt sie auch die letzte Begründung des Seins und Geschehens in dem freien personhaften Tun Gottes preis. An dessen Stelle setzt sie ein Sichentfalten dieses geistigen Seins auf Grund einer ihm einwohnenden Energie und Form. Der Geist ist handelndes, sich entfaltendes Sein schlechthin. Die Form dieses Sichverwirklichens ist die Dialektik. Dieser Geist setzt sich selbst, setzt sich einen Gegensatz, setzt Satz und Gegensatz auf höherer Ebene wieder in eins. So kann der Philosoph nicht nur zum letzten Seinsgrund eines empirisch Gegebenen vordringen; er kann auch aus diesem Seinsgrund das empirisch Gegebene ableiten. Er kann also die empirische Wirklichkeit aus einem geistigen Sein deduzieren. Fichte deduziert so das Sein der Natur, daß sie sittlicher Geist ist in der Form seines Andersseins, damit auch Material des sittlichen Geistes, der sie in sich zurücknehmen will.

Für die Erkenntnis der Tragödie bedeutet dies, daß jetzt auch sie auf einen letzten Seinsgrund zurückgeführt und aus diesem Grunde entfaltet werden soll. Sie soll deduziert werden. Diese Erkenntnis greift damit weit hinter die bisher an der Tragödie geübten Erkenntnis zurück. Freilich war diese letzte Seinsfrage bisher nicht unbeachtet geblieben. Doch hatte sie sich mit wenigen begründenden Sätzen erledigen lassen. Soweit die Tragödie eine Dichtung war, war sie ein Geschenk der Muse, ein Schleier aus der Hand der Wahrheit (Goethe). Der Mensch betätigte hier eine ihm angeborene Gabe, die ihm für die Griechen die Götter verliehen hatten, für den Christen Gott. Dies vorausgesetzt, war der sachliche Grund für die Möglichkeiten der Tragödie in der Verfassung menschlichen Seins zu finden, daß der Mensch dem Leiden und Scheitern ausgesetzt war. Bis zu Goethe stimmte die Grundschau der Dichter und Denker mit diesem überlieferten Tragischen überein. Man war überzeugt, durch Zueignung des hier Gegebenen in der Wahrheit zu sein. Seit Fichte ist dies nicht mehr möglich. Die Dichtung kann nicht mehr eine Gabe des transzendenten Gottes sein. Der Inhalt der Tragödie kann nicht mehr ein Leiden und Scheitern sein, das nur wirklich und sinnvoll ist durch einen Bezug auf solche Transzendenz. Die Tragödie wird damit entweder wesenhaft unwirklich, Bezeugung einer Stellung zur Wirklichkeit,

die dieser nicht entspricht. Oder die Tragödie muß in diese neue Weltsicht hinein-
interpretiert werden. Dies kann keine Erkenntnis mehr sein, die den Tatbestand
trifft, der in der Tragödie von Sophokles bis zu Goethe gemeint worden ist.
Dieser Tatbestand wird eben durch den Versuch, ihn philosophisch zu begreifen,
ihn in seinem Seinscharakter zu bestimmen, nicht mehr in seinem historischen
Richtigsein erfaßt. Die historisch richtige und die philosophisch wahr sein sollende
Ansicht von der Tragödie klaffen immer weiter auseinander.

Friedrich Schlegel hat zuerst eine solche philosophische Ausdeutung der Tragödie mit dem Ergebnis eines spezifisch Tragischen gegeben, das der Ursprung
und der Kern der Tragödien sein soll. Er scheint philosophische Wissenschaft
zu betreiben, ein Erkennen des Wesens der antiken und nachantiken Dichtkunst.
Doch steht am Anfang seines Erkennens ein seinspraktischer Antrieb, der ihn
schließlich zur katholischen Kirche hinführt. Er erlebt eine religiöse Not. Sie
entspringt der Lage, wie sie durch die Philosophie Fichtes sichtbar wird. Gott
ist preisgegeben, statt dessen ist dem Menschen nur ein allgemeines geistiges
Sein sittlicher Art geblieben. Damit ist die Grundlage alles konkret religiösen
Lebens aufgehoben, persönliche Beziehung zwischen Gott und Mensch und umgekehrt, wie Goethe sie noch im «Faust» wahrte. Statt bei Gott kann der Mensch
nur noch im Allgemeinen eines geistigen Seins sein. Dieser Zustand wird als
unbefriedigend empfunden. Der Mensch fühlt sich leer, vom Grunde des Seins
losgelöst, ohne persönliche Erfüllung, Befriedigung; er fühlt sich problematisch.

Es wird hier die Krise der total gewordenen Kultur erlebt, in der Philosophie
und Kunstgenuß die Aufgabe der Religion übernehmen sollen. Mithin ist das
Problem das Zuviel an weltlicher Kultur auf Kosten der Religion. Die Lösung
liegt in der Erneuerung der Religion, wie sie auch bald vielfach gesucht wird.
Doch ist seitdem auch dieses Mißverständnis möglich, als läge das Problem in
dem Unvollkommnen der Kultur; man versucht seitdem das religiöse Problem
stets wieder zu lösen durch einen Fortschritt der Kultur oder auch nur der Zivili-
sation. Dieser Ansatz führt zu einer Kulturutopie. Man nimmt als möglich an
und setzt es sich zum Ziel, einen Kulturzustand zu erreichen, der dem Menschen
eine quasi religiöse Befriedigung gewährt.

Friedrich Schlegel entwirft eine diesem Ziele dienende Kulturmetaphysik[1].
Er wandelt den Begriff der Kultur: so versteht er hierunter einen den Menschen
völlig befriedigenden Zustand im Verhältnis zum absoluten Sein. Das Wirklich-
keitsschema des philosophischen Idealismus macht solche Metaphysik möglich.
Man hat Gott als letzten Zielort der Seinserfüllung ausgeschieden. Man besitzt
jetzt nur noch ein geistiges und ein natürliches Sein. Eine Befriedigung muß
im Bezug auf dieses Sein erreicht werden. Das ursprünglich religiöse Ziel war
das harmonische Sichbergen des Menschen in Gott. Das neue Ziel ist das Sichbergen des Menschen in einem Weltsein, worin das Geistige und Natürliche harmonisch mit sich selbst versöhnt sind, und worin der Mensch im Genuß dieses
mit sich selbst versöhnten Seins lebt. Für diesen Zustand spricht man der Dichtung
eine ausgezeichnete Bedeutung zu. Sie soll das Medium sein, worin der Mensch
sich in seinem Verhältnis zu diesem Sein ausdrückt, zugleich der Bereich, worin

solches Verhältnis gewonnen werden kann. Vollkommene Dichtung und vollkommener Zustand der Kultur sind eins. Wo die vollendete schöne Dichtung
herrscht, hat auch der Mensch einen Kulturzustand erreicht, worin geistiges
und natürliches Sein versöhnt und der Mensch im Genuß dieser Versöhnung ist.

Dieser Zustand scheint in der antiken Kultur erreicht worden zu sein. Die
Antike zeigt mithin nicht nur Muster der vollendeten schönen Kunst, in den
bildenden Künsten und in der Dichtung, sondern ihre Dichtung bezeugt, daß
hier auch ein Ideal des innerlichen menschlichen Kulturzustandes verwirklicht
ist, daß der antike Mensch in der Harmonie der geistigen und natürlichen Wirklichkeit gelebt, daß er solche Wirklichkeit nicht nur dargestellt, daß er sie auch
real besessen hat. Die Kultur gewinnt hier praktische Realität in bezug auf den
Menschen, indem sie nicht nur zu fordernde Bildungsideale vorstellt, sondern
verwirklichte Bildungsideale bezeugt. Die Dichtung bezeugt die reale Verfassung
des antiken Daseins. Diese reale Bildung aber wird als das Ergebnis eines konsequenten Vorgangs in der Zeit, also als das Ergebnis einer Bildungsbewegung
begriffen. Ihr Motor könnte ein Streben des Menschen sein. Doch bildet diese
Philosophie sich als eine Geschichtsmetaphysik aus. Das geistige und das natürliche Sein ist die göttliche Wirklichkeit selbst, und es wird ihm eine höhere, auf
Vollendung drängende Bewegung zugeschrieben. Also nicht eigentlich der
Mensch soll in der Antike den idealen Zustand der Dichtung und der Wirklichkeitsverfassung heraufgeführt haben. Sondern das Sein selbst hat sich von sich
aus entfaltet; es hat den Menschen, ihn umgreifend, zur Vollendung seines Weltzustandes gebracht. Es hat sich eigentlich ein Sichbilden des Weltseins vollzogen,
und die griechischen Dichter waren mehr die Medien, in denen dieses Weltsein
einem Zustand höchster Vollendung zustrebte. So ist die griechische Dichtung
die Manifestation eines Bildungsvorganges des Seins selbst, und die einzelnen
Dichtwerke sind als Bekundungen dieses Vorganges zu begreifen.

Damit ist das Schema geschaffen, worin die griechische Tragödie begriffen,
worin sie philosophisch vollkommen durchdrungen sein, worin sie philosophisch
deduzierbar sein soll. In ihr zeigt sich ein bestimmtes Stadium im Gange des
sich entfaltenden Seins. Die griechische Dichtung entwickelt sich in Etappen, die
durch die Logik dieses Bildungsvorgangs bestimmt werden. Für Goethe und
Schiller standen noch epische, lyrische, dramatische Dichtung als Gestaltungen
bstimmter Grunderfahrungen des Menschen und Grundweisen der Dichtung nebeneinander. Friedrich Schlegel erfaßt sie in der Antike als ein notwendiges zeitliches Nacheinander, als Ausdruck zeitlich einander folgender Bildungsstufen.
Es vollzieht sich ein Vorgang von der Natur zur Freiheit, mit dem Ziele eines
harmonischen Gleichgewichts. In der epischen Dichtung äußert sich der noch am
meisten der äußeren Naturwirklichkeit hingegebene Mensch. In der Lyrik sind
Freiheit, Innerlichkeit, künstlerische Selbständigkeit des Menschen schon gesteigert. In der griechischen Tragödie aber sind Freiheit und Natur, oder Mensch und
Welt schon auseinander, sie sind gegeneinander getreten. Doch wird dieser Zwiespalt in der schönen harmonischen Tragödie zugleich überwunden. Damit ist hier
zum erstenmal die philosophische Formel für ein spezifisch eignes Tragisches da.

Die Tragödie zeigt nicht mehr überzeitliche Möglichkeit, daß der Mensch dem Leiden und Scheitern grundsätzlich ausgesetzt ist. Sondern sie zeigt zeitliche Wirklichkeit, und das spezifisch Tragische dieser Wirklichkeit ist, daß in ihr der Mensch als Freiheit zum göttlichen Sein als Natur in Gegensatz getreten ist. Das Tragische ist hier eine zeitliche Kulturrealität bestimmter Art geworden.

Dies tritt in der Erfassung der nachantiken Tragödie noch entschiedener heraus. Friedrich Schlegels Ausgangsort für diese Konzeption war der problematische Zustand des Menschen der Gegenwart, und sein Blick auf die Antike diente nur diesem Zwecke, ein Bild und Vorbild vollendeter Kultur zu gewinnen. Er kann jetzt seine Geschichtsmetaphysik über die Antike hinaus erweitern. Die Griechen, sagt er, haben das Ideal einer natürlichen Bildung verwirklicht, eines in der Natur begründeten Bildungsganges. Diese Bildung hat ihre Vollendung erreicht, ist aber nach dem Gesetz des natürlichen Kreislaufes auch wieder vergangen. Jetzt schließt sich eine künstliche Bildung an, die dasselbe Ziel auf dem Wege vom Geist zur Natur zu erreichen versucht. Schlegel glaubt, daß diese Bildung, durch die Freiheit des Geistes, sich verirrt habe. So ist der nachantike Mensch in die äußerste Seinszerspaltung, in ein negativ tragisches Bewußtsein geraten. Shakespeare ist hiervon der Gipfel; seine Tragödien sind die negativen Gegenstücke zu Sophokles' Dramen: sie sind statt schön charakteristisch, statt harmonisch disharmonisch, statt versöhnend und erlösend zerreißend. Der Totaleindruck des «Hamlet» ist «ein Maximum von Verzweiflung». «Alle Eindrücke, welche einzeln groß und wichtig schienen, verschwinden als trivial vor dem, was hier als das letzte einzige Resultat alles Seins und Denkens erscheint, vor der ewigen kolossalen Dissonanz, welche die Menschheit und das Schicksal unendlich trennt.» Im «Hamlet» aber «ist der Geist seines Urhebers am sichtbarsten». Und Shakespeare ist der Künstler, «welcher den Geist der modernen Poesie überhaupt am treffendsten und vollständigsten charakterisiert [2]».

Der Sinn solcher Konzeption für den sie Entwerfenden liegt offen. Es muß eine Wirklichkeitsverfassung konzipiert werden, die es erlaubt, auf die Kultur religiöse Funktionen und Bewirkungen zu übertragen. Darum wird die Dichtung aus dem bloßen Zeigen überzeitlicher Möglichkeit in die Bekundung zeitlicher Wirklichkeit umgedeutet. Darum ist sie nicht mehr bloß die Sichtung möglicher Ideale, sondern Ausdruck ihrer Verwirklichung. Darum wird diese Verwirklichung nicht der Freiheit und Willkür und auch dem Versagen des Menschen überlassen, sondern der Logik eines übergreifenden, durch das Sein selbst angetriebenen Geschichtsgangs überantwortet. Darum muß jetzt in der Tragödie die Bekundung eines realen Zwiespalts von Mensch und Weltsein gefunden werden. Durch die Preisgabe des transzendenten Seins Gottes schließt sich die Erlösung jeweils jedes einzelnen Menschen in Gott, diese Erlösung noch eines Faust, aus. Das Weltsein selbst muß in einem Gange immanenter Entwicklung zu einer Erlösung führen. Darum wird jetzt das Tragische nicht nur als ein solcher realer Zwiespalt in der Zeit, sondern auch nur als ein zeitlich begrenzter geschichtlicher Zustand aufgezeigt, der geworden ist und durch die Logik der Geschichte wieder überwunden wird. Shakespeares Tragödie zeigt durchaus nur «eine vorübergehende Krise des

Geschmacks». Sie muß sich endlich selbst vernichten[3]. In Goethe ist die moderne
Poesie schon wieder auf dem Wege zur harmonischen, schönen, versöhnenden
Kunst. So wird der geschichtsphilosophische Unterbau geschaffen für die roman-
tische Dichtung. Sie ist mehr als bloße Kunst; sie zeigt die religiös-ästhetische
Vollendung des menschlichen Bildungsganges an. Dichtung ist nicht mehr, wie
schon für Aristoteles und noch für Herder, philosophischer als die Geschichte, son-
dern die Manifestation von Natur und Geist in ihrem Wesen als geschichtliche
Entwicklung selbst.

Ein Grundzug dieser Konzeption ist der Begriff einer tragischen Realität. Dieses
Reale, das nun der Tragödie zugrunde liegen, aus dem sie herkommen, durch das
sie zu erklären sein soll, kann auf verschiedenste Weise begriffen werden. Für
Friedrich Schlegel ist dieses Tragische eine Verfassung des absoluten Seins selbst
in seiner geschichtlichen Entfaltung. Auch Hegel denkt so, doch in sehr anderem
Schema. Schlegel erfaßt die Tragödie im Gange einer menschlichen Bildung. Die
Tragödie ist für ihn stets Ausdruck einer Krise dieser Bildung, eines Zwiespalts
zwischen Ich und All. Bei Sophokles wird dieser Zwiespalt sofort wieder geschlossen, bei Shakespeare bleibt er offen. Hegel hingegen baut das Tragische in
seine Philosophie des totalen Geistes ein, die sich nicht auf die Bildung des Menschen, sondern auf die Entfaltung des Seins an sich richtet. Hierbei wird die Tragödie zu einem positiven Moment des positiv sich entfaltenden Seins. In der Tragödie sind Mensch und Weltverhältnisse dialektisch auseinandergetreten, und mit
dem Untergange des Menschen versöhnt sich dieses Sein mit sich selbst in höherer
Synthese. Auch hier wird eine Versöhnung des zerspaltenen Seins mit sich selbst
erreicht. Der absolute Geist läßt die tragische Zerspaltung, die Stufe der Kunst
und die Stufe der Religion hinter sich, bis er in dem Sichbegreifen im philosophischen Begriff, zuhöchst in der absoluten Philosophie, wieder ganz in seinem entfalteten Selbst, und hiermit in dem ihn denkenden und zu Ende vollziehenden
Philosophen ganz in seinem Besitz ist.

Bei Hegel wird zur Tragödie als ihr eigentliches Sein das in sich selbst entzweite
absolute Sein hinzugedacht. Das Tragische ist eine Seinstragik. Zugleich hat dieses
Sein die Form der Geschichte, in der diese Tragik überwunden wird. Friedrich
Schlegel betont mehr den Menschen, hält aber auch die übergreifende Geschichte
fest. In beiden Konzeptionen ist der Inhalt der Tragödie metaphysisch bedeutsam.
Doch kann dieses Bedeutsame auch in einer Verfassung nur des Menschen und
außergeschichtlich begründet werden, in einem Verhältnis des Menschen zum
Sein, das schlechthin durch den Menschen besteht. Hier setzt Schopenhauer mit
seiner Deutung der Tragödie an. Auch er begründet sich in dem Seinsproblem,
von dem Friedrich Schlegel seinen Ausgang nahm, auch er denkt im Raum einer
religionslos gewordenen Kultur. Doch löst er dieses Problem nicht zugunsten
einer Kulturmetaphysik auf, die die religiöse Erfüllung gewährleisten soll, auch
nicht durch einen Durchbruch aus dem Raum der Kultur und Philosophie in die
Religion. Er weist nicht vorwärts in das weiter zu entfaltende Sein, sondern zurück
in ein Sein, aus dem der Mensch herausgetreten ist. Dieses Sein ist ein vor aller gestalteten, aller welthaften, aller ichhaften Wirklichkeit liegendes Ursein, in das der

Mensch wieder zurück muß. Das Prinzip dieses sich absondernden Selbstseins ist der Wille; Folge des Willens ist Leiden, durch das Streben zu einer Absolutheit und Erfülltheit im daseienden Sein, die nie gewährt werden können. Insofern muß der Wille rückgängig gemacht werden. In diesem Zusammenhang wird die Tragödie gesehen als ein Gebilde, worin der Mensch im Scheitern des Willens erscheint. Schopenhauer bewahrt der Tragödie den Charakter als reines zeigendes Vorstellungsgebilde. Er gibt nur diesem Zeigen ein eignes Ziel und eine eigne Dringlichkeit im Sinne seiner Philosophie. Die Tragödie bereitet den Menschen durch den Inhalt ihrer Schau und durch den durch sie erregten Zustand zur Verneinung des Willens vor. Damit aber ist ihr gezeigter Inhalt ein Tragisches im Sinne Schlegels und Hegels. Für Friedrich Schlegel zeigt sich hier der Mensch in einem Kulturstadium, worin Ich und All auseinandergetreten ist. Auch für Schopenhauer zeigt der Dichter ein solches Auseinandergetretensein, doch nun als die Grundverfassung jedes seienden Menschen schlechthin. Auch hier wird das tragische Bild zu einem Tragizismus verfestigt. Aus einer jedem Menschen bevorstehenden Möglichkeit wird auch hier eine jeden Menschen erfüllende Wirklichkeit gemacht. Insofern wird auch hier gefolgert, daß dieses soseiende Tragische zu überwinden sei. Für Schlegel ist es zu überwinden durch ein Vorangehen des Seins, bei Schopenhauer durch ein Zurückgehen des Menschen. Auch hier wird dem geschichtlichen Bestand der Tragödie ein Tragisches bestimmter Art untergeschoben, nämlich die von Schopenhauer postulierte Seinsverfassung des Menschen, damit dann dieses Tragische durch den von Schopenhauer geforderten Akt aufgehoben werden kann.

Die Lehren vom Tragischen bei Friedrich Schlegel, Hegel, Schopenhauer gehören im engeren Sinne zu einer Metaphysik der Tragödie. In ihr wird aus der alten Tragödie gewahrt, daß in ihr metaphysische Seinsbezüge erscheinen. Hegel erhöht sogar das einen metaphysischen Bezug nur meinende zu dem eine metaphysische Realität enthaltenden Gebilde. In der Tragödie vollzieht und verwirklicht sich absoluter Geist. Dieser Metaphysik der Tragödie stellt sich im fortschreitenden 19. Jahrhundert eine Physik der Tragödie entgegen, der idealistischen eine realistische Philosophie. Doch denkt auch diese Philosophie im Schema der durch diese Metaphysik geschaffenen Anschauungen fort. Hegel hatte eine Philosophie des Geistes ausgebildet, deren Substanz das sich entfaltende Sein als Geist war. Seine Philosophie war Geistesgeschichte. Die Tragödie, als ein Moment dieses sich entfaltenden Geistes, war durch eine Geistesgeschichte zu verstehen. Diesen Ansatz, daß der eigentliche Erkenntnisgegenstand der Geist und seine Geschichte sei, hält auch diese realistische Philosophie fest. Doch gibt sie den Geist als ein den Menschen übergreifendes metaphysisches Prinzip preis. Ihr Gegenstand ist nur noch die Geschichte des menschlichen Geistes.

Auch diese Geschichte wird konstituiert durch eine bestimmte weltanschauliche Perspektive. Dies ist die Idee der werdenden Autonomie des Menschen, in theoretischer wie in praktischer Rücksicht. Die Geschichte des menschlichen Geistes ist die Geschichte des geistigen Fortschritts des Menschen. Dieser Geist soll drei Stadien durchlaufen, das religiöse, das philosophische, das wissenschaftliche. Im religiösen Stadium steht dieser Geist noch ganz im Banne der Theologie, in der Wissenschaft ist er zur kritischen Wirklichkeitseinsicht befreit, in der Philosophie ist er im Übergang. Die diesen Überblick tragende Überzeugung ist, daß der Fortschritt des Geistes stattfinde durch den Abbau zuerst der transzendenten religiösen, dann der immanenten geistigen Wirklichkeit der Metaphysik, und daß der Geist um so wirklichkeitshaltiger und -getreuer sei, je mehr er sich mit der gegebenen Natur als der eigentlichen Wirklichkeit erfülle. So wird hier nicht nur das transzendente, sondern auch das vom philosophischen Idealismus der Natur zugrunde gelegte Sein des Geistes ausgeschieden; es verbleibt nur das Sein der Natur. Dieser theoretische Fortschritt aber wandelt auch die Seinsweise des Menschen. Er ist nicht mehr durch einen Gott oder ein umgreifendes Sein des Geistes bestimmt, sondern ist seiner Freiheit und Selbstkraft, ist ganz seiner Erkenntnis und Tat überantwortet.

Die Tragödie erkennen heißt dann, sie in diesem Zusammenhang zu begreifen. Hier werden zwei Auffassungen vertreten. Die erste Auffassung wahrt die Tragödie als eine echte Realität, doch findet sie in ihr nicht mehr ein Tragisches der Entzweiung. Vielmehr muß die Tragödie begriffen werden als ein Moment in der Bewegung des menschlichen Geistes auf seine Freiheit hin. Sie entsteht da, wo der menschliche Geist beginnt, sich aus dem Umschlusse der geschichtlichen Religion herauszulösen, wo er, erkennend und handelnd, zu seiner Selbstkraft emporsteigt. Dies ist schon in der Antike bemerkbar. Die geschichtliche Religion löst sich auf; die Tragödie entsteht im Übergang zur Philosophie. Man kann auch dies betonen, daß in der Religion ein mehr sinnlich anschauendes Verhältnis zur Wirklichkeit herrschte, in der Philosophie die Wirklichkeit begrifflich gedacht wird, dazwischen aber nun sich ein Stadium der Phantasieansicht der Wirklichkeit schiebt, worin der frei werdende Mensch sich und die Wirklichkeit im Medium der Phantasie anschaut und gestaltet. In der Antike bleibt dieser Vorgang bedingt; Götterglaube und Fatalismus bleiben hier herrschend. Dagegen wird dieses Pathos des autonomen Menschen mächtig in dem Drama der Renaissance. Shakespeare besonders spricht in seinen Dramen dieses neue Lebensgefühl aus. Er schreibt spezifische Charakterdramen in diesem Sinne, daß er autonome Persönlichkeiten darstellt, von einem mächtigen Leben und Willen erfüllt, die handeln und wagen und lieber den Untergang im Kampf mit entgegenstehenden Gewalten hinnehmen als eine Einbuße ihrer Freiheit.

Für diese Auffassung ist die Tragödie ein Zeichen des positiven Aufbruchs zu sich selbst. Zugleich wird auch ein radikalerer und folgerichtigerer Positivismus vertreten. In der Tragödie wird der Mensch unter der Macht umgreifender metaphysischer Mächte gezeigt. Damit kommt ihr nun die Realität eines metaphysischen Wahns zu, durch den der Mensch noch solche Mächte als Herren seines Schicksals annahm. Der moderne Mensch aber ist ein freierer Mensch geworden, er erkennt keine Macht an außer der, die im menschlichen Charakter liegt. Die Wirklichkeitsauffassung der Tragödie ist heute als Täuschung entlarvt und überwunden. Auch so muß die Tragödie als ein Moment im Gange des menschlichen Geistes verstanden werden. Doch bezeichnet sie nicht mehr den Aufbruch des

Menschen zu sich selbst, sondern den Menschen in seiner metaphysischen Gebundenheit. Sie besteht am festesten für den Menschen des religiösen Glaubens. Durch die Philosophie wird sie schon erschüttert, und durch die Wissenschaft wird sie in ihrem Anspruch auf Wirklichkeitsgemäßheit negiert.

Doch ist nun im Bereich menschlicher Geistesgeschichte auch eine entgegengesetzte Ansicht möglich. Sie schließt an die romantische Ansicht an, gibt aber das metaphysisch Seiende preis. Jetzt wird das Positive des menschlichen Seins wieder in die metaphysische Erfüllung, und zwar in den Besitz einer positiven Religion gesetzt. Auch jetzt nimmt man an, die Bewegung des Menschen gehe auf seine Autonomie, auf sein Selbstsein zu. Doch erfährt der Mensch jetzt nicht den positiven Selbstgewinn, sondern den wachsenden Seinsverlust. Shakespeare zeigt keinen freudigen Aufbruch mehr, sondern bekundet ein Problematischwerden des Menschen. Dies aber ist nur noch ein Problematischwerden des Menschen, nicht mehr eine Krise eines als übergreifendes Sein gefaßten Kulturprinzips. Insofern kann der Geschichtsgang auch nicht mehr der Helfer sein, durch den eine vorübergehende Krise der menschlichen Bildung sich vernichtet. Vielmehr fällt der Mensch immer mehr aus dem göttlichen Sein heraus. Dieses Gefühl des Herausfallens ist das eigentlich tragische Bewußtsein. In der Tragödie manifestiert sich das Menschsein in seiner wachsenden Entleerung und Verzweiflung. (B. v. Wiese) Am Ende steht der nichtige Mensch vor dem Nichts[4].

Allen diesen Konzeptionen von der Romantik an eignet, daß ihnen die Tragödie zu einer faktischen Realität des seienden Menschen und seiner Kultur wird, und daß diese Realität wieder verschwindet oder verschwinden soll. Der tragische Zwiespalt kann in einem positiven Gang des metaphysischen Seins überwunden werden, wie für Friedlich Schlegel und Hegel. Er kann rückgängig gemacht werden durch Verneinung des Willens, wie für Schopenhauer. Im Bereich menschlicher Geistesgeschichte steigt der Mensch zu voller Freiheit empor oder er endet in völliger Seinsentfremdung und Vernichtung. Dort macht der Sieg der Freiheit, hier die absolute Entleerung dem Tragischen ein Ende.

Diese philosophischen Sichten gründen in der Annahme der Immanenz des Seins oder sind doch noch hiervon abhängig; für sie ist diese Annahme eine sichere, die Lehre von der Transzendenz des absoluten Seins überwindende Erkenntnis. Doch kann diese Voraussetzung auch von der Philosophie bestritten werden. Philosophie setzt sich dann nicht mehr durch die Idee des immanenten Seins der Theologie entgegen, sondern hält die Transzendenz des begründenden Seins fest, ja sie macht dieses Festhalten zu ihrem eigentlichen Lehrinhalt. Der Mensch kann sich als Mensch echt nur erfüllen, indem er sich auf Transzendenz bezieht. Der Versuch, die Wirklichkeit als eine immanente Totalität zu erfassen, muß scheitern, ist nur durch Täuschung möglich; der Versuch eines Lebens in sich rundender Immanenz erleidet dasselbe Schicksal. Hier wird die Tragödie neu und auf neue Weise positiv bedeutsam. Mit diesem Bekenntnis zu ihr richtet sich auf sie Karl Jaspers.

Auch Jaspers geht von dem durch die Romantik geschaffenen Anschauungsschema aus, daß die Tragödie nur als eine in der Geschichte werdende Wirklichkeit des

Menschen verstanden werden könne. Auch für ihn gibt es einen geistesgeschichtlich
entscheidenden Ort, an dem die Tragödie auf Grund eines tragisch werdenden Bewußtseins hervortritt. Auch für ihn ist dies der Ort, an dem der Mensch aus einem
festen, sichernden religiösen Bewußtsein heraustritt. Doch tritt für ihn der Mensch
hier nicht in die wohlgemute Autonomie seiner wachsenden Freiheit, er läßt nicht
metaphysische Bindung als Wahn hinter sich, und er verfällt auch nicht dem unglücklichen Bewußtsein fortschreitender metaphysischer Entleerung. Vielmehr
scheint er hier das Wesen zu werden, das nun als der uns verstehbare Mensch
des Abendlandes gegenwärtig ist. Dieser Mensch ist nicht mehr der naiv Gläubige;
für ihn ist nicht mehr eine übersinnliche Wirklichkeit durch eine übernatürliche
Offenbarung als ein positives und dieser Wirklichkeit adäquates Wissen da. Doch
ist für ihn darum dieser Bereich nicht nichtig, vielmehr bleibt er wirklich und
bleibt der dringlichste Bezugsort menschlichen Erfahrens, Denkens und Tuns. Nur
steht jetzt der Mensch vor dieser Wirklichkeit, die sich von sich selbst her nicht
gibt und die vom Menschen her nicht angemessen zu erreichen ist, als vor einer
verschlossenen Transzendenz. Das Äußerste dem Menschen Mögliche ist, daß er
diesen unbetretbaren Bereich als Erfahrender, Denkender, Handelnder immer wieder berührt, hierbei seiner Wirklichkeit inne wird. Als ein Vollzug des so existie-
renden Menschen will jetzt auch die Tragödie begriffen werden. Sie besteht da, wo
der Mensch nicht mehr im unreflektierten Glauben der geschichtlichen Religion
geborgen ist, wo er auch nicht der Täuschung einer harmonischen Immanenz erliegt, wo er auch nicht in täuschender Freiheit oder im täuschenden Glauben an
die Bedeutungslosigkeit transzendenten Seins lebt, sondern wo er sich bezogen
weiß auf diese verschlossene Transzendenz. Für Friedrich Schlegel erscheint in
der Tragödie eine metaphysische Krise des Menschen, ähnlich für B. v. Wiese:
das tragische Bewußtsein ist also zu überwinden, indem der Mensch entweder in
der Erfüllung oder in der Leere endet. Jaspers hingegen betont die Notwendigkeit, dieses Tragische festzuhalten, das ihm jetzt eins ist mit dem Sichhalten des
Menschen vor der wirklichen, wenn schon verborgenen Transzendenz. Für Friedrich Schlegel oder v. Wiese ist das Tragische ein unglückliches Bewußtsein; für
Jaspers begründet es sich in dem Menschen, der sich aktiv auf die Transzendenz hin wagt, und zwar im Wissen. Der Mensch geht im unbedingten Wissen-
wollen auf die Transzendenz zu, obschon er hierbei scheitert; und eben im Scheitern wird ihm Wirklichkeit der Transzendenz faßlich. Sophokles stellt für Jaspers
dies an seinem Ödipus dar. «Ödipus ist der Mensch, der wissen will[5].» Er verfällt
dem Unheil des Wissens, das er nicht ahnte. «Aber dieses unbedingte Wissenwol-
len und dieses unbedingte Aufsichnehmen ist im Scheitern eine andere Wahrheit[6].»
Es vollzieht sich in Ödipus eine innere Versöhnung, auch eine objektive Versöhnung findet statt, sichtbar gemacht durch den Segen, den seine Grabstätte spen-
det. Ähnlich ist im «Hamlet» «das ganze Drama ... das Wahrheitsuchen Hamlets[7]». Hier fehlt am Ende die Einsicht, die Erlösung. Hamlets Wahrheitswillen
«endet im Schweigen[8]». An der Grenze des Faßlichen scheint das Nichts zu sein.
Aber: «Nicht das Nichts, sondern Transzendenz wird fühlbar in den Weisen,
wie Hamlet sein Nichtwissen ausspricht».[9]

Alle diese Ausdeutungen kreisen um das Verhältnis des Menschen zum Sein. Andere Ausdeutungen könnten hinzugefügt werden, die das Tragische mehr in einer bestimmten Weise des Moralischseins finden, in einem Verhältnis von Schuld, Strafe, Sühne. Hier wäre eine bestimmte Weltverfassung, die Herrschaft einer mehr göttlich-sittlichen oder doch allgemeiner sittlichen Weltordnung vorauszusetzen, und das Tragische kann nun begründet werden in einer Verfehlung des Menschen gegen das göttliche und das moralische Gebot. Den Stoff hierzu geben die Dichter selbst durch ihre vielfachen Hinweise auf die Herrschaft einer göttlichen und moralischen Ordnung und des Verstoßes des Menschen hiergegen. Hierauf kann sich eine Philosophie richten, die mehr Morallehre als Metaphysik sein will. Ihr Vorzug ist der Verzicht auf eine umfassende Metaphysik, die die Tragödie nur als Baustein für ihr System benutzt, ihr Sichbeschränken auf moralische Bezüge, wie sie faktisch in der Tragödie erscheinen und ausgesprochen werden; ihr möglicher Nachteil ist die Reduktion der Tragödie auf eine spezifisch moralische Darstellung, eine gewaltsam moralische Interpretation der Tragödie, der Versuch, stets ein befriedigendes Verhältnis von Schuld und Strafe zu finden; ferner liegt hier eine Intellektualisierung nahe, als habe der Dichter in der Tragödie nur sittliche Einsichten niedergelegt. Auch hier ist eine weiterschreitende Entwirklichung möglich, als finde man statt des Dichters Einsichten nur dessen Ansichten, wie Gustav Freytag formuliert: man fände hier den Niederschlag einer jeweils persönlichen sittlichen Weltanschauung.

Das Ergebnis dieser philosophischen Tätigkeit an der Tragödie bis zur Gegenwart ist durchaus negativ. Sie beginnt mit einer täuschenden positiven Totalerkenntnis; sie endet in einem gleichermaßen täuschenden Negativen, worin das faktische Positive der alten Tragödie verloren geht. Sie wird zu einem getreuen Spiegel des weltanschaulichen Ganges des europäischen Menschen seit der Preisgabe der geschichtlichen Religion. Hier wirkt sich der grundlegende Wandel in der Auffassung des letzten Seins aus. Durch die Annahme des transzendenten Gottes und seines Sichoffenbarens aus seiner Transzendenz über alle Natur und Vernunft hinaus stand im Mittelpunkt des menschlichen Lebens eine Lehre, die über den Menschen verfügte; jetzt mit der autonomen Philosophie wurde dieses Verfügen von Gott her aufgehoben zugunsten eines Verfügens des philosophierenden Menschen über diese Lehre. Indem Hegel diesen Schritt vollzieht, macht er alle späteren Schritte unvermeidlich. Er löst Gott in den Geist auf, Glauben in Erkenntnis, Überwältigtsein von Gott her in ein Bewältigthaben vom Menschen her. Er hält statt der Realität des offenbaren und erfahrenen Gottes nur noch die Pseudotranszendenz eines zur Natur als Seinsgrund hinzugedachten Geistes fest. Die Preisgabe dieses Geistes durch den Positivismus ist nur konsequent; ebenso folgerichtig ist jetzt die Desillusionierung aller bloß noch positivistischen Wirklichkeit, daß sie des Menschen Seinsansprüche keineswegs erfüllt. Folgerichtig ist, das Sein wieder jenseits der Welt in die Transzendenz zu setzen, und folgerichtig auch, dieses Sein als ein verschlossenes zu setzen, da es sich nur öffnen kann als Gott und als seine Offenbarung. In der Erkenntnis der Tragödie spiegelt sich nur dieser Gang: die Bemühung zuerst, die Tragödie als ein Medium immanenter Offenbarung

zu benutzen, ihre Relativierung sodann bis zu ihrer Verneinung im Positivismus; schließlich die Philosophie der verschlossenen Transzendenz, in der der
tragische Dichter als der echt philosophisch vor der verschlossenen Transzendenz stehende und transzendierende Mensch begriffen wird.

Das letzte hier Geschehende ist, theologisch gesprochen, der Abfall des Menschen von Gott, der Übergang aus der konkreten Religion in ein noch religiös
scheinendes Philosophisches, von hier in das Un- und Irreligiöse. Rein erkenntnis-
theoretisch liegt hier eine Mißachtung der philosophischen ontologischen Kritik
vor, wie sie Kant, Lessing noch so souverän geübt hatten, und wie sie für Goethe
selbstverständlich war. So wird die Philosophie, nach einem ersten Enthusiasmus
äußerster Erweiterung und festester Sicherung der Erkenntnis, wieder zu einem
Tummelplatz geistiger Kämpfe mit dem Ergebnis eines fortschreitenden Seins- und
Erkenntnisverlustes. Die grundsätzliche Klarheit, die sie schließlich erreicht, nach
Erschöpfung aller Erkenntnisutopien, ist negativ: die Einsicht, daß der Mensch
in der ihm zugänglichen immanenten Wirklichkeit sich nicht erfüllen und daß er
die ihn erfüllende transzendente Wirklichkeit von sich aus nicht erreichen kann.

Es wäre grundsätzlich möglich und wäre auch nötig gewesen, daß in diesem
Strudel des philosophisch Spekulativen sich die Wissenschaft als die eigenständige,
phänomenologische und von den Phänomenen her Zusammenhänge stiftende Erkenntnis behauptet hätte, als die sie schon bei Lessing und Herder bestand. Doch
wurde sie ohne hinreichende Kritik die Erbin der inzwischen herangebildeten
Philosophie. Diese hatte alle empirische Erkenntnis in Philosophie verwandelt:
Theologie in Religionsphilosophie, Naturwissenschaft in Naturphilosophie, Historie in Geschichtsphilosophie, Kunstwissenschaft in Kunstphilosophie, die Wissenschaft von der Tragödie in eine Philosophie des Tragischen. Sie hatte sich als
diese Philosophie begründet, indem sie zu dem empirisch Gegebenen ein empirisch
nicht gegebenes Sein als Seinsgrund hinzudachte, und indem sie die empirischen
Tatbestände diesen Seinsgründen gemäß ausdeutete. Die Wissenschaft, anstatt auf
den Boden des Empirischen zurückzukehren, von den Fakten sich vorzutasten zu
einem mehr hypothetisch Allgemeinen, ließ sich jetzt ihre Erkenntnis im Ansatz
durch die Sätze der philosophischen Spekulation strukturieren. Schon Grillparzer
stellt fest: «In dieses traurige Geschäft, das früher die Kunstphilosophen betrie-
ben, traten nun, infolge der gestiegenen Wertschätzung der Geschichte, die Kunst-
Historiker ein[10].» Noch Erich Rothacker fragt, «ob die wissenschaftsgeschicht-
lich gegebenen Formen von geisteswissenschaftlichen Fächern wie Literaturge-
schichte, Kunstgeschichte, Religionsgeschichte nicht völlig ihre Struktur verlö-
ren, wollte man ihr einmal die Gestaltungsfaktoren entziehen, die sie direkt aus der
romantischen Vorstellungsweise ererbten[11].» Rudolf Unger kann es bekennend
aussprechen: «Die philosophischen Überzeugungen von der Kontinuität, der ste-
tigen Bewegung, der wesentlichen Einheitlichkeit, der zielstrebigen Entwicklung
in der geschichtlichen Welt ermöglichen überhaupt erst die aller Literaturge-
schichte zugrundeliegende fundamentale Fragestellung[12].» Wo man dieses idealistisch Philosophische verneint, tritt nur die positivistische Philosophie an dessen
Stelle, als eine flachere, leerere, fragwürdigere Konzeption, die sich auf ein nicht

mehr Verstandenes der romantisch idealistischen Philosophie zurückbezieht. So wird in der Wissenschaft auch heute noch die Tragödie auf Grund unkritischer ontologischer Prämissen erfaßt und befragt. In ihr soll sich ein Sein manifestieren, dieses Sein ist geschichtlicher Art, die Tragödie an sich selbst (nicht nur ihre jeweilige raum-zeitliche Daseinsform) ist im Zusammenhang mit einer geschichtlichen Seinsbewegung positiver oder negativer Art zu erkennen.

So erledigt sich auch die seit der Romantik immer wieder vertretene These, die Wissenschaft gewinne durch ein vertiefendes philosophisches Verständnis. Die Wissenschaft kann nur gewinnen durch ihr Sichbeschränken auf die Sicherung der empirischen Tatbestände. Grillparzer fordert dies schon hinsichtlich der kunstkritischen Urteile. Es ist nicht die Aufgabe der Wissenschaft, von sich aus über künstlerische Werte und Nicht-Werte zu richten. Sie soll rein historisch verfahren, uns wissen lassen, «wie die Mitmenschen über einen Dichter geurteilt haben, in welcher Geltung er bei der darauf folgenden Zeit gestanden, und wie die berufenen Geister heutzutage über ihn urteilen». «Selbst-Urteilen sollen nur Sachkundige»; und dies möchte der wissenschaftliche Forscher nur sein, wenn er, über das Stoffliche hinaus, sich zum maßgeblichen Kunstkritiker herangebildet hat. Hierzu reicht nicht hin, daß «man weiß, oder wohl auch lebhaft fühlt, daß Schiller und Goethe große Dichter sind und Lessing ein vortrefflicher Kopf war[13]». Noch mehr ist der Verzicht auf eine eigne Ontologie zu fordern, und sie ist durch eine historische Kunde von den ontologischen Grundanschauungen der Überlieferung zu ersetzen. Die Wissenschaft hat keine Seinsurteile über die deutsche klassische Tragödie zu fällen, sondern historisch mit der Ontologie dieser Zeit bekanntzumachen. So erst gewinnt sie den Boden zuverlässiger und auch fruchtbarer Empirie. Sonst herrscht der von Grillparzer gekennzeichnete Zustand fort, daß Naturwissenschaft und Geschichte von sogenannten Ideen strotzen, die in ihrer Halbwahrheit überraschen. Philosophisch deutend versäumt die Wissenschaft nicht nur die ihr allein mögliche verläßliche empirische Erkenntnis, sondern verhindert auch eine angemessene philosophische Ausdeutung. Im philosophischen Idealismus setzte sich die ausdeutende Philosophie an die Stelle der Wissenschaft, indem sie die bisher gewonnenen Bestände an empirischer Erkenntnis deutend ergriff. Dieser hybride Anspruch einer angemessenen erkennenden Bewältigung der Wirklichkeit durch die Philosophie hat heute der kritischen Vorsicht weichen müssen, daß die Philosophie auf Grund der empirischen Bestände nur ontologisch fortdenken kann, ohne ihrem spekulativen Vermuten den Rang einer gesicherten Erkenntnis zuzuschreiben. Umso mehr ist sie auf kritische Empirie angewiesen, die ihr das zuverlässige Material für solche Vermutungen liefern muß. So ist heute, durch das Versäumnis der Wissenschaft, die Erkenntnislage der deutenden Philosophie ebenso problematisch. Anstatt in der Wissenschaft die höchstmöglich sicheren Ergebnisse empirischen Forschens zu finden, findet sie die Vermutungen einer selbst schon spekulierenden Wissenschaft, und da dies Spekulieren nicht Aufgabe der Wissenschaft sein kann, so findet sie hier nur einen trüben Reflex ihrer eignen, von der Wissenschaft als Erkenntnisvoraussetzungen übernommenen Spekulationen. Sie ist deutend auf die meist hilflosen Deutungen der tiefer verstehenden

Wissenschaft angewiesen, oder im Rückgriff auf das Philosophische auf ihren eignen schon geschaffenen Deutungsbestand. Das empirische Kapital ist nicht erworben worden, durch das das spekulative Kapital sich mehren könnte. Vielmehr zehren heute noch Wissenschaft wie Philosophie von dem spekulativen Kapital der romantisch idealistischen Kunstphilosophie. Das nützliche Ergebnis einer sauberen Trennung des wissenschaftlichen Erkennens von den philosophischen Ausdeutungen sollte dann eingängig sein. Es befreite uns in der Wissenschaft von einer geistreichen Scheinerkenntnis, die für eine Wissenschaft zu philosophisch, und für eine Philosophie zu wissenschaftlich ist, die sich im Grunde jenem wie diesem Erkenntnisanspruch zugunsten subjektiver Vermutungen entzieht, und sie fundierte die philosophische Deutung in einem zuverlässigen Bestand des empirischen Wissens. Es würde so in der Wissenschaft bestmöglich erkannt, in der Philosophie bestmöglich gedeutet.

# ZITATE · ANMERKUNGEN

## ABKÜRZUNGEN

| | |
|---|---|
| Aristoteles | Aristoteles, Poetik. |
| Bulthaupt | H. A. Bulthaupt, Dramaturgie des Schauspiels, 4. Bd. 1901. |
| Ernst | Paul Ernst, Der Weg zur Form, 3. Aufl. 1928. |
| Freytag | Gustav Freytag, Die Technik des Dramas, 11. Aufl. 1908. |
| Goethe | Goethe, Über epische und dramatische Dichtung. |
| Hauptmann | Gerhart Hauptmann, Das ges. Werk, 1. Abt. Bd. 17, 1943. |
| Hegel | Hegel, Sämtl. Werke 1927. |
| Herder, Frgmte | Herder, Fragmente zur deutschen Literatur 1767. |
| Herder, Drama | Herder, Das Drama, in Adastrea 2. Bd. 1801 (1802) 4. Stück. |
| Herder, Ursachen | Herder, Ursachen des gesunkenen Geschmacks bei den verschiedenen Völkern, da er geblühet 1773. |
| Hettner | Hermann Hettner, Geschichte der deutschen Literatur im 18. Jh. hrsg. v. Georg Witkowski 4. Bd. 1929. |
| Kommerell | Max Kommerell, Lessing und Aristoteles. Untersuchung über die Theorie der Tragödie 1940. |
| Lessing | Lessing, Hamburgische Dramaturgie. |
| O. Ludwig | Otto Ludwig, Shakespeare-Studien. O. Ludwigs Werke, hrsg. von Adolf Barthels, 6. Bd. |
| Nohl | Hermann Nohl, Die ästhetische Wirklichkeit 1935. |
| Petsch | Robert Petsch, Wesen und Formen des Dramas 1945. |
| A. W. Schlegel | A. W. Schlegel, Vorlesungen über dramatische Kunst und Literatur. |
| v. Wiese | Benno v. Wiese, Die deutsche Tragödie von Lessing bis Hebbel, 2. Aufl. 1952. |
| Wilamowitz | Wilamowitz, Griechische Tragödien 4 Bde. 1899 u. f. |

### ZUM ERSTEN TEIL

## *1. Die Tragödie als Kunstwerk und ihre Erkenntnis*

[1] Herder, Frgmte.

[2] Herder, Drama.

[3] Aristoteles 1. Kap.

[4] Inwiefern «Mimesis» mit «Nachahmung» angemessen übersetzt ist, wird heute noch diskutiert. Plato gebraucht Mimesis im Sinne von Nachahmung im «Staat», 10. Buch. Für ihn ist die Kunst «nur» eine Nachahmung, eine Wirklichkeit minderen Grades. Die eigentliche Wirklichkeit ist die Idee, die Erscheinungswelt schon ein Abbild von ihr, Kunst also nur Abbild eines Abbildes. Hier konnte Aristoteles diese Bedeutung der Mimesis finden, daß sie das künstlerische Abbild von einer Wirklichkeit bezeichnete. Aristoteles spreche in der Kunst von Nachahmung, sagt Teichmüller, «weil durch das Kunstwerk ein Ebenbild, nicht Zeichen der nachgeahmten Gegenstände gegeben ist» (Aristotelische Forschungen, 1867, II. Bd. S. 154). Dichtung ist mithin darstellende Gestaltung, Veranschaulichung von Menschen- und Lebenswirklichkeit. Insofern glaubt, nach H. Koller, Aristoteles «in der Mimesis das begriffliche Instrument gefunden zu haben, echte Dichtung von Scheindichtung zu scheiden, denn bei der bisherigen Gewohnheit, das Metrum als entscheidendes Merkmal zu verwenden, würde das Lehrgedicht, das keine Dichtung ist, darunter fallen, während die Prosadichtung ausgeschaltet wäre» (Die Mimesis in der Antike, 1954, S. 106). Platos abwertendes Messen der Kunst an der Wirklichkeit an sich, macht Aristoteles nicht mit; Kunst will und soll nur Abbild sein; ihre Bedeutung liegt im Zeigen, nicht im Sein. Sie soll Seinhaftes zeigen. Die Tragödie ist philosophischer als die Geschichte. Ist Nachahmen nicht ontologisch im Sinne des durch die Kunst nachgeahmten Seins verstanden? (S. 111) fragt Max Kommerell, und antwortet: «Da die Kunst als Nachahmung aufgefaßt ist, mißt sich ihr Wert nach der Ähnlichkeit mit dem

Sein, nach ihrem Anteil am Sein» (S. 230). Teichmüller faßt auch den Charakter dieser Nachahmung präzis, daß der Dichter eine ihm vorschwebende poetische Anschauung so nachahmt, daß der Kunstempfangende hierdurch in den Besitz einer poetischen Illusion und in einen poetischen Zustand gesetzt wird. Es gehört für ihn «nicht viel Überlegung dazu, um einzusehen, daß dieses Werk als ein objektives nur ein Mittel ist für den Zweck, in dem Geiste des Zuschauers aufzuleben, daß das Kunstwerk als ein Korrelatives in der Tat nur vorhanden ist in den auffassenden Subjekten» (S. 204). Zwar haben wir bei Aristoteles hierüber keine bestimmte Untersuchung, «aber wir sehen aus allen seinen Gesetzen und Beweisen, wie er sich den Zweck der Kunst gedacht habe. Die modern romantische Vorstellung, als ob ein Künstler nur zur eigenen Befriedigung, gleichsam wegen einer Grille, seine Arbeit einem äußeren Gegenstande zuwenden könne, ist ihm ganz fremd. Wie zum Sinnlich-Wahrnehmbaren die sinnliche Wahrnehmung, wie zum Denkbaren das Denken, so gehört ihm zur Kunst sofort der Zuschauer *(ϑεατής)* und er bestimmt deshalb sorgfältig die Wirkung, welche die Kunst hat und haben soll. Diese Wirkung ist eine doppelte, einmal eine bestimmte Anschauung, die durch das Kunstwerk entsteht... Zweitens aber ist die Wirkung noch in einem bestimmten Vergnügen und bestimmten Gemütszuständen zu suchen, welche durch die Anschauung nicht zufällig, sondern in wesentlichem Zusammenhange erregt werden und daher unzertrennlich von dem Gegenstande mit diesem sogleich Zweck der Kunst sind» (S. 204f.). – Koller arbeitet heraus, daß das Bedeutungszentrum der Mimesis ursprünglich im Tanze liege; *μιμεῖσϑαι* heißt primär «durch Tanz zur Darstellung bringen» (S. 119). Dieser Nachweis ist auch für den Gebrauch der Mimesis bei Aristoteles wertvoll, da er hier ein künstlerisches Darstellen bedeutet, ohne die Abwertung Platos. Mimesis kann jetzt auch auf tragische Darstellung bezogen werden, der der Tanz der Chöre zugehört. Doch sieht Koller Aristoteles zu sehr im Bann der alten Bedeutung, als hätte Aristoteles mit ihr zu ringen. Er bedenkt nicht, was schon Bernays für den Katharsisbegriff bemerkt: daß Aristoteles sich überlieferter

hinweisender Begriffe mit neuem Akzent zur Bezeichnung ästhetischer Tatsachen bedient. Besonders geht es nicht an, den Begriff der Nachahmung zugunsten des künstlerischen Gestaltens fallen zu lassen. «Was ,nachahmen' hier überhaupt heißen sollte, wo nichts zum Nachahmen da ist», bleibt für Koller unbegreiflich (S. 107). Doch hängt das ganze richtige Verständnis der Formulierung des Aristoteles daran, daß der Dichter nicht einfach poetisch bildet, sondern von der inneren poetischen Vorstellung durch das Dichtwerk eine «Nachahmung» schafft, durch die sich das Kunstwerk im Zuschauer als subjektive Erfahrung realisiert.

[5] Aristoteles, 6. Kap.

[6] Aristoteles, 3. Kap.

[7] Aristoteles, 7. Kap.

[8] Aristoteles, 9. Kap.

[9] Herder, Drama.

[10] Herder, Drama.

[11] Herder, Drama.

[12] Goethe. Die Abhandlung über epische und dramatische Dichtung enthält das Ergebnis der gemeinsamen Besinnung mit Schiller.

[13] Hebbel, Mein Wort über das Drama.

[14] Herder, Shakespeare 1773.

[15] Herder, Shakespeare 1773.

[16] Freytag, S. 21, Anm. Freytag verlangt von seinen Lesern für wenige technische Ausdrücke eine unbefangene Aufnahme. «Mehrere derselben haben auch im Tagesgebrauch seit den letzten hundert Jahren einige feinere Wandlungen der Bedeutung durchgemacht. Was hier Handlung heißt: der für das Drama bereits zugerichtete Stoff (bei Aristoteles Mythos, bei den Römern Fabula), das heißt bei Lessing noch zuweilen Fabel, während er den rohen Stoff, Praxis oder Pragma des Aristoteles durch Handlung übersetzt.»

[17] Aristoteles, 7. Kap.

[18] Freytag mißversteht Aristoteles, und Lessing, auf den er sich irrig beruft. Lessing übersetzt noch im Sinne von Aristoteles: eine poetische Vorstellungsganzheit (Praxis) wird durch ein Kunstmedium (Mythos) nachgeahmt. Freytag vollzieht eine bis heute unbehobene Verwirrung der Begriffe. Praxis als Rohstoff begegnet bei Aristoteles nicht. Da das Drama jetzt aus dem Rohstoff Gebildetes sein soll, ist es ungemäß, Praxis mit Handlung zu übersetzen und dieses Heraus-

gebildete mit Fabel. Vielmehr: aus dem Rohstoff bildet man die Handlung; also ist Mythos mit Handlung zu übersetzen und der Begriff der Fabel fallen zu lassen. Auch von einem Nachahmen kann man nicht mehr sprechen, denn bei einem Herausbilden einer Handlung aus einem Rohstoff wird nichts nachgeahmt.

[19] Herder, Drama.

[20] «So kam Shakespeare der erste Gedanke zu seinem ‚Hamlet' . . . als ein reines Geschenk von oben . . .» Eckermann 11. 3. 1828.

[21] Schiller an Goethe 27. 3. 1801.

[22] Lessing, Laokoon III.

[23] Wölfflin, Renaissance und Barock, 4. Aufl. 1925, S. 26.

[24] Jean Paul, Vorschule der Ästhetik § 6. 7.

[25] Hauptmann, S. 328.

[26] Goethe, Besprechung des Trauerspiels Johann Friedrich, Kurfürst zu Sachsen, 1804.

[27] Grillparzer, Studien zur Literatur (1819).

[28] Hegel, XII, S. 384.

[29] Herder, Ursachen.

[30] Goethe, «Den Originalen». S. auch Eckermann 17. 2. 1832: «Ich habe Künstler gekannt, die sich rühmten, keinem Meister gefolgt zu sein, vielmehr alles ihrem eignen Genie zu danken zu haben. Die Narren!»

[31] Eckermann, 4. 1. 1827.

[32] Lessing, 34. Stück.

[33] Herder, Ursachen.

[34] Herder, Ursachen: «Nun ist's sonnenhell, wiefern Genies allein den Geschmack verschlimmern? Nämlich, weil er ohne sie nicht existieret, und sie ihn allein verschlimmern können, wenn sie die Kräfte ihres Genies übel anwenden.» Auch Grillparzer, Die Kunstverderber 1856: «Die ausgezeichneten Künstler sind es, die die Kunst verderben, wenn sie sich individuellen Richtungen mit zu großer Vorliebe hingeben.»

[35] A. W. Schlegel, 12. Vorlesung.

[36] Grillparzer, Zur Kunstlehre (1829).

[37] Lessing, Laokoon XVII.

[38] Otto Ludwig, S. 87.

[39] Lessing, 36. Stück.

[40] Goethe, «Zueignung».

[41] Schiller, Über die ästhetische Erziehung des Menschen, 26. Brief.

[42] Goethe, Dichtung und Wahrheit, 7. Buch.

[43] Herder, Kritische Wälder, 2. Wäldchen 9.

[44] Herder, Kritische Wälder, 1. Wäldchen 19.

[45] Lessing, Laokoon, Vorrede.

[46] O. Ludwig, S. 87.

[47] O. Ludwig, S. 75 f.

## 2. Das Tragische als Inhalt einer poetischen Erfahrung

[1] Rich. Dehmel, Tragik und Drama, Ges. Werke 1909, Bd. 9.

[2] Goethe.

[3] Tieck, Ges. Novellen 1852–54, Bd. 12, S. 255.

[4] St. George an Hofmannsthal Juni 1897 (Briefwechsel zwischen St. G. und H. (1938).

[5] Herder, Kritische Wälder, 1. Wäldchen 6.

[6] A. W. Schlegel, 3. Vorlesung.

[7] Wilamowitz, Bd. 4.

[8] «Aus dem Dienste des Dionysos war die Tragödie hervorgegangen; . . . aber das hat auf die Dichtung keinen Einfluß mehr. Sie führt den Zuschauer in ihr ideelles Reich und hält ihn darin fest.» Wilamowitz, Bd. 4. S. 269 f. – Auch B. Brecht, Kleines Organon für das Theater 4: «Wenn man sagt, das Theater sei aus dem Kultischen gekommen, so sagt man, daß es durch den Auszug Theater wurde; aus den Mysterien nahm es wohl nicht den kultischen Auftrag mit, sondern das Vergnügen daran . . .»

[9] Goethe.

[10] Schiller, Über die tragische Kunst.

[11] Herder, Frgmte 2. Samml., IV, B, 2.

[12] Herder, Drama.

[13] Wölfflin, Renaissance und Barock S. 29.

[14] Lessing, 77. Stück.

[15] Goethe.

[16] Goethe.

[17] Wilamowitz, Bd. 4, S. 236 f.

[18] Hegel, XIV, S. 531.

[19] Hegel, XII, S. 35.

[20] Hegel, XII, S. 30 f.

[21] Hegel, XII, S. 32.

[22] Hegel, XII, S. 60.

[23] B. v. Wiese, S. 18.

[24] R. Petsch, S. 33.

[25] R. Petsch, S. 34 f.

[26] Joh. Volkelt, Ästhetik des Tragischen 1897, S. 2 f.

[27] Lessing, 16. Stück.

[28] Lessing, 17. Literatur-Brief.

[29] Herder, Shakespeare.

[30] Schiller, Über die tragische Kunst.

[31] M. Kommerell, S. 58 f.

[32] M. Kommerell, S. 21.

[33] A. W. Schlegel, Vorlesungen über philosophische Kunstlehre 1911. S. 302f.

[34] Goethe, Nachlese zu Aristoteles.

[35] «Dubos fragt, warum ,die beiden Künstler der Poesie und Malerei niemals mehr Beifall erhalten, als wenn es ihnen gelingt, schmerzliche Empfindungen in uns zu erregen'». Der Grund ist das Bedürfnis der Seele, beschäftigt zu sein. Die höchste Beschäftigung ist die geistige; doch gibt sich der menschliche Geist fast noch lieber den leidenschaftlichen Erregungen hin. Der Künstler vermag dem Kunstempfangenden leidenschaftliche Erregungen ohne deren schädliche Nachwirkungen zu verschaffen, da er die aufregenden Gegenstände nur in der Nachahmung genießt.» (R. Petsch, Lessings Briefwechsel mit Mendelssohn und Nicolai über das Trauerspiel, 1910, S. XXIV).

[36] Schiller, Über den Grund des Vergnügens an tragischen Gegenständen.

[37] Tieck, Schriften 1828–43. Bd. 4. S. 92.

[38] Lessing, 76. Stück.

[39] Herder, Drama.

[40] G. Freytag, S. 144f.

[41] Schiller an Goethe 28. 11. 1797.

[42] B. v. Wiese, S. 3.

[43] Kommerell bemerkt von Aristoteles, daß er das tragische Geschehen nicht dämonisiert habe.

[44] Der Begriff «Pathos» wird vorzüglich in dreifacher Bedeutung gebraucht. Im antiken Sinne ist die Tragödie pathetisch, weil hier der Mensch leidet und sich in seinem Leiden entäußert. Deswegen die Kritik Platos an der Tragödie: die Tragödie zeige einen Helden, der in Trauer ist und in langem Redeschwall unter Wehklagen sich ergießt (Der Staat, 10. Buch); oder Augustins Selbstanklage: er sei als junger Mensch wegen des Gefühlsgenusses ins Theater gegangen. Lessing übersetzt hier mit «Leiden». In diesem Sinne ist auch für Schiller die Tragödie eine pathetische Kunst. Pathos bezieht sich außerdem auf die leidenerregenden Unfälle. Goethe nennt sie «schwere sittliche Unfälle». (s. Kommerell, S. 183 u. Volkmann-Schluck 'Die Lehre von der Katharsis in der Poetik des Aristoteles'. Varia Variorum 1952.) – Der zweite Pathosbegriff meint den Menschen in der Unbedingtheit seiner Selbstbestimmung. Für Hegel ist der tragische Held das Subjekt, in welchem das Sein als ein Unbedingtes hervortritt. Für ihn gibt es ein subjektives und ein objektives Pathos, ein Erfülltsein von einem subjektiven oder objektiven Zweck. Die tragischen Helden der neueren Tragödie haben mehr subjektives, die der antiken Tragödie mehr objektives Pathos, Goethe ist mehr subjektiv, Schiller mehr objektiv. Fr. Th. Vischer definiert: «Der gute Wille im positiven Verhältnisse zu der mit ihm vereinigten Kraft der Leidenschaft heißt Pathos im positiven Sinne» (Ästhetik § 110). – Drittens kann unter Pathos das schauspielerische pathetische Sichgebärden verstanden werden; so trat der alte Mime in der Tragödie mit Pathos auf. Staiger (Grundbegriffe der Poetik 1946 S. 150) schließt sich an den Begriff Hegels an, allerdings mit Blick auch auf Aristoteles. Hiernach ist die tiefe Leidenschaft von Goethes Tasso nicht pathetisch, ein Unglück wie das von Fuhrmann Henschel (G. Hauptmann) wirke durch seine unpathetische Stille. Dies alles ist nach klassischer Auffassung pathetisch: der Mensch leidet und zeigt sich im Leiden. Ich gebrauche hier den Begriff Pathos, pathetisch im klassischen Sinne.

## 3. Wesens- und Kunstverfassung der Tragödie

[1] Freytag, S. 81.

[2] Hegel, XIV, S. 482.

[3] Hegel, II, S. 561.

[4] Hegel, XII, S. 312.

[5] Ernst, S. 122.

[6] Grillparzer, Studien zur englischen Literatur (1817).

[7] Hegel, XIV, S. 483.

[8] Hegel, S. 482.

[9] Fr. Th. Vischer, Ästhetik 1846 uf. § 898, 899.

[10] Freytag, S. 77.

[11] Freytag, S. 18.

[12] Freytag, S. 178.

[13] Hettner, S. 147.

[14] H. Schlag, Das Drama, 2. Aufl. 1917, S. 63.

[15] R. Franz, Der Aufbau der Handlung in den klassischen Dramen, 5. Aufl. 1924, S. 4.

[16] R. Petsch, S. 29.

[17] Bes. Staiger in «Grundbegriffe der Poetik»; auch B. v. Wiese: es sei «ein Irrtum zu meinen, das Drama habe es nur mit dem handelnden Menschen zu tun. Es zeigt den

Menschen nicht weniger im Leiden als im Tun» (Gedanken zum Drama als Gespräch und Handlung, Der Deutschunterricht 1952, Heft 2).

[18] Goethe, Dritte Wallfahrt zu Erwins Grabe 1775.

[19] s. Nohl.

[20] E. Schmidt, Lessing, 3. Aufl. 1909, Bd. 1, S. 290.

[21] Goethe, Besprechung von Sulzers «Die schönen Künste in ihrem Ursprung. 1772.

[22] Goethe. Annalen 1764–1769.

[23] A. W. Schlegel, 12. Vorlesung.

[24] R. Petsch, S. 28. Über das Problem der inneren Form s. auch Nohl und W. Kayser, Das sprachliche Kunstwerk. Überall wird die innere Form als ein festes empirisches Faktum der neueren Kunstbetrachtung angenommen.

[25] Lessing, 77. Stück.

[26] Lessing, 79. Stück.

[27] Lessing, 80. Stück.

[28] Schiller, Über die tragische Kunst.

[29] Goethe, Annalen von 1769–1775.

[30] Goethe, Annalen von 1769–1775.

[31] Goethe, Von deutscher Baukunst.

[32] Herder, Shakespeare.

[33] O. Ludwig, S. 40.

[34] G. Freytag, S. 77.

[35] R. Petsch, S. 241.

[36] Hettner, III, S. 91.

[37] R. Petsch, S. 241.

[38] R. Petsch, S. 241.

[39] R. Petsch, S. 242. S. auch v. d. Pfordten, Werden und Wesen des historischen Dramas 1901: «Ein ... Vorteil wäre ..., wenn man die Bezeichnung ‚Held' fallen ließe und durch ‚Hauptperson' ersetzte». S. 119 f.

## ZUM ZWEITEN TEIL

### 1. Das Finden

[1] G. Hauptmann, S. 283. – Kunstfertigkeit allein, ohne Grund in ursprünglicher poetischer Schau, führt für G. Hauptmann zum Versuch bloß naturalistischer Täuschung; aber auch der schöpferische Künstler bedarf der Kunstfertigkeit, denn «die innere Wahrheit eines Gegenstandes wird ohne Kunstfertigkeit nur stammelnd und unharmonisch zum Ausdruck gebracht, was eine Kunstwirkung ausschließt».

[2] Eckermann 11. 3. 1828.

[3] Eckermann 28. 3. 1827.

[4] Wilamowitz, Bd. 4, S. 273 f.

[5] Hegel, XII, S. 386 f.

[6] Goethe, Dichtung und Wahrheit, 7. Buch.

[7] Eckermann 24. 11. 1824.

[8] Eckermann 18. 9. 1823.

[9] «Ich werde es mir gesagt sein lassen, keine andern als historische Stoffe zu wählen; frei erfundene würden meine Klippe sein. Es ist eine ganz andere Operation, das Realistische zu idealisieren, als das Ideale zu realisieren, und letzteres ist der eigentliche Fall bei freien Fiktionen», Schiller an Goethe 5. 1.

1798; an Körner 28. 11. 1791: «Ein philosophischer Gegenstand ist schlechterdings für die Poesie verwerflich ... Hingegen wenn sich ein historischer handlungsreicher Stoff findet, mit dem man diese philosophischen Ideen nicht nur in eine natürliche, sondern notwendige Verbindung bringen kann, so kann daraus etwas Vortreffliches werden».

[10] Bulthaupt, S. 494.

[11] Bulthaupt, S. 469.

[12] Bulthaupt, S. 494.

[13] O. Ludwig, S. 6.

[14] «Die Größe des ‚Erbförsters' besteht in seiner Charakteristik und der wunderbaren Wiedergabe des Milieus ... Eine Tragödie hat Ludwig jedoch nicht zustande gebracht ...» A. Barthels in O. Ludwigs Werke, Bd. 1, S. XLIV f.

[15] Hebbel, Vorrede zu den «Nibelungen».

[16] P. Ernst, Die Nibelungen: Stoff, Epos und Drama, in «Der Weg zur Form», 3. Aufl. 1928.

[17] Schiller an Goethe 4. 4. 1797.

### 2. Die Vorerfindung

[1] Schopenhauer, Die Welt als Wille und Vorstellung § 51.

[2] Schiller, Eingang zur Warbeckfabel, Abs. 2.

[3] Schiller an Goethe 8. 10. 1797.

[4] Ernst, S. 149.

[5] Ernst, S. 130.

[6] Ernst, S. 149.

[7] Die Grundzüge dieser Erkenntnis sind am entschiedensten durch Franz Weichenmayr formuliert worden in: Dramatische Handlung und Aufbau in Hebbels Herodes und Mariamne, 1929. – S. hierzu auch die Kritik von Petsch, Wesen und Formen des Dramas S. 180f., 211ff.

[8] A. Perger, Grundlagen der Dramaturgie S. 24.

[9] G. Hauptmann, S. 427.

[10] Goethe.

[11] Ernst, S. 18.

[12] R. Petsch, S. 38.

[13] Ernst, S. 121.

[14] Lessing, 32. Stück, über die der Rodogune von Corneille zugrunde liegende Erzählung: «In dieser Erzählung lag Stoff zu mehr als einem Trauerspiele. Es würde Corneille nicht eben mehr Erfindung gekostet haben, einen ,Tryphon', einen ,Antiochus', einen ,Demetrius', einen ,Seleukusi' daraus zu machen, als es ihm, eine ,Rodogune' daraus zu erschaffen, kostete. Was ihn aber vorzüglich darin reizte, war die beleidigte Ehefrau.»

[15] P. Ernst, Der Zusammenbruch des deutschen Idealismus, 3. Aufl. 1931, S. 199.

[16] Wie der Dichter den Charakter mit Blick auf das Ganze der Tragödie konzipiert, hat W. Spengler eindringlich gemacht an Schillers «Warbeck»: «Die Entwürfe zeigen, wie aus dem stofflichen Material in einer ständigen Wechselbeziehung Fabelstrukturen und Charakterstrukturen herausgeformt werden, so, daß eben diese Charaktere mit Charakternotwendigkeit die als tragisch entworfenen ,Lagen' von sich aus entwickeln und leben können.» Das Drama Schillers, Seine Genesis 1932, S. 41.

[17] W. Keller über Shakespeares «Heinrich VIII.»: «Wir haben wenig mehr als Holinsheds Chronik in Verse gebracht. Und es ist Holinsheds, nicht Shakespeares loyale Gesinnung, die keine einheitliche Auffassung von Heinrichs Charakter aufkommen läßt, und Holinsheds kritiklose Quellenbenutzung, die den Kardinal Wolsey bald im feindlichen, bald im freundlichen Lichte zeigt.» Shakespeares Werke, hrsg. v. W. Keller, Einleitung zu «Heinrich VIII.».

[18] Karl Werder, Vorlesungen über Shakespeares «Hamlet» 1875.

[19] Goethe, Wilh. Meisters Lehrjahre, 4. Buch, 13. Kap.

[20] Lessing, 23. Stück.

[21] Eckermann 31. 1. 1827.

[22] Schiller, Über die tragische Kunst.

## 3. Die Exposition

[1] Herder, Drama.

[2] R. Petsch, S. 403.

[3] Hebbel, Mein Wort über das Drama.

[4] Schiller, Über Egmont.

[5] Freytag, S. 226.

## 4. Die Durchführung der Tragödie

[1] Lessing, 38. Stück.

[2] W. Dilthey, Das Erlebnis und die Dichtung, 8. Aufl. 1922, S. 271f.

[3] Herder, Shakespeare.

[4] Eckermann 15. 5. 1831.

[5] Eckermann 18. 1. 1825.

[6] Hebbel, Mein Wort über das Drama.

[7] Lessing, 30. Stück.

[8] O. Ludwig, S. 23.

[9] R. Petsch, S. 312.

[10] Über den tragischen Vers, s. auch O. Ludwig, S. 31f., 63, 68; P. Ernst: Dramatischer und lyrischer Vers, Der Weg zur Form S. 291 uf.; E. Staiger, Grundbegriffe, Das Drama.

[11] v. Berger, Meine hamburgische Dramaturgie, 1910.

[12] Beispiele für die tragische Sprache Kleists bei Petsch, Wesen und Formen ... S. 397.

## 5. Der Abschluß der Tragödie

[1] Goethe, Nachlese zu Aristoteles.

[2] Lessing, 2. Stück.

ZUM DRITTEN TEIL

## *1. Die Wirksamkeit des Stoffes*

[1] Eckermann 6. 5. 1827.
[2] Hegel, XII, S. 367.
[3] Eckermann 3. 10. 1828.
[4] K. Jaspers, Vom Ursprung und Ziel der Geschichte (1947) S. 82.
[5] Fr. Schlegel, Brief über den Roman, in «Gespräch über die Poesie» 1800: «Die romantische Dichtkunst ... ruht ganz auf historischem Grunde».
[6] Lessing, 19. Stück.
[7] Lichtenberg: «Mir kommt es vor, als wenn alte Trachten auf der Bühne für uns, wenn wir nicht gar zu gelehrt sind, immer eine Art von Maskeradehabit wären ... Da also, ... wo unsere jetzige Kleidung in einem Schauspiel nicht die empfindliche Majestät der Schulgelehrsamkeit beleidigt, sollen wir sie auf alle Fälle beibehalten.» Brief aus London, 30. 11. 1775.
[8] Aristoteles, 14. Kap.
[9] O. Ludwig, S. 76, 22.
[10] Gundolf, H. v. Kleist 1922, S. 85.
[11] H. Nohl, S. 149.
[12] Aristoteles, 13. Kap.
[13] Eckermann 28. 3. 1827.

## *2. Die Wirksamkeit des Tragödienganzen*

[1] Lessing, 75, 76. Stück.
[2] Schiller, Über die tragische Kunst.
[3] Brief 10. 2. 1772: «Weil das Stück Emilia heißt, ist es darum mein Vorsatz gewesen, Emilien zu der hervorragendsten oder auch nur zu einem hervorragenden Charakter zu machen? Ganz und gar nicht. Die Alten nannten ihre Stücke wohl nach Personen, die gar nicht aufs Theater kamen.»
[4] Hebbel, Brief 1. 7. 1840.
[5] A. W. Schlegel, 10. Vorlesung.
[6] Schiller an Goethe 28. 11. 1796.
[7] Fr. Schlegel: «Der Schluß des ganzen Werks (einer Tragödie von Sophokles) gewährt endlich jederzeit die vollste Befriedigung: denn wenn gleich die Menschheit zu sinken scheint, so siegt sie dennoch durch innere Gesinnung» (Über das Studium der griechischen Poesie).
[8] Eckermann 17. 3. 1830.
[9] Die Faust-Aufführungen von ihrem Beginn bis zur Gegenwart kreisen stets um dieses Problem, wie das Drama als Dichtung und als Theaterstück sich auf einer tauglichen Mitte zusammenfindet.
[10] G. Freytag, S. 167 ff.
[11] Schiller, Über Egmont.
[12] P. Ernst, S. 128.
[13] R. F. Arnold, Das deutsche Drama 1925, S. 576.

## *3. Die Exposition*

[1] A. W. Schlegel, 10. Vorlesung.
[2] H. Meyer-Benfey: «... unsicher und haltlos ist das Fundament, auf dem das ganze Gebäude errichtet ist! Aber ... hier handelt es sich um einen Punkt, der außerhalb des eigentlichen Dramas liegt und nicht direkt vor die Augen kommt.» Das Drama H. v. Kleists 1911. Bd. 1, S. 108.
[3] J. Burckhardt, Die Tragödie in: Kulturgeschichte Griechenlands.
[4] Goethe.

## *4. Die Durchführung*

[1] Lessing, 32. Stück.
[2] Eckermann 5. 7. 1827.
[3] Schiller, Über die tragische Kunst.
[4] Christ. Weise, Zu Lust und Nutz der spielenden Jugend 1690.
[5] Schiller, Über die tragische Kunst.
[6] Schiller, Eingang zum Warbeck.
[7] Lessing, 48. Stück.
[8] F. Th. Vischer, Ästhetik § 901
[9] O. Ludwig, S. 47.
[10] O. Ludwig, S. 29.
[11] Lessing, Laokoon I.
[12] A. W. Schlegel, 10. Vorlesung.
[13] A. W. Schlegel, 10. Vorlesung.

[14] Herder, Drama.
[15] Herder, Drama.
[16] O. Ludwig, S. 68.
[17] O. Ludwig, S. 69.
[18] Eckermann 25. 12. 1825.

[19] O. Ludwig, Über ältere und neuere Dramen. S. 202.
[20] Goethe, Dichtung und Wahrheit 7. Buch.
[21] G. Hauptmann, S. 433.

## 5. Das Darstellen

[1] Freytag, S. 160.
[2] Herder, Shakespeare.

[3] Talmon-Gros, Das moderne französische Theater (1947) S. 13.

### ZUM VIERTEN TEIL

## 1. Das Erhellen durch Zustand und Schau

[1] Herder, Drama.
[2] H. Stich, Die Poetik des Aristoteles (o. J) Einleitung.
[3] Hier werden nur klassische Auffassungen vom Wesen der Katharsis expliziert und in ihrem Sinn verdeutlicht. – Zur Forschungssituation s. Lessings Hamburgische Dramaturgie, hrsg. und kommentiert von Otto Mann, Stuttgart, Alfred Kröner Verlag 1958.
[4] Lessing, 76. Stück.
[5] Lessing, 76. Stück.
[6] Lessing, 78. Stück.
[7] Goethe, Nachlese zu Aristoteles.
[8] Wilamowitz, I, S. 112f.
[9] Lessing, 11. Stück.
[10] Jean Paul, Vorschule der Ästhetik § 24: Poesie des Aberglaubens.
[11] s. Grillparzer über Calderon: «Hundertmal hat er den katholischen Aberglauben gebraucht (der nichts ist, als ein maskierter, heidnischer oder, kurzweg, menschlicher), kaum einmal den Glauben. Und doch erschüttert dieser Aberglaube im Gedicht Menschen, die ihn verachten in der Religion.» Studien zur Literatur 1819.
[12] Goethe, Über epische und dramatische Dichtkunst.
[13] Goethe, Das Nibelungenlied.
[14] Briefe des Dichters L. Z. Werner, hrsg. v. Floeck 1914. Bd. 2, S. 378.
[15] Goethe an Schiller 8. 12. 1798.
[16] Schiller, Über den Gebrauch des Chors in der Tragödie.
[17] Volkelt, Ästhetik des Tragischen S. 38.

[18] Eckermann, Anfang März 1832.
[19] Schiller, Über die tragische Kunst.
[20] Kommerell, Der griechische Begriff der Hamartia «ist intellektual . . .». Es ist ausgeschlossen, daß die Peripetie «aus einer andern Ursache eintritt als aus der eines Irrtums; ebenso wie der Irrtum nicht ohne diese Folge der περιπέτεια sein darf . . . Es schließt also diese Verkettung von folgenschwerer Irrung und Schicksalsumschwung aus Glück und Unglück eine andere Verkettung, nämlich die von Schuld und Sühne, vollkommen aus.» S. 124f. – Petsch, Wesen und Formen des Dramas: «In gewissem Sinne hat jeder tragische Held (auch bei Schiller) durch seine eigentümliche ‚Verblendung‘, durch seinen tragischen Irrtum (den Fehler, die ἁμαρτία im Sinne des Aristoteles), auch durch seine ‚Hybris‘ an solchen Irrtümern teil . . .» S. 153. – M. Dietrich, Europäische Dramaturgie 1952: «Ἁμαρτία ist ein Versehen aus Verkennung der Situation, ein Mangel an Einsicht . . . Das Handeln des Menschen ist von der Phronesis abhängig gemacht. Mangel an Einsicht nicht aus sittlicher Schuld oder dauernder Geistestrübung, sondern aus zeitweiser Blindheit des Erkenntnisvermögens, die zum Wesen des Menschen gehört.» S. 16f.
[21] Lessing, 74. Stück.
[22] Herder, Drama.
[23] Goethe, Nachlese zu Aristoteles.
[24] Kleists Brief 9. 11. 1811.

## 2. Die erhellende Schau und Rede

[1] E. G. Kolbenheyer, Die dritte Bühne, in Neuland 1935.
[2] Herder, Drama.

[3] Wilamowitz, IV. S. 289.
[4] s. M. Dietrich, Europäische Dramaturgie (1952) S. 37.

⁵ Schiller, Über den Gebrauch des Chors ...
⁶ Goethe, Über epische und dramatische Dichtkunst.
⁷ Schiller, Über den Gebrauch des Chors ...

⁸ Schiller an Goethe 24. 8. 1798.
⁹ O. Ludwig, S. 31.
¹⁰ Eckermann 18. 1. 1827.

## 3. Die Erfassung des Tragischen durch den Dichter

¹ Fr. Schlegel: Sophokles' Tragödie «besteht aus lauter lyrischen Elementen, und ihr endliches Resultat ist die höchste Harmonie». Über das Studium der griechischen Poesie.
² Herder, Shakespeare.
³ Goethe, Zum Shakespeare-Tag.
⁴ Eckermann 21. 3. 1827.

⁵ Eckermann 31. 1. 1827, 1. 4. 1827.
⁶ Grillparzer, Zur Literargeschichte (Anfang der sechziger Jahre).
⁷ Hebbel, Mein Wort über das Drama.
⁸ P. Ernst, Der Zusammenbruch des deutschen Idealismus, S. 9.

## 4. Das Erhellen der Tragödie durch die Philosophie

¹ s. Fr. Schlegel, Über die Schulen der griechischen Poesie, und: Über das Studium der griechischen Poesie.
² Fr. Schlegel, Über das Studium ...
³ Fr. Schlegel, Über das Studium ...
⁴ Hier ist die Gegenstellung zum Positivismus erreicht. Man höre Volkelt, wie er, um 1900, das Tragische noch positiv erfaßt: «Die moderne Weltanschauung ist das Element, in dem allein das Tragische seine ungehemmt kraftvolle und folgerichtige Entwicklung finden kann. Hier ist das Schicksal das notwendige Ergebnis aus dem selbsttätigen Charakter des Menschen im Verein mit der gesetzmäßigen Ordnung, in die er gestellt ist ... Das Schicksal ist hier ausschließlich Verwirklichung der dem Menschen immanenten gesetzlichen Ord-

nung.» (Ästhetik des Tragischen S. 414).
⁵ Jaspers, Von der Wahrheit (1947) S. 934.
⁶ Jaspers, Von der Wahrheit S. 936.
⁷ Jaspers, Von der Wahrheit S. 937. Jaspers stützt sich hier auf die nicht eingängige Auffassung Karl Werders, daß Hamlet dem König Claudius die Schuld erst nachweisen müsse, um mit Erfolg gegen ihn vorgehen zu können.
⁸ Jaspers, Von der Wahrheit S. 940.
⁹ Jaspers, Von der Wahrheit S. 942.
¹⁰ Grillparzer, Zur Literargeschichte (Anfang der sechziger Jahre).
¹¹ E. Rothacker, Einleitung in die Geisteswissenschaften. 2. Aufl. 1920.
¹² R. Unger, Philosophische Probleme in der neueren Literaturwissenschaft. 1907/08.
¹³ Grillparzer, Zur Literargeschichte.

# INHALT